Liangkang Ni

—

Zur Sache des Bewusstseins

Orbis Phaenomenologicus

Herausgegeben von
Kah Kyung Cho (Buffalo), Yoshihiro Nitta (Tokyo) und Hans Rainer Sepp (Prag)

Studien 22

Liangkang Ni

Zur Sache des Bewusstseins

Phänomenologie – Buddhismus – Konfuzianismus

Königshausen & Neumann

Dieser Band wurde vorbereitet am
Institut für Phänomenologie an der Sun Yat-sen Universität (Guangzhou/VR China)

Lektorat: Cathrin Nielsen
www.lektoratphilosophie.de, Frankfurt am Main

Bibliografische Information der Deutschen Bibliothek

Die Deutsche Bibliothek verzeichnet diese Publikation in der Deutschen Nationalbibliografie; detaillierte bibliografische Daten sind im Internet über <http://dnb.ddb.de> abrufbar.

Gedruckt auf säurefreiem, alterungsbeständigem Papier
Umschlag: skh-softics / coverart
Bindung: Verlagsbuchbinderei Keller GmbH, Kleinlüder

Printed in Germany
ISBN 978-3-8260-4331-4
www.koenigshausen-neumann.de
www.buchhandel.de
www.buchkatalog.de

Inhalt

III. Komparatistische Untersuchungen

IV. Dokumentationen

Vorwort

Die hier zusammengestellten Texte sind der schriftliche Ausdruck meiner philosophischen Arbeiten, genauer gesagt, meiner bewusstseins-philosophischen Arbeiten, die ich für nicht-chinesische Leser, abgesehen von meiner Dissertation,[1] vorbereitet habe. Sie stellen die Problembereiche und Denkrichtungen meiner Untersuchungen zur Philosophie des Bewusstseins in folgenden drei Punkten dar: Erstens phänomenologische Forschungen zum epistemischen Bewusstsein, zweitens solche zum moralischen Bewusstsein und drittens komparatistische Forschungen in Bezug auf die abend- und morgenländische Philosophie, vor allem auf die beiderseitige Bewusstseinsphilosophie.

Die Untersuchungen des ersten Teils haben die generelle Intention, von dem eigenartigen Gesichtspunkt des Bewusstseins aus die Wesensstruktur des Bewusstseins einzusehen und sie so zu betrachten, wie sie ist. Das umreißt die epistemologische Absicht der Bewusstseinsphilosophie. Das Wort „Bewusstsein“ bezeichnet Funktionen wie Besinnung, Erkenntnis usw. in der geistigen Beschäftigung aller Vernunftswesen, also auch des Menschen. Da alle geistigen Beschäftigungen des Menschen, einschließlich Moralität, Kenntnis, Gefühl, Glauben sowie aller guten und schlechten Gesinnungen, das Sein des Bewusstseins voraussetzen, muss der Versuch zum Verstehen der menschlichen Natur mit dem Erkennen des reinen Bewusstseins und dann auch des menschlichen Bewusstseins beginnen. Dieses Unterfangen trifft sowohl die grundlegende Intention der Husserlschen Bewusstseinsphänomenologie als auch die Grundansicht des durch Asaṅga vertretenen Yogācāra-Buddhismus, bei dem es heißt: „Alles ist nur Erscheinung des Bewusstseins“. Allerdings stellt diese Dimension nicht nur eine Dimension zum Verstehen der menschlichen Natur (Noesis) dar, sondern auch eine Dimension zum Erkennen aller sich auf Menschen beziehenden Dinge (Noema).

Die Untersuchungen des zweiten Teils gehen von der Überzeugung aus, dass die Selbsterkenntnis des Bewusstseins so viel bedeuten kann wie ein unmittelbares Innewerden des Soseins der Selbstnatur. Deshalb glaubt Husserl fest daran, dass die Selbsterkenntnis schließlich zu einer Selbstverantwortung in einer

[1] Vgl. Ni, Liangkang, *Das Problem des Seinsglaubens in der Phänomenologie E. Husserls – Ein Versuch mit Husserl* (Dissertationsschrift an der Philosophischen Fakultät der Albert-Ludwigs-Universität zu Freiburg im Breisgau, 1991); Später veröffentlicht unter dem Titel *Seinsglaube in der Phänomenologie Edmund Husserls* (Reihe *Phaenomenologica*, Bd. 159, Dordrecht u. a. 1999).

Zeit nach dem ‚Tode Gottes' führen wird. Und für den Buddhismus heißt dies: Sobald wir erkennen, dass die Phänomene nichts anders sind als Anblicke der eigenen geistigen Beschäftigung, ist die eigentliche Erlösung geschehen. In diesem Sinne ist das Ziel der Bewusstseinsphilosophie nicht allein epistemologisch, ihre endgültige Aufgabe besteht vielmehr in dem Umwandeln des Bewusstseins in Weisheit, in Erwachen und Erleuchtung sowie der daraus entspringenden Verantwortung im echten Sinne.

Die Problemdiskussionen des dritten Teils tragen ausdrücklich den Titel komparatistischer Untersuchungen. Aber genauer besehen geht durch die Arbeiten aller drei Teile auf latente wie patente Weise ein vergleichender Blick; so ist etwa in der phänomenologischen Erforschung des epistemologischen Bewusstseins die yogācāra-buddhistische Blickrichtung enthalten oder in der phänomenologischen Erforschung des moralischen Bewusstseins der geistige Hintergrund des konfuzianischen Xinxue (Herz-Lehre).

Die so genannten komparatistischen Untersuchungen stellen m. E. nichts anderes dar als ein Bearbeiten und Beantworten von Problemen aus mehr als zwei Perspektiven oder durch mehr als zwei Methoden. Sie bedeuten ein Verfügen über mehrere Methoden, mehrere Perspektiven und mehrere Lösungsansätze. In Hinsicht auf die Bewusstseinsphilosophie haben die indische, die chinesische und die europäische Philosophie bereits zahlreiche Denkrichtungen und -ergebnisse vorgelegt. Lassen die gegenwärtigen Analysen zur Bewusstseinsphänomenologie oder auch zur Philosophy of Mind diese Denkrichtungen und -ergbnisse mit oder ohne Absicht außer Acht, bedeutet dies nichts weniger als eine Verschwendung des gemeinsamen Kulturerbes und der geistigen Ressourcen der Menschheit.

Die sich anschließende Frage lautet dann, ob und wie wir eine komparatistische Untersuchung erfolgreich durchführen können. Worauf es hierbei ankommt, ist das Ergreifen-können eines externen, über den abend- sowie den morgenländischen Horizont hinausreichenden Beobachtungspunktes – aus eben diesem Grund wünschte Nietzsche sich ein „trans-europäische Auge" bzw. einen „Morgenländischen Überblick über Europa". Sprechen wir nicht von Abendland und Morgenland, dann stellen die Differenzen der Methoden, Perspektiven und Stile nichts anderes dar als verschiedene Beobachtungs-, Einschnitts- und Lösungsweisen zu gemeinsamen Problemen. Sie sind je nach Ort und Zeit verschieden und beziehen sich doch auf zentrale Gemeinsamkeiten: neben dem gemeinsam Gesehenen die gemeinsame Weise des Sehens, der Annährung und der Problembehandlung. Sie weisen uns darauf hin, dass die Aufgabe der Philosophie nicht lediglich im Schreiben ihrer eigenen Geschichte besteht, sondern auch in dem eigentlichen Erfassen und Erforschen der Sachverhalte und Probleme sowie in dem Entdecken und Erkennen des gemeinsamen Geistes.

Erfolgreiche komparatistische Forschungen ziehen häufig weiterführende interdisziplinäre und vielschichtige Untersuchungen nach sich. Die Bewusstseinsanalyse in der Richtung der von Husserl begründeten Phänomenologie ragt in dem Forschungsgebiet des Bewusstseins hervor. Einerseits unterscheidet sie sich, betrachtet man sie in der Querrichtung, d. h. im Vergleich zu den korrelativen zeitgenössischen Forschungen, offensichtlich von denjenigen der anglo-amerikanischen Philosophy of Mind sowie von neurologischen oder neurowissenschaftlichen Ansätzen, obwohl zwischen ihnen durchaus Möglichkeiten der Kooperation bestehen. Darüber hinaus grenzt sich die bewusstseinsphilosophische Forschung von den verschiedenen positivistischen und klassisch-psychologischen, aber auch meta- und parapsychologischen Richtungen ab, obwohl es auch zwischen ihnen Anschlussmöglichkeiten geben könnte. Betrachtet man sie andererseits in Längsrichtung, also von den bisher in der Geschichte gewonnenen gedanklichen Ressourcen her, liegen zwischen Bewusstseinsphänomenologie, Yogācāra-Buddhismus und konfuzianischer Herz-Lehre grundlegende Unterschiede hinsichtlich ihrer Forschungsziele, ihrer Forschungsmethoden und -inhalte beschlossen, aber ebensogut Verknüpfungsmöglichkeiten, ja sogar innige Verwandtschaften. – Soweit meine bisherigen Kenntnisse reichen, ist die Möglichkeit einer Zusammenarbeit zwischen Bewusstseinsphänomenologie, Yogācāra-Buddhismus und konfuzianischer Herz-Lehre viel naheliegender als diejenige zwischen Bewusstseinsphänomenologie und den gegenwärtigen Philosophien und Wissenschaften.

Kann ich, als ein in Husserls Phänomenologie geschulter orientalischer Forscher, die mir verfügbaren phänomenologischen Methoden und Perspektiven der Bewusstseinsanalyse mit meinen bewusstseinsphilosophischen Forschungsarbeiten, welche notwendig einen eigenen Kulturhintergrund und eine eigene Denkweise besitzen, organisch verschmelzen, um daraus einen eigenen Denkweg eröffnen, einen eigenen Problembereich gewinnen und eigene Lösungsansätze darbieten zu können? – Die hier zusammengestellten Studien können als ein tastender, sei es gelungener, sei es nicht gelungener, Versuch zur Antwort auf diese Frage betrachtet werden.

Auf jeden Fall sind diese Schriften Ausdruck meiner fast zwanzig Jahre währenden Arbeit in deutscher und englischer Sprache. Quantitativ umfassen sie nicht viel, etwa ein Fünftel meiner chinesischen Forschungsarbeiten; zählt man meine Übersetzungen dazu, machen sie wohl ein Zehntel meiner gesamten Schriften aus. Dies hängt mit den Zeitumständen zusammen, in denen sich Forscher meiner Generation, die sich mit abendländischer Philosophie befassen, befinden. Nach der Promotion in Freiburg i. Br. kehrte ich nach China zurück und stand mit meiner philosophischen Arbeit sogleich vor einer Alternative bzw. Aporie: Konzentriere ich mich in meiner Arbeit auf philosophierende Forscher im chinesischen Sprachraum als Ansprechpartner oder auf die internationale phänomenologische und philosophische Forschung? Im ersten Fall müsste ich mit zahlreichen grundlegenden Arbeiten beginnen: Darstellung, Übersetzung, Interpretation sowie Diskussion und Austausch mit den Kollegen im chinesischen Sprachraum; im zweiten Fall hingegen gälte es, die neuesten Entwicklungen im internationalen Forschungsgebiet unmittelbar zu verfolgen, aktuelle

Themen der Forschung zur Kenntnis zu nehmen sowie sich an der Diskussion zwischen den ausländischen Kollegen zu beteiligen. In der Tat habe ich bei dieser Entscheidung nicht lange gezögert, denn die objektiven Bedingungen erlaubten es mir nicht, die zweite Möglichkeit zu ergreifen. Knappheit an den notwendigen Mitteln, Unzugänglichkeit der nötigen Informationen sowie Druck im Zusammenhang der Forschungsfinanzierung und Schwierigkeiten bei der Publikation – das alles machte jede Hoffnung, den Weg der internationalen Forschung einzuschlagen, zu einer überzogenen.

Heute ist mir klar, dass dies nicht unbedingt einen Nachteil bedeutete. Denn es ermöglicht mir, mich mehr auf die Rezeption und Niederschläge der Bewusstseinsphänomenologie in China zu konzentrieren. Wenn ich das aktuelle Verhältnis der phänomenologischen Forschung im chinesischen Sprachraum betrachte, bin ich fest davon überzeugt, dass die Richtung meiner langjährigen Betrebungen die richtige ist, und dass der Preis dieser Bemühungen sich durchaus lohnt.

*

Edmund Husserl wurde am 8. April 1859 geboren. Während ich diesen Band abschließe, feiern wir sein 150. Geburtsjahr. Dieses Buch sowie zwei andere, zur gleichen Zeit erscheinende Übersetzungen seiner Werke – *Phänomenologie des inneren Zeitbewußtseins* (Beijing 2009) und *Aufsätze und Vorträge (1911-1921)* (Beijing 2009) – bilden meine eigene innige Gedenkfeier für diesen großartigen Denker. Seine Geburt ließ das geistige Leben vieler Menschen, einschließlich meines, so werden, wie es jetzt ist!

NI Liangkang

den 23. Juli 2009
Campus der Sun Yat-Sen Universität in Guangzhou

I.

Phänomenologie des epistemischen Bewusstseins

1. Appräsentation in Husserls Bewusstseinsanalyse

Eine vergleichende Untersuchung zur Wesensstruktur der Dingerfahrung, Selbsterfahrung und Fremderfahrung[1]

Ursprünglich hatte E. Husserl es sich zum Ziel gesetzt, Phänomenologie als strenge Wissenschaft zu begründen oder mit der phänomenologischen Arbeitsweise zumindest eine Diskussionsbasis zu schaffen, die zur Begründung der Philosophie als strenger Wissenschaft führen kann. Heutzutage scheint jedoch sowohl innerhalb wie außerhalb der Phänomenologie die Auffassung zu herrschen, die Phänomenologie sei lediglich ein methodisches Hilfsmittel, das man aus verschiedenen Motiven und zu verschiedenen Zwecken gelegentlich heranzieht, und als gäbe es kaum sachliche Ergebnisse der phänomenologischen Forschung, die nicht als umstritten gelten.

Wie verhält es sich in dieser Hinsicht mit Husserls Theorie der Appräsentation? Meines Erachtens stellt sie die wichtigste Entdeckung innerhalb der intentionalen Analyse Husserls dar. Denn erst durch sie wird deutlich, dass Fortschritte im Erkenntnisprozess nur deshalb möglich sind, weil in der Bewusstseinsstruktur die Fähigkeit zum Appräsentieren bzw. Präsumptieren angelegt ist. Mit „Erkenntnisprozess" meine ich nicht nur den Prozess in der Dingerfahrung, sondern auch den in der Fremd- und Selbsterfahrung.

Es ist heute eine mehr oder weniger allgemein anerkannte Tatsache, dass Husserl mit seiner Intentionsanalyse einen wichtigen Schritt in der Wahrnehmungstheorie vollzogen hat. Umstritten wird dieser erst, wenn man unter „Wahrnehmung" nicht nur die äußere Dingwahrnehmung, sondern zugleich die reflektierende Selbstwahrnehmung (Wahrnehmung des Ich) sowie die einfühlende Fremdwahrnehmung (Wahrnehmung des Anderen) versteht.

Ich versuche im Folgenden zunächst, die heute prinzipiell anerkannte Analyse der Appräsentation in der Dingwahrnehmung zu rekonstruieren (I.); sodann werde ich auf Husserls Analyse der Appräsentation in der Fremdwahrnehmung (II.) und Selbstwahrnehmung (III.) eingehen, die in ihrer Strittigkeit nach wie vor Aufmerksamkeit verdienen. Anschließend (IV.) geht mein Versuch auf die Darstellung der Präsumption als gemeinsamer Struktur in allen drei Arten von Wahrnehmung bzw. Erfahrung, um schließlich zu der eigentlichen Frage (nicht These!) des Beitrages zu kommen: Verfügen das Ding und das *ego* und in weiterer Folge das *ego* und das *alter ego* alle drei über den gleichen Grad von Evidenz?

[1] Teile der vorliegenden Arbeit wurden am 9. Dezember 2004 an der Universität Freiburg unter dem Titel „Ding-, Fremd-, Selbstwahrnehmung bei Edmund Husserl. – Mit Blick auf die Husserl-Rezeption in China" vorgetragen. Zum Zweck der Veröffentlichung wurden einige Änderungen vorgenommen sowie der die Husserl-Rezeption in China betreffende Teil gestrichen.

I. Appräsentation in der Dingwahrnehmung: Immanenz und Transzendenz

Dingwahrnehmung bedeutet bei Husserl zunächst nichts anderes als Wahrnehmung physischer Gegenstände, Wahrnehmung des Raumdinglichen. In den *Logischen Untersuchungen* ist sie der äußeren Wahrnehmung gleichzusetzen. Den darstellenden Inhalt der äußeren Wahrnehmung bezeichnet Husserl dort als „Empfindung" im gewöhnlichen, engen Sinn (vgl. *LU* II/2, A 551/B_2 79). Was empfunden wird, ist original, präsent, impressional, perzeptiv u. dgl.[1] Das Empfundene ist nach Husserl zugleich das *eigentlich Wahrgenommene* (*die Präsenz*) in der äußeren Wahrnehmung, etwa die Farbe der Vorderseite eines Tisches. Aber die äußere Wahrnehmung eines raumdinglichen Gegenstandes enthält in sich nicht nur das eigentlich Wahrgenommene, sondern auch das Nichtwahrgenommene bzw. das Mitgegebene (*die Appräsenz*). So sehe ich beispielsweise etwas auf dem Boden liegen, was ich als Teppich wahrnehme, obzwar ein Teil davon durch Möbel verdeckt und die Unterseite nicht zu erkennen ist. Wenn ich den Teppich meine, beziehe ich mich auf ihn also als auf ein Ganzes und nicht nur auf denjenigen Teil von ihm, den ich gerade sehe. Der nicht gesehene Teil ist mitgemeint und teilt somit den gegenständlichen Sinn des Teppichs. Eben der so genannte „nicht gesehene Teil des Teppichs" ist es, was wir das „Nichtwahrgenommene" innerhalb der Wahrnehmung nennen; „nichtwahrgenommen" in dem Sinn, dass es nicht original bewusst ist (jedoch ebenfalls zum Originalbewusstsein gehört). Deshalb sagt Husserl: „In der äußeren Wahrnehmung haben wir den merkwürdigen Zwiespalt, dass das Originalbewusstsein nur möglich ist in der Form eines wirklich und eigentlich original Bewussthabens von Seiten und eines Mitbewussthabens von anderen Seiten, die eben nicht original da sind" (Hua XI, 4). Die äußere Wahrnehmung verdient den Namen des Originalbewusstseins demnach nicht ganz. Sie besteht in Wirklichkeit teils aus dem Original-, teils aus dem Nichtoriginalbewusstsein. Dieses Nichtoriginalbewusstsein bzw. Mitbewussthaben nennt Husserl auch „unanschauliche Mitgegenwärtigung" (Hua III/1, 190) oder einfach „Vergegenwärtigung" (Hua XXIII, 212). – Diese Art von Vergegenwärtigung ist aber nicht mit der „Vergegenwärtigung" in Form der Phantasie zu verwechseln: Die Letztere ist ein selbstständiger Akt, die Erstere hingegen nicht.

Seien wir noch genauer! Noetisch gesehen, gehört zur äußeren Wahrnehmung wesentlich ein Ineinander von zweierlei Intentionen: der erfüllten und der leeren bzw. der nicht erfüllten Intention. Im Hinblick auf die noematische Seite, den äußeren Wahrnehmungsgegenstand bzw. das Ding liegt ein Ineinander von eigentlich Wahrgenommenem und Nichtwahrgenommenem vor. Zum Wesen der

[1] In diesem Sinne wird die „Empfindung" bei Husserl auch als „primitivste Wahrnehmung" (vgl. Ms. D 5. 15) bezeichnet. Der Ausdruck „original" ist hier in seinem engsten Sinne gemeint. Er schließt z. B. die Originalität bei der Zahlwahrnehmung bzw. -anschauung aus.

äußeren Wahrnehmung gehört also *Inadäquatheit*, und zwar Inadäquatheit im Sinne einer beiderseitigen Unvollkommenheit: In noetischer Hinsicht kann die äußere Wahrnehmung ihr Wahrgenommenes in seinem sinnendinglichen Gehalt nicht erschöpfen; in noematischer Hinsicht kann der Gegenstand in einer abgeschlossenen Wahrnehmung nicht allseitig, nicht nach der Allheit seiner sinnlich anschaulichen Merkmale gegeben sein.

Diese *zum Wesen der äußeren Wahrnehmung gehörige Unvollkommenheit bzw. Inadäquatheit* ist *eine* notwendige Voraussetzung für das transzendente Sein des Gegenstandes der äußeren Wahrnehmung. Darin besteht unter anderem der wesentliche Zusammenhang zwischen der äußeren Wahrnehmung und dem transzendenten Sein ihres Gegenständlichen als Korrelat.

Zieht man nun Husserls Unterscheidung von zwei Bedeutungen des Begriffs *Transzendenz*, der, so Husserl, „ausschließlich aus unserer philosophisch meditierenden Situation geschöpft werden muss" (Hua I, 65), in Betracht, wird Folgendes deutlich:

Für Husserl ist die mögliche Inadäquation zwischen dem gesehenen Teil des Teppichs (dem reellen Inhalt) und dem Teppich (dem intendierten Gegenstand) lediglich ein Überschreiten der reellen Immanenz innerhalb des Bewusstseins: Überschritten werden hier seine reellen Momente bzw. seine reellen Stücke. Unter dieser Form von Transzendenz versteht Husserl das im Bewusstseinsakt Nicht-reell-enthalten-sein des Bewusstseinsgegenstandes (Hua II, 35). Sie betrifft *de facto* alle Bewusstseinsakte, die immanenten wie die äußeren, sofern in ihnen etwas *als* etwas aufgefasst oder hyletischen Daten Materie verliehen wird. „Transzendenz" besagt hier die auffassungsmäßige Konstitutionsfähigkeit des Bewusstseins, ja die Intentionalität.

Vor allem jedoch hat Husserl eine andere Art von Transzendenz im Blick, wenn er von *Transzendenz* spricht, nämlich „Transzendenz des irreellen Beschlossenseins" (Hua I, 65). Im Unterschied zu der ersten ist das Gegenstück dieser zweiten Form von Transzendenz nicht die reelle Immanenz, sondern eine andere, nämlich *„Selbstgegebenheit im absoluten Sinn"* (Hua II, 35). „Transzendenz" in diesem Sinne bezieht sich nicht, wie im ersten Fall, auf die Materie, sondern auf die Qualität des Aktes. An ihr liegt es, dass wir über das absolute Selbstgegebene (das reine Bewusstsein) hinaus etwas als seiend zu setzen vermögen (vgl. Hua II, 35).

Bei der ersten Form der Transzendenz geht es um die Frage: „Wie kann das Erlebnis sozusagen über sich hinaus?" (Hua II, 35) Bei der zweiten dann um die Frage: „Wie kann Erkenntnis etwas als seiend setzen, das in ihr nicht direkt und wahrhaft gegeben ist?" (Ebd.)

Es ist also eine zweifache Transzendenz, welche die äußere Wahrnehmung von anderen Wahrnehmungstypen unterscheidet und sie zu einer Art transzendenter Wahrnehmung macht. Mit einem Wort ließe sich der Prozess der äußeren Wahrnehmung wie folgt beschreiben: Das Bewusstsein überschreitet durch seine intentionale Leistung den reellen Inhalt und konstituiert Gegenstände, um sie als dem Bewusstsein transzendent Seiendes, ihm Gegenüberstehendes zu setzen.

Es ist deutlich geworden, worin der so genannte wesentliche „Widerspruch" bzw. die „Prätention" der äußeren Wahrnehmung (Hua XI, 3) liegt. Wir können nun mit Husserl folgendes Resultat formulieren: *Die äußere Wahrnehmung ist Originalbewusstsein und zugleich Seinsbewusstsein, so wie alle schlichten Wahrnehmungen es sind. Im Unterschied zu den anderen aber setzt das Seinsbewusstsein in der äußeren Wahrnehmung mehr als das Originalbewusstsein bietet.* Dieses *Mehr* ist das, was die äußere Wahrnehmung zu einer transzendenten Wahrnehmung macht. Es bedarf hier schließlich kaum noch der Wiederholung, dass nicht alle transzendenten Wahrnehmungen äußere Wahrnehmungen sein müssen.

II. Appräsentation in der Fremderfahrung: Originarität und Originalität

Ziehen wir nun die Appräsentation in der Fremdwahrnehmung in Betracht! Im Unterschied zur Dingwahrnehmung wird bei der Fremdwahrnehmung nicht nur der physische Leib-Körper zum Gegenstand, sondern auch das bei der Wahrnehmung eines Anderen mitgemeinte Psychische.

Trotzdem gilt das, was wir in Bezug auf die Dingwahrnehmung feststellten, im Allgemeinen und *mutatis mutandis* auch für den Fall der Fremdwahrnehmung: Hier wird nicht nur der Körper des Anderen präsentiert und zugleich appräsentiert wie bei der Dingwahrnehmung; von dieser Präsentation und Appräsentation unterscheidet sich innerhalb der Fremdwahrnehmung noch eine andere Art der Appräsentation, durch welche die Wahrnehmung des Körpers des Anderen als seines Leibes erst ermöglicht wird. Anders ausgedrückt ist dasjenige, was in der Fremdwahrnehmung wahrnehmungsmäßig gegeben ist, nur die physische Seite des Körpers des wahrgenommenen Anderen, während sein Psychisches stets nur appräsentiert werden kann. Diese Appräsentation kann im Unterschied zu der Appräsentation in der Dingwahrnehmung prinzipiell „nie wirklich zur Präsentation kommen" (Hua I, 142). Die Appräsentation in der Fremdwahrnehmung ist also nichts anderes als „eine Vergegenwärtigung von ursprünglich nicht zu Gegenwärtigendem" (Hua XIV, 513). Husserl bezeichnet manchmal sogar die gesamte Fremdwahrnehmung als „eine Ent-Gegenwärtigung höherer Stufe – die meiner Urpräsenz in eine bloß vergegenwärtigte Urpräsenz"[1].

Von daher betrachtet ist die Fremdwahrnehmung wie die Dingwahrnehmung eine „beständige Prätention, etwas zu leisten, was sie ihrem eigen Wesen nach zu leisten außerstande ist. Also gewissermaßen ein Widerspruch gehört zu ihrem Wesen" (Hua XI, 3). Zwar sagt Goethe in Bezug auf Menschenkenntnis, „was drinnen ist, ist auch draußen, und was draußen ist, ist auch drinnen", aber bei genauerer Überlegung erweist sich dies als die literarische Übertreibung eines

[1] Hua VI, S. 189. Der Terminus „Ent-Gegenwärtigung" ist bei Husserl der Vergegenwärtigung gleichzusetzen (vgl. ebd.). Es lässt sich darüber streiten, ob die Fremdwahrnehmung eine Art Gegenwärtigung (Wahrnehmung) oder Vergegenwärtigung darstellt. Jedenfalls ist hier der Ausdruck „Fremderfahrung" passender.

Dichters. Was der Andere augenblicklich denkt, ist nur zu vermuten, aber nicht genau zu erkennen.

Wie wir im Fall der Dingwahrnehmung terminologisch mit dem Begriffspaar „Immanenz“ und „Transzendenz“ operierten, möchte ich auch im intersubjektiven Bereich auf ein spezifisches, für die Exposition Husserls besonders charakteristisches und aufschlussreiches Begriffspaar Bezug nehmen, nämlich auf das Begriffspaar „original“ und „originär“.

Husserl unterscheidet bereits in *Ideen* I „originär“ von „selbst da“, indem er sagt: „der Andere und sein Seelenleben ist zwar bewusst als ‚selbst da‘ und in eins mit seinem Leibe da, aber nicht wie dieser bewusst als *originär* gegeben“ (Hua III/1, 8). Er hebt sogar hervor, dass für die Einfühlung eine *originäre* Bewährung wesensmäßig ausgeschlossen ist (Hua III/1, 292). Später, in den *Cartesianischen Meditationen*, spricht Husserl weiter davon, dass „der Sinn *anderes ego* sich in mir gestaltet und unter den Titeln einstimmiger Fremderfahrung sich als seiend und in seiner Weise sogar als *selbst da* sich bewährt“ (Hua I, 122, Hervorh. vom Verf.), aber dieses „selbst da“ bezieht sich andererseits wiederum auf etwas „vermöge der Analogisierung Appräsentiertes“, das „nie wirklich zur Präsenz kommen kann“ (Hua I, 142).

Hierbei ergibt sich eine terminologische Äquivokation: Einerseits soll mir das Seelenleben des Anderen nicht *originär* gegeben sein; andererseits kann mir der Andere aber als „selbst da“ bewusst sein, und zwar in der Weise der Vergegenwärtigung (der analogisierenden Appräsentation), die wiederum zur Anschauung gehört und somit doch *originär gebend* ist.

Die durch diese terminologische Vieldeutigkeit entstandene Verwirrung um den Terminus „originär“ ist vermutlich der Grund dafür, dass Husserl ab ungefähr 1920 das Wort „original“ in seine Terminologie einführt. Ab dann spricht er fast nur noch von „original“, sowohl in den unveröffentlichten Schriften wie in *Ideen* II, *Analysen zur passiven Synthesis* usw., als auch in den veröffentlichten wie in *Formale und transzendentale Logik* und *Cartesianische Meditationen*. Die einzige Ausnahme bildet die *Krisis*-Schrift, in der beide Begriffe vorkommen, jedoch voneinander getrennt: im ersten und zweiten Teil nur „originär“, im dritten Teil, in dem das Problem der Intersubjektivität auftaucht, ausschließlich „original“.

Im Grunde genommen hat das Wort „original“ nur die engere Bedeutung des Ausdruckes „originär“ geerbt. Wir können uns hier an Husserls Bezeichnung der Wahrnehmung als „Originalbewusstsein“ (Hua XI, 4) erinnern oder auf seine spätere Gleichsetzung von „original da“ und „Präsenz“ (Hua VI, 163) hinweisen. Diese Bedeutung kann kurz gefasst als „wahrnehmungsmäßig“ oder „impressional“ bezeichnet werden. Die weitere Bedeutung von „originär“, die wir mit „anschaulich“ bzw. „apodiktisch (eidetisch) anschaulich“ verbinden, geht dann bei dem neuen Ausdruck „original“ verloren. Das bedeutet fürs Erste, dass etwas, das „originär“ ist, nicht unbedingt „original“ sein muss.

Im Zusammenhang der Intersubjektivität, in dem der Ausdruck „original“ von Husserl hauptsächlich benutzt wird, ist ihm zufolge dann bis auf Weiteres klar, dass mir nur der Leibkörper des Anderen „original", wahrnehmungsmäßig, gegeben ist, nicht jedoch sein Seelenleben. Das Psychische des Anderen ist für mich lediglich in Analogie, also reproduktiv und indirekt zu erfassen. Und man kann hier noch hinzufügen: Nachdem Husserl das Wort „original" eingeführt hat, könnte er durchaus sagen, der Andere sei mir zwar nicht *original* (wahrnehmungsmäßig) gegeben, jedoch *originär* (anschaulich bzw. apodiktisch anschaulich).

„Original gebend" kann nach Husserl nur die eigene Selbsterfahrung sein. Sie ist gemäß seiner Auffassung von 1921 sozusagen „urwesentlich die erste" und „die einzige völlig originale" (Hua XIV, 7). Später (1934) unterscheidet er innerhalb dieser „originalen" Selbstauffassung noch zwei Originalitäten voneinander (Hua XV, 641): die eigene Lebensgegenwart als primäre und die eigene Lebensvergangenheit als sekundäre Originalität (vgl. Hua XV, 641). Andere Ausdrücke dafür sind bei Husserl – im Zusammenhang mit dem oben Dargestellten – „Präsenz" und „Appräsenz": *die eigene Lebensgegenwart wird präsentiert, die eigene Lebensvergangenheit appräsentiert.*

III. Appräsentation in der Selbsterfahrung: Apodiktizität und Adäquatheit

Damit sind wir bereits zur Selbsterfahrung (Reflexion auf das *ego*) übergegangen. Auch hier haben wir mit einem Begriffspaar zu operieren, das neue Bedeutungen erhält, sobald es von Husserl in den 1930er Jahren zur Aufklärung der Seinsweise des *ego* verwendet wird: „Apodiktizität" und „Adäquatheit".

Mit „Apodiktizität" bezeichnet Husserl im üblichen Sinne die Gegebenheitsweise des Eidetischen bzw. des Apriorischen. Wesen und Wesensverhalte sind uns *apodiktisch* gegeben, Tatsachen hingegen nur *assertorisch*. In den *Cartesianischen Meditationen*, wo von der transzendentalen Selbsterfahrung bzw. von der phänomenologischen Reflexion die Rede ist, bezieht sich die Apodiktizität dann vor allem auf die immanente Gegebenheitsweise des *ego*, so dass Husserl sagen kann, die apodiktische Evidenz sei „nicht bloß überhaupt Seinsgewißheit der in ihr evidenten Sachen oder Sachverhalte [...], sondern [enthüllt] sich durch eine kritische Reflexion auf ihre Leistung auch jederzeit als schlechthinnige Unausdenkbarkeit des Nichtseins derselben [...]; daß sie also im voraus jeden vorstellbaren Zweifel als gegenstandslos ausschließt" (Hua I, 57). In diesem Sinne entspricht der Apodiktizität nach Husserl die „Zweifellosigkeit", „in der das ego durch die transzendentale Reduktion zur Gegebenheit kommt" (Hua I, 61), also die Zweifellosigkeit, die Husserl in den *Ideen* I der immanenten Wahrnehmung und dem korrelativen immanenten Sein zuschreibt (vgl. Hua III/1, § 46).

Hierdurch wird die Bedeutung, die dem Begriff der *eigentlichen Apodiktizität im Sinne der adäquaten Evidenz* – als höchster Dignität der eidetischen Evidenz – eingeräumt wird (vgl. § 42), nicht geändert, sondern nur eingeschränkt. Die Einschränkung bezieht sich genauer gesagt auf die immanente Glaubensrichtung, und dies in einer selbstverständlichen Weise, weil hierbei von der Selbsterfahrung des Ich die Rede ist.

Nicht so selbstverständlich ist die Art und Weise, wie Husserl in den *Cartesianischen Meditationen* von der Adäquation der Evidenz spricht. „Adäquate Evidenz" bedeutet hier nicht mehr, wie es in *Ideen* I der Fall ist, eine Evidenz mit der höchsten Dignität bzw. eine Evidenz ohne *„Gradualität eines Gewichts"*, welche mit der Apodiktizität im prägnanten Sinne identisch ist. Sie wird vielmehr verwendet, um die „strömende", „lebendige Selbstgegenwart" des Ich zu charakterisieren. Über sie, das adäquat Erfahrene, reicht aber „ein unbestimmt allgemeiner, präsumptiver Horizont" hinaus, „ein Horizont von eigentlich Nicht-Erfahrenem, aber notwendig Mitgemeintem" (Hua I, 62). Zu diesem Horizont zählt Husserl beispielsweise „die zumeist völlig dunkle Selbstvergangenheit, aber auch die dem Ich zugehörigen transzendentalen Vermögen und die jeweiligen habituellen Eigenheiten" (Hua I, 62).

Die Eigentümlichkeit der Wesensartung des transzendentalen Ich besteht demgemäß, wie K. Held in *Lebendige Gegenwart* darstellt, vor allem darin, dass das Ich nur in einer so genannten „stehend-strömenden" Gegebenheitsweise zugänglich sein kann.[1] Es ist die Kennzeichnung für das wesensmäßige Verhältnis zwischen Apodiktizität und Adäquation, *„daß mein apodiktisches ‚ich bin' die Wesensform des Strömens hat"*[2]. In dieser Betrachtung kann man bereits die von K. Held hervorgehobene terminologische „Besonderheit der *Cartesianischen Meditationen*"[3] erkennen, dass nämlich der Ausdruck „adäquat" dort eher auf sein Gegenteil verweist und dadurch sogar einen Gegensatz zu „apodiktisch" bildet: Die Lebensgegenwart des Ich ist *adäquat* gegeben, das „Ich bin" überhaupt, das aus Lebensgegenwart, Lebensvergangenheit und -zukunft besteht, aber *apodiktisch*, ja *inadäquat*.[4]

Wir können den Sachverhalt noch präziser beschreiben: „Adäquat" bedeutet in diesem Zusammenhang nichts anderes als „(zeitlich) abschattend" oder „zeitweilig", d. h. gerade das, was Husserl sonst in Beziehung auf die „(räumliche) Abschattung" des Raumdinglichen als „einseitig" oder „inadäquat" bezeichnet.[5] Die Adäquation der Evidenz, von der er in den *Cartesianischen Meditationen* spricht, stellt also in Wirklichkeit eine zeitliche *„Inadäquatheit"* dar, und zwar in dem Sinne, dass dem jeweiligen selbsterfahrenden Ich nur seine jeweilig aktuelle Gegenwart, aber niemals seine gezeitigte Vergangenheit und noch zu zeitigende

---

[1] Vgl. K. Held, *Lebendige Gegenwart – Die Frage nach der Seinsweise des transzendentalen Ich bei Edmund Husserl, entwickelt am Leitfaden der Zeitproblematik*, Phaenomenologica 23, Den Haag 1966, S. 71ff., S. 130f. u. a.

[2] Ms. E III 9, S. 14 (1933), zitiert aus K. Held, *Lebendige Gegenwart*, a.a.O., S. 75.

[3] K. Held, *Lebendige Gegenwart*, a.a.O., S. 71.

[4] Statt von „adäquat" und „apodiktisch" können wir hier auch von „original" und „originär" sprechen. Im Grunde genommen weisen also die beiden hier behandelten Begriffspaare „originär-original" und „apodiktisch-adäquat" im Zusammenhang der Selbsterfahrung auf dieselbe Sachlage hin und können als gleichbedeutend verwendet werden.

[5] Bei Husserl wird auch die Zeitlichkeit bzw. der Ablaufmodus des Bewusstseinsflusses als „abschattend" charakterisiert (vgl. Hua X, S. 29 u. S. 47).

Zukunft adäquat bewusst sein kann. Mit anderen Worten, wenn „adäquat" hier „präsentierend" heißt, dann „apodiktisch" eher „präsentierend-appräsentierend".

Nun lässt sich auch die ausdrückliche Bemerkung Husserls in den *Cartesianischen Meditationen* verstehen, „daß *Adäquation und Apodiktizität* einer Evidenz *nicht* Hand in Hand gehen müssen", sowie seine anschließende Hinzufügung: „vielleicht war diese Bemerkung gerade auf den Fall der transzendentalen Selbsterfahrung gemünzt" (Hua I, 62). K. Held bringt diesen Unterschied, ja diesen Gegensatz von Adäquation und Apodiktizität spezifisch in Bezug auf die Selbsterfahrung im folgenden Satz deutlich zum Ausdruck: „Es ist etwas ganz anderes, ob ein Gewusstes sich zeitweilig in seinem ‚selbst da' zeigt oder ob es bewusst ist in einem Modus: ‚dies kann nicht anders sein'."[1] Die Evidenz als Selbstgebung (bzw. Sichtbarkeit) kommt hier deutlich zur Einteilung in „wandelbare" (*adäquate*, *strömende*) und „wandellos bleibende" (*apodiktische*, *stehende*) Evidenz. Die Erstere besagt die adäquate Evidenz „meiner lebendigen (strömenden) Selbstgegenwart", die Letztere die apodiktische Evidenz meines stehenden „Ich bin".

Diese Einteilung liegt in mancher Hinsicht der anderen Unterscheidung von assertorischer (empirischer, zeitlicher) und apodiktischer (eidetischer, überzeitlicher) Evidenz bei Husserl recht nahe. Sie ist auch zu vergleichen mit dem Hinweis Husserls in *Ideen* I, „daß die Seinsnotwendigkeit des jeweiligen aktuellen Erlebnisses [...] keine pure Wesensnotwendigkeit, d. i. keine rein eidetische Besonderung eines Wesensgesetzes ist" (Hua III/1, 86). In unserem Fall ist mit der „Seinsnotwendigkeit" die (in)adäquate Gegebenheit des Ich und mit der „Wesensnotwendigkeit" die apodiktische desselben gemeint.

Wie man von der Seinsnotwendigkeit (Originalität) zur Wesensnotwendigkeit (Originarität) übergehen kann, oder – in der Terminologie der *Cartesianischen Meditationen* – wie man von der „adäquaten Evidenz" zur „apodiktischen Evidenz" übergehen kann, das ist eine Frage, die mit der phänomenologischen Wesensanschauung zu tun hat. Sie wird gleich unten behandelt, aber nicht ohne dass wir uns zuvor noch eine andere Frage zu beantworten versuchen: Wie eigentümlich bzw. wie übereinstimmend sind die Gegebenheitsweisen der verschiedenen Wesensartungen, die sich auf das *Ding* und das *ego* und *alter ego* beziehen?

IV. Appräsentation als Präsumption

Die Frage haben wir bereits berührt, als wir die Ähnlichkeit zwischen der Gegebenheitsweise des Ich und derjenigen des Raumdings feststellten, dass sie beide als Ganzes im Prinzip nur *inadäquat* gegeben sein können, und zwar so, dass es sich bei der Ersteren sozusagen um eine *zeitlich strömende* und bei der Letzteren um eine *räumlich abschattende Gegebenheitsweise der Inadäquatheit* handelt. Die gleiche Struktur finden wir auch bei der Fremdwahrnehmung, in welcher der Andere nur „inadäquat" erscheinen kann, weil mir sein Innenleben im Kontrast

[1] K. Held, *Lebendige Gegenwart*, a.a.O., S. 71f.

zu seinem Leib *nicht direkt zugänglich* ist. Dass wir trotz der jeweiligen Inadäquatheit etwas als ein Ding, einen Anderen oder uns selbst wahrnehmungsmäßig auffassen, verdanken wir unserer Fähigkeit zur Appräsentation. Durch diese Fähigkeit wird das bei der Wahrnehmung nicht original Gegebene doch mitbewusst, appräsentiert. Hierbei – bei allen drei Arten von Wahrnehmung – liegt ein Verhältnis zwischen Teilen und Ganzem vor: wir haben jeweils nur einen Teil, behaupten aber das Ganze.

Die Tatsache, dass alle bisher behandelten Wahrnehmungen gewisse Präsumptionen in sich enthalten, ändert freilich nichts daran, dass mittels dieser Wahrnehmungen das Wesen des Dings oder des Ich angeschaut und erfasst werden kann – auch die inadäquat angeschauten Dinge sind nach Husserl Einzelheiten der Wesen –, aber es ist eben diese Tatsache, die zur Bestimmung des Ich wie des Dinges als *wesensmäßig inadäquat* führen kann.

Wir müssen hier noch genauer betrachten, was die Präsumptionen als gemeinsame Wesensmomente in der Dingwahrnehmung, Fremdwahrnehmung und Selbstwahrnehmung wesentlich voneinander unterscheidet.

„Es gehört", sagt Husserl in allgemeiner Hinsicht, „zur eigenen Artung gewisser Wesenskategorien, daß Ihnen zugehörige Wesen nur ‚einseitig', im Nacheinander ‚mehrseitig' und doch nie ‚allseitig' gegeben sein *können*." (Hua III/1, 10) Dies gilt in erster Linie für jedes auf *Raumdingliches* bezogene Wesen, dessen Schicksal gleichsam durch die Inadäquatheit, die Gegebenheitsweise der Abschattung gezeichnet wird (vgl. Hua III/1, 77). Präsumption bedeutet hier, die Seiten, die zwar nicht gegeben sind, aber prinzipiell gegeben sein können, mitzubehaupten.

Im Falle der Selbstwahrnehmung kann man sagen: Es gehört zur eigenen Artung der Wesenskategorie des Ich, dass das ihr zugehörige Wesen wie gesagt nur „zeitweilig" oder „augenblicklich", doch nie „allzeitlich" gegeben sein *kann*. Präsumption heißt dann, die zeitlichen Strecken, die zwar nicht gegeben sind, aber prinzipiell gegeben sein können, mitzubehaupten.

Bei der Fremdwahrnehmung ist es wieder anders: Zur eigenen Artung der Wesenskategorie des Anderen gehört eine doppelsinnige Inadäquatheit: Einerseits kann der Körper des Anderen *nicht allseitig original gegeben* sein, andererseits kann die Seele des Anderen *niemals original gegeben* sein. Auch die Präsumption wird hier doppelsinnig: Präsumptiert werden hier nicht nur die nicht wahrgenommenen, aber prinzipiell wahrnehmbaren Seiten des Fremdkörpers, sondern auch die nicht wahrgenommene und auch nicht wahrnehmbare Seite der Fremdseele.

Dringen wir hier noch etwas tiefer ein: Da der inadäquate Grundcharakter der Dingerfahrung, wie oben gezeigt, der Grund dafür ist, dass der Gegenstand der Dingerfahrung (bzw. der äußeren Wahrnehmung) niemals allseitig zur originalen Erfüllung kommen kann und daher kein immanentes Wissen, sondern nur einen transzendenten Seins*glauben* an sich verdient, stellt sich die Frage, ob die Selbsterfahrung des Ich das ähnliche Schicksal trägt wie die äußere Erfahrung jedes Raumdinglichen, ob das Ich also wesensmäßig nur zeitweilig, aber nicht allzeitlich gegeben sein kann, wie jedes Raumding nur einseitig, aber nicht allseitig. Handelt es sich bei der Gewissheit in der Gewahrung des Ich als eigener Wesensartung ebenfalls um eine Art *Glauben* und nicht um ein absolutes *Wissen*, um Transzendenz und nicht um Immanenz? Bei der Beantwortung dieser Frage steht das gesamte Resultat der *Cartesianischen Meditationen* auf dem Spiel.

Husserl selber zeigt angesichts dieser Frage etliche Schwankungen. In den *Ideen* I beantwortet er sie mit „nein". Dort lesen wir deutlich: *„Der Thesis der Welt, die eine ‚zufällige' ist, steht also gegenüber die Thesis meines Ich und Ichlebens, die eine ‚notwendige'*, schlechthin zweifellose ist. *Alles leibhaft gegebene Dingliche kann auch nicht sein, kein leibhaft gegebenes Erlebnis kann auch nicht sein.*" (Hua III/1, 86) In den *Cartesianischen Meditationen* hingegen weist Husserl selber auf den Parallelismus zwischen der leibhaften Dingerfahrung und der leibhaften Selbsterfahrung hin, dass es in beiden Erfahrungen nicht nur das gibt, was „selbst gegeben" ist, sondern zugleich noch etwas, was „präsumiert" wird (vgl. Hua I, 62). Diesen präsumptiven Charakter schreibt Husserl in der Zeit der *Ideen* I allerdings nur der Dingwelt zu (vgl. Hua III/1, 86). Doch jetzt in den 1930er Jahren sieht Husserl ein, dass auch bei der transzendentalen Selbsterfahrung eine „Präsumption", und zwar eine „in der apodiktischen Evidenz mit implizierte" vorzufinden ist (vgl. Hua I, 62). Im Gegensatz zu „original" oder „selbst da" stellt das Präsumptive in diesem Zusammenhang etwas Ähnliches dar, was Husserl bei der äußeren Erfahrung, Dingerfahrung wie Fremderfahrung, als Nicht-Präsentatives, aber „Appräsentatives", als Nicht-Gegenwärtiges, aber „Mitgegenwärtiges" bezeichnet.

Die Feststellung, dass mein transzendentales *Ich bin* zwar apodiktisch, aber zunächst „noch nicht selbst gegeben sondern präsumiert ist" (vgl. Hua I, 62), wirft notwendigerweise Fragen auf wie etwa die folgenden: „[W]ie weit kann das transzendentale Ich [sich] über sich selbst täuschen und wie weit reichen die absolut zweifellosen Bestände trotz dieser möglichen Täuschung?" (Hua I, 62)

Mit dieser Frage hängt freilich eine weitere innig zusammen: Kann man sagen, dass die drei Wesensartungen des Ich, des anderen Ich und des Dinges somit einen gleichberechtigten Anspruch auf Evidenz bzw. Gewissheit haben?[1] Damit sei auf das trotz ihrer jeweiligen Eigentümlichkeit Gemeinsame zwischen den drei Wesensartungen sowie ihren Gegebenheitsweisen hingewiesen, dass sie alle *in einer bestimmten Weise der Apodiktizität* erfasst werden können, nämlich *in „Adäquation" und „Präsumption" zugleich*: Bei der Dingerfahrung unterscheiden sich die gesehene Vorderseite und die mitgegebene Rückseite des Dinges, bei der Fremderfahrung dann die präsentierte physische und appräsentierte psychische Seite des anderen Ich, bei der Selbsterfahrung schließlich die eigentlich erfahrene, gegenwärtige und die mitgemeinte, nicht-gegenwärtige Seite des Ich. – Bezieht

---

[1] Es sei hierbei an chinesische Sprichwörter erinnert, die sich auf die dargestellte Situation beziehen lassen: „Es ist leichter, Fluss und Berg zu versetzen, als den eigenen Habitus zu verändern", oder: „Andere Menschen kennen bedeutet Intelligenz; sich selbst kennen aber Weisheit."

sich die „apodiktische Gewissheit", wenn hier davon die Rede sein kann, nicht jedes Mal auf gewisse Implikation der Präsumption?

In den *Cartesianischen Meditationen* versucht Husserl, auf dem Weg über Descartes mit der radikalen Methode der transzendentalen Reduktion den durch die apodiktische Evidenz gekennzeichneten wesentlichen Unterschied der Wesensartung von Ding und Ich aufzuklären. Bei diesem Unterschied handelt es sich nach ihm schließlich um die grundsätzliche Beziehung zwischen den beiden Seinsweisen, dem Transzendenten und dem Transzendentalen, die „ausschließlich aus unserer philosophisch meditierenden Situation geschöpft werden" müssen (Hua I, 65). Das Präsumptive in der Dingerfahrung stellt in diesem Zusammenhang nichts anderes dar als Transzendenz. „Zum eigenen Sinn alles Weltlichen gehört diese Transzendenz." (Hua I, 65) In der transzendentalen Selbsterfahrung hingegen ist alles Weltliche und Transzendente mit enthalten.

Hier können wir uns nur damit begnügen, was Husserl bezüglich der Tragweite der apodiktischen Evidenz „genauer angedeutet" hat: „Nicht die bloße Identität des ‚Ich bin' ist der absolut zweifellose Bestand der transzendentalen Selbsterfahrung, sondern es erstreckt sich durch alle besonderen Gegebenheiten der wirklichen und möglichen Selbsterfahrung hindurch – obschon sie im einzelnen nicht absolut zweifellos sind – eine *universale apodiktische Erfahrungsstruktur* des Ich." (Hua I, 67) Im Zusammenhang dieser Andeutung sei ausdrücklich bemerkt, dass Husserl unter der *„universalen apodiktischen Erfahrungsstruktur* des Ich" *im weit erstreckten Sinne* eher die *Richtung* der transzendentalen Erfahrung versteht als die *Gegebenheitsweise* der Wesensanschauung.

2. The concept of "retention" in Husserl's time-consciousness analysis

With some discussion about the relationship between mind and language

I. Introduction

First of all, I would like to clarify that the main purpose of this essay is to articulate the concept of retention in Husserl's analysis of phenomenology of internal time consciousness, including the forming and evolving process of its significance. This is done within the framework of Husserlian phenomenology. An additional purpose of this essay is to study the relationship between mind and language through Husserl's thoughts and his manuscripts. In other words, it is an attempt to identify the internal relationship between idea and concept.

More explanation is needed for the additional purpose. Husserl is a man who thought with his pen. He recorded his thoughts in more than 40 thousand pages of manuscripts, using the Gabelsberger shorthand. From the standpoint of the discussion here, these manuscripts could be divided approximately into two types: the first was going to be published as lectures and articles. These could be called *lectures* for short, as all of Husserl's published works were based on his lectures. The other type of manuscripts was not for publishing. Instead, they were the records of his thoughts, including his copious notes. These could be called *research-manuscripts. Lectures* could be viewed as manuscripts *for the others* or *for expressing one's thoughts*, while *research-manuscripts* are *for oneself* or *for recording one's thoughts*. The difference between these two types of manuscripts in language could almost be signified as *expressing-language* and *soliloquizing-language*.

The author does not intend to treat Husserl as an experimental rabbit. But in discussing the relationship between mind and language, Husserl is indeed one of the best examples to be studied. The reason that the Husserl's *research-manuscripts* could be treated as a case for study is that there is a special style of expression in them. Different from his *lectures*, most of Husserl's *research-manuscripts* are in some kind of soliloquy, which he himself called "Selbstgespräch"[1], that is, just to follow one's own internal language of thoughts,

---

[1] Edmund Husserl: *Zur Phänomenologie des inneren Zeitbewußtseins (1893-1917)*, ed. by Rudolf Boehm, The Hague, 1966, p. 195. – All the references to this book below will be indicated as Hua X for short in the text. The page numbers marked with [ ] are of the *Vorlesungen zur Phänomenologie des inneren Zeitbewußtseins* (Tübingen 1980, second edition), which is the original page numbers of this lecture when published first on the *Jahrbuch für Philosophie und phänomenologische Forschung*, and appeared as marginal numbers in the Hua X.

in spite of other people's understanding. In a sense, this is the purest kind of thinking, as it disregards the matter of being understood and popular, and concentrates completely on the phenomenon itself.

In his published complete work of Husserl, (*Kritische Ausgabe der gesammelten Werke E. Husserls)*, some manuscripts are completely *lectures* in a broader sense, such as *Cartesian Meditations and the Paris Lectures* (Hua I), *Logical Investigations* (Hua XVIII-XIX); the others are basically *research-manuscripts*, such as *Studies on Arithmetic and Geometry* (Hua XXII), *The 'Bernauer' Manuscripts on Time-Consciousness* (Hua XXXIII). However, most of the Husserl works, nearly 40 volumes, are works that contain both types of manuscripts published together.

To study the difference between these two types of manuscripts, together with the difference between *expressing-language* and *soliloquizing-language* in them, one can analyze vol. 10 of *The Lecture of the Phenomenology of the Consciousness of Internal Time* as a typical case. Part A of this volume consists of both *lectures* and *research-manuscripts*, which Husserl had intended for publishing. This part as a whole could be viewed as *lectures*, that is, manuscripts for publishing; and Part B is mainly *research-manuscripts*, without Husserl's intention for publishing. It could be viewed as *research-manuscripts* that recorded his thoughts. Some contents in one part could be duplicated in the other, but the style of each is still very distinct. Besides the expressing-language and soliloquizing-language, we can also call the language in *research-manuscripts* as "*language of thought*" while the language in *lectures* as *language of transmit* or *language of express*, according to Steven Pinker.[1] In fact, there are many other sayings in this doctrine, such as *internal-language* and *exterior-language*, and so on. We can not say just yet that there is distinction between *mind* and *language.*

II. The early history of the concept of "retention"

Husserl's time consciousness, more precisely, his investigation of phenomenology of internal time consciousness, is derived from the following aspects:

1) *What is the origin of our idea of time, duration and succession in the experience of temporal consciousness*? This involves *the description of internal time* consciousness.

2) *What is interval of time in consciousness*? This involves *the description of the internal time*.

3) How is interval of time measured objectively in consciousness? This involves *the description of objective time*.

In principle, time is part of the essence of consciousness. And time is essentially the temporal structure studied in the internal time consciousness. Therefore, the most important part of the Husserl's phenomenology is not to study

[1] See St. Pinker: *The Language Instinct – How the Mind Creates Language*, New York 1995, the third chapter: "Mentalese", p. 53.

the *phenomenology of time* or *phenomenology of internal time*, but it is to study the phenomenology *of the consciousness of internal time*.[1] Husserl once referred to this phenomenon as "extremely important matters, perhaps the most important in the whole of phenomenology". (Hua X, 334)

Time is essential in Husserl's phenomenological analysis of intention. The intentionality of time consciousness can be divided into "horizontal intentionality" and "vertical intentionality". As for these two types of intentionality, I have summed up in my essay "The basic approach of the earlier Husserl's analysis of the consciousness of internal time" that "the 'horizontal intentionality' is relevant to the process that noesis accomplishes objectification in each moment that constitutes the noema, that is, the unity of intentionality. However, this noema is only a noema in one moment, which is not constant but sinks away continually, thus comes to the 'vertical intentionality.' 'Vertical intentionality' is relevant to the relationship between one moment and another, to the continuum from one appearance to another."[2]

Through the horizontal phenomenological description, Husserl's analysis of intention apprehends the essential structure of intentional relationship between intentional action and noema. Through the vertical description, the analysis apprehends the essential structure of intentional relationship between temporal consciousness and time. Husserl's structure of temporal consciousness, according to which our experience of temporal objects consists of three aspects: protention, retention, and primal impression.

Among which, retention is originary, sui generis mode of consciousness which constitutes the very essence of time. Retention is a process by which something that is experienced-as-present remains in consciousness. Retention drew much of Husserl's attention in his earlier research. It ran through Husserl's earlier analysis of time consciousness, which led to the wrong impression by many of his readers that Husserl's time investigation only focuses on the conscious of past, instead of future. Not until after his *The Bernauer Manuscripts on Time-Consciousness* had been published in 1917-1918 was this misimpression corrected.[3]

What's more, retention brings more disputation and discussion in the later phenomenological analysis of time, which makes it an unavoidable issue in phenomenological analysis of time consciousness.

However, the word retention didn't start as philosophical term. The Latin word "retentio" means to hold back or turn down, which has the very different

---

[1] For these three basic steps in Husserlian phenomenology of the consciousness of internal time, I have made a more detailed discussion in the essey "the basic approach of earlier Husserlian analysis of the consciousness of internal time", in: *Journal of Sun Yat-Sen University/Social Edtion*, 2008, No.1, pp. 102-111.

[2] See above, section 2: "the consciousness of internal time: the second intentionality".

[3] See for example J.R. Mensch, "Husserl' Concept of the Future" and D. Lohmar, "What does Protention 'protend'?", both in: *The phenomenological and philosophical Research in China*, Vol. 6, Shanghai 2004, pp. 167-190, pp. 138-166.

meaning from Husserl's retention. That's to say, Husserl has endowed retention with new significance.

Retention first appeared in the 27th manuscript written by Husserl approximately in 1904. However, it did not have the same meaning as it did later.[1] The first attempt to use retention was abandoned in 1905, while its corresponding expression was "fresh memory", "primary memory" or just "memory". Retention was reintroduced by Husserl in 1908-09 and he endowed it with the current significance. In 1928, under the nominal editorship of Heidegger with the substantial editorial influence of Stein, Husserl published *The Lecture of the Phenomenology of the Consciousness of Internal Time*. He replaced all the "fresh memory" and "primary memory" with retention in this publication.

The process of this modification, in other words, the formation of the concept of retention will be discussed next.

III. The formation of the concept of "retention"

It can be said that, before 1908, Husserl had not used retention in a later sense. At first, he had been using "fresh memory" and "primary memory" to describe something in the conscious-stream, which is no longer present but yet not past, not being perceived but still being aware of in a way different from memory. To resist the influence from the concept of retention formed later, here we call it " Φ " for the moment.

In 1904 the 27th manuscript written, Husserl described " Φ " as: "The event has 'just' been present itself; it is still in immediate (fresh) memory. The (just heard) tone C is still present in the form of memory; I know that it has just faded away because I still have it in this memory. Although no longer present itself, it is still present to me, but only as just past." (Hua X, 212)

Later, to signify " Φ ", Husserl also used "the primarily past" (primärvergangen) (Hua X, 319) or "the original consciousness of the past" (Hua X, 325).

In general, there are two tendencies in Husserl's thinking of " Φ " over years. One is to define it from the perception's perspective to view it as an intention, though no longer the intention of perception, but the subsequence of the latter. Here intention means "is still meant". For example, "The *intention*, the act of meaning in this tone (das Diesen-Ton-Meinen), endures, and endures longer than the sounding tone. The tone is no longer there, no perception. But 'it' is 'still meant'." Another example, "[The perception] itself certainly has a duration and can be perceived in its duration. But this duration is not the duration of a; it confers no new time on a. It confers time and duration only on P(a)." Another example, "the perceptual appearance was continuously preserved in consciousness without my constantly perceiving the a (as enduring)"[2] and so on. This

[1] See Hua X, 211, note 1.
[2] See the 27th and the 26th scripts (1904-1905).

tendency mainly shows up in Husserl's notes about time, and it appears scattered through out the "lecture of the phenomenology of the consciousness of internal time" published in 1928.[1]

The other tendency is to define " φ " from the memory's perspective. This tendency is very much evident in Husserl's works. In his "Lecture of the phenomenology of the consciousness of internal time" published in 1928, even after he had created retention to signify " φ ", Husserl still described it as "memory", and often used "fresh memory" or "primary memory" to define it. This is also the reason that why later critics[2] think that Husserl had not differentiated "retention" from "memory". The examples of this tendency can be found everywhere in the "Lecture of the phenomenology of the consciousness of internal time". We have seen plenty of examples in section 14, 19 etc. and there is no need for more.

We notice that retention first appeared in Husserl's manuscript possibly written in 1904 (primary text as: "this presupposes, of course, repeated re-presentation of the same phase under conditions of continual retention and identification." (Hua X, 211). It was not used with the same sense which the later concept of "primary memory" used. That shows retention was completely redefined in 1908-1909. At the end of the 50th manuscript, Husserl clearly differentiated: "The mistake is already made if one characterizes retention in relation to the earlier phases of consciousness as memory. Memory is an expression that always and only refers to a constituted temporal object. Retention, on the other hand, is an expression used to designate the intentional relation (a fundamentally different relation) of phase of consciousness to phase of consciousness; and in this case the phases of consciousness and continuities of consciousness must not be regarded as temporal objects themselves." (Hua X, 333)

However, before then, even in his 50th manuscript, Husserl constantly endowed the retention with ambiguous meaning. His usages could be classified into four categories:

1) Using "retention" in an undefined, ambiguous meaning: e.g. "this presupposes, of course, repeated re-presentation of the same phase under conditions of continual retention and identification." (Hua X, 211), "If the temporal extent is run through several times by means of repetition and retention ..." (Hua X, 215), "(voluntary) retention – specifically, reproductive retention ..." (Hua X, 216), and so on.

2) Viewing "retention" directly as "memory", or as its synonym: e.g. "in the form of memory and expectation or in the form of the nonretaining and nonexpecting immediate intuition of time" (Hua X, 302), "'memory' (retention)" (Hua X, 326), and so on.

3) Using "retention" as a synonymous of "memory": e.g. "But when the consciousness of the tone-now, the primal sensation, passes over into retentional

---

[1] See the 16th section of *The Lecture of the Phenomenology of the Consciousness of Internal Time.*

[2] Just like J. Derrida did in his *La voix et le phénoméne.*

memory, this memory itself is a now in turn—namely, it belongs to a new tone-now." (Hua X, 326).

4) Using "retention" together with "memory" or "reproduction": e.g. "we have a continuous series of memories – retentions – pertaining to the beginning-point of the tone" (Hua X, 327), "the reproductive (retentional) modification" (Hua X, 382), and so on.

As mentioned before, it was not until 1908-1909 that Husserl had finally decided to use retention to express " Φ ". The possible reason for using retention is that the words retention and intention are very close in spelling with only two letter's difference, just like protention and intention. Meanwhile, retention has the specific character of intentionality. Therefore, in the "Lecture on the phenomenology of the consciousness of internal time" published in 1928, Husserl explained retention as "an intentionality – indeed, an intentionality with a specific character of its own". (Hua X, [471]).

It needs to be clarified that the three aspects (protention, retention and primal impression) of temporal consciousness should not be interpreted as intentionality in its ordinary sense, but as a "specific intentionality", or an "intentionality with a specific character of its own" (Hua X, [392] [471]). Maybe here we could label it as "intentionality without object." According to Husserl: "While I have the elapsed phase in my grip, I live through the present phase, take it – thanks to retention – in addition to the elapsed phase; and I am directed towards what is coming (in a protention)" (Hua X, 118).

Only when thought is directed upon object, could object become intention of thought. Object itself has no intention. Husserl also used other terms to describe the phenomenology of internal time consciousness: latent cognition, consciousness in the background, thoughts without objects, awareness without objects, proposition without statements... and so on.

IV. The essential difference between "retention" and "memory"

Not until 1908-1909 did Husserl clearly define " Φ " as retention. Husserl intuited the difference between retention and memory (or perception) since the very beginning (examples in the 10th manuscript written in 1893-1901), with no proper words to define it. As cited earlier, not until the end of the 50th manuscript written in 1908-1909 had he been clearly aware that "The mistake is already made if one characterizes retention in relation to the earlier phases of consciousness as memory". [1]

[1] See Hua X, page 333, line 23, and the editor's note 2. Besides, in an additional explaination, not later than 1909, Husserl had expressed clearly in a similar way: "Representation, apprehension – these are not suitable terms here. It is, after all, not a question of presentation but of retention. It is indeed emphasized at 95 that these are not sensations (therefore not by any chance weaker sensations, 'fading away', as the unfortunate image put it)." (Hua X, 283)

We need to clarify two things. The first one, the "mistake" said by Husserl, is not the mistake of not differentiating "memory" from "retention" (the following discussion will prove this point indisputably), but the mistake of expressing "retention" with the word "memory." So it is the mistake in expression.

The second mistake in expression has never been rectified completely. The biggest problem he faced seemed to be that he was accustomed to defining " Φ " from the perspective of "memory", or even attributed the name of "memory" to " Φ ", while at the same time calling the ordinary memory as "re-memory (Wiedererinnerung)." Such usage is partially preserved in the "Lecture on the phenomenology of the consciousness of internal time" published in 1928, in which, although most of "memory" and "reproduction" had been replaced by retention, "primary memory" and "fresh memory" were still used as the synonym or explanation of "retention" .

However, there is no doubt that no later than 1901, at the beginning of the10th manuscript written in 1893-1901, Husserl had begun to differentiate retention from memory: "I recall a person, an event. I recall a tone. But I also 'remember' a tone ‚primarily'." (Hua X, 164).

Here we notice that Husserl endowed "primary" and "memory" with inverted commas. That shows his dissatisfaction with the usage of these two words, perhaps because of their failure to express the precise idea. But at that time, Husserl seemed to have no better choice. He gradually became accustomed to the usage of these two words in his later thinking. That explains why the final definition of retention still has the influence of the concept of "primary memory."

Husserl went on to differentiate the concept in the 10th manuscript: "a) the tone is ‚renewed' in phantasy ('re-presented', reproduced). b) The tone has just faded away but does not appear in the mode of a phantasm, of a 'reproduction'. Nevertheless, I have 'just heard' it; I still have a 'consciousness' of it. The intention directed towards it still continues without the continuity of the act of meaning having to be interrupted." So he confirmed: "This is surely an essential difference!"(Hua X, 164)

This essential difference between intention and memory became more and more distinct in his later analysis. In addition, the differences from other perspectives were also captured by Husserl at various points:

First, retention is the consciousness of just past,[1] while "memory" is the consciousness reproduced. Husserl stated that: "The modification of consciousness that converts an original now into a reproduced now is something entirely different from the modification that converts the now, whether original or reproduced, into the past." (Hua X, [405])

Second, "retention" is only a part of the present consciousness, a part of the present experience: "while I have the elapsed phase in my grip, I live through the present phase, take it – thanks to retention – in addition to the elapsed phase;

[1] Husserl also called it as "a still-being-consciousness (Noch-Bewußtsein)", "a consciousness that holds back (zurückhaltendes Bewußtsein)" (Hua X, [434]).

and I am directed towards what is coming (in a protention)". (Hua X, [471-472]) On the contrary, "memory" is the total of the past consciousness, and itself is constituted of retention, impression and protention, of course, in a changed mode.

Thirdly, "memory" is relevant to a constituted temporal object, while "retention" is the intentional relation between phase of consciousness and phase of consciousness. "The retention itself is not a looking-back that makes the elapsed phase into an object" (Hua X, [472]), but "an expression used to designate the intentional relation (a fundamentally different relation) of phase of consciousness to phase of consciousness", while "memory is an expression that always and only refers to a constituted temporal object", therefore, "the phases of consciousness and continuities of consciousness must not be regarded as temporal objects themselves". (See Hua X, 333) In other words, "retention produces no enduring objectivities (either originally or reproductively) but only holds in consciousness what has been produced and stamps on it the character of the 'just past'". (Hua X, [396])

Fourthly, "retention" has a character of adumbrating unceasingly, and is an act to be modified gradually, that is, to be modified from now to just past and then to even further past ceaselessly; but there is no such ceaseless modification from perception to memory, and the difference between them, is "a difference between discrete (diskreter) things" (See Hua X, [405-406]), in other words, there is no transition from now to past, but only switch.

Fifthly, the purpose of "retention" is to constitute continuity, or even the unity of the stream of consciousness; the purpose of "memory" is to present the content that is past. For this, we can refer to a Husserl's paragraph: "In each primal phase that originally constitutes the immanent content we have retentions of the preceding phases and protentions of the coming phases of precisely this content, and these protentions are fulfilled just as long as this content endures. These 'determinate' retentions and protentions have an obscure horizon; in flowing away, they turn into indeterminate retentions and protentions related to the past and future course of the stream. It is through the indeterminate retentions and protentions that the actually present content is inserted into the unity of the stream. We then have to distinguish the retentions and protentions from the recollections and expectations, which are not numbered among the phases constituting the immanent content but instead re-present past or future immanent contents. The contents endure; they have their time; they are individual objectivities that are unities of change or constancy." (Hua X, [437])

Sixthly, and the last: retention constitutes the precondition of "memory." To illustrate this point consider the following explanation by Husserl: "When a primal datum, a new phase, emerges, the preceding phase does not vanish but is 'kept in grip' (that is to say, precisely 'retained'); and thanks to this retention, a looking-back at what has elapsed is possible."(Hua X, [471]).

This theory did not seem to be fully discussed in his later analysis. So we question: is there any memory if there is no retention? Without retention, is the present consciousness, or perception, possible?

In fact, Husserl has given some further explanation in his research-manuscripts: "Certainly retention, which is an act now living and an act that can be made to be given oneself, transcends itself and posits something as being – namely, as being past – that does not really inhere in it. But what must be learned here is that within the sphere of the absolute givenness of something itself a transcendent validity emerges that is and must remain undisputed, since it does not merely mean what is really transcendent to it but posits it in an obviously valid way – indeed, in an absolutely valid way – and not, as happens in the case of the perception of something external, in a manner that always leaves open possibilities of invalidity." (Hua X, 344-345)

The significance of this explanation is that it points out the two basic functions of retention: one is to transcend something real given absolutely by oneself, while the other is to posit this something as being in an absolutely valid way.[1] If we interpret the "something real given absolutely by itself" as "impression", then "retention" (as well as "protention") could be said to be the function of transcending this something and positing the being of it. In such a sense, it could be said that the relationship between "impression" and "retention" – "protention", is like the relationship between "making present (Gegenwärtigung)" and "making co-present (Mitgegenwärtigung)" in the act of objectivation.[2]

It can be said that the above is the essential differences between retention and memory in Husserl's mind.

V. The relationship between "Φ" and "retention", the relationship between mind and language

We now know that around 1901, although not sure about the usage and definition, Husserl began to see clearly that the retention defined by him with "fresh memory" or "primary memory" is neither memory nor completed perception. Retention is not a completed act. As partial act, retention does not belong to memory, but belongs to perception. Retention is an element of perception.

---

[1] The "posit"here means to fix the being of the relevant content. Without this fixation, the memorial reproduction of this content in future will be impossible.
Besides, Husserl in his earlier analysis of the consciousness of time also described in detail the other characters and functions of retention: e.g. it is the foundation of the identity of the object (Hua X, [420], [422]), it has double intentionalities (Hua X, [434]) and so on. No more words for this here.

[2] This comparison is not improper, since Husserl himself not only used the word "adumbrating" (abschatten)to describ the "appresentation"in the consciousness of space, but also used it to describ the "retention" in the consciousness of time (See Hua X, [390], [405]). The key point here is that, the former is a part of the objectification act, while the latter, as primary consciousness, is a part of the inobjectification act.

Therefore, it is not valid to define and describe retention with the concepts of "primary memory", "fresh memory", or even "memory" and "reproduction". The confusion caused by Husserl's improper definition of "retention" became an issue later on. What's more, the usage and explanation of this concept in his published "lecture" was not very accurate, it left room for later disputation.

In short, Husserl knew that " Φ " posses its own character from the beginning. Husserl intuited " Φ " clearly in his mind, but he had difficulty describing and illustrating it with proper words. Here it is proved once again that there is a gap between "apprehending the thoughts" and "expressing in words", as in the old Chinese sayings: "words fail to translate the thoughts" and "no words can describe the thoughts."

"Apprehension" is an act of mind. " Φ " is in the mental image. The act of mind, or the mental activity, is not the same as the act of language. L. Vygotsky, St. Pinker and some other linguistic psychologists claim that there are "thoughts without language" or "thoughts in mental images", and provide their scientific evidences and observations.[1] Thoughts with no words in mental images are impossible to communicate. As Pinker points out: "People do not think in English or Chinese". Only when we want to express the results of thinking, do we use the language of Chinese, or consider[2] – if mastering several languages – which language to use.

Act of mind is conducted in the "mental images", or "language of thoughts", or "internal language", or "self-centric language". Husserl's analysis of the consciousness of time can be viewed as an example: he intuits " Φ " clearly in his mind — which is an act of mind; he used monologue expression to define " Φ " — which is the first relationship between mind and monologue language; he then used the retention to express " Φ " — which defines further relationship between mind and expressive language. The act of mind is predominant in this process.

If anyone wonders as if the expression of retention supports the intuition of " Φ ", or if the intuition of " Φ " supports the expression of retention in words, then the answer is very clear.

It is not that we first have the word "love" then we experience love. On the contrary, such emotion or feeling called "爱情" (Ai Qing) in Chinese language is a feeling that can be experienced by all people. There are words similar to "爱情" (Ai Qing) in every language on earth. It is wise to accept that the feeling of love is shared by all man-kind, but is expressed with different words in different languages.

We could also take Yogācāra-Buddhism as an example: The Hīnayāna-Buddhism divides the consciousness into six types: eye consciousness, ear consciousness, nose consciousness, tongue consciousness, body consciousness, and mental consciousness; the Mahayana-Buddhism adds two more: ego conscious-

---

[1] See L. S. Vygotsky, *Mind and Language*, trans. by Li Wei, Hangzhou, 1997, the seventh "Mind and language", and St. Pinker: *The Language Instinct*, loc. cit, pp. 70-71.
[2] Pinker, *The Language Instinct*, loc. cit, p. 83.

ness and Ālaya consciousness. Ālaya consciousness is a unique concept of Mahayana-Buddhism. Both Hīnayāna-Buddhism and Mahāyāna-Buddhism believe that: much psychological state is caused by the different consciousness which is in the quantity of number of 46 or 49 or 51. For instance: faith (śraddhā), sham (hrī), embarrassment (apatrapyā), non-hatred (anāsrava), harmlessness (ahiṃsā), shamelessness (ahrikīata), effrontery (anapatrapa), no slackness (apramāda), anger (krodha), hate (upanāha), fawn (māyā), angry (pradāsa), envy (irṣyā), stingy (mātsarya), and so on. To most of these conceptual expressions of psychological state, there are few corresponding concepts in the other philosophy doctrines or psychology theories.

For the Buddhist concept, such as "Ālayavijñāna", Wittgenstein might say that, "Worte kann man ja erfinden; aber ich kann mir darunter nichts denken"[1]. However, the Buddhism scholars would not consider "Ālaya-vijñāna" simply a word, but the act of "seeing the mind" which corresponds to the psychological state. What's more, the Buddhism scholars could as well refute Wittgenstein with his own words: "If he can not smell it, then I can do nothing to help him, since he has no nose at all."[2] Or with the words from Husserl: "Wie können wir ihn überzeugen, unter der Voraussetzung, dass er keinen anderen Sinn hätte?"[3]

Indeed, if the American Indians are able to identify 30 different red colors, while us only 10, we have no reason to deny the other 20 red colors exist. This proves that though the acts of mind and their concomitant phenomenon are defined and distinguished ultimately with words, apparently, the mental images exist before the corresponding words. The mental images make it possible to define concepts with word. Certainly words sometimes fail to describe mental images precisely, but words can highlight the most prominent idea of mental images. That is the advantage and disadvantage of having definitions.

Scientific research tells us that the daily language activities occupy only very small portion of our mind. That explains why we are aware of a lot, but express a little. What's more, what we see and think determines what we want to express and communicate. This can be seen as evidence of mind determinism.

Indeed, language exerts tremendous influence over thoughts by way of solidifying the thinking process, and it helps to create and add on to categories of our experiences of the world. There is no doubt about that. However, the issue here is rather when language and mind interact, which of the two is the dominant and fundamental factor, while the other is more of a facilitator, and instrument.

Husserl pondered this issue in his *Logical Investigations*, and his conclusion is in favor of mind determinism: "the nominal object, whatever its categorical

---

[1] L. Wittgenstein, *Wittgenstein und der Wiener Kreis*, Gespräche, aufgezeichnet von Friedrich Waismann, Frankfurt am Main 1984, p. 68.

[2] See Victor Kraft, *Der Wiener Kreis. Der Ursprung des Neopositivismus*, trans. by B. Li/W. Chen, Beijing 1999, p. 178.

[3] Husserl, *The Idea of Phenomenology*, Chinese version, trans. by L. Ni, Shanghai 1986, p. 62.

interpretation, derives from the corresponding state of affairs, which has an intrinsic priority as regards authenticity". Another example: "the idea we have when ‚something' stirs, when there is a rustling, a ring at the door, etc., an idea had before we give it verbal expression, has indeterminateness of direction, and this indeterminateness is of the intention's essence, it is determined as presenting an indeterminate 'something'".[1]

The " ϕ " in Husserl's analysis of the time consciousness, together with the variations of its definition, description and expression, provides once again the evidence of mind determinism.

(Translated from the Chinese original by CHEN Zhengzhi)

---

[1] Husserl, *Logical Investigations*, the fifth Investigation, *LU* II/1, A 439/B_1 470, A 373/B_1 396.

3. Urbewusstsein und Reflexion bei Husserl[1]

Oft genug wird Edmund Husserls Phänomenologie als eine Art Reflexionsphilosophie bezeichnet, welche die Tradition seit Descartes fortsetzt und entfaltet. Diese Bezeichnung besteht allerdings zurecht, denn „Reflexion" bildet bei Husserl, was kaum noch der Begründung bedarf, einen erkenntnistheoretisch so zentralen Begriff, dass sie nach ihm „der Titel der Bewusstseinsmethode für die Erkenntnis von Bewusstsein überhaupt" ist und als „immanente Wahrnehmung schlechthin" das *„absolute Recht"* hat (Hua III/1, 165, 168). In der weiteren Entwicklung der phänomenologischen Philosophie aber wird diese die Reflexivität hervorhebende Einstellung – oder wir können auch sagen, die Tradition der Reflexionsphilosophie von Descartes bis Husserl – vor allem in zwei Punkten kritisiert: Einerseits wird der Primat der Reflexion in Frage gestellt und ihre Abkunft von einer anderen, *ursprünglicheren* Struktur behauptet, wie es z. B. M. Heidegger zugunsten des Seinsverständnisses tut. Andererseits wird der Reflexion – etwa bei J.-P. Sartre, aber auch bei anderen Philosophen – ein modifizierender Charakter zugesprochen; bei näherer Betrachtung erweist sich die nachträgliche Reflexion entweder als ein notwendiger Zusatz oder als ein unvermeidlicher Verlust. Was wir mittels der Reflexion nachholen, ist also im Vergleich zu dem je-

---

[1] Es handelt sich bei diesem Text um die wesentlich überarbeitete Fassung eines Referates, das unter dem Titel „Empfindung und Reflexion" beim „I. Workshop für phänomenologische Philosophie" am *Center for Theoretical Study at Charles University and the Academy of Sciences of the Czech Republic* in Prag am 16. Mai 1997 vorgetragen wurde. – Erstabdruck in: *Husserl-Studies*, 1998, Bd. 15, S. 77-99.
Die Begriffe „Urbewusstsein" und „Reflexion" findet man folgend in I. und II. erläutert. Vorwegzunehmen ist hier nur, dass sie diejenigen Bewusstseinsarten innerhalb der Bewusstseinsanalyse Husserls darstellen, die in ähnlicher Form bereits zuvor etwa als „unmittelbare und reflexive Erkenntnis" bei R. Descartes (vgl. ders., *Meditationes de prima Philosophia*, Hamburg 1965, S. 365f.) oder als „innere Wahrnehmung und innere Beobachtung" bei F. Brentano (vgl. ders., *Psychologie vom empirischen Standpunkt* I, Hamburg [3]1955, S. 41) auftreten, und später auch unter Titeln wie „innere Wahrnehmung und Reflexion" (vgl. M. Scheler, *Der Formalismus in der Ethik und die materiale Wertethik*, GW Bd. II, Bern/ München 1966, S. 386), „Selbst-Erschließung und Selbsterfassung" (vgl. M. Heidegger, *Grundprobleme der Phänomenologie*, GA Bd. 24, Frankfurt a. M. 1975, S. 226), „Conscience de soi et connaissance de soi" (vgl. J.-P. Sartre, *Conscience de soi et connaissance de soi*, in: *Bulletin de la Société Francaise de philosophie*, XLII, Paris 1948), „Selbstbewusstsein und Selbsterkenntnis" (vgl. M. Frank, *Selbstbewusstsein und Selbsterkenntnis. Essays zur analytischen Philosophie der Subjektivität*, Stuttgart 1991) usw. weiterhin diskutiert werden. Der aktuellste Forschungsstand zu diesem Begriffspaar liegt in der Arbeit von G. Hoffmann vor (vgl. ders., „Die Zweideutigkeit der Reflexion als Wahrnehmung von Anonymität", in: *Husserl Studies*, 1997, Bd. 14, S. 95-121). „Urbewusstsein" und „Reflexion" bei Husserl werden dort allerdings wiederum als „unausdrückliche und ausdrückliche Reflexion" bezeichnet. – Darauf, besonders auch auf die Arbeit von Hoffmann, werde ich im Laufe der Darstellung noch häufig zurückkommen.

weiligen Original (Urbewusstsein) nach dem einen zu viel und nach dem anderen zu wenig.

Freilich handelt es sich hierbei weniger um die Kritikpunkte als solche, die Husserl während seiner langjährigen Analyse der Bewusstseinsstruktur durchaus selbst vor Augen standen und denen er sich, wie sich noch zeigen wird, nicht zuletzt selbst unterwirft. Vielmehr gilt es hier zu erfragen, ob Husserl mit diesen Problemen zu einer bestimmten Lösung gekommen ist bzw. überhaupt kommen kann, und des Weiteren, wo die Probleme hinführen werden.

Im Folgenden werde ich zunächst (I.) versuchen, Husserls Gedanken über das präreflexive und vorintentionale Urbewusstsein zu rekonstruieren, um dann (II.) zur Charakterisierung des reflexiven Bewusstseins als methodischer, phänomenologischer Reflexion überzugehen. Anschließend werden die komplizierten Verhältnisse dieser zwei Bewusstseinsarten (III.) zusammenfassend dargestellt. Mit dem Versuch, die Schwierigkeiten ihrer Beschreibung an den Wurzeln zu packen, kann schließlich (IV.) die prinzipielle Möglichkeit einer Reflexionsphilosophie in Erwägung gezogen werden.

Gegenüber den genannten Kritikpunkten werden hier vor allem drei Überlegungen Husserls zu diesem Themenbereich herausgearbeitet und hervorgehoben: 1) Das Verhältnis zwischen Urbewusstsein und Reflexion besteht darin, dass das Urbewusstsein ursprüngliches Bewusstsein ist und eine Grundvoraussetzung für die nachträgliche Reflexion bildet. 2) Dieses Urbewusstsein, so wichtig und grundlegend es auch ist, kann *de facto* erst mittels einer nachträglichen Reflexion entdeckt, aufgeklärt und in diesem Sinne zum Gegenstand gemacht werden; ja selbst der Unterschied zwischen Urbewusstsein und Reflexion kommt nur in der Reflexion zu Gesicht. 3) Mit der Reflexion, die das urbewusste Bewusstseinsleben thematisch zum Gegenstand macht, ist hierbei prinzipiell die methodische, phänomenologische gemeint. Sie stellt eine wesentlich andere Form von Intentionalität dar: eine immanente, deskriptive, adäquate und steht demnach im Gegensatz zu der präsumptiven, transzendenten, konstitutiven Intentionalität.

I. Urbewusstsein als vorgegenständliches Bewusstsein und Original

Ein viel zitierter Satz von Husserl, der aus einem um 1911 oder 1912 geschriebenen Forschungsmanuskript stammt, lautet: „Jeder Akt ist Bewusstsein von etwas, aber jeder Akt ist auch bewusst.“ „Jedes ‚Erlebnis‘ im prägnanten Sinn ist innerlich wahrgenommen. Aber das innere Wahrnehmen ist nicht im selben Sinn ein ‚Erlebnis‘.“[1] Das hier genannte „innere Wahrnehmen“, das Husserl anderswo

[1] Hua X, S. 126f. Der gleiche Text ist auch als ein Teil des Textes Nr. 14 in Hua XXIII enthalten (vgl. dort S. 307). Wir verwenden im Folgenden die beiden Quellen zur gegenseitigen Ergänzung. – Was die Zeitangabe betrifft, sollen die hier betroffene Beil. XI und die anderen Beilagen (Beil. X ausgenommen) in *Edmund Husserls Vorlesungen zur Phä-*

auch als *„Urbewusstsein"*, *„inneres Bewusstsein"* oder „Selbstbewusstsein" bezeichnet,[1] meint nichts anderes als *das ungegenständliche Bewussthaben des Aktes selbst bei seinem Vollzug*. Dieser Unterscheidung zwischen dem „Erlebnis im prägnanten Sinn" und dem „inneren Wahrnehmen" des Erlebnisses wird von Husserl große Bedeutung beigemessen, so dass er in demselben Text behauptet: „Die ganze Phänomenologie, die ich in den *Logischen Untersuchungen* im Auge hatte, war eine Phänomenologie der Erlebnisse im Sinn der Gegebenheiten des *inneren Bewusstseins*." (Hua XXIII, 307 bzw. Hua X, 127) Später, in den *Ideen zu einer reinen Phänomenologie und phänomenologischen Philosophie* I, hat Husserl diese Unterscheidung sowie den Gedanken über das Urbewusstsein noch mehrmals bekräftigt (vgl. Hua III/1, § 45, § 77). Auch in den *Cartesianischen*

---

nomenologie des inneren Zeitbewusstseins (1928) nach E. Stein bzw. M. Heidegger aus den Jahren 1905-1910 stammen. Doch R. Boehm, Herausgeber der Hua X, konnte die entsprechenden Manuskriptunterlagen Husserls nicht auffinden und vermutet daher, dass diese Beilagen eher den Jahren 1910-1917 entstammen (vgl. Hua X, S. 99, Anm. 1). Diese Vermutung wird später durch die Datierung von E. Marbach, Herausgeber der Hua XXIII, „wohl 1911 oder Anfang 1912" für den Text Nr. 14, der die Beil. XI enthält, bestätigt. Wenn dies richtig ist, wovon der Verfasser überzeugt ist, so kommt Husserls Lehre vom inneren Bewusstsein bzw. Urbewusstsein nicht, wie in *Edmund Husserls Vorlesungen zur Phänomenologie des inneren Zeitbewusstseins* angegeben, zwischen den Jahren 1905-1910, sondern erst, wie E. Marbach in seiner „Einleitung des Herausgebers" zu Hua XXIII (S. LXVI) sagt, „deutlich ab 1911/12 zum Durchbruch". Doch muss man wiederum zugeben, dass Husserl sich mit diesem Problem bereits in den *Logischen Untersuchungen* (1900/01) unter Titeln wie „inneres Bewusstsein" bzw. „innere Wahrnehmung" (Hua XIX/1, S. 365ff.) und in der *Einleitung in die Logik und Erkenntnistheorie. Vorlesungen* 1906/07 unter Titeln wie „Urbewusstsein", „präphänomenales Erlebnis" bzw. „vorphänomenales Sein" beschäftigt (vgl. Hua XXIV, S. 243ff.) und dabei bereits etliche Wesensmomente erfasst hat.

[1] Vgl. Hua XXIV, S. 243ff., Hua X, Beil. IX u. XI, Hua XXIII, S. 118f. Hua III/2, S. 647, Hua IV, S. 318, Hua XXIII, S. 352 usw. – Neben diesen drei kann man bei Husserl noch andere Ausdrücke finden wie etwa „Urauffassung" (Hua X, S. 118f.), „präphänomenales Sein der Erlebnisse" (a.a.O., S. 129), „immanente Wahrnehmung" (Hua XXIII, S. 307ff.), „innere Reflexion" (Hua X, S. 129 u. Hua XXIII, S. 112), „Mitbewusstsein" (Hua VII, S. 249) usw.
Zu den Termini seien hier folgende Punkte bemerkt:
Der zweite, bereits in den *Logischen Untersuchungen* und auch später von Husserl häufig verwendete Ausdruck „innere Wahrnehmung" weist seinerseits auf eine starke Prägung durch F. Brentano hin und wird hier wegen seiner unvermeidlichen Vieldeutigkeit – etwa als „inneres Bewusstsein" (Hua XIX/1, V. Unters., § 5), als „Wahrnehmung der eigenen Erlebnisse" (Hua XIX/2, Beil.) oder sogar als bloße „innere Sinnlichkeit" (a.a.O., „Selbstanzeige", S. 782) u. dgl. – nur im Notfall benutzt.
Ebenfalls ungeeignet in diesem Zusammenhang ist der dritte, oft von den Interpreten übernommene Ausdruck „Selbstbewusstsein", da ihm bei Husserl mindestens noch zwei andere Bedeutungen anhaften: einerseits „Selbsterkenntnis" im allgemeinen Sinn (vgl. Hua VI, S. 209, Hua VII, S. 6), andererseits „Eigenbewusstsein" des individuellen Ich als Gegenbegriff zu Fremdbewusstsein bzw. Weltbewusstsein (vgl. Hua VI, S. 256, S. 261).
Wir bevorzugen hier das Wort *„Ur*bewusstsein" im Kontrast zu *„Re*flexion": das Erstere hat den Charakter von „ursprünglich" (Hua XIV, S. 244) oder „vorgegeben" (Hua I, S. 132), das Letztere hingegen von „nachträglich" oder „zurückschauend". Eine einheitliche Terminologie kann man bei Husserl in diesem Themenbereich nicht finden.

Meditationen und in *Die Krisis der europäischen Wissenschaft und die transzendentale Phänomenologie* wurde die Lehre vom Urbewusstsein – wenn wir Husserls unsystematische, aber fortdauernde Auseinandersetzungen mit diesem Bewusstseinszustand als Lehre bezeichnen dürfen – weiterhin beibehalten.[1]

Mit der „Phänomenologie der Erlebnisse im Sinne der Gegebenheiten des *inneren Bewusstseins*“ in den *Logischen Untersuchungen*, wovon in dem oben Zitierten die Rede war, kann freilich noch nicht eine „Phänomenologie des Urbewusstseins“ gemeint sein.[2] Vielmehr will Husserl damit sagen, dass die ganze Phänomenologie in den *Logischen Untersuchungen*, die auf der phänomenologischen Reflexion basiert, erst durch das Spiel des Urbewusstseins möglich ist. Also nur dadurch, dass das Urbewusstsein vorhanden ist, entsteht die Möglichkeit, „in der Reflexion auf das konstituierte Erlebnis *und* auf die konstituierenden Phasen hinzusehen“ (Hua X, 120), und somit auch die Möglichkeit einer Bewusstseinsphänomenologie als Reflexionsphilosophie.

Auf diese Weise werden also zwei Bewusstseinsarten bzw. -zustände voneinander geschieden:[3] einerseits „das präphänomenale Sein der Erlebnisse, ihr Sein

---

[1] Vgl. Hua I, S. 81, S. 132, Hua VI, S. 145. Eine sehr ausführliche, wenn auch nicht vollständige Auflistung von Husserls diesbezüglichen Überlegungen und Äußerungen findet sich in Hoffmann, „Die Zweideutigkeit der Reflexion ...“, a.a.O., S. 19ff.

[2] Sie kommt, wie gesagt (s. Anm. 2), erst später (um 1910) bei Husserl zu einem deutlichen Durchbruch. Seitdem beschäftigt er sich, wie wir unten noch sehen werden, sowohl in den veröffentlichten Schriften als auch in den Vorlesungen mit dem Verhältnis zwischen dem unmittelbar bewussten Erlebnis und der vermittelnden Reflexion darauf. Es ist deshalb merkwürdig, dass Heidegger im Jahre 1919 mit Unrecht bzw. Unerkenntnis genau das Gegenteil behauptete („Husserl selbst hat sich bis jetzt dazu nicht geäußert“) und Husserl gegen den Einwand P. Natorps zu verteidigen versuchte, indem er mit der Ausarbeitung einer „Ur-Wissenschaft“ als „vor-theoretischer Wissenschaft“ in einem der Phänomenologie des Urbewusstseins ähnlichen Sinne begann (ders., *Zur Bestimmung der Philosophie*, GA Bd. 56/57, Frankfurt a. M. 1975, 3. Kapitel, bes. S. 97 u. S. 101).

[3] Zur Unterscheidung von Urbewusstsein und Reflexion sei noch Folgendes bemerkt: In seinem Aufsatz „Die Zweideutigkeit der Reflexion ...“ geht Hoffmann davon aus, dass „Urbewusstsein“ und „Reflexion“ zwei Arten von Reflexion sind und die Zweideutigkeit der Reflexion bei Husserl darstellen (vgl. a.a.O., S. 2). Diese Bezeichnung lässt sich zurückführen auf eine Ausdrucksweise von K. Held, die eigentlich nur im Kontext der Ich-Frage zur Geltung kommen kann: „Demnach macht die *ausdrückliche* Reflexion von einer *unausdrücklichen*, immer schon ‚vor' der Reflexion vollzogenen Selbstgegenwärtigung des letztfungierenden Ich Gebrauch“ (ders., *Lebendige Gegenwart*, a.a.O., S. 81 [Hervorh. vom Verf.] u. auch Hoffmann, „Die Zweideutigkeit der Reflexion ...“, a.a.O., Anm. 37). Wenn überhaupt vom Urbewusstsein als „Reflexion“ die Rede sein könne, dann lediglich in dem Sinne, dass es sich um ein auf sich selbst bezogenes *unausdrückliches* Bewusstsein des *Ich* handle. Aber im Grunde genommen kann man erst nach der *ausdrücklichen* Reflexion von einem Ich sprechen, während das Urbewusstsein bereits vor dem Vollzug der Reflexion besteht. In diesem Sinne ist für Husserl ein Bewusstseinsakt ohne ichliche Beteiligung durchaus denkbar. Wohl aus diesem Grund kann bei L. Landgrebe von einem „Innesein *vor dem entwickelten Ichbewusstsein*“ die Rede sein (ders., „Das Problem der passiven Synthesis“, in: ders., *Faktizität und Individuation: Studien zu den Grundfragen der Phänomenologie*, Hamburg 1982, S. 83 [Hervorh. vom Verf.]). Zudem sprach Husserl von dem Urbewusstsein (1905/06) faktisch bereits lange bevor er das reine Ich in seine

vor der reflexiven Zuwendung auf sie", und andererseits „ihr Sein als Phänomen" (Hua X, 129), oder, wie Husserl es einige Jahre zuvor ausgedrückt hat, „einerseits das immanente Objekt einer adäquaten Wahrnehmung, hinschauend auf einen zeitlichen Fluß und seine reellen Bestandstücke, und andererseits das absolute, nicht durch eine adäquate Wahrnehmungsauffassung objektivierte Sein, jedes präphänomenale Sein, das ist, aber nicht wahrgenommen ist" (Hua XXIV, 246).

Überlassen wir die Reflexion dem nächsten Abschnitt und konzentrieren uns hier auf das Urbewusstsein, so gilt es zunächst die Frage zu stellen: Was ist dieses *„präphänomenale Sein der Erlebnisse"* bzw. *„präphänomenale Bewusstsein"* (Hua XXIV, 243)?

Husserls Beschreibungen des Urbewusstseins lassen sich den Haupttendenzen nach zunächst in den folgenden Aspekten wiedergeben:

1. Es handelt sich beim Urbewusstsein vor allem um einen *bewussten* „Inhalt" bzw. ein *Bewusstsein. Bewusst* wird, wie schon gesagt, das Bewusstseinserlebnis in seinem eigenen Vollzug. Diese Bewusstheit zu leugnen wäre nach Husserl „ein Unding" (Hua X, 119). Denn wir können gar nicht von einem „unbewussten Inhalt" sprechen, wenn er erst nachträglich durch Reflexion und nicht schon in irgendeiner Weise vorher bewusst wird. In diesem Sinne ist Bewusstsein nach Husserl „notwendig *Bewusstsein* in jeder seiner Phase" (ebd.). Die Bewusstheit des Bewusstseinsvollzuges bildet sozusagen eine Voraussetzung für die Möglichkeit der nachträglichen Reflexion. Hätten wir kein Urbewusstsein, könnten wir auch nicht reflektieren (vgl. Hua IV, 318).

2. In zeitlicher Hinsicht ist dieses Bewussthaben der Bewusstseinserlebnisse als *ursprünglich* zu charakterisieren. Der Ausdruck „ursprünglich" bzw. „ur-" und somit auch „*Ur*bewusstsein" in diesem Zusammenhang wird vor allem in der Konfrontation zu „*Re*flexion" benutzt: Die „Vorgegebenheit" des Urbewusstseins und die „Nachträglichkeit" der Reflexion stehen einander somit gegenüber, d. h. Urbewusstsein als „*Ur*datum" auf der einen Seite und Reflexion als „*Rück*blick" bzw. „*Nach*gewahren" auf der anderen. Das Verhältnis zwischen

---

Phänomenologie einführte (1912/13) (vgl. hierzu I. Kern, „Selbstbewusstsein und Ich bei Husserl", in: *Husserl-Symposion Mainz 27.6./ 4.7.1988*, hrsg. von G. Funke, Wiesbaden 1989, S. 54).

Obwohl Husserl selbst manchmal und gegen besseres Wissen „innere Reflexion" oder „Reflexion" in Anführungszeichen als Synonyme für „Urbewusstsein" bzw. „inneres Bewusstsein" benutzt (Hua X, S. 129, Hua XXIV, S. 244), was gewisse Verwirrungen mit sich bringen könnte, würde es ihm m. E. nicht in den Sinn kommen, unter „Urbewusstsein" eine „rück- und selbstbezügliche Reflexion" (Hoffmann, „Die Zweideutigkeit der Reflexion ...", a.a.O., S. 18) zu verstehen, und sei es eine „unvollständige" (a.a.O., S. 17). Denn „inneres Bewusstsein" oder „Urbewusstsein" besagt nichts anderes, als dass das Bewusstsein immer auch innerlich bewusst ist, aber *gerade nicht aufgrund der Reflexion.*

Es scheint mir daher außer Zweifel zu sein, dass Urbewusstsein und Reflexion nicht auf eine Ebene zu stellen und in diesem Sinne nicht als zwei Arten von Reflexion zu vergleichen sind, ebenso wenig wie – grob gesprochen – die *ap*präsentierte, *mit*bewusste Rückseite eines Tisches und der *re*präsentierte, *wieder*erinnerte Tisch als solcher.

den beiden Seiten beschreibt Husserl wie folgt: „Indem ein Urdatum, eine neue Phase auftaucht, geht die vorangehende nicht verloren, sondern wird ‚im Griff behalten' (d. i. eben ‚retiniert'), und dank dieser Retention ist ein Zurückblicken auf das Abgelaufene möglich."[1]

3. Es ist hier also in aller Deutlichkeit zu bemerken, dass das Urbewusstsein zwar die Voraussetzung des Zurückblickens darstellt, aber nicht das Zurückblicken selbst ist. „*Be*wusst" heißt noch nicht „*ge*wusst" (vgl. Hua III/1, 170 u. Hua VIII, 88). Das Urbewusstsein ist vielmehr ein *ungegenständliches* Bewusstsein.[2] Es ist Husserl zufolge ein „Innewerden" (Hua I, 132), das kein thematisches „Gewahren" ist, oder ein unmittelbares „Empfinden", ohne dabei das „Empfundene" zum Gegenstand zu machen;[3] dadurch unterscheidet sich das

---

[1] Hua X, S. 118. – Hier bedarf die möglicherweise verwirrende Zweideutigkeit des Begriffes „*Ur*bewusstsein" bei Husserl einer kurzen Erklärung: In einem weiteren Sinne schließt das „Urbewusstsein" sowohl „Impression" (als „ursprüngliche Gegenwärtigung") als auch „Retention" (als „Nochgegenwärtigung") und „Protention" (als „Vorgegenwärtigung") in sich ein (vgl. Hua XXIII, Beil. XXIII, S. 315f.). Wohl aus diesem Grund ist für Husserl „das innere Bewusstsein" (Urbewusstsein) „eben Zeitbewusstsein" (Hua XXIII, S. 316). Zugleich kann aber der Terminus „ur-" und somit „*Ur*bewusstsein" bei Husserl auch in einem engeren Sinne auftreten. Diesem begegnen wir hier im Zitat, wie auch überall dort, wo Husserl das „Urbewusstsein" als „Urdatum" bzw. „Urimpression" in Abgrenzung zu „Retention" als „zurückhaltendem Noch-Bewusstsein" und „Protention" verwendet (vgl. Hua X, S. 118f. u. S. 380f.) oder von „Urbewusstsein *und* Retention" spricht (vgl. Hua X, S. 119 [Hervorh. vom Verf.]). Diese beiden Bedeutungen, die weitere und die engere, müssen sich nicht unbedingt widersprechen.

[2] Oder eben auch „anonym", wie es Hoffmann zu nennen bevorzugt. Aber „anonym" ist bei Husserl im Sinne von „unthematisch" zu charakterisieren. Hingegen ist „Thema", so Husserl, „immer schon konstituiertes, für das Ich Seiendes; daher ist der Urstrom als solcher, das Strömen in seiner Weise des erlebnismäßigen ‚Seins' immer außer-thematisch" (Ms. C 17 VI, S. 7 [zitiert aus G. Brand, *Welt, Ich und Zeit. Nach unveröffentlichten Manuskripten E. Husserls*, Den Haag 1969, S. 73f.]). So gesehen ist bei Husserl, selbst wenn er „einmal die völlige Anonymität des Bewusstseins betont, es dann aber wieder seiner selbst mitbewusst nennt" (Hoffmann, „Die Zweideutigkeit der Reflexion ...", a.a.O., S. 2), noch bei Weitem keine Zweideutigkeit entstanden, weder eine der Reflexion, noch eine der Anonymität. In diesem Sinne ist nicht nur das Urbewusstsein, sondern z. B. auch das Weltbewusstsein Husserl zufolge anonym (vgl. Hua VI, S. 267), da die Welt zwar bewusst, aber dieses Bewusstsein der Welt in der natürlichen Einstellung nicht thematisiert wird. Das Ähnliche gilt für alle Bewusstseinsarten, wie etwa Zeitbewusstsein oder Seinsbewusstsein u. dgl., die in der natürlichen Einstellung noch anonym sind, in der reflexiven aber thematisch werden.

[3] In der Analyse des Urbewusstseins benutzt Husserl oft den Begriff „Empfindung" zur Beschreibung des Urbewusstseins. Bereits in der *Einleitung in die Logik und Erkenntnistheorie. Vorlesungen* 1906/07 identifiziert Husserl „Empfindung" bzw. „Emfindungsmaterial" mit „Urbewusstsein" oder „präphänomenalem Sein" (vgl. Hua XXIV, S. 247). Später spricht er weiterhin davon, dass „jedes Erlebnis ‚empfunden' ist", und dass „Empfindung nichts anderes als das *innere* Bewusstsein des Empfindungsinhalts ist" (Hua XXIII, S. 307ff.). Da Husserl unter Urbewusstsein aber auch das innere Zeitbewusstsein versteht, muss es ihm mehr bedeuten als bloße Empfindung. Wir können freilich das Urbewusstsein als *Empfindung im weiteren Sinne* bezeichnen oder umgekehrt die Empfindung als *Urbewusstsein im weiteren Sinne*, aber nicht ohne jedes Bedenken. – Die Verhältnisse zwischen beiden bedürfen weiterer Untersuchungen, auf die ich hier nicht eingehen kann.

Urbewusstsein deutlich von einem Zurückblicken im Sinne von Reflexion. Diese Feststellung hat Husserl bereits 1906/07 vollzogen, indem er darauf hinwies, dass im Urbewusstsein „das *datum* noch nicht gegenständlich geworden, aber doch ist“ (Hua XIV, 244). Somit verabschiedet sich Husserl von seiner früheren Position in den *Logischen Untersuchungen* (1900/01), wo er das innere Bewusstsein noch als „auf Gegenstände bezogen“ betrachtet.[1]

4. Lassen sich die bisher genannten drei Eigenschaften des Urbewusstseins in Kurzform als *bewusst*, *urbewusst* und *ungegenständlich bewusst* bezeichnen, so kann dazu noch die vierte Eigenschaft *selbstbewusst* treten: Das Urbewusstsein ist nicht nur *kein Bewusstsein von einem Objekt*, sondern auch *kein Bewusstsein eines Subjekts*. Mit anderen Worten, es handelt sich beim Urbewusstsein um ein *Bewusstsein sowohl ohne gegenständliche Beziehung als auch ohne ichliche Beteiligung*.[2] Was *urbewusst* ist, heißt also zugleich *selbstbewusst*. Der Bewusstseinsvollzug bzw. -fluss ist in sich selbst bewusst und benötigt in dieser Hinsicht kein letztes Ich als Grundlage bzw. Substrat. „Die Selbsterscheinung des Flusses fordert nicht einen zweiten Fluß, sondern als Phänomen konstituiert er sich in sich selbst“ (Hua X, 381). Dies bildet eines der Wesensmomente, welche das Urbewusstsein von der Reflexion unterscheiden. Auf diese Weise wird zugleich der so genannte „unendliche Regress“ vermieden, in welchen zwar jede Reflexion bei der Selbstrechtfertigung geraten kann, aber nicht das Selbstbewusstsein (Urbe-

---

Evident ist nur, dass Empfindung und Urbewusstsein beide gemeinsam einen *vorgegenständlichen* und *reell immanenten* Charakter besitzen.

[1] Viele Interpreten gehen von dieser Position Husserls in den *Logischen Untersuchungen* aus, wie z. B. E. Tugendhat, der die „innere Wahrnehmung“ bei Husserl als ein „mögliches unmittelbares Wissen“ betrachtet, dessen *Gegenstände* die Erlebnisse sind (vgl. ders., *Selbstbewusstsein und Selbstbestimmung. Sprachanalytische Interpretationen*, Frankfurt a. M. 1979, S. 13). Besonders zu bemerken ist hier, dass M. Franks Verständnis und Kritik zur Problematik des inneren Bewusstseins bei Husserl, obwohl er den späteren, von uns zitierten Text Husserls in den Beilagen zu *Zur Phänomenologie des inneren Zeitbewusstseins* (Hua X, Beil. X) ins Auge gefasst hat, ebenfalls auf der früheren Auffassung Husserls basiert, indem er Husserls Bestimmung des inneren Bewusstseins als „auf Gegenstände bezogen“ in den *Logischen Untersuchungen* zu stark interpretieren will (vgl. ders., „Fragmente einer Geschichte der Selbstbewusstseins-Theorie von Kant bis Sartre“, in: ders. (Hrsg.), *Selbstbewusstseinstheorien von Fichte bis Sartre*, Frankfurt a. M. 1991, S. 527f., S. 544f.). Dadurch ist er der Gefahr ausgeliefert, „das innere Bewusstsein“ (Urbewusstsein als vorgegenständliches Bewusstsein) mit „dem immanenten Bewusstsein“ (Reflexion als gegenständliches Bewusstsein) bei Husserl zu vermischen (vgl. a.a.O., S. 528f.), da er den Unterschied zwischen beiden Bewusstseinsarten, dem „präreflexiven Bewusstsein“ und dem „Reflexionsbewusstsein“ nur als einen zeitlichen Unterschied betrachtet (vgl. a.a.O., S. 545).

[2] In diesem Sinne stellt das Urbewusstsein den „Ur-Grund“ dar. Es führt in vieler Hinsicht zu dem, was E. Fink als „Ur-Einheit“ beim späten Husserl versteht: Diese liegt dem Unterschied zwischen Objekt und Subjekt voraus, genauer gesagt nicht nur dem Unterschied von *cogito* und *cogitatum*, sondern auch dem Unterschied von *ego* und *alter ego*. Die „Ur-Einheit“ lässt, so Fink, „erst den Plural aus sich hervorbrechen“ (ders., „Die Spätphilosophie Husserl in der Freiburger Zeit“, in: ders., *Nähe und Distanz. Phänomenologische Vorträge und Aufsätze*, Freiburg/ München 1976, S. 223). Darauf werden wir noch zurückkommen.

wusstsein). „Ist aber jeder Inhalt", so Husserl, „in sich selbst und notwendig ‚urbewusst', so wird die Frage nach einem weiteren gebenden Bewusstsein sinnlos" (Hua X, 119).

5. Nicht zuletzt wird dann noch der Setzungscharakter, der Charakter des *belief* im Urbewusstsein von Husserl in Betracht gezogen: Hier geht es um die Frage, ob im Urbewusstsein das urbewusste bzw. innerlich bewusste Bewusstseinsleben für seiend gehalten wird. Husserl fand es zunächst „natürlich", dass das Urbewusstsein „nicht setzend" ist.[1] Mit der Nichtsetzung wird hier eigentlich nur die Nichtsetzung des gegenständlichen Seins gemeint, also Nichtsetzung im üblichen Sinne bei Husserl: Wo kein Gegenstand wahrgenommen wird, findet „natürlich" auch keine Seinsmeinung statt. Das Geschehen der Seinssetzung setzt den Vollzug der Objektivierung voraus. Es steht daher so weit fest, dass das Urbewusstsein als unthematisches Bewusstsein keine Setzung, oder genauer gesagt, *keinen gegenständlichen Seinsglauben* hat. Aber in einem weiteren Sinne wird das Urbewusste doch in einer bestimmten Weise gesetzt, wenn auch nicht gegenständlich. Es wundert daher nicht, wenn Husserl im selben Manuskript hinterher die „innere Wahrnehmung" als „setzende Meinung aufgrund des innerlich Bewussten" bezeichnet (Hua XXIII, 312) und wenig später (1912) den *belief* als „wesentlich" und „notwendig" zum Gehalt des gesamten inneren Bewusstseins gehörig betrachtet (Hua XXIII, 337f.). In einer Anmerkung dort unterscheidet Husserl zudem noch den Seinsglauben im inneren Bewusstsein von dem Seinsglauben im normalen Sinne, indem er vom „ersten" und „zweiten *belief*" spricht.[2] Der erste *belief*, die Setzung im Urbewusstsein, richtet sich nicht auf einen Gegenstand, auf das Erlebte bzw. das Wahrgenommene, wie es bei dem zweiten *belief* der Fall ist, sondern es ist ein ungegenständlich setzendes Mitbewussthaben des Erlebens selbst, ein unthematisches Bewusstsein davon, dass das Erleben im Vollzug ist, kurzum, eine *unthematische Selbstgewissheit*. Überdies kann man dann den anderen Unterschied zwischen erstem und zweitem *belief* darin finden: Der erste *belief* ist dem inneren Bewusst-

---

[1] Hua XXIII, S. 307. – Dieser Auffassung sind auch manche Interpreten: I. Kern z. B. hebt Husserl folgend hervor, dass das „Urbewusstsein" nichtsetzend ist, im Gegensatz zur Reflexion, die die von ihr reflektierten Erlebnisse setzt (vgl. ders., „Selbstbewusstsein und Ich bei Husserl", a.a.O., S. 58). M. Frank versteht dann das „Urbewusstsein" bei Husserl als „ein nicht-setzendes Vertrautsein des Aktes mit sich" und stellt in dieser Beziehung sogar die Frage: „[I]st das nicht-setzende Selbstbewusstsein irgendwie ein Analogon des setzenden, d. h. des seinen Gegenstand vor sich hinstellenden und thematisierenden Bewusstseins?" Mit dieser Frage werden „die innere Artikulation" in Husserls Selbstbewusstsein bzw. die „Zweiheit von Momenten", ja die „zwei Pole" des Bewusstseins angedeutet, die schließlich zur „bleibenden Schwierigkeit der Husserlschen Zeitbewusstseins-Theorie" führen sollen (vgl. ders., „Fragmente einer Geschichte der Selbstbewusstseins-Theorie von Kant bis Sartre", in: a.a.O., S. 544f.).

[2] Hua XXIII, S. 338, Anm. 2: „Erstes *belief*, notwendiges im inneren Bewusstsein, im Erl*eben*. Sein Korrelat der Wirklichkeitscharakter jedes Erleb*nisses*. Zweites *belief* im Erlebnis, wenn dieses etwa ein Wahrnehmen, ein Urteilen ist, sein Korrelat der Wirklichkeitscharakter im Wahrgenommenen."

sein, das man in jedem Bewusstseinsleben vorfinden kann, notwendig zugehörig und somit jedem Erleben „nicht wegzunehmen" (Hua XXIII, 338). Der zweite *belief* hingegen, der Seinsglaube an den Gegenstand, kann einerseits „verloren" bzw. ausgeschaltet und andererseits modalisiert werden (Hua XXIII, 338).

Ich begnüge mich vorläufig mit diesen Merkmalen des Urbewusstseins und gehe zur Charakterisierung der Reflexion über.

II. Reflexion als nach-denkendes Bewusstsein und Modifikation

Die Auseinandersetzung mit der Reflexion hat bei Husserl bereits sehr früh angefangen. Da die Reflexion selbst eine Art von Bewusstseinsakt darstellt, wird es bei ihm als eine „phänomenologische Aufgabe" bzw. „Thema eines Hauptkapitels der Phänomenologie" verstanden, „die sämtlichen unter den Titel Reflexion fallenden Erlebnismodifikationen im Zusammenhang mit allen den Modifikationen, mit welchen sie in Wesensbeziehung stehen, und die sie voraussetzen, systematisch zu erforschen".[1]

Allerdings muss ich hier – unter Verzicht auf eine systematische Untersuchung des Themas Reflexion – zunächst mit einer allgemeinen Frage beginnen: Zu welcher Art von Bewusstseinsakt gehört der reflektierende Akt? Mit anderen Worten, ist Reflexion ein gegenwärtigender oder eher ein vergegenwärtigender Akt?

Bekanntlich bezeichnet Husserl selbst die Reflexion, vor allem die methodische Reflexion, häufig als „immanente Wahrnehmung"[2]. Er leugnet auch nicht, dass sie ebenfalls als Phantasie bzw. Vergegenwärtigung vollzogen werden kann.[3] Nehmen wir ein bekanntes Beispiel Husserls, etwa die Trugwahrnehmung einer Puppe als Dame im Berliner Panoptikum (vgl. Hua XI, 33f.), so handelt es sich bei der Analyse offenbar nicht um eine aktuelle Trugwahrnehmung, sondern um eine Erinnerung, die diese Trugwahrnehmung vergegenwärtigt. Es ist also ohne Weiteres klar, dass die Reflexion, die methodische wie die natürliche, in der

---

[1] Hua III/1, S. 147 u. S. 149. Eine systematische Untersuchung zum Thema Reflexion hat Husserl selbst nicht vorgelegt. Der aktuellste Versuch zu einer Rekonstruktion der diesbezüglichen Analysen Husserls kann man in der schon mehrmals erwähnten Arbeit „Die Zweideutigkeit der Reflexion als Wahrnehmung von Anonymität" von Hoffmann finden.

[2] Vgl. Hua III/1, S. 88f. u. bes. S. 95, wo Husserl ausdrücklich sagt: *„Die Seinsart des Erlebnisses ist es, in der Weise der Reflexion prinzipiell wahrnehmbar zu sein."* Vgl. dazu des Weiteren Hua XXIII, S. 191, S. 307 u. *passim*.

[3] „Wir sind ferner überzeugt", sagt Husserl, „dass auch Reflexion auf Grund und ‚in' der Wiedererinnerung uns kundgibt von unseren früheren Erlebnissen." (Hua III/1, S. 163. Vgl. hierzu auch Hua XXIII, S. 184f., S. 350 u. *passim*.) Aber im Grunde genommen besteht Husserl auf „das *absolute Recht* der immanent *wahrnehmenden* Reflexion" und „das *relative* Recht der immanenten Wiedererinnerung" (Hua III/1, S. 168f.), zu welcher die erinnernde Reflexion gehört. – Auf den Unterschied von Reflexion und Erinnerung werden wir unten noch zurückkommen.

Phantasie bzw. Reproduktion durchgeführt werden kann. – Außerdem haben wir bisher die *Re*flexion ja auch immer als ein *Zurück*blicken bezeichnet, und es wird jetzt noch deutlicher, dass damit nicht nur die *Blickrichtung*, sondern auch die *zeitliche Abfolge* gemeint ist.

Fraglich ist nur, ob die Reflexion auch als Wahrnehmung zu vollziehen ist. Denn unter Wahrnehmung verstehen wir eine direkte, originale Erfassung des gegenwärtigen Gegenstandes. Wenn wir sagen, dass es sich bei der Reflexion auf die Wahrnehmung auch um eine Wahrnehmung handelt, tritt eine weitere Frage auf: Sind die beiden Wahrnehmungen ein und derselbe Akt, der den Blick zuerst nach vorne richtet und dann zurück auf sich selbst? Die Frage kann sicherlich mit „nein" beantwortet werden, da bei dieser Blickwendung zumindest eine Modifikation der Materie vorliegt, abgesehen von anderen Modifikationen, einschließlich der qualitativen. Die beiden Wahrnehmungen sind also zwei verschiedene Akte. Nun gilt es auf die Frage zu antworten, ob die beiden Akte gleichzeitig vollzogen werden oder nacheinander. Der erste Fall hieße, dass wir *gleichzeitig zwei aktuelle Aufmerksamkeitsakte* haben: Der eine vollzieht eine schlichte Wahrnehmung, und der andere beobachtet diese in ihrem Vollzug, und zwar rückblickend. Dass uns dies, so sehr wir uns auch darum bemühen, nicht gelingen kann, wird sich bei jedem Versuch erneut erweisen.[1] Am deutlichsten zeigt es sich am Beispiel des Wutanfalls, dass wir nicht zugleich mitten in der Wut sein und darauf reflektieren können. Das Gleiche gilt auch für die Dingwahrnehmung: Wir können zwar zwischen ihr und der Reflexion auf sie beliebig hin und her wandern, aber bei dieser Wanderung muss jedes Mal ein wenn auch noch so winziger zeitlicher Abstand in Anschlag gebracht werden.

In der Tat können wir also nur den letzteren Fall als den einzig möglichen nehmen, was dann zu der Konsequenz führt, dass die Reflexion nur *reproduktiv* sein kann. Prinzipiell muss also zuerst ein Akt vollzogen, und zwar *urbewusst* vollzogen sein, auf den sich dann unser Blick richten kann. Der Vorgang, diesen bereits vollzogenen Akt erneut zur Erscheinung zu bringen, muss als *reproduktiv* charakterisiert werden. Mit anderen, deutlicheren Worten: Ich kann nicht gegenwärtigend, wahrnehmend reflektieren, sondern nur vergegenwärtigend, reproduzierend.

Eben darin besteht ein wesentlicher Unterschied zwischen Urbewusstsein und Reflexion: *das Urbewusstsein ist das Bewusstsein während des Vollzugs jedes Erlebnisses, die Reflexion hingegen kann jedes Erlebnis prinzipiell nur nach seinem Vollzug vergegenständlichen.*

[1] Dies bemerkt z. B. schon F. W. J. Schelling, indem er sagt: „Das Ich kann nicht zugleich anschauen und sich anschauen als anschauend." (Ders., *Ausgewählte Schriften*, Frankfurt a. M. 1985, Bd. 1, S. 471) Auch was M. Merleau-Ponty in einem anderen Zusammenhang sagt, darf hier herangezogen werden: „Allem Anschein nach kann das Nervensystem nicht zwei Dinge auf einmal tun." (Ders., *La Structure du comportement*, Paris 1967, deutsche Übersetzung von B. Waldenfels, *Die Struktur des Verhaltens*, Berlin 1976, S. 23)

Reflexionen jeder Art, die phänomenologische, methodische eingeschlossen, sind demnach keine reflektierende Wahrnehmung, sondern nur *eine reflektierende Reproduktion*, ein *Nach-Denken*.[1]

Es ist in der Tat eine deutliche Einsicht, dass *man nur in der Phantasie im Sinne der Reproduktion (auch Erinnerung) reflektieren kann*. Das bedeutet nämlich, dass *jedes Erlebnis, auf das wir reflektieren, nicht mehr original ist. Es ist bereits ein modifiziertes Erlebnis, wenn es durch Reproduktion in der Reflexion wieder verlebendigt wird. Die phänomenologische Untersuchung hat also nicht das originale Erlebnis selbst zum Gegenstand, sondern das modifizierte.*

Im Zusammenhang mit dieser Feststellung sei hier sogleich bemerkt, dass und wie die verschiedenen Versuche, die Reflexionsphilosophie zu überwinden, als gemeinsamen Kritikpunkt an der Reflexion, und nun auch in übertragender Weise an der philosophischen, methodischen Reflexion, die Modifikation haben: So wird etwa bei Heidegger die Reflexion prinzipiell als sekundäre „Selbsterfassung" gegenüber der „primären Selbst-Erschließung"[2] oder sogar als „Entlebung" gegenüber dem „Leben"[3] aufgefasst. Ähnlich verhält es sich bei Sartre, der die Reflexion zu einem „Akt zweiten Grades" erklärt.[4] Was L. Landgrebe als den wesentlichen Unterschied zwischen „dem reflexiven vergegenständlichten Vollzug und dem unmittelbar geschehenden Vollzug" bzw. zwischen „dem entwickelten Ichbewusstsein" und dem „Wissen" davon hervorgehoben hat, könnte

[1] Hua VIII, S. 89. Für diese Konsequenz finden wir in der phänomenologischen Forschungsliteratur auch reichlich Belege. So weist K. Held z. B. auf Folgendes hin: „Es muß [...] ein Abstand, eine ‚Spaltung' zwischen dem gewahrenden und gewahrten Ich vorliegen, damit überhaupt ein Reflexions-Blickstrahl vom Ich-her... auf das Ich... gerichtet werden kann." (Ders., *Lebendige Gegenwart*, a.a.O., S. 79ff.) Zu diesem Resultat kommt auch B. Waldenfels, obwohl er paradoxerweise weiterhin von Selbst*wahrnehmung* spricht, die eine *modifizierte* Bewusstseinsweise darstellen soll: „Selbstwahrnehmung als *Reflexion* setzt ihrem Wesen nach ein unreflektiertes Bewusstsein voraus, das als solches reflektiert wird. Sie selbst ist keine ursprüngliche, sondern eine modifizierte Bewusstseinsweise." (Ders., *Das Zwischenreich des Dialogs. Sozialphilosophische Untersuchung in Anschluß an Edmund Husserl*, Den Haag 1971, S. 66) Am deutlichsten kommt sie bei I. Kern zum Ausdruck, der die Reflexion ausdrücklich als eine Art von „Betrachtung" bezeichnet, „die nicht nur zufällig *nach* dem Tun, auf das sie ‚zurückgeht', geschieht und ebensogut schon in diesem Tun selbst hätte geschehen können, also nur zufällig Reflexion, sondern die *wesensmäßig* Reflexion ist: überhaupt nur in der Rückkehr auf ein Tun *betrachten kann, was sie betrachtet.*" (Ders., *Idee und Methode der Philosophie. Leitgedanken für eine Theorie der Vernunft*, Berlin 1975, S. 22)

[2] Vgl. M. Heidegger, *Grundprobleme der Phänomenologie*, a.a.O., S. 226.

[3] Vgl. M. Heidegger, *Zur Bestimmung der Philosophie*, a.a.O., S. 112ff.

[4] „Um die besonderen Merkmale der Vorstellung als solcher zu bestimmen", sagt Sartre in dieser Hinsicht, „muß man auf einen neuen Akt des Bewusstseins zurückgreifen: man muß *reflektieren*. Die Vorstellung als Vorstellung ist also nur durch einen Akt zweiten Grades beschreibbar." (Ders., *L'Imaginaire. Psychologie phénoménoloque de l'imagination*, Paris 1976, deutsche Übersetzung, *Das Imaginäre. Phänomenologische Psychologie der Einbildungskraft*, Hamburg 1971, S. 43)

also als gerechtfertigt gelten, nämlich: das Letztere *„gibt uns mehr von Welt und unserer Lage in der Welt zu verstehen, als reflexiv eingeholt werden kann“*[1].

Wenn wir nun die Sache unter einem noch weiteren Blickwinkel betrachten, so scheint in vieler Hinsicht in dem Unterschied zwischen Urbewusstsein und Reflexion sogar die wesentliche Differenz zwischen Lebensphilosophie und Reflexionsphilosophie wie zwischen praktischer und theoretischer Philosophie zu wurzeln. Nicht zu übersehen ist schließlich noch, dass, da es sich bei der genannten Modifikation durch Reflexion um einen Abstand zwischen dem Ursprünglichen und dem Modifizierten handelt, der Unterschied zwischen dem urbewussten und dem reflektierten Leben *mutatis mutandis* als *Zwischenbereich* des *natürlichen Lebens* und des *philosophisch-reflexiven Lebens* bezeichnet werden muss. A. Schütz hat beispielhaft in seiner phänomenologischen Erforschung der Soziologie auf diesen Abstand bzw. diese Modifikation aufmerksam gemacht, die er auch als *Spannung* zwischen dem fortdauernden Erlebnis und der Reflexion auf das Erlebte, kurz: zwischen Leben und Denken bezeichnet und zu beseitigen versucht.[2]

III. Verhältnisse zwischen Urbewusstsein und Reflexion

Was oft übersehen wird, ist jedoch, dass Husserl sich diese Art von Modifikation durch Reflexion selbst schon deutlich zum Bewusstsein gebracht hat. Bereits in den *Logischen Untersuchungen* findet man die folgende Überlegung: „Eine vielerörterte Schwierigkeit, welche die Möglichkeit jeder immanenten Deskription psychischer Akte und, in naheliegender Übertragung, die Möglichkeit einer phänomenologischen Wesenslehre prinzipiell zu bedrohen scheint, besteht darin, dass im Übergang vom naiven Vollzug der Akte in die Einstellung der Reflexion bzw. in den Vollzug der ihr zugehörigen Akte, sich die ersteren Akte notwendig verändern. Wie ist Art und Umfang dieser Veränderung richtig zu bewerten, ja wie können wir von ihr – sei es als Faktum oder als Wesensnotwendigkeit – überhaupt etwas wissen?“ (Hua XIX/1, B_1 10) Sehr wichtig sind Husserls Bemerkungen an der gleichen Stelle, welche das Reflektieren als *sekundäres* von dem Reflektierten als *primärem* unterscheiden und zugleich auf die durch Reflexion bewirkte *Veränderung* hinweisen: „Da wir in dem sekundären Akte auf die primären achtsam sein sollen und dies wieder zur Voraussetzung hat, dass wir mindestens bis zu einem gewissen Grade auf deren Gegenstände achtsam sind, so kommt hier natürlich auch die ‚Enge des Bewusstseins' als erschwerender Umstand in Betracht. Bekannt ist ferner der störende Einfluß, den die sekundären

[1] L. Landgrebe, „Das Problem der passiven Synthesis“, a.a.O., S. 83.
[2] Vgl. A. Schütz, *Der sinnhafte Aufbau der sozialen Welt. Eine Einleitung in die verstehende Soziologie*, Frankfurt a. M. 1981, S. 94. – Bei B. Waldenfels ist diese *Spannung* dann im Grunde genommen die „Grundspannung von Reflexion und Leben“ (vgl. ders., *Das Zwischenreich des Dialogs*, a.a.O., S. 66).

Akte der Reflexion auf den phänomenologischen Gehalt der primären Akte nehmen, wobei die eintretenden Veränderungen von dem minder Geübten leicht zu übersehen, aber auch von dem Erfahrenen schwer einzuschätzen sind."[1]

Diesem Gedanken begegnen wir in der *Einleitung in die Logik und Erkenntnistheorie. Vorlesungen* 1906/07 wieder, wo Husserl ausdrücklich sagt, dass wir „in der Reflexion und Analyse ein geändertes Bewusstsein gegenüber dem ursprünglichen" finden (Hua XXIV, 244).

Später, in den *Ideen* I, zeigt Husserl dann in einem weiteren Schritt am Beispiel einer Reflexion auf den Bewusstseinsakt des Zorns, dass der Zorn, der in der Reflexion erscheint, nicht mehr der originäre ist; er ist vielmehr ein durch Reflexion „verrauchender Zorn", d. h. ein sich inhaltlich schnell modifizierender Zorn (vgl. Hua III/1, 146). In diesem Sinne bezeichnet er das Reflektieren auch als „Nachgewahren" (Hua VIII, 89). Allerdings hat bereits F. Brentano diese Tatsache im Bereich der inneren Wahrnehmung anhand des gleichen Beispiels festgestellt und zum „allgemein gültigen psychologischen Gesetz" erhoben, „dass wir niemals dem Gegenstande der inneren Wahrnehmung unsere *Aufmerksamkeit* zu[zu]wenden vermögen", es sei denn, es handle sich um die „innere Beobachtung" der früheren psychischen Zustände *im Gedächtnis* (Reflexion im Sinne von Husserl).[2] Aber Husserl scheint in Bezug auf die allgemeine Gültigkeit der durch die Reflexion entstehenden Modifikation noch konsequenter und radikaler zu sein, indem er sagt, dass *„jederlei ‚Reflexion'* den Charakter einer *Bewusstseinsmodifikation* hat" (Hua III/1, 166f.), oder dass jedes *cogito* (nicht bloß die innere, sondern auch die äußere Wahrnehmung im Brentanoschen Sinne), das durch Reflexion als zweites *cogito* erfasst wird, wesensmäßig ein *„früheres*, sich dabei *phänomenologisch wandelndes" cogito* ist (Hua IV, 101, Hervorh. vom Verf.). Zu dieser Modifikation bzw. Wandlung erklärt Husserl noch Folgendes: „Von Modifikation ist hier insofern die Rede, als jede Reflexion wesensmäßig aus Einstellungsänderungen hervorgeht, wodurch ein vorgegebenes Erlebnis, bzw. Erlebnisdatum (das unreflektierte) eine gewisse Umwandlung erfährt, eben in den Modus des reflektierten Bewusstseins (bzw. Bewussten)." (Hua III/1, 166) – Eine nähere Bestimmung dieser *„Umwandlung"* scheint Husserl nicht gegeben zu haben.

Evident ist jedoch, dass zwischen dem Ursprünglichen und dem Modifizierten zumindest ein gegenseitiges Verhältnis vorliegt:

Zunächst kann ich Husserl zufolge feststellen, dass die eine der Funktionen, die das Urbewusstsein im Zusammenhang mit der Reflexion und somit auch in der Reflexionsphilosophie ausübt, hier zur Geltung kommt: Das Urbewusstsein bedeutet, wie schon gesagt, eine Art Voraussetzung für die Reflexion, ja für die

---

[1] Hua XIX/1, A 11. Merkwürdigerweise hat Husserl diese Bemerkungen in der zweiten Auflage der *Logischen Untersuchungen* (1913) weggelassen, als ob die erwähnten „erschwerenden Umstände" nicht mehr existierten. Gleichzeitig tauchen diese Überlegungen jedoch in den *Ideen* I (1913) wieder auf.

[2] F. Brentano, *Psychologie vom empirischen Standpunkt* I, a.a.O., S. 41 u. S. 48.

Vergegenwärtigung überhaupt; ohne Urbewusstsein könnte eine Reflexion als rückblickende Zuwendung überhaupt nicht zustande kommen. „Hätte ich es [das Selbstbewusstsein bzw. Urbewusstsein] nicht", sagt Husserl, „so könnte ich auch nicht reflektieren."[1]

Aber ich kann ebenfalls Husserl folgend sagen, dass eine Erkenntnis des Bewusstseins nicht nur durch das Urbewusstsein allein, sondern zugleich durch die nachträgliche Reflexion bedingt ist. Das wesentliche Verhältnis zwischen beiden, das hier bei der Erzielung dieser Erkenntnis vorliegt, kann durch eine beiderseitige Inanspruchnahme bezeichnet werden, die keine beiderseitige Unentbehrlichkeit ist:

Auf der einen Seite kann eine reflektierende Blickwendung ohne das vorhergehende Urbewusstsein nicht stattfinden. Sie hätte dann nichts, worauf sie sich beziehen könnte. Die Reflexion selbst kann nichts erfinden und konstruieren, sondern, wie L. Landgrebe bemerkt, sie „erhebt nur in das thematische Bewusstsein, was schon immer unthematisiert und unbefragt fungiert hat"[2].

Auf der anderen Seite lässt sich das Urbewusstsein ohne die nachträgliche Reflexion nicht herausstellen. Sie würde für immer eine unentdeckte und in dieser Unentdecktheit waltende bleiben. Anders ausgedrückt *entsteht* das Urbewusstsein zwar nicht durch Reflexion, es wird jedoch durch sie thematisch *entdeckt*. Daraus kann gefolgert werden, dass die Reflexion das Urbewusstsein voraussetzt und in diesem Sinne von ihm abhängig ist, nicht aber umgekehrt.

Die Tatsache jedoch, die man hierbei trotz der hervorgehobenen Stellung des vor-intentionalen Bewusstseins nicht übersehen darf, besteht darin, dass es ebenfalls eine Leistung der Reflexion darstellt, dieses Urbewusstsein und all seine Gaben festzustellen: Wenn wir zur philosophischen Reflexion übergehen, ist die „naive Wahrnehmung"[3] zwar „dahin", so Husserl, „aber es steht in der

---

[1] Hua IV, S. 318. – Bei M. Heidegger kommt dies noch radikaler zum Ausdruck, wenn er die Ursprungswissenschaft so bestimmen will, dass sie „nicht nur keine *Voraussetzungen* zu machen *braucht*, sondern *nicht* einmal machen *kann*, weil sie nicht *Theorie* ist" (ders., *Zur Bestimmung der Philosophie*, a.a.O., S. 96f.). In diesem Zusammenhang kann man überdies noch die Feststellung von H. U. Asemissen in Betracht ziehen, die lautet: „Reflexion setzt Selbstbewusstsein voraus, nicht umgekehrt" (ders., *Strukturanalytische Probleme der Wahrnehmung in der Phänomenologie Husserls*, a.a.O., S. 32, Anm. 49). Ein ähnliches Ergebnis kann man auch in der Arbeit von M. Frank finden, in Form der „These", „dass Selbsterkenntnis [als Reflexion bzw. als die explizite, begriffliche und in vergegenständlichender Perspektive unternommene Thematisierung des ‚Ich' oder der Befunde des psychischen Lebens] kein ursprüngliches Phänomen ist, sondern Selbstbewusstsein [als die unmittelbare (nicht-gegenständliche, nicht-begriffliche und nicht-propositionale) Bekanntschaft von Subjekten mit sich] voraussetzt" (ders., *Selbstbewusstsein und Selbsterkenntnis*, a.a.O., S. 7).

[2] L. Landgrebe, „Faktizität als Grenze der Reflexion und die Frage des Glaubens", in: *Faktizität und Individuation. Studien zu den Grundfragen der Phänomenologie*, a.a.O., S. 123.

[3] Oder wir können auch sagen: Das natürliche Leben bzw. Erleben ist dahin. Im Grunde genommen stimmt es mit dem überein, was der englische Empirismus als *sensation* oder was G. Funke als „Gegenstandsdenken" bezeichnet.

Einheit des phänomenologischen Bewusstseins in Form eines eben gewesenen mit da, dazu tritt der Übergang in das neue reflexive Bewusstsein mit seiner Analyse und Explikation. Im Vergleich ist es evident, dass *das erstere wirklich ‚in implizierter Form' die Momente besaß, die die Analyse herausstellte, und dass die ganze naive Wahrnehmung mit diesen Momenten ‚bewusst' war*, ein Sein hatte, das nicht den <Charakter> eines Wahrgenommenen hatte, nicht den Charakter der Gegebenheit eines Wahrnehmungsobjekts." (Hua XXVI, 244; Hervorh. vom Verf.) Damit hat Husserl das Entscheidende ausgesprochen: Dass wir überhaupt von dem Ursprünglichen wissen und sprechen können, ist der nachträglichen, reflexiven Analyse zu verdanken. Ja, „sogar der Unterschiede inne zu werden, die etwa zwischen dem ursprünglichen Fluß, wie er im Urbewusstsein bewusster war, und seiner retentionalen Modifikation bestehen", gehört zum Verdienst der Reflexion (Hua X, 120).

Die Reflexion, hier die philosophische, ist demgemäß nicht nur in der Lage, die Struktur der objektivierenden, „naiven Wahrnehmung" als *primärer* Richtung, verstanden als Subjekt-Objekt-Korrelation, zu entdecken, der in der Neuzeit in Form des Dualismus eine dominierende Bedeutung eingeräumt worden ist;[1] sie kann noch tiefer eindringen und die Vor-Subjekt-Objekt-Struktur des Bewusstseins bzw. das *Innesein* vor dem entwickelten Subjekt- und Objektbewusstsein erfassen. In diesem Sinne hat man ein gutes Recht zu sagen, dass Husserls Abschied vom cartesianischen Transzendentalismus eigens auf dem transzendentalen Weg geschieht, der von Descartes über Kant bis zu ihm führt; und eben in diesem Sinn versteht sich des Weiteren, dass Descartes nicht nur der „Urstifter der neuzeitlichen Idee des objektivistischen Rationalismus", sondern zugleich der „Urstifter des ihn sprengenden transzendentalen Motivs" ist.[2]

In einer möglichen „Phänomenologie des Urbewusstseins" – oder mit Heideggers Wort: einer „Ur-Wissenschaft" – sieht Husserl deshalb keineswegs das Gegenstück der Reflexionsphilosophie. Vielmehr bedeutet ihm die Aufklärung des Urbewusstseins zugleich den Zugang zu Rechtfertigung und Verständnis der Reflexion. Sogar „alle Einwände, die gegen die Methode der Reflexion erhoben

[1] Zu Husserls Kritik am cartesianischen Dualismus vgl. Hua VI, §§ 10ff.

[2] Hua VI, S. 74. – Auch Heideggers Stellungnahme zum Subjekt-Objekt-Problem darf hier herangezogen werden! In seiner Vorlesung *Ontologie* (1923) weist er darauf hin, dass Husserl bereits in den *Logischen Untersuchungen* den Subjekt-Objekt-Scheinproblemen „den Hals umdreht", und dass vorher „keine Modifikation dieses Schemas seine Unangemessenheit zu beseitigen vermag" (ders., *Ontologie*, GA Bd. 63, Frankfurt a. M. 1988, S. 81f.). Diese Behauptung besteht insofern zurecht, als dass Husserl dieses „Scheinproblem" zwar erst spät einsieht und mit der Genesisanalyse ständig zu den echten Ursprüngen vorzudringen versucht, aber in der Tat bereits mit der Intentionalitätsanalyse in den *Logischen Untersuchungen* damit begonnen hat, das Schema Subjekt und Objekt aufzuklären. Dies wird auch dadurch bestätigt, dass Husserl, wie oben bereits zitiert, in seinen Manuskripten schreibt: „Die ganze Phänomenologie, die ich in den *Logischen Untersuchungen* im Auge hatte, war eine Phänomenologie der Erlebnisse im Sinne der Gegebenheiten des *inneren Bewusstseins*, und das ist jedenfalls ein geschlossenes Gebiet." (Hua XXIII, S. 309)

worden sind, erklären sich aus der Unkenntnis der wesensmäßigen Konstitution des Bewusstseins", d. h. der Konstitution des „ursprünglichen", „im Urbewusstsein bewussten Flusses" als Grundlage für die nachträgliche Reflexion (Hua X, 120).

IV. Schwierigkeiten und Möglichkeiten einer Reflexionsphilosophie

Allerdings werden viele interne wie externe Forscher der Phänomenologie mit dieser Auffassung nicht einverstanden sein. Sie sehen sich ständig mit der prinzipiellen Schwierigkeit, ja Unmöglichkeit konfrontiert, dass hier etwas, was ursprünglich nicht gegenständlich gewesen ist, durch nachträgliche Reflexion zum Gegenstand gemacht wird.[1]

---

[1] Um einige Beispiele zu nennen: Bei H. U. Asemissen finden wir bereits eine Identifizierung der Reflexion mit dem intentionalen Bewusstsein im gewöhnlichen Sinne vor und eine damit zusammenhängende Abwertung der Reflexion, da die Reflexion mehr ins Urbewusstsein (bzw. Selbstbewusstsein) stecken soll als dieses ursprünglich beherbergt: „Zwar spielt sich die Reflexion im Rahmen des Selbstbewusstseins ab, aber sie bringt dabei eine Gliederung hinein, die vorher nicht darin war. Reflexion ist eben ‚Bewusstsein von etwas'" (ders., *Strukturanalytische Probleme der Wahrnehmung in der Phänomenologie Husserls*, a.a.O., S. 32, Anm. 49). Bei K. K. Cho tritt diese Kritik als „Verdacht" auf, „dass Husserl in den passiven Untergrund des Bewusstseinslebens den gleichen Sinn der Subjektbezogenheit hineinträgt wie bei den höherstufigen logischen Leistungen", wobei „das dem alltäglichen Weltleben zugrunde liegende Subjekt" „identisch gesetzt werde mit dem im meditierenden Nachvollzug thematisch begriffenen Subjekt." (Ders., „Anonymes Subjekt und phänomenologische Beschreibung", in: ders., *Bewusstsein und Natursein*, Freiburg/ München 1987, S. 225) B. Merker bezeichnet diese Schwierigkeit sogar als „theoretisches Dilemma" und stellt infrage, „wie Empfindungen intentionales ‚Objekt' der Reflexion werden können, ohne gleich wieder ‚objektiviert' zu werden; und grundsätzlicher noch, ob überhaupt eine bloße Wendung des Blickes zu den Empfindungen führt." (Dies., *Selbsttäuschung und Selbsterkenntnis. Zu Heideggers Transformation der Phänomenologie Husserls*, Frankfurt a. M. 1988, S. 141f.). Besonders zu bemerken ist hierbei auch die parallele Ansicht von R. Bernet, der im Hinblick auf den Unterschied zwischen der „reflexiven und retentionalen Selbstgegenwart des absoluten Zeitflusses" in der phänomenologischen Analyse des Zeitbewusstseins auch von einem „Pardox" spricht: „Wenn die retentionale Gegebenheit des Flusses in eine wahrnehmende oder erinnernde überführt wird, so wird sie dadurch nämlich nicht deutlicher ‚sichtbar', sondern man verliert sie paradoxerweise gerade aus den Augen. In der Wahrnehmung bzw. Vergegenwärtigung wird die ‚unzeitliche', ‚ungegenständliche' Struktur des Flusses sowie seine differentielle Bewegung zu einem immanenten, identischen Zeitgegenstand objektiviert." In diesem Punkt, dass Husserls Zeitanalyse etwas ursprünglich Ungegenständliches zum Gegenstand macht, liegt auch die Basis der Kritik Bernets an Husserls „metaphysischen Vorurteilen" (ders., „Die ungegenwärtige Gegenwart. Anwesenheit und Abwesenheit in Husserls Analyse des Zeitbewusstseins", in: *Phänomenologische Forschungen*, Nr. 14, 1983, S. 54f.).

All diese Kritik geht davon aus, dass die Reflexion einen konstruktiven Charakter haben muss, wenn sie das ursprünglich Ungegenständliche zum Gegenstand macht, und übersieht die Tatsache, dass die Reflexion, besonders die philosophische, eine ganz andere Vergegenständlichung bzw. Thematisierung darstellt als die objektivierende, konstruie-

Zu diesen Feststellungen muss man hier aber hervorheben, dass es sich um eine prinzipielle, jedoch nicht unüberwindbare Schwierigkeit der reflexiven, phänomenologischen Forschung handelt. Sie ist nichts anderes als das, was Husserl als die „Schwierigkeit der ‚Selbstbeobachtung'" bezeichnet.[1] Sie gilt konsequenterweise nicht nur für die Aufklärung des „Urbewusstseins", sondern ebenfalls für die gesamten phänomenologischen Untersuchungen zu Ich, Zeit, Welt u. dgl., kurz, für die Untersuchung alles in der natürlichen Einstellung unthematisch, anonym Gebliebenen und erst in der phänomenologischen Einstellung zum Thema, zum Gegenstand Gewordenen – *eine Schwierigkeit des nachträglichen Aufmerkens auf das ursprünglich Nicht-Bemerkte*. In dieser Hinsicht können wir diese Themen durchaus, wie es K. Held in Bezug auf „das sich selbst ständig verzeitigende und darum immer bereits gezeitigte und somit reflexiv objektivierbare Ich" tut, als „die frag-würdigste Sache der Husserlschen Transzendentalphilosophie"[2] bezeichnen, oder auch, wie Husserl selbst im Zusammenhang mit dem Thema Zeitbewusstsein sagt, als „Urprozesse, die nicht wahrgenommen waren, die aber prinzipiell wahrnehmbar sein müssen"[3].

Natürlich kann man hiermit der folgenden Frage nicht ausweichen: Inwiefern lässt sich die prinzipielle Greifbarkeit des Urbewusstseins in der Reflexion rechtfertigen? Sie bedeutet zugleich: Inwiefern lässt sich die phänomenologische Methode Husserls rechtfertigen?

Wir können fürs Erste davon ausgehen, dass *zwischen dem Urbewusstsein und der Reflexion eine Modifikation vorliegt*. Die Schwierigkeit der Reflexion hat es mit dieser Modifikation zu tun. Und die nächste Frage lautet dann: Was besagt die Modifikation genauer? Bei Husserl ist von Bewusstseinsmodifikation so viel die Rede, dass man in Bezug auf sie oft vage bleibt. Da wir aber bereits oben festgestellt haben, dass die Reflexion zumindest eine Art von Vergegenwärtigung darstellt, können wir vorerst mit der Terminologie der *Logischen Untersuchungen* von einer „imaginativen Modifikation"[4] sprechen. Was in der Reflexion erscheint,

---

rende in der transzendenten Geradehin-Blickrichtung. Es handelt sich hier also um zwei unterschiedliche Arten von Vergegenständlichung bzw. Thematisierung. Darauf werde ich weiter unten noch eingehen.

[1] Hua III/1, § 79. Wir können hier deutlich bemerken, dass es sich schon damals – Anfang des letzten Jahrhunderts – und eigentlich heute noch immer um die selbe kritische Frage nach der Selbstbeobachtung handelt, die H. J. Watt bereits 1907 in seinem Referat über Th. Lipps' diesbezügliche Darstellungen aufgeworfen hat: „Es handelt sich dabei auch wohl nur um Ergebnisse der Selbstbeobachtung. Wenn nun diese immer rückschauende Betrachtung immer ein Wissen um eben *gehabte* Erlebnisse als Gegenstände ist, wie soll man Zustände statuieren, von denen man kein Wissen haben kann, die nur bewusst sind?" (zitiert aus Hua III/1, S. 171).

[2] K. Held, *Lebendige Gegenwart*, a.a.O., S. XIII.

[3] E. Husserl, Ms. L I 21/16b (zitiert aus R. Bernet, „Die ungegenwärtige Gegenwart. Anwesenheit und Abwesenheit in Husserls Analyse des Zeitbewusstseins", a.a.O., S. 55).

[4] Hua XIX/1, V. Unter., § 40. – Oder wir können ebenfalls mit der Terminologie der *Ideen* I von „Vergegenwärtigungsmodifikation" sprechen (vgl. Hua III/1, S. 88).

wird imaginativ modifiziert, d. h., etwas, was gegenwärtig war und jetzt vergegenwärtigt wird, was also „nicht nur ist", „sondern *schon war*" (Hua III/1, 95).

Aber die Reflexion bedeutet darum keineswegs *nur* „imaginative Modifikation" bzw. „Vergegenwärtigungsmodifikation" des Urbewusstseins. Dies zeigt sich zunächst an dem Unterschied zwischen der Erinnerung und der Reflexion. Sie stellen beide die Vergegenwärtigung bzw. die imaginative Modifikation dar, sind jedoch verschieden: Die Erinnerung bezieht sich vorwiegend[1] auf *Bewusstseinsgegenstände*, die jeweils wahrgenommen wurden, während das Wesen der Reflexion eher darin besteht, sich *bewertend*, *beurteilend* auf *Bewusstseinsakte* zu richten, die jemals vollzogen wurden. Dadurch entsteht auch der Unterschied des Erinnerten und des Reflektierten: Das Erstere war gegenständlich, das Letztere jedoch nicht. Anders ausgedrückt: Die Erinnerung ist vorwiegend die *Reproduktion eines bereits gegebenen Gegenstandes*, die Reflexion hingegen die *Produktion eines neuen, der zuvor nicht Gegenstand war.*

Daher kann es bei der Reflexion neben der imaginativen Modifikation noch eine andere Art von Veränderung geben, die durch die produzierende Vergegenständlichung verursacht wird. – Hat diese Veränderung mit unserer intentionalen Leistung zu tun? Wird das Urbewusstsein verändert, wenn wir es zum Thema machen?

Bevor wir uns dieser Frage zuwenden, müssen wir jedoch zunächst auf den von Husserl immer wieder hervorgehobenen Unterschied zwischen der *natürlichen* (oder der alltäglichen, der naiven) und der *methodischen* (oder der philosophischen, der phänomenologischen) Reflexion Bezug nehmen, der mir im Gegensatz zum Unterschied von Reflexion und Erinnerung wesenhaft zu sein scheint: Die methodische Reflexion hebt sich dadurch von der natürlichen ab, dass sie das Reflektierte so nehmen muss, wie es sich in der Reflexion darbietet.

Die Art und Weise, wie die methodische Reflexion an das Reflektierte herankommt, hat Husserl wiederholt zu charakterisieren versucht: In der Zeit der *Logischen Untersuchungen* wird sie vor allem als „deskriptive Analyse" verstanden (Hua XIX/1, A 218/B_1 220). Nach dem Durchbruch zur transzendentalen Phänomenologie sieht Husserl die Eigenheit der Reflexion mehr darin, dem Bewusstsein immanent zu bleiben (vgl. Hua III/1, 163).

---

[1] Mit „vorwiegend" meine ich, dass manche Erinnerungen, etwa Erinnerungen an Erinnerungen, worauf Hoffmann mit Recht hingewiesen hat (vgl. ders., „Die Zweideutigkeit der Reflexion ...", a.a.O., S. 10), sich durchaus auf Bewusstseinsakte (Erinnerungsakte) beziehen können, wie es auch die Reflexion tut. Die Grenze zwischen Erinnerung und Reflexion ist in dieser Hinsicht eher als fließend und unwesentlich zu bezeichnen. Bei Husserl selber wird die Erinnerung („Ich erinnere mich, diese Melodie gehört zu haben") zu der natürlichen Reflexion gezählt (vgl. z. B. Hua I, S. 72). Man kann sogar sagen: Abgesehen von dem bewertenden und beurteilenden Charakter stellt die Reflexion, genauer gesagt, die natürliche Reflexion, *lediglich* eine imaginative Modifikation dar. Bei der methodischen Reflexion ist es dann ein wesentlich anderer Fall, wie sich gleich zeigen wird.

In den beiden Charakterisierungen der methodischen Reflexion besteht aber keine grundsätzliche Änderung, da „deskriptiv“ bei Husserl ebenfalls „reell“ bedeuten und somit im Gegensatz zu „intentional“ bzw. „transzendent“ stehen kann. Der Ausdruck der Deskription hat bei Husserl durchaus die Bedeutung, reell immanent an die Sache heranzukommen und nicht über sie hinaus zu intendieren.[1] Wohl in diesem Sinne benutzt Husserl das Wort „reell“ auch zur Charakterisierung der immanenten Wahrnehmung (der methodischen Reflexion), indem er in den *Ideen* I von dem „auszeichnenden Charakteristikum“ der phänomenologischen Reflexion als *„reellem Beschlossensein“* bzw. „reeller Immanenz“ (Hua III/1, 79, 87) oder von dem so Reflektierten als „reellen Bestandstücken“ der phänomenologischen Reflexion (Hua XIV, 226, 246) usw. spricht.

Husserl konnte damals wahrscheinlich noch nicht ausdrücklich bewusst sein – für ihn war die Bezeichnung „reelles Beschlossensein“ „eigentlich nur ein Gleichnis“ (Hua III/1, 79, 88) –, dass er damit auf die wichtige Unterscheidung zwischen *reflection* als „immanent gerichtetem Akt“ und *sensation* als „transzendent gerichtetem Akt“ (ebd.) gestoßen ist. Aber es war ihm durchaus evident, dass die „immanente Wahrnehmung“ (phänomenologische Reflexion als *reflection*) und die „transzendente Wahrnehmung“ (*sensation*) sich „nicht nur überhaupt darin unterscheide[n], dass der intentionale Gegenstand, der im Charakter des leibhaften Selbst dastehende, einmal dem Wahrnehmen reell immanent ist, das andere Mal nicht“, sondern sich „vielmehr durch eine Gegebenheitsweise“ differenzieren: „Das Ding nehmen wir dadurch wahr, dass es sich ‚abschattet’ nach allen gegebenenfalls ‚wirklich’ und eigentlich in die Wahrnehmung ‚fallenden’ Bestimmtheiten. *Ein Erlebnis schattet sich nicht ab.*“ (Hua III/1, 88) Die Nicht-Abschattung des Reflektierten bedeutet eine prinzipiell andere Gegebenheitsweise: In der methodischen Reflexion findet keine transzendente Auffassung, keine Apperzeption, keine Belebung bzw. keine Interpretation statt. Der wesentliche Unterschied zwischen der Thematisierung in der methodischen Selbsterfahrung (*reflection*) und der Vergegenständlichung in der Dingerfahrung (*sensation*) besteht darin: *Diese ist intentionale Konstruktion, jene nur analytische Deskription.*

Das Ausschlaggebende ist hier also, dass die methodische Reflexion keine „transzendente“ sein darf, sondern „reell“ bzw. „deskriptiv“ vorgehen muss, d. h., sie soll das Reflektierte *nur so beschreiben, wie es in der Reflexion gegeben ist.* Nichts wird hierbei präsumptiert, appräsentiert oder konstruiert.

---

[1] Allerdings hat sich Husserl später in Bezug auf seine genetische Phänomenologie nicht nur auf die Methode der Deskription beschränkt, sondern vielmehr die Methode der Erklärung, die das Gebiet des Reellen bzw. des Deskriptiven überschreiten kann, als „höherstufige Leistung“ bezeichnet. Diese Überschreitung aber, so Husserl, „geschieht auf Grund der ‚deskriptiven’ Erkenntnis, und als wissenschaftliche Methode in einem einsichtigen, in den deskriptiven Gegebenheiten sich verifizierenden Verfahren“ (Hua VI, S. 227).

Dieses Verständnis der methodischen Reflexion stimmt einerseits mit dem Charakter der „Entdeckung“ oder „Aufklärung“ überein, welcher der methodischen Reflexion bereits oben zugeschrieben wurde: Die methodische Reflexion soll den Zugang zum Konstitutionsproblem eröffnen, ohne aber selbst konstituierend, transzendierend zu sein.

Andererseits entspricht diese Bestimmung der phänomenologischen Reflexion als „reell“, „immanent“, bzw. „nicht-konstituierend“ auch dem, was Husserl unter „adäquat“ versteht: Bereits in den *Logischen Untersuchungen* wird die Adäquatheit der immanenten Wahrnehmung (der phänomenologischen Reflexion) stark unterstrichen: Es ist die adäquate Bestimmung des Inhalts, welche die immanente Wahrnehmung von der transzendenten deutlich abhebt (vgl. Hua XIX/2, A 710f./B_2 239f.).

Inadäquat bzw. *transzendent* ist die Dingwahrnehmung insofern, als die Vorderseite etwa eines Tisches zwar präsentiert, aber die Rückseite nur appräsentiert sein kann; die Fremdwahrnehmung insofern, als die physische Seite eines Anderen zwar selbstgegeben, die psychische aber nur mitgegeben sein kann, und insofern auch die Selbstwahrnehmung, zwar als die Selbstgegenwart original gegeben sein kann, die Selbstvergangenheit, Selbstzukunft und Selbsthabitualität jedoch nicht. Wenn man das so – präsent und appräsent zugleich – erfasste Selbst als Ich versteht, dann hat Sartre recht, wenn er sagt, dass das Ich etwas ist, was durch Reflexion erst hinzugetreten ist – ein *transzendentes* Ich.

Dass eine Wahrnehmung transzendent ist, hängt daher nicht wesenhaft von der Blickrichtung ab, sondern von der Weise, wie der Gegenstand wahrgenommen wird – ob immanent oder transzendent, ob adäquat oder inadäquat. Man hat somit ein begründetes Recht zu meinen, dass es in Husserls Absicht liege, die methodische Reflexion als „reell“, „deskriptiv“ und „adäquat“ wesentlich von allen anderen „inadäquaten“, d. h. „konstruktiven“, „transzendenten“ Erfassungen, Geradehin- wie Rückblick-Erfassungen, zu unterscheiden. Somit erklärt sich auch Husserls Exposition in den *Logischen Untersuchungen*, dass das Begriffspaar „innere“ und „äußere Wahrnehmung“ erkenntnistheoretisch keine Bedeutung hat, dass stattdessen die Begriffspaare „immanente“ und „transzendente Wahrnehmung“ sowie „adäquate“ und „inadäquate Wahrnehmung“ eingeführt werden sollten.[1]

---

[1] Vgl. den Titel des § 6 der „Beilage“ von Hua XIX/2: „Daher Verwechslung des erkenntnistheoretisch bedeutungslosen Gegensatzes von innerer und äußerer Wahrnehmung mit dem erkenntnistheoretisch fundamentalen Gegensatz von adäquater und inadäquater Wahrnehmung.“ – Dieser Titel steht, wie die Titel der übrigen Paragraphen der „Beilage“, nicht im Haupttext, sondern nur im Inhaltsverzeichnis (im Inhaltsverzeichnis der Husserliana Bd. XIX wird § 6 irrtümlich als § 8 angegeben). Terminologisch ist hier zu bemerken, dass Husserl einerseits das Begriffspaar innere und äußere Wahrnehmung trotz seiner erkenntnistheoretischen Irrelevanz in seiner Spätzeit immer wieder benutzt hat (vgl. z. B. Hua XI, 3ff., *EU*, S. 66f., S. 73ff. usw.), andererseits den Begriff der äußeren Wahrnehmung nach den *Logischen Untersuchungen* mehr oder weniger durch den Terminus der Dingwahrnehmung ersetzt (vgl. z. B. Hua III/1, I, S. 71, S. 75, Hua XVII, S. 317 u. a.).

Die methodische, phänomenologische Reflexion unterscheidet sich daher aufgrund ihrer immanenten, adäquaten Erfassungsweise nicht nur von der alltäglichen Dingerfahrung und Fremderfahrung, sondern auch von der natürlichen Reflexion auf das Ich.

Jetzt können wir auf die Fragen zurückkommen, inwiefern das Urbewusstsein bzw. das urbewusste Bewusstseinsleben modifiziert wird, wenn wir es in der Reflexion zum Thema machen, und ob diese Modifikation mit unserer intentionalen Leistung zu tun hat.

Werfen wir einen kurzen Blick zurück: Es handelt sich um das *eine* Sein, das *eine* Bewusstseinsleben, das zuerst urbewusst und dann reflexiv thematisch bewusst wird. Es erweist sich gemäß Husserl einmal als „absolutes", aber „nicht durch eine adäquate Wahrnehmungsauffassung objektiviertes Sein" (Hua XIV, 246), das andere Mal zwar als „das immanente Objekt einer adäquaten Wahrnehmung" (Hua XIV, 246), jedoch ebenfalls als „absolutes", „zweifelloses Sein" (Hua III/1, § 46). Dass das Bewusstseinsleben einmal als nichtobjektiviertes, unthematisiertes Sein (im Urbewusstsein) und das andere Mal als objektiviertes, gegenständliches Sein (in der methodischen Reflexion) gegeben ist, ändert also laut Husserl und auch unserer Analyse zufolge nichts an der Tatsache, dass dieses Sein beide Mal als „absolut" bewusst werden kann.

Unter „absolut" verstehe ich hier, dass die Erfassungen des Bewusstseinslebens *absolut* sind, sowohl im Urbewusstsein als auch in der Reflexion, und dass die Modifikation, die zwischen beiden Erfassungen vorliegt, eine *relative* ist. So kann ich aus dem oben Dargestellten schließen, dass von einem Hineintragen oder Hinzutreten durch die methodische Reflexion nicht die Rede sein kann, vorausgesetzt natürlich, dass sie in der deskriptiven, reellen Form gestaltet und durchgeführt wird, dass in ihr keine Konstitution bzw. Transzendenz stattfindet, sondern ausschließlich adäquate Darstellung und reelle Beschreibung dessen, *was* ursprünglich und so *wie* es ursprünglich da war.

Was ist aber mit dem Verlust, der durch die Reflexion nicht eingeholt werden kann? Er ist meines Erachtens nichts anderes als das, was man in gleichem Maße bei der imaginativen Modifikation vorfindet: Im Vergleich zum Original verblasst das Modifizierte mehr oder weniger, in der Erinnerung wie in der Reflexion. Dies liegt an dem unvermeidlichen Abstand, der zwischen dem Originalen und dem Modifizierten waltet. Wenn dieser Abstand unter Umständen auch einen Vorteil bedeuten kann – so wie in der räumlichen Hinsicht der Schritt zurück manchmal einen weiteren Blickwinkel schafft –, ist die Reflexion dadurch bestimmt, sich dem Urbewusstsein nur möglichst weit zu nähern, aber niemals mit ihm zu decken.

4. Urbewusstsein und Unbewusstsein in Husserls Zeitverständnis*

Der Ausdruck Intentionalität ist zwar, wie M. Heidegger meint, „kein Lösungswort, sondern der Titel eines zentralen Problems"; durch Husserls Analysen jedoch hat die Intentionalität „eine grundsätzliche Erhellung" erfahren, was von Heidegger[1] wie auch von anderen Denkern allgemein anerkannt worden ist. Dies gilt ebenfalls, ja vor allem für den Problembereich des Zeitbewusstseins. Denn ohne Zweifel hat Husserl durch seine Forschungen zur Intentionalität zahlreiche Diskussionen im Zusammenhang des Zeitbewusstseins angeregt und auf diese Weise weitere Horizonte eröffnet. Unter den vielen diesbezüglichen Diskussionen verdient nun eine besondere Problematik unsere Aufmerksamkeit, die in einem engen Zusammenhang mit dem Urbewusstsein und dem Unbewusstsein in Husserls Zeitanalyse steht.[2]

Von der Wortbildung her sind die Begriffe Urbewusstsein und Unbewusstsein einander so nah, dass man sie durchaus verwechseln könnte.[3] Dass sie in der Zeitanalyse Husserls dem Wortsinn nach keineswegs besonders verwandt sind, zeigt sich darin, dass Husserl die Analyse des Unbewusstseins prinzipiell für unmöglich hält, und zwar mit dem bekannten Satz: „Es ist eben ein Unding, von einem ‚unbewussten' Inhalt zu sprechen, der erst nachträglich bewusst würde." Und weiter: „Bewusstsein ist notwendig *Bewusstsein* in jeder seiner Phasen" (Hua X, 119). Hier waltet das phänomenologische Prinzip der unmittelbaren Anschauung, wonach man nicht auf aus Gründen Erschlossenem aufbauen soll, sondern lediglich auf direkt Erschaubarem. So etwas wie die „überbewusste Person" oder das „überbewusste Sein" bei M. Scheler[4] ist also gar nicht Husserls Sache. Mit J. Derrida kann man behaupten: „Husserls Treueschwur auf die Er-

---

* Die vorliegende Arbeit wurde auf dem *First international Meeting for Husserl Studies in Japan* (Shizuoka University, 23.-24. November 2002) vorgetragen. Zum Zweck der Veröffentlichung wurden einige Änderungen vorgenommen. Für wertvolle Anregungen in Korrespondenz und Diskussion bedanke ich mich herzlich bei Ichiro Yamaguchi, Nam-In Lee, Anthony Steinbock, Tetsuya Sakakibara und Elmar Holenstein!

[1] Vgl. das „Vorwort des Herausgebers" zu Husserls *Vorlesungen zur Phänomenologie des inneren Zeitbewusstseins*, Tübingen 1928.

[2] Jüngst hat sich auch I. Yamaguchi in seiner interessanten Arbeit „Die Frage nach dem Paradox der Zeit" (in: *Recherches Husserliennes*, 2002, Bd. 17, S. 25-49) mit diesem Thema beschäftigt, woran meine Arbeit anschließen möchte.

[3] Dies kommt zum Beispiel in der Niemeyer-Ausgabe der *Vorlesungen zur Phänomenologie des inneren Zeitbewusstseins* vor, vgl. a.a.O., S. 107, ebenso in der entsprechenden englischen, chinesischen sowie der von J. Derrida zitierten französischen Übersetzung.

[4] Vgl. M. Scheler, *Der Formalismus in der Ethik und die materiale Wertethik*, Bern/München 1980, S. 371.

fahrung und auf die ‚Sache selbst' schließt aus, dass es sich damit anders verhalten mag"[1].

Aber Husserl zieht dennoch ab und zu in seinen Veröffentlichungen wie in seinen Forschungsmanuskripten das „Phänomen des Unbewussten" (Hua VI, 192) in Betracht und spricht sogar von einer „Phänomenologie des Unbewussten" (Hua XI, 154). Sollte er sich nicht selbst widersprechen[2] bzw. sollte eine „Phänomenologie des Unbewussten" nicht so etwas bedeuten wie ein „hölzernes Eisen", dann müssen wir auf die Fragen eingehen, was für ein Verhältnis zwischen Urbewusstsein und Unbewusstsein im Sinne Husserls besteht bzw. von Husserl festgestellt wird, und inwiefern nicht nur eine Phänomenologie des Urbewusstseins möglich ist, sondern auch eine solche des Unbewusstseins.

Die vorliegende Arbeit versucht, diese Fragen schrittweise zu erläutern.

Im *ersten* Abschnitt wird auf die zwei Begriffe des Urbewusstseins bei Husserl aufmerksam gemacht: Der erste Begriff bezieht sich auf die zwischen Retention und Protention liegende „Urimpression" in Husserls Zeitanalyse. Dieser Begriff des Urbewusstseins kann als Synonym der Urimpression betrachtet werden; der zweite Begriff des Urbewusstseins bezieht sich dann auf das „Selbstbewusstsein" bzw. das „innere Bewusstsein".

Anschließend erörtert der *zweite* Abschnitt vor allem die Stellung des ersten Begriffs von Urbewusstsein (als Urimpression) bzw. des Präsenzfeldes in Husserls Zeitanalyse. Hierdurch wird darauf hingewiesen, dass Husserl in seiner Zeitanalyse eine Zwischenposition von Platon und Aristoteles einnimmt und somit einen besonderen Beitrag zum phänomenologischen Zeitverständnis liefert. Nebenbei wird die Kritik von J. Derrida an Husserls „Metaphysik der Präsenz" zurückgewiesen, die sich auf einer Reihe von Missverständnissen gründet, und zwar vorwiegend auf dem Missverständnis bzw. Unverständnis des Unterschiedes zwischen Retention und Reproduktion, den Husserl in seiner Zeitanalyse feststellen konnte, und der ihm die Unterscheidung der Perzeption von der Imagination ermöglichte.

Im *dritten* Abschnitt werden zwei verschiedene Begriffe des Unbewusstseins bei Husserl herausgearbeitet: Der erste Begriff des Unbewusstseins stellt das Thema der genetischen Phänomenologie dar, welches „transzendentale Rätsel" bzw. „Nebel" wie „Schlaf, Ohnmacht, Ausgeliefertsein an dunkle Triebgewalten, schöpferische Zustände" oder „Geburt, Tod, traumlosen Schlaf" usw. enthält; der zweite Begriff hingegen gehört vielmehr zum Thema der Phänome-

---

[1] J. Derrida, *La Voix et le phénomène: Introduction au problème du signe dans la phénoménologie de Husserl*, Paris 1967, deutsche Übersetzung von J. Hörisch, *Die Stimme und das Phänomen*, Frankfurt a. M. 1979, S. 122 [p. 75].

[2] I. Yamaguchi zeigt in seiner Arbeit „Die Frage nach dem Paradox der Zeit", dass die oben dargestellte Ansicht Husserls nur seine frühe Exposition in der Zeitvorlesung betrifft, und dass Husserl später eine neue Einsicht in die Sachlage gewann, die das Unbewusste, d. i. den „Inhalt, der unbewusst retiniert werden kann", das erst nachträglich ins Bewusstsein gelangt ist, „anders als in der Periode der Zeitvorlesung deutlich bejaht" (I. Yamaguchi, „Die Frage nach dem Paradox der Zeit", a.a.O., S. 30).

nologie des Zeitbewusstseins, das einen unmittelbaren Bezug auf Impression, Retention und Protention nimmt.

Von den zwei Begriffen wird sich der Hauptbegriff des Unbewusstseins im *vierten* Abschnitt als der vergessene, aber noch fungierende Hintergrund im Zeitbewusstsein abheben. Dieses Hintergrundbewusstsein erweist sich als eine neue Intentionalität, nämlich eine latente, und somit auch nicht mehr anschauliche, nicht mehr gegenständliche und nicht mehr aktuelle Intentionalität. Ihm gegenüber steht das patente, also das bewusste Hintergrundbewusstsein. Diese beiden Arten von Hintergrundbewusstsein (als Vergegenwärtigung) bilden dann zusammen den Gegensatz zum wachen Bewusstsein, nämlich dem urbewussten Vordergrundbewusstsein (als Gegenwärtigung).

Im *fünften* Abschnitt werden dann das Verhältnis sowie die Gradualität der Bewusstheit bzw. Unbewusstheit zwischen dem Urbewusstsein (Urimpression) und dem Unbewusstsein (Hintergrundbewusstsein) bei Husserl behandelt. Diese Gradualität besteht kurz gesagt in folgenden vier Stufen: 1. der Anschaulichkeit (etwas bzw. urbewusst), 2. der affektiven Kraft (bzw. der Aktregung), 3. Null (leer, unbewusst) und 4. Nichts. Dadurch wird klar, dass das Verhältnis zwischen Urbewusstsein und Unbewusstsein nicht dem Verhältnis zwischen Etwas und Nichts gleichzusetzen ist.

Der im *sechsten* Abschnitt gebildete Schluss dient der Erwägung des Fundierungsverhältnisses zwischen der Phänomenologie des Zeitbewusstseins und der Phänomenologie der Genesis sowie der dazu gehörigen beschreibenden und erklärenden Methoden, welche sich beide auf das Unbewusstsein beziehen, und zwar auf die zwei Arten von Unbewusstsein, die Husserl bereits bemerkt, wenn auch nicht klar genug voneinander unterscheidet. Schließlich wird die Möglichkeit einer Husserlschen Phänomenologie des Unbewusstseins überhaupt erwähnt, deren Minimum darin bestehen soll, dass eine solche Phänomenologie eben phänomenologisch sein muss, d. h. anschaulich und nicht spekulativ, und schon gar nicht metaphysisch.

I. Zwei Begriffe des Urbewusstseins im Zusammenhang mit dem Unbewusstsein

Bevor wir uns der Frage zuwenden, was das Unbewusstsein mit dem Urbewusstsein in Husserls Zeitanalyse zu tun hat, ist zunächst darauf hinzuweisen, dass der Unterschied zwischen „Urbewusstsein“ und „Unbewusstsein“ eine Kernfrage in der Konstitution des Zeit-Strömens darstellt. Konkreter gesagt, bezieht sich das hier genannte Unbewusste zuerst auf den unbewussten Inhalt der Retention in der Anfangsphase, die aufgrund der Retention zur Gegebenheit kommt. Sie tritt mit dem Urbewusstsein insofern in Verbindung, als Husserl, jedenfalls in der Zeitvorlesung, jeden Inhalt als „in sich und notwendig ‚urbewusst‘“ und einen unbewussten Inhalt wie gesagt als „Unding“ bezeichnet (Hua X, 119).

Das von Husserl verwendete Wort „Urbewusstsein" besitzt in der Tat zwei Bedeutungen: Zum einen kennzeichnet es die Urimpression, die neben Retention und Protention entsteht; in diesem Sinne spricht Husserl von „Urbewusstsein und Retention" – „wäre es", das Urbewusstsein, „nicht vorhanden, so wäre auch keine Retention denkbar" (Hua X, 119). Dieser Begriff des Urbewusstseins bildet ein Synonym zur Urimpression.

Zum anderen bedeutet Urbewusstsein bei Husserl nichts anderes als „Selbstbewusstsein" bzw. „inneres Bewusstsein", wobei es sich vor allem um einen bewussten „Inhalt" bzw. ein Bewusstsein handelt. Bewusst wird, wie schon gesagt, das Bewusstseinserlebnis in seinem eigenen Vollzug. Die Bewusstheit des Bewusstseinsvollzuges bildet sozusagen die Voraussetzung für die Möglichkeit der nachträglichen Reflexion. Hätten wir das Urbewusstsein nicht, dann könnten wir auch nicht reflektieren.[1]

Zu erwähnen ist noch, dass beide Begriffe des Urbewusstseins keinen gegenständlich gerichteten Akt und insofern keine Intentionalität im normalen Sinne darstellen, sondern lediglich eine „eigentümliche Intentionalität" bzw. „Intentionalität eigener Art" (Hua X, 31, 118). Demgemäß können wir Retention, Urimpression (Urbewusstsein) und Protention als drei eigentümliche Intentionalitäten bezeichnen. Das bedeutet also, dass die drei Arten von Zeitlichem im Zeitbewusstsein in folgenden Weisen intendiert werden: in der Weise des Retinierens, des Impressionierens und des Protenierens. Mit Husserls Worten heißt dies: „Indem ein Urdatum, eine neue Phase auftaucht, geht die vorhergehende nicht verloren, sondern wird im Griff behalten (d. i. eben retiniert) ... indem ich die abgelaufene Phase im Griff habe, durchlebe ich die gegenwärtige, nehme sie – dank der Retention – ‚hinzu' und bin gerichtet auf das Kommende (in einer Protention)." (Hua X, 118) In diesem Sinne gibt es hier drei Blickrichtungen auf die Zeit bzw. drei Anblicke der Zeit. Aber weil Retention, Impression und Protention wie gesagt keine richtigen Intentionen sind, sind diese Arten des „Richtens" auch kein eigentliches Richten; sie bekommen auch keine eigentliche „Erfüllung". Im Allgemeinen können wir also sagen, dass im inneren Zeitbewusstsein von gegenständlichen Intentionen keine Rede sein kann.

Gehen wir jetzt einmal dem Gedanken Husserls Schritt für Schritt nach: 1. Ohne Retention ist der zurückwerfende Blick der Reflexion auf das Vergangene nicht möglich. Das heißt genauer, „zum Objekt kann die Anfangsphase nur nach ihrem Ablauf auf dem angegebenen Wege, durch Retention und Reflexion (bzw. Reproduktion)" (Hua X, 119) werden. 2. Retention ist Modifikation des Urbewusstseins im engeren Sinne. Ohne Urbewusstsein ist keine Retention möglich. So versteht sich auch der oben zitierte Satz Husserls: „[W]äre es [das Urbewusstsein] nicht vorhanden, so wäre auch keine Retention denkbar" (Hua X, 119).

[1] Vgl. dazu Hua IV, S. 318, und L. Ni, „Urbewusstsein und Reflexion bei Husserl", in: *Husserl Studies*, 1998, Bd. 15, S. 77-99.

Von daher betrachtet bildet das Jetzt – die Präsenz, die Gegenwart – einen ursprünglichen und zentralen Punkt bzw. die „Urform" in der Zeitanalyse Husserls, welche später von Derrida als „Dominanz des Jetzt" bzw. „Privilegierung der Jetzt-Präsenz" in Husserls Phänomenologie der Zeit bezeichnet und kritisiert wird. Derrida meint damit, dass gerade Husserl, der ständig versucht hat, „dem leeren Wortstreit der Metaphysik ein Ende zu machen" (Hua XXVII, 142), selbst weiterhin in der griechischen Tradition steht, ja sich in gewissem Sinne der „griechischen Metaphysik der Präsenz" unterwirft.[1]

Nach dieser Skizze darf man wohl sagen: Bei der Frage des Urbewusstseins handelt es sich in der Tat um die ursprünglichen Gestaltungen des Zeitbewusstseins, „in denen die primitivsten Differenzen des Zeitlichen sich intuitiv und eigentlich als die originären Quellen aller auf Zeit bezüglichen Evidenzen konstituieren" (Hua X, 9).

Dass aber Derridas Kritik auf einem falschen Verständnis der Zeitanalyse Husserls basiert, liegt recht klar auf der Hand. Denn Derrida hat die Retention nicht genügend von der Reproduktion unterschieden; in diesem Punkt stimme ich Yamaguchi gerne zu.[2] Der springende Punkt liegt hier in folgendem Sachverhalt: Unterscheidet man die Retention nicht scharf genug von der Wiedererinnerung, kann man auch Wahrnehmung und Phantasie nicht voneinander trennen. Eben durch seine Zeitbewusstseinsanalyse hat Husserl den Zugang zu dieser Unterscheidung gefunden.[3]

Von diesem Missverständnis Derridas sehen wir hier jedoch ab, da wir uns lieber einem anderen zuwenden möchten: Derrida hat darüber hinaus nicht bemerkt, dass die griechische Tradition der Zeitanalyse eine andere wichtige Tendenz impliziert, nämlich die Tradition des Platonischen Zeitverständnisses, welches, wie K. Held in einem bislang noch unveröffentlichten Vortragsmanuskript aufweist, im *Timaios* die Zeit „als Bild der Ewigkeit bestimmt" und „dieses Bild als ‚bewegt' bezeichnet" (*Timaios* 37 d 5).[4] Derrida versteht unter der griechi-

---

[1] Vgl. J. Derrida, *Die Stimme und das Phänomen*, a.a.O., S. 117f. [p. 70].
[2] Vgl. I. Yamaguchi, „Die Frage nach dem Paradox der Zeit", a.a.O., S. 46.
[3] Vgl. dazu meine Arbeit *Seinsglaube in der Phänomenologie E. Husserls*, Phaenomenologica 153, Dordrecht u. a. 1999. Ich habe in § 26 „Husserls Unterscheidung zwischen Wahrnehmung und Erinnerung durch Zeitbewusstseinsanalyse" (S. 104ff.) gezeigt, dass Husserl bereits in seinen Zeitvorlesungen zu folgendem Ergebnis kommt: „Die Retention ist das ‚nachbleibende Bewusstsein', die Erinnerung hingegen das ‚reproduktive' Bewusstsein (Hua X, 46). […] Die Retentionen bilden mit den Protentionen ein Zeitfeld um die Impression. Die Erinnerung dagegen enthält selbst eine vergegenwärtigte Impression, die auch ein Hof von Retentionen und Protentionen in vergegenwärtigter Weise umgibt." (*Seinsglaube in der Phänomenologie E. Husserls*, a.a.O., S. 106).
[4] K. Held, „Phänomenologie der ‚eigentlichen Zeit' bei Husserl und Heidegger", S. 2 (Vortragsmanuskript für den Vortrag am 9. September 2002 im Forschungsinstitut für Phänomenologie an der Sun Yat-sen Universität, mit insgesamt 8 Seiten. Die chinesische

schen Tradition der Metaphysik der Präsenz lediglich den „aus der aristotelischen Physik übernommenen Zeitbegriff, der sich von den Begriffen des ‚Jetzt', des ‚Punktes', der ‚Grenze' und des ‚Kreises' herleitet."[1]

Außerdem ist Derridas Behauptung völlig unhaltbar, dass Heidegger in *Sein und Zeit* über Husserls Analysen in den Zeitvorlesungen gesagt haben soll, „sie brächen in der Geschichte der Philosophie als erste mit dem aus der aristotelischen Physik übernommenen Zeitbegriff".[2] Denn erstens sind solche Aussagen Heideggers nirgendwo in *Sein und Zeit* zu finden. Und zweitens ist eine solche Aussage dort schon aus dem Grund nicht möglich, weil die *Vorlesungen zur Phänomenologie des inneren Zeitbewusstseins* erst ein Jahr nach *Sein und Zeit* erschienen sind.

Wenn wir uns nicht von diesen mangelnden Kenntnissen Derridas irritieren lassen, können wir deutlich sehen, dass die versteckte Kritik Derridas an Husserl darin liegt, dass dessen Zeitanalyse möglicherweise doch keinen radikalen Bruch mit der traditionellen (aristotelischen) Metaphysik der Präsenz darstellen könnte.

Es ist wahr, dass der Begriff des Jetzt als Punkt in Husserls Zeitvorlesung eine zentrale Rolle spielt. Eben so wahr ist auch, dass Husserl damit an Aristoteles' Zeitverständnis anschließt. Denn der Letztere betrachtet die Zeit als zählbare aktuelle Jetztpunkte bzw. als Jetztfolge und macht somit die Zeit zu einer festen Form, was heute die Grundlage des naturwissenschaftlichen Zeitverständnisses darstellt.

Aber worin besteht der Bruch Husserls mit dem (von Heidegger so genannten) „vulgären Zeitverständnis" von Aristoteles, wenn Heideggers vermeintliches Lob Husserls wirklich existiert? Das ist die erste Frage. Daneben gibt es noch eine zweite: Bedeutet die Dominanz des Jetzt notwendig eine „metaphysische Präsupposition" bzw. führt jene unbedingt zu dieser?

Diese Fragen zu beantworten ist heute eigentlich nicht mehr schwierig. Auch Derrida bemerkt: „Husserl erkennt nicht nur, dass kein Jetzt als Moment oder reine Punktualität isoliert werden kann, sondern seine ganze Beschreibung geht auch mit unvergleichlicher Geschmeidigkeit und Sensibilität den ursprünglichen Modifikationen dieser irreduziblen Ausdehnung nach."[3] Eben diese von Husserl gemachten Erkenntnisse sind es, die ihm einen grundsätzlichen Bruch mit dem aristotelisch-traditionellen Zeitverständnis ermöglichen. Der Jetzt-Punkt wird hier zum Präsenz-Feld. In Helds treffender Formulierung heißt es, Husserls bahnbrechende Entdeckung liege darin, „dass das konkret erfahrene Jetzt keine unausgedehnte Grenze ist, sondern Präsenzfeld: Das Gegenwartsbewusstsein spannt sich in Gestalt von ‚Protention' und ‚Retention' aus in eine gewisse Breite und hat als horizonthafte Umgebung der ‚Urimpression', des

Übersetzung des Vortrages erschien im 6. Band von *The phenomenological and philosophical Research in China*, Shanghai 2004, S. 97-115).

[1] J. Derrida, *Die Stimme und das Phänomen*, a.a.O., S. 116 [p. 68].

[2] Ebd.

[3] Ebd.

Kerns der Präsentation, die nächste Zukunft in ihrem Ankommen und die nächste Vergangenheit in ihrem Entschwinden mitgegenwärtig. Das so beschaffene Bewusstsein vom Präsenzfeld unterscheidet sich vom Bewusstsein der Zeit als Jetztfolge wesentlich dadurch, dass es in sich ein Geschehen – metaphorisch gesprochen ein ‚Fluss' – ist, während die konstituierte objektive Zeit als Jetztfolge den Charakter einer festen, unbewegten Form hat; in dieser Form kommt das ursprüngliche Geschehen der Zeit zum Stillstand."[1]

Wir können also sagen: Wenn Husserl die Zeit als „bewegten Fluss" versteht, orientiert er sich bereits in der Richtung der platonischen Tradition. Die Sache hat aber noch eine andere Seite: Wenn Husserl zugleich das Präsenzfeld für den Zentralpunkt in der Zeit hält, bleibt er in gewissem Maße der aristotelischen Tradition treu. In dieser Hinsicht hat er sozusagen unabsichtlich zwischen Platons und Aristoteles' Zeitverständnis eine Brücke geschlagen.

Damit wurde auch die zweite Frage beantwortet. Das Präsenzfeld bzw. der Jetzt-Kern als Zentralpunkt – so Held – „ist immer noch Grenze, aber diese nicht mehr als bloßes Idealisierungsprodukt verstanden, sondern als die im Präsenzfeld-Geschehen erfahrbare Stelle, an der ‚die Kontinuen der retentionalen und der protentionalen Modifikation sich überschneiden (Bernet)'."[2] Weil das Präsenzfeld nicht feste, unbewegte Form bzw. bloßes Idealisierungsprodukt ist, sondern fließende, erfahrbare Stelle bzw. ursprüngliches Geschehen der Zeit, verliert die Kritik an der „Metaphysik der Präsenz" ihre gültige Kraft, denn diese Kritik basiert auf der Annahme, dass das Privileg der aktuellen Präsenz nur die systematische Zusammenschließung „mit der grundsätzlichen Unterscheidung der Metaphysik, derjenigen zwischen Form und Materie" und überdies die Bestätigung der „Tradition, welche die Kontinuität zwischen der griechischen Metaphysik und der ‚modernen' Metaphysik der Präsenz als Selbstbewusstsein bzw. der Metaphysik der Idee als Vorstellung stiftet", bedeuten soll. Diese Annahme kann man schon von der oben dargestellten Analyse aus als nicht berechtigt bezeichnen.

Natürlich besteht das Hauptziel Derridas nicht darin, in Husserls Phänomenologie irgendeine Spur von Metaphysik zu entdecken, sondern vielmehr in der Stiftung einer „Theorie der Nicht-Präsenz als Unbewusstes", oder, wie er auch sagt, „Denken des Nicht-Bewusstseins"[3], womit er „Husserls transzendentales Bewusstsein mit Freuds Unbewusstsein in Parallelstellung" (Bernet) zu setzen versucht.

Dieser interessante Versuch kann hier jedoch nicht unser Thema sein. Wir wollen uns nun, nachdem wir den Begriff des Urbewusstseins bei Husserl einigermaßen erläutert haben, lieber mit dem anderen im Titel des Vortrags stehen-

---

[1] K. Held, „Phänomenologie der ‚eigentlichen Zeit' bei Husserl und Heidegger", a.a.O., im Manuskript S. 2.

[2] K. Held, „Phänomenologie der ‚eigentlichen Zeit' bei Husserl und Heidegger", a.a.O., im Manuskript S. 5.

[3] J. Derrida, *Die Stimme und das Phänomen*, a.a.O., S. 118 [p. 70].

den Begriff Husserls beschäftigen, demjenigen des Unbewusstseins bzw. des Unbewussten. Was bedeutet das Unbewusstsein bei Husserl?

III. Zwei Begriffe des Unbewusstseins

Von der Frage, ob und wenn ja, inwiefern Husserls Begriff des Unbewusstseins sich wesentlich von dem Freudschen Begriff des Unbewussten unterscheidet, sehen wir hier ab. Es ist jedenfalls eine Tatsache, dass das Unbewusstsein kein zentrales Thema in Husserls phänomenologischer Arbeit darstellt. Aber ebenso wie E. Fink schenkt Husserl ihm ab und zu seine Aufmerksamkeit. Beide sprechen vom „Phänomen des Unbewussten" (Hua VI, 192, 473-475) und sogar von einer „Phänomenologie des Unbewussten" bzw. „Theorie des Unbewussten" (Hua XI, 154, 474), und stimmen in dem Punkt überein, dass – so Fink – eine Theorie bzw. Phänomenologie des „Unbewussten" „in ihrem eigentlichen Problemcharakter erst zu begreifen" sei, wenn „der lange methodische Weg von den intentionalen Elementaranalysen zur *intentionalen* Theorie des ‚Unbewussten'" recht verstanden wird.[1] Und noch konkreter formuliert Husserl es, indem er „das Unbewusste" als latentes Bewusstsein interpretiert, das in Analogie zu dem patenten Bewusstsein rekonstruiert werden kann (Ms. C 17, Bl. 95).

Bei eingehender Betrachtung jedoch zeigt sich bereits ein Unterschied zwischen dem Husserlschen Verständnis des Unbewussten und demjenigen Finks. Nach Fink soll das Thema des Unbewussten vor allem zum Gebiet der genetischen Phänomenologie gehören. Der „lange methodische Weg von den intentionalen Elementaranalysen zur intentionalen Theorie des ‚Unbewussten'" bedeutet nach Yamaguchis Interpretation, „den Weg von der Methode der statischen Phänomenologie zu der genetischen Phänomenologie mit ihrer ‚Rekonstruktion' und ihrem ‚Abbauen'"[2].

Hingegen ist es, was wir hervorheben möchten, eine Tatsache, dass Husserls Begriff des Unbewusstseins in dem oben erwähnten Sinn eher ein Thema aus dem Bereich der Phänomenologie des Zeitbewusstseins bildet. Denn, so Husserl: Wenn wir „von den originalen Impressionen [...] übergehen in den Beschreibungen zu all den modalen Abwandlungen in Retentionen, Wiedererinnerungen, Erwartungen usw. und damit ein Prinzip systematischer Ordnung der Apperzeptionen verfolgen [...]", dann bedeutet dies noch „keine Frage nach einer erklärenden Genesis" (Hua XI, 340). Eine Stelle in den *Cartesianischen Meditationen* scheint sogar, wie Iso Kern zeigt, erst Fragen, die über die Analysen der Zeitformung hinausgehen, zur genetischen Phänomenologie zu rechnen.[3]

---

[1] E. Fink, „Finks Beilage zum Problem des Unbewussten", zu § 46, S. 163, in: Hua VI, S. 473-475.

[2] I. Yamaguchi, „Die Frage nach dem Paradox der Zeit", a.a.O., S. 32.

[3] „Fragen der universalen Genesis und der über die Zeitformung hinausgehenden genetischen Struktur des ego in seiner Universalität bleiben noch fern, wie sie ja in der

Der Grund, warum das ursprüngliche Zeitbewusstsein aus dem genetischen Aspekt schwer zu verstehen ist, liegt wohl darin, dass die ständige Wanderung des Zeitbewusstseins von der Urimpression zur Retention zwar eine genetische Form haben muss, dass das Zeitbewusstsein also als Form ein „Fluss" ist, dass es aber doch zugleich etwas Konstantes, Invariables ist. Wenn das Zeitbewusstsein nur von seiner Form bzw. Struktur her betrachtet wird, ist es keineswegs ein Werden, während es sich bei seinem jeweiligen Inhalt doch so verhält. Behandelt die Phänomenologie des Zeitbewusstseins, welche sich auf das *Nacheinander* des Bewusstseins bezieht, nur die formale Struktur der Zeit, so ist es nicht die von Husserl im allgemeinen Sinne gemeinte „genetische Phänomenologie", welche das *Aufeinander* des Bewusstseinsstromes behandelt, sondern eher die Basis dieser Analysen. Denn was die Phänomenologie des Zeitbewusstseins feststellen will, ist eben die Grundlage der genetischen Phänomenologie, und zwar Grundlage in dem Sinne, dass auf der noetischen Seite die Zeit bzw. das zeitkonstituierende Bewusstsein als „Universalform aller egologischen Genesis" (Hua I, 107) und auf der noematischen Seite als „Genesis" bzw. „ursprüngliche Konstitution von Gegenständlichkeiten" (Hua XXXIII, 281) betrachtet wird.

Dass hier ein gewisses Fundierungsverhältnis zwischen der Phänomenologie des Zeitbewusstseins und der Phänomenologie der Genesis bestehen könnte, zeigt sich auch darin, dass Husserl seinerseits die Phänomenologie überhaupt in folgende drei Stufen unterscheidet: „1. Universale Phänomenologie der allgemeinen Strukturen, 2. Konstitutive Phänomenologie, 3. Phänomenologie der Genesis." (Hua XI, 340) Das bedeutet natürlich nicht, dass man zunächst die Phänomenologie der allgemeinen Strukturen, darunter auch die formale Struktur der Zeit, abschließen muss, um dann mit der konstitutiven Phänomenologie und der genetischen Phänomenologie zu beginnen. Vielmehr stellen die Gesetze des ursprünglichen Zeitbewusstseins zugleich die Urgesetze der Genesis dar (vgl. Hua XI, 344).

Die phänomenologische Analyse zur Genesis in der Zeit, welche hiermit der formalen Struktur der Zeit gegenübersteht, ist also keine empirische Erforschung geschichtlicher Fakten. Wenn Husserl bei der Frage der Genesis auch von der „Geschichte des Bewusstseins" spricht, so meint er doch: „Diese ‚Geschichte' des Bewusstseins (die Geschichte aller möglichen Apperzeptionen) betrifft nicht die Aufweisung faktischer Genesis für faktische Apperzeptionen oder faktische Typen in einem faktischen Bewusstseinsstrom oder auch in dem aller faktischen Menschen, vielmehr jede Gestalt von Apperzeptionen ist eine Wesensgestalt und hat ihre Genesis nach Wesensgesetzen" (Hua XI, 338). Diese die formale Struktur betonende Tendenz zeigt sich auch bei Platon, der zwar die Zeit als Fluss bestimmt, aber zugleich doch das Sein als geschichtslos definiert (*Sophistes* 242 c), und ebenfalls bei – wenigstens dem früheren – Heidegger, der diese platonische Tradition wieder aufnimmt und den ersten philosophischen

---

Tat höherstufige sind." (Hua I, S. 110) Vgl. dazu auch R. Bernet/ I. Kern/ E. Marbach, *Edmund Husserl: Darstellung seines Denkens*, Hamburg 1989, S. 184.

Schritt im Verständnis des Seinsproblems darin sieht, „keine Geschichte [zu] erzählen"; denn das bedeutet für Heidegger nichts anderes, als Seiendes als solches durch Rückführung auf ein anderes Seiendes in seiner Herkunft zu bestimmen, gleich als hätte Sein den Charakter eines möglichen Seienden.[1]

Aber von einer anderen Seite aus betrachtet, kann die Phänomenologie des Zeitbewusstseins doch genetische Phänomenologie sein, wenn jene sich nicht auf die Form der Zeit beschränkt, sondern auch zugleich den Inhalt der Zeit behandelt. Jedoch versteht Husserl die Analyse der Phänomenologie des Zeitbewusstseins nicht so. Für ihn ist es vielmehr der Begriff der Assoziation, der diese inhaltlichen Verhältnisse erläutern kann. Der Begriff der Assoziation bedeutet ihm sogar das „Prinzip der passiven Genesis" (Hua I, 113).[2] Natürlich sagt Husserl auch: „Urgesetze der Genesis sind die Gesetze des ursprünglichen Zeitbewusstseins, die Urgesetze der Reproduktion und dann der Assoziation und assoziativen Erwartung" (Hua XI, 344). Zu beachten ist jedoch, dass sich das hierbei gemeinte Zeitbewusstsein in der Tat auf die Geschichtlichkeit (die so genannte *Zeitlichkeit* bei Heidegger) bezieht, nicht aber auf die formale Struktur der Zeit (bzw. die *Zeit* im Heideggerschen Sinne).[3]

Es ist hier zu überlegen, inwiefern wir der folgenden Ansicht von K. Held zustimmen können, dass die Analyse der Intentionalität für die Erörterung der inhaltlichen Einheit der lebendigen Gegenwart als Quelle der Intentionalität nicht hinreicht, dass dafür eher die Auslegung der „Dimensionalität der Gegenwart" im Stil der Heideggerschen Daseinsanalyse angebracht sei.[4] Genauer gesagt haben wir dabei zu überlegen, in welchem Sinne wir hier den Husserlschen Begriff der Intentionalität benutzen, und ob dieser auch „eigentümliche Intentionalitäten" bzw. „Intentionalitäten eigener Art" wie ungegenständliche Intentionalität, reflexive Intentionalität, Triebintentionalität, Instinktintentionalität, unbewusste Intentionalität, Intentionalität der Zeitigung, der Retention und Protention usw. mit einschließt. Bei Bejahung dieser Frage kann man sich dann mit der anderen Frage beschäftigen, ob Husserls Intentionalitätsanalysen im weiteren Sinne so ergiebig, ja ergiebiger sind als z. B. die Daseinsanalysen Heideggers oder entsprechende biologische Untersuchungen.

---

[1] M. Heidegger, *Sein und Zeit*, Tübingen 1979[15], S. 6.

[2] Vgl. dazu auch R. Bernet/ I. Kern/ E. Marbach, *Edmund Husserl: Darstellung seines Denkens*, a.a.O., 7. Kap., „Statische und genetische Konstitution", und L. Ni, *Allgemeine Erläuterung zu den Begriffen der Phänomenologie Husserls*, Beijing 1999, S. 445-451.

[3] Dadurch wird die Bedeutung des Zeitbewusstseins bei Husserl verdoppelt: sozusagen einmal als Bewusstsein des Aufeinanderlegens, das andere Mal als Bewusstsein des Nacheinanderfolgens. In einem ähnlichen Sinne spricht Husserl auch von der Zweideutigkeit der Genesis bzw. der genetischen Gesetze: „1) Gesetze der Genesis in dem Sinn der Nachweisung von Gesetzen für Aufeinanderfolgen von einzelnen Ereignissen im Erlebnisstrom. [...] 2) Gesetzmäßigkeiten, welche die Bildung von Apperzeptionen regeln" (Hua XI, S. 336).

[4] Vgl. K. Held, „Phänomenologie der Zeit nach Husserl", in: *Perspektiven der Philosophie*, 1981, Bd. 7, S. 204.

Jedenfalls erweist sich, nachdem wir den Unterschied zwischen der Phänomenologie der Genesis und der Phänomenologie der Zeit und somit auch den Unterschied zwischen zwei Arten von Unbewusstsein angedeutet haben, Finks Beilage XXI über Unbewusstes zu § 46 der *Krisis* als eine nicht geeignete Interpretation bzw. Hinzufügung. Denn Husserl spricht hier nicht vom Unbewussten als Thema der genetischen Phänomenologie, das „Schlaf, Ohnmacht, Ausgeliefertsein an dunkle Triebgewalten, schöpferische Zustände" (Fink) oder „transzendentales Rätsel" bzw. „Nebel" wie „Geburt, Tod, traumlosen Schlaf, Ohnmacht" (Husserl) usw. enthält, sondern als Thema der Phänomenologie des Zeitbewusstseins, das einen unmittelbaren Bezug auf Impression, Retention und Protention nimmt. [1]

Auf diese Weise haben wir hier einen recht engen Begriff des Unbewusstseins bei Husserl gewonnen: den Begriff des Unbewusstseins in Husserls Zeitverständnis, der sich lediglich auf das Unbewusste im inneren Zeitbewusstsein bezieht, und sich dadurch von den Begriffen des Unbewussten bei S. Freud, E. Fink usw. unterscheidet, sogar in der Tat auch von dem anderen Begriff des Unbewussten bei Husserl selbst.

IV. Unbewusstsein als der vergessene, aber noch fungierende Hintergrund des Zeitbewusstseins

Mit diesem Begriff des Unbewusstseins im Zeitverständnis Husserls steht das Urbewusstsein, Bewusstsein des Jetzt, das von Derrida als „Metaphysik der Präsenz" bezeichnet wurde, in enger Verbindung. Denn Husserls Zeitanalyse geht, wie wir oben bereits erwähnt haben, von dem Jetztbewusstsein, d. i. der Wahrnehmung aus, und ist somit der Aristotelischen Tradition der Zeitlehre verpflichtet.[2] Aber Husserl meint damit keineswegs, dass die Analyse des Zeitbewusstseins mit dem Stillstand beginnt und auch endet, sondern er verleiht dem Präsenzfeld-Geschehen ein Privileg als unwillkürlichem und somit notwendigem Ausgangspunkt, von dem aus die intentionale Analyse des Zeitbewusstseins zum Strom, zur Bewegung bzw. zur strömenden Beweglichkeit führt. So sagt Husserl in dem vorgenannten § 46 der *Krisis*-Schrift: „[U]nwillkürlich fangen wir eine solche ‚intentionale Analyse' der Wahrnehmung an mit der Bevorzugung eines ruhenden und auch qualitativ unverändert gegebenen Dinges. Die Dinge der wahrnehmungsmäßigen Umwelt geben sich so aber nur vorübergehend, es kommt alsbald das intentionale Problem der Bewegung und Änderung. Aber war

---

[1] Finks Beilage passt viel eher zu § 55 der *Krisis*, wo Husserl „das jetzt so viel verhandelte Problem des ‚Unbewussten'" erwähnt, wie etwa „traumlosen Schlaf, Ohnmacht und was sonst in gleicher oder ‹ähnlicher› Art unter diesen Titel gerechnet sein mag", wie auch „Geburt und Tod" (Hua VI, S. 192).
[2] Auch Merleau-Ponty übernimmt diese Tradition. Vgl. ders., „La primat de la perception et ses conséquences philosophiques", in: *Bulletin de la Société Francaise de Philosophie* 41, 1947, S. 119-153.

dann ein solcher Anfang beim ruhend-unveränderten Ding wirklich nur zufällig, und hat die Bevorzugung der Ruhe nicht selbst ein Motiv im notwendigen Gang solcher Untersuchungen? Oder, von einer anderen, aber wichtigen Seite her betrachtet: unwillkürlich begannen wir mit der intentionalen Analyse der *Wahrnehmung* (rein als der ihres Wahrgenommenen) und bevorzugten sogar dabei anschaulich gegebene *Körper*. Sollten sich nicht auch darin Wesensnotwendigkeiten bekunden?" (Hua VI, 162).

Die hier von Husserl hervorgehobenen Wörter zeigen, dass er sich bereits sorgfältig Gedanken über die Dominanz des Gegenwartsbewusstseins gemacht hat, und sich schließlich doch für die Bevorzugung der Wahrnehmung und des anschaulich gegebenen Körpers entscheidet, welche später wieder bei Merleau-Ponty eine zentrale Rolle spielen.

Diese bevorzugte Wahrnehmung bleibt jedoch inhaltlich nicht stehen; sie fließt immerfort und wird im „Wachbewusstsein" immerfort bewusst, als universaler Horizont, in der universalen Zeit und in dem universalen Raum. Nehmen wir hierbei unserem Thema entsprechend lediglich die Zeit in Betracht, so besteht für Husserl zwischen Vergangenheit, Gegenwart und Zukunft ein Verhältnis: „Wahrnehmung bezieht sich nur auf *Gegenwart*. Gemeint ist aber vorweg, dass diese Gegenwart hinter sich eine endlose *Vergangenheit* und vor sich eine offene *Zukunft* hat." (Hua VI, 163) Also von dem jeweiligen Präsenzfeld, das keineswegs isoliert ist, geht das Wachbewusstsein kontinuierlich in zwei Richtungen zum Nicht-mehr-Wachbewusstsein über: in der Richtung der Vergangenheit und der Zukunft, und wie wir wissen, durch den doppelten Prozess der Retention und Protention.

Mit Husserls Worten heißt dies genauer, dass „in dieser Präsenz, als der eines ausgedehnten und dauernden Objektes [...] eine Kontinuität von Nochbewusstem, Verströmtem, in keiner Weise mehr Anschaulichem, eine Kontinuität von ‚Retention', und in anderer Richtung eine Kontinuität von ‚Protention'" liegt (Hua VI, 163). Was den Prozess der Retention betrifft, so hat Yamaguchi Recht, wenn er sagt: „Der Sinngehalt der Retention wird durch den retentionalen Prozeß immer mehr vernebelt und schließlich völlig unterschiedslos, aber er wird nicht zum Nichts, sondern zur ‚Leervorstellung' im Hintergrundbewusstsein, in dem sie als ‚Unbewusstes' impliziert wird."[1] Ähnliches gilt ebenfalls für den Prozess der Protention.[2]

Für die beiden Gebiete des Nicht-mehr-Wachbewusstseins benutzt Husserl zwar sehr selten das Wort „Unbewusstsein" bzw. „Unbewusstes", aber doch sehr

---

[1] I. Yamaguchi, „Die Frage nach dem Paradox der Zeit", a.a.O., S. 9.

[2] Vgl. dazu auch den vorgenannten Vortrag von K. Held sowie den Aufsatz von D. Lohmar, „What does Protention ‚protend'?" (erscheint in: *Philosophy Today*). Hierbei ist noch darauf zu achten, dass das Unbewusste in der Zukunft eine andere Art darstellt als das Unbewusste in der Vergangenheit. Denn das Erstere kann das gelebte, aber vergessene Leben bedeuten, das nicht zum Bewusstsein kommen kann oder will, und das Letztere hingegen das nicht gelebte Leben, das unbewusst, jedoch im Prinzip jederzeit vorstellbar ist, also jederzeit durch Vorstellungskraft bewusst werden kann.

häufig „Hintergrundbewusstsein". Sie gelten ihm als Hintergrund, der stets mitbewusst, aber momentan irrelevant, inaktuell, völlig unbeachtet ist, jedoch implizite fungiert (Hua VI, 152). Wenn dieser Hintergrund, der im Fall der Vergangenheit aus dem Erwerb des früheren aktiven Lebens besteht, völlig in Vergessenheit gerät, bezeichnet Husserl ihn auch als „Unbewusstes" (Hua XI, 154). In diesem Fall spricht Husserl auch von „Leerhorizont".

Wir können also sagen, dass Vergangenheit und Zukunft, obwohl sie verschiedene Modi der Vergegenwärtigung ausmachen, zusammen auf einen universalen Hintergrund hinweisen, der aus zwei Arten von Intentionalitäten besteht, der „offenen" und der „implizierten", mit anderen Worten, der „patenten" und der „latenten". Beide sind Intentionalitäten „eigener Art", da sie nicht mehr anschaulich, nicht mehr gegenständlich, nicht mehr aktuell sind. Aber davon ist es nur die latente (oder implizite) Intentionalität, die sich auf das Unbewusstsein bezieht, d. i. das unbewusste Vergangenheitsbewusstsein bzw. das unbewusste Zukunftsbewusstsein. Auch wenn es ein wenig paradox klingt, können wir sagen: Es ist der in Vergessenheit geratene, aber noch in Funktion bleibende Hintergrund des Zeitbewusstseins. Das scheint die Grundbedeutung des Begriffs Unbewusstsein in Husserls Analyse des Zeitbewusstseins zu sein.

V. Gradualitäten zwischen Bewusstsein und Unbewusstsein

Aber auch bei diesem Thema zeigen sich gewisse Schwankungen und auch Beschränkungen in Husserls Überlegungen. Er stellt sich immer wieder die Frage: „Woher weiß ich, dass der Leerhorizont der Retentionalität noch Vergangenheitsbewusstsein bedeutet, und was ist das eigentlich: ‚Leerhorizont'?" (Hua XI, 420). „Die Frage ist für mich, wie man die Potentialität des Leerhorizonts, aus dem etwas auftaucht, deuten soll und ob man überhaupt von einem einzigen Horizont der Vergessenheit sprechen soll." (Hua XI, 424) Wenn unter „Leere" hier das Abklingen der Anschaulichkeit bis zum Limes Null, also das Schwinden der Abhebung im Dunklen bzw. Schwarzen zu verstehen ist (vgl. Hua XI, 420), dann bedeutet das Unbewusste hier eben das völlig Vergessene, das zwar jederzeit aus der Vergangenheit emportauchen kann,[1] aber von dem wir vor seinem Wiederauftauchen überhaupt nichts sagen können. Unser den Bewusstseinsfluss entlanggehender Schritt stößt hierbei an eine Grenze, an welcher die so genannte Phänomenologie des Unbewusstseins beginnt und somit auch ihre prinzipielle Schwierigkeit.

Husserl selbst sieht diese Schwierigkeit ständig vor sich. Er stellt einerseits zwar fest, dass das „Vergessene" in dem ursprünglichen Sinn des Leergewordenen nicht „ein geheimnisvolles Nichts" ist. Andererseits spricht er davon doch sehr oft in einem nicht überzeugten Ton, wie etwa: „Man wird also doch sagen

[1] „Das unendliche Reich der Vergessenheit ist", nach Husserl, „ein Reich ‚unbewussten Lebens', das immer wieder geweckt werden kann" (Hua XI, S. 422).

müssen, dass das Unbewusste überall, auch in der Gegenwartssphäre, von prinzipiell gleichem Stil sei" (Hua XI, 422), was eher nach einer Vermutung klingt als nach einer direkten Erfassung des Sachverhalts.

Doch Husserl versucht, ja er bemüht sich immer wieder, in das Thema des Unbewussten einzudringen. So unterscheidet er, bevor er vom gleichen Stil des Unbewussten spricht, bereits das Unbewusste als „die ursprüngliche Vergessenheit, das ‚unbewusst' gewordene Retentionale, das unbewusste gewordene Soeben-Vergangene", wovon bisher die Rede war, von dem Unbewussten als dem „schon von vornherein Undeutlichen, obschon es anschaulich ist" (Hua XI, 420f.). Das Erstere ist ihm das Vergessene, das keine Abhebung mehr hat, und im Retentionalen nicht mehr bewusst ist, das Letztere hingegen das schon im Urimpressionalen Unerfasste, das ohne Kraft der eigenen Affektion ist. (Vgl. ebd.)

Werfen wir nun der Klarheit halber einen Rückblick auf Husserls Überlegungen in dieser Hinsicht: Bereits in den *Ideen* I entwickelt er einen erweiterten Aktbegriff, indem er „vollzogene und nicht vollzogene Akte" voneinander unterscheidet, wobei die Letzteren „entweder außer Vollzug geratene Akte oder Aktregungen" sind. Als Beispiele nennt er: „Wir glauben schon, ehe wir wissen. Ebenso sind unter Umständen Gefallens- oder Mißfallenssetzungen, Begehrungen, auch Entschlüsse bereits lebendig, ehe wir in ihnen leben, ehe wir das eigentliche cogito vollziehen, ehe das Ich urteilend, gefallend, begehrend, wollend sich betätigt" (Hua III/1, 263). Aber wenn die Aktregungen auch in der logischen und zeitlichen Folge den Aktvollzügen vorangehen, gehören die Ersteren nach Husserl nicht zur Kategorie der Intentionalität, sondern höchstens zu derjenigen der „Intentionalität eigener Art" und verdienen somit nur seine sekundäre Aufmerksamkeit. Dies entspricht Husserls Auffassung des Grundverhältnisses von Theorie und Praxis, Erkenntnis und Interesse usw.

Man kann sehen, dass ein nicht vollzogener Akt bzw. eine Aktregung in diesem strengeren Sinne noch nicht rein Unbewusstes ist und somit nicht „leer" heißen kann. Aktregung bedeutet vielmehr eine gewisse Anschaulichkeit und somit auch eine gewisse affektive Kraft. Wenn die Anschaulichkeit bis zum Limes Null zurückgeht, kann dennoch eine gewisse affektive Kraft vorhanden sein. Denn „mit dem Null-Werden der Anschaulichkeit ist also die affektive Kraft nicht Null." (Hua XI, 169) Demgemäß besteht zwischen der Null der Anschaulichkeit und der Null der affektiven Kraft noch ein Unterschied. Schließlich ist es die Null der affektiven Kraft, die bei Husserl mit dem Unbewusstsein gleichbedeutend ist: „Wenn von verschiedenen Gegenständen nichts affektiv wird, so sind diese verschiedenen in eine einzige Nacht untergetaucht, im besonderen Sinn unbewusst geworden." (Hua XI, 172)

So gesehen liegt zwischen Bewusstsein und Unbewusstsein eine Gradualität der Bewusstheit bzw. Unbewusstheit. „Diese Gradualität ist es", so schreibt Husserl, „die auch einen bestimmten Begriff von Bewusstsein und Bewusstseinsgraden bestimmt und den Gegensatz zu dem im entsprechenden Sinn Unbewussten. Letzteres bezeichnet das Null dieser Bewusstseinslebendigkeit und, wie sich zeigen wird, keineswegs ein Nichts" (Hua XI, 167). Wir haben hier also vor dem Aktvollzug (vor der Intentionalität) bereits vier Stufen der Gradualität: 1. die Anschaulichkeit (etwas), 2. die affektive Kraft (bzw. die Aktregung), 3. die Null (leer, unbewusst) und 4. das Nichts.

VI. Schlussbemerkung

Wir stellen nun noch die folgende Frage – die eigentlich eine eigene Untersuchung verlangt: Wie weit unterscheidet sich dieser Begriff des Unbewussten von dem anderen Begriff des Unbewussten bei Husserl, unter welchem er wie gesagt „Geburt, Tod, traumlosen Schlaf, Ohnmacht" usw. versteht, welche er als „transzendentales Rätsel" bzw. „transzendentalen Nebel" (Ms. AV 22, 24b) oder „transzendentale Problematik" (Hua VI, 192) bezeichnet? Die Beantwortung der Frage kann zu einer klaren Unterscheidung zwischen Phänomenologie der Genesis und Phänomenologie des Zeitbewusstseins führen, die sich beide auf das Unbewusste beziehen. Husserl selber hat aber die Frage nicht klar beantwortet und somit auch eine solche Unterscheidung nicht getroffen. Der Grund dafür scheint für Iso Kern darin zu liegen, „dass Husserl die Methodologie der genetischen Konstitutionsanalyse nicht klar genug ausarbeitete"[1].

Bei diesem Punkt lohnt es sich vielleicht doch, darauf hinzuweisen, dass sich Derridas Scharfsinn nicht in seiner Kritik an Husserls Metaphysik der Präsenz in *La voix et le phénomène* erweist, sondern vielmehr in der in seinem Aufsatz „'Genèse et structure' et la phénoménologie" (1959) gemachten Feststellung,[2] dass Husserl ununterbrochen versucht habe, zwischen einem Struktualismus und einem Genetizismus oder, mit Husserls eigenen Worten, „zwischen fließendem Gelten und objektiver Gültigkeit, zwischen Wissenschaft als Kulturerscheinung und Wissenschaft als System gültiger Theorie" (Hua XXV, 44) zu vermitteln, und dass das Problem der „Struktur-Genesis" keinen Sinn zu haben scheine, wenn der phänomenologische Raum noch nicht entdeckt und mit der transzendentalen Beschreibung der Intentionalität noch nicht begonnen sei.

Es ist hier nicht der geeignete Ort, um mit einer möglichen Phänomenologie des Unbewusstseins überhaupt zu beginnen. Kurz zu erwägen ist vielmehr das vorhin genannte Fundierungsverhältnis zwischen der Phänomenologie des Zeitbewusstseins und der Phänomenologie der Genesis bzw. das Fundierungsverhältnis zwischen statischen und genetischen Zusammenhängen, und wenn möglich natürlich auch noch die Rolle der Zeit bzw. der Zeitanalyse in diesem Verhältnis.

Es gibt eine weitere Problematik, die Husserl jahrzehntelang beschäftigt hat: „Es ist überhaupt die Frage", sagt er im Jahre 1921, „wie die Untersuchungen [zu

[1] R. Bernet/ I. Kern/ E. Marbach, *Edmund Husserl: Darstellung seines Denkens*, a.a.O., S. 182.
[2] Vgl. J. Derrida, *L'écriture et la différence*, Paris 1967.

den statischen und genetischen Zusammenhängen] zu ordnen sind." (Hua XI, 344) Einerseits haben wir Unbewusstsein als bereits Vergessenes in der Vergangenheit, aber auch als im Hintergrund noch Fungierendes, das genetisch, also in der zeitlichen Reihenfolge, vorhergeht und das aktuelle Wachbewusstsein beeinflusst, und zwar „in der Form, dass ich, den Akt vollziehend, bestimmt bin dadurch, dass ich die anderen Akte vollzogen habe" (Hua XI, 342). Um diese Linien verschiedener Arten von Motivation zu verfolgen und zu untersuchen, müssen wir die Methode der erklärenden Phänomenologie anwenden. Andererseits haben aber die Analysen der Wahrnehmung, des Wachbewusstseins, also die statischen, beschreibenden Methoden der Phänomenologie, doch einen „unwillkürlichen" bzw. einen notwendigen Vorrang, wie bereits im 3. Abschnitt der vorliegenden Arbeit zu sehen war. Denn es stellt eine Grundtendenz in Husserls phänomenologischer Analyse dar, beim ruhend-unveränderten Ding zu beginnen, um in der phänomenologischen Analyse und Beschreibung überhaupt etwas Erfassbares, etwas Ergreifbares zu haben.

Es ist aber im Grunde genommen eine methodologische Entscheidung, ob man die genetische, erklärende Analyse bevorzugt und zunächst und zumeist anwendet, oder umgekehrt die statische, beschreibende, d. h., ob man die Erstere gegenüber der Letzteren als fundierend betrachten soll oder umgekehrt. Ganz gleich, wie man sich entscheidet, wird dies dem Prinzip der Anschaulichkeit, welches in Husserls Phänomenologie als Prinzip aller Prinzipien gilt, an sich nicht schaden; es sei denn, man fasst die Phänomenologie, die genetische wie die statische, im unserem Fall vor allem die Phänomenologie des Unbewusstseins, so weit, dass sie ins Leere läuft, dass sie wieder die alte Bahn von Eduard von Hartmann einnimmt, und dass sie so aussieht wie eine so genannte „Philosophie des Unbewussten" mit „spekulativen Resultaten nach induktiv-naturwissenschaftlicher Methode"[1]. Eine Phänomenologie des Unbewusstseins muss also eben phänomenologisch sein, d. h. nicht spekulativ und schon gar nicht metaphysisch.[2]

Nun erlauben wir uns, die vorliegende Arbeit mit einer Frage und einem Vorschlag zu schließen. Die Frage lautet: Inwiefern ist eine Husserlsche Phänomenologie des Unbewusstseins überhaupt möglich? Und der Vorschlag wäre: Bei der Entfaltung und Erläuterung einer solchen Frage sollten wir uns natürlich auf Husserl stützen und ihn auch gegen mögliche Missverständnisse

---

[1] Gemeint ist hier das Buch von Eduard von Hartmann: *Philosophie des Unbewussten – Speculative Resultate nach inductiv-naturwissenschaftlicher Methode*, Berlin 1869. Vgl dazu auch Fr. Nietzsches Kritik an diesem Buch in *Vom Nutzen und Nachteil der Historie für das Leben*, Leipzig 1874.

[2] "Metaphysisch" auch im Sinne einer Kantischen Psychologie bzw. Seelenlehre, welche Kant als "Metaphysik der denkenden Natur" bezeichnet (*Kritik der reinen Vernunft*, B 874), und in bezug auf solche Psychologie sagt, "Der Anfang des Lebens ist die Geburt; dieses ist aber nicht der Anfang des Lebens der Seele, sondern des Menschen. Das Ende des Lebens ist der Tod; dieser ist aber nicht das Ende des Lebens der Seele, sondern des Menschen" (zitiert aus Th. Weimann, "Vorwort zur Neuauflage" von *I. Kants Vorlesungen über Psychologie*, hrsg. von Dr. Carl. De Prel, Pforzheim 1964, S. 10).

und Fehlinterpretationen verteidigen, aber keineswegs auf Kosten seiner phänomenologischen Prinzipien. Denn das würde heißen, ihn gegen seinen eigenen Willen zu verteidigen.

5. Horizontal-intention: time, genesis, history

Husserl's understanding of their immanent relationship

Being cannot be grasped exept be taking time into consideration.

—Martin Heidegger

This real time is, in essence, a continuum. It is also perpetual change. The great problems of historical inquiry derive from this antithesis of these two attributes.

— Marc Bloch

In the first part, the author will discuss Husserl's understanding of "time" and "genesis" in the *Logical Investigations* (around 1900), and the possible relation of "time" and "genesis", though in that work Husserl himself did not put the two into any kind of relationship—not even one of opposition. Only through some fragmental statements can we realize Husserl's focus on "analyses of time" and his exclusion of "analyses of genesis". In the second part, the author will represent Husserl's attitude toward the analysis of "time" and "genesis" in the *Lectures* (around 1917). Unlike the period of the *Logical Investigations*, Husserl discussed these themes together in the lectures, and he tried to grasp their immanent relationship. Part Three discusses Husserl's thought of "time" and "genesis" in the period of the *Cartesian Meditations* (around 1928). This thought in his manuscripts in 1921 found its expression in a discussion of the relationship between static phenomenology, which takes "transverse intentionality" (Querintentionalität) as its theme, and genetic phenomenology, which takes "horizontal intentionality" (Längsintentionalität) as its theme. It is likely that this thought led Husserl to consider "time" as "the universal form of all geneses of egology" in the *Cartesian Meditations*. Starting from here, in the fourth part, the historical dimension came into Husserl's horizon. First and foremost, the historical dimension concerns the way and the sphere in which history is studied, i.e., studies of the universal form of history and the constitution of history for the ego. The fifth part is a further investigation of Husserlian phenomenology of history, especially clarifying the immanent relationship between history, time and genesis in Husserl's late thought. This part also includes a general review of the theory and practice of his phenomenology of history, and the possible connection and difference between the "form" and "content" of his phenomenology of history.

Time, genesis and history are three different phenomena, but there is obviously an immanent relationship among them. Husserl's understanding of this relationship has undergone a gradual process in his study of phenomenology. In brief, in the *Logical Investigations* and his early analysis of inner time-consciousness, Husserl set aside questions concerning genesis and history for reasons of principle, but in his late analysis of time and *Cartesian Meditations*, he often combined the three to have a general and coherent analysis, which finally culminated in his phenomenology of history in the *Crisis*. The present author hereby attempts to trace this tendency of his thought and the reason behind it. This paper also raises the question as to whether his late attempt would succeed or not. In addition, the attempt made here can be seen as a general introduction to Husserl's conception of genetic phenomenology and the phenomenology of history starting with the phenomenology of time.

I. "Time" and "genesis" in the period of the Logical Investigations

In the *Logical Investigations* (1900/01) Husserl neither delved into "time" nor discussed "genesis" in detail.[1]

Husserl only speaks about the time problem in the third and fourth investigations, from the perspective of the relationship between wholes and parts, and between independent and dependent moments. Occasionally Husserl remarks that the characteristic of reality can be defined by "temporality" (Zeitlichkeit). (*LU*[2] II/1, A 123) Further discussion on this problem will be made later in detail. Overall, time does not figure as an independent theme in the *Logical Investigations*, let alone the central theme. Years later, in the lectures on the "main parts of phenomenology and epistemology," Husserl recalled about the *Logical Investigations*, "Many essential difficulties that I have discussed at that time are barely touched and not studied further in my publication. Even the whole sphere of *memory*, and all the problems about the phenomenology of original time-intuition were also in a hushed state therein. Then I was unable to overcome the extraordinary difficulties. They are maybe the most difficult problems in the whole phenomenology. As I didn't want to fetter myself in advance, I'd rather maintain a strict silence on it" (Hua XXXVIII, 4). It was not until the winter semester of 1904/05 in the lectures on the "main parts of phenomenology and

[1] Likewise, these issues were not addressed in *Ideas I*. Although Husserl discussed "the phenomenological time and the time-consciousness" in § 81 of *Ideas I*, he felt fortunate that he could, in this preparative analysis, put aside "the puzzle of time-consciousness", which is an "exceptionally difficult sphere of problems" (Cf. Hua III/1, 163. *General Introduction to Pure Phenomenology*. English version, trans. by W. R. Boyce Gibson, London 1962). With respect to the "genetic problem" and the "historical problem", Husserl thought, "there need not be, and should not be, any thought of genesis along the lines either of psychological causality or of evolutionary history" (Hua III/1, 7, note 1).
[2] *Logical Investigations*. English version, trans. by J. N. Findlay, London 1970.

epistemology" that Husserl finally decided to present his study of time and to discuss it with his students.

In the *Logical Investigations*, Husserl basically attributed the genetic problem to psychology. Whenever he mentioned "genetic explanation," "genetic analysis," or "genetic exploration," he always associated it with psychology (*LU* II/1, A 4, A 8, A 18, etc.). The concept of "genesis" he used in this period basically means "experiential" or "temporally passed (zeitlich verlaufene)". This partially accounts for the fact that he changed "genetic" into "experiential" or "experiential-psychological" almost without exception in the second version of the *Logical Investigations*. Husserl understood his use of the concept of "genetic psychology" in the same manner. Therefore, Husserl could straightforwardly declare that "genetic problems fall outside the limits of our task", and, to a large extent, saw "pure logic" as the opposite of "genetic psychology" or "experiential psychology" (*LU* II/1, A 208, A 337, Hua XIX/2, 779, etc.).

Although "time" and "genesis" do not constitute independent themes in the *Logical Investigations*, some incidental remarks on these two problems still deserve our attention here:

i. From Husserl's statements, we can see that he considered "time" and "genesis" as two distinct or even opposed themes, falling into two fundamentally different disciplines. The former is purely descriptive: more precisely, it expresses essences and essential laws in a descriptive way. The latter is genetic and explanatory: in other words, it explores the connection of experiential laws from the perspectives of psychological facts, experiential happening, and causality. (*LU* II/1, A 4-5, A 21, etc.)

On the one hand, in the *Logical Investigations* Husserl considers time in general as an objective and all-embracing unity-form, which he never gave up even in his late period. This form presents itself through "subjective time-consciousness". (*LU* II/1, A 336) As a result, for Husserl, time is "not in the time of the world of things", not experiential time in the sense of physics, but is "a form overreaching all its contents, which remains the same form continuously, though its content steadily alters" (*LU* II/1, B_1 358) throughout the stream of subjective consciousness. In this sense, the pure form of time is opposed to experiential genetic contents.

On the other hand, "genesis" carries the character of experience. Therefore, the study of essence cannot be founded on that of genesis. On the contrary, the latter necessarily presupposes the former. In Husserl's words, "My reference is plainly an immediately given, present experience. How this experience, with its evident content, may have *arisen*; what may be necessarily true of it from the genetic standpoint; what may underlie it physiologically or psychologically, whether in the marginal or the unconscious – all these are interesting themes for enquiry. But it is absurd to seek information about our meaning along such paths." (*LU* II/1, A 208) In the *Logical Investigations*, Husserl ultimately attributed the study of genesis to psychology.

ii. Even in psychology, the study of "genesis" cannot be a theme of the first rate. It must play second fiddle to descriptive study in psychology. Husserl explains, "Psychology's task – *descriptively* – is to study the Ego-experiences (or conscious contents) in their essential species and forms of combination, in order to explore – *genetically* – their origin and perishing, and the causal patterns and laws of their formation and transformation. For psychology, conscious contents are contents of an Ego, and so its task is to explore the real essence of the Ego (no mystical thing-in-itself but one only to be demonstrated empirically), to explore the interweaving of psychic elements in the Ego, and their subsequent development and degeneration" (*LU* II/1, A337, my emphasis).

Consequently, the study of genesis does not belong to the sphere of essential psychology or pure descriptive psychology, since for Husserl, "pure descriptive psychological analysis [...] is in all cases concerned to dismember what we inwardly experience as it in itself is, and as it is really given in experience, without regard either to genetic connections, or to extrinsic meaning and valid application." (*LU* II/1, A 373/ B_1 398) The study of genesis can only be a task at the level of experiential psychology. (*LU* II/1, B_1 217)

iii. The opposition between "time" and "genesis" parallels Husserl's opposition between "time" and "temporality". For Husserl, "temporality" is always a mode of time. In the *Logical Investigations*, he saw "temporality" as a characteristic of something real and individual: "For us temporality is a sufficient mark of reality. Real being and temporal being may not be identical notions, but they coincide in extension. [...] Should we wish, however, to keep all metaphysics out, we may simply define 'reality' in terms of temporality. For the only point of importance is to oppose it to the timeless 'being' of the ideal." (*LU* II/1, A 123) Since the individual possesses real being and temporal being, it is opposed to the unreal and timeless ideal. The former is a theme of experiential science; the latter is a theme of pure phenomenology, namely the theme of pure phenomenology of time-consciousness.

In his late period, Husserl insists on this distinction. The only change is its expression: the mode of time for the individual is "temporality" (Zeitlichkeit), and the mode for the ideal is "Allzeitlichkeit" (all-time) or "Überzeitlichkeit" (over-time). (*EU*, 313)

iv. Although Husserl kept his view that pure phenomenology excluded the study of genesis in the second version of *Logical Investigations* in 1913, there is some evidence that he began to soften the opposition between "genetic" and "pure" investigation. In the second version, he changed "genetic" into "experiential" and "experiential-psychological" in many places.

We should not see this change as a random act. In fact, we can tell that Husserl had the inclination to combine "time analysis" and "genetic analysis," or even to see them as the same issue. According to R. Boehm's narration, in Husserl's manuscripts on time-consciousness "there are some pages dealing with the time problem in the earlier period." On the cover of these files, Husserl noted: "on genealogy around 1893 (former articles before these monthly papers)".[1] While the exact date of this note cannot be ascertained today, we can tell, based on what has been said above, that the tendency to no longer oppose the "time problem" and the "genetic problem" can be seen to a limited extent after the first version of *Logical Investigations*.

II. "Time" and "genesis" in the period of the Lectures on the Phenomenology of Inner Time-Consciousness

As stated above, it was not until the winter semester of 1904/05 in the lectures on the "main parts of phenomenology and epistemology" that Husserl decided to present his study of time and to discuss it with his students. He felt that the time problem could not be avoided; although his results were too immature for publication, "where I kept silent as an author can be spoken out as a teacher. It should be better that I tell something that has yet to be solved and can be grasped in the flux under most circumstances." (Hua XXXVIII, 5)

Since the studies of time in this period carried the character "yet to be solved and can be grasped in the flux", Husserl didn't publish them even after his assistant Edith Stein sorted them in 1917. It was only in 1926, when Heidegger was about to publish *Being and Time*, that it occurred to Husserl to ask Heidegger to compile and publish these manuscripts sorted by Stein.

The *Lectures* published by Heidegger in 1928 presents Husserl's thought around 1917. As a result, this book cannot reveal the concrete progression of Husserl's thought on time-consciousness from 1897 to 1917. However, we can retrieve the historical context of this development from Husserliana volume X.

Generally speaking, the enormous analyses of time-consciousness Husserl had undertaken from 1897 to 1917 maintained, for the most part, his thought on "time" and "genesis" in the *Logical Investigations*. He still insisted that the studies of time and genesis were themes on different levels, and that the understanding of the former was a prerequisite for understanding the latter. Therefore, in the 19th addition written in 1904, Husserl still insisted, "The genetic problem about origins does not concern the phenomenologist at all" (Hua X[2], 188); neither the "originally spatial" nor "the original" from which the "intuition" of objective "time" derives was theme of phenomenology. In the revised version of his lectures on inner time-consciousness in 1917, we can also find his definitive statements in a paragraph: "The problem about empirical genesis is a matter of indifference as far as we are concerned; what does interest us are experiences with respect to their objective sense and descriptive content." (Hua X, [373])

---

[1] Text K I 55 in Husserl's manuscripts, which was published as Supplement No. 1 in Hua X. Cf. Hua X, pp. 137-151.
[2] *On the Phenomenology of the Consciousness of Internal Time (1893-1917)*. English version, trans. by J. B. Brough, Dordrecht/Boston/London 1991.

These lectures are noteworthy because, unlike the *Logical Investigations*, Husserl began to put "time" and "genesis" together. Especially in § 2 of part A of his lectures on inner time-consciousness, Husserl discussed in particular, "The question about the 'origin of time'." Quotation marks were added to the words "origin of time" in the title in order to give prominence to "the difference between the phenomenological (that is to say, the epistemological) and the psychological questions about origins" from the beginning. Although both phenomenology and psychology emphasize the question of origin and the tracing back to origin, origin in phenomenology refers to "origins with respect to all the concepts that are constitutive of experience, and thus too with respect to the concept of time". In this sense, the tracing back to origin in phenomenology means "going back to the phenomenological data," back to the real (eigentlich) experienced things; but in psychology, it means to go back to "the original material of sensation from which the intuitions of objective space and objective time arise in the human individual and even in the species". (Hua X, [373])

Thus, the standard by which to differentiate the origin of phenomenology and that of psychology is the apriori essence. The so-called "origin" (Ursprung, Genese), for Husserl as well as for other philosophers who use this concept, not only means the starting point or the generating or unfolding of a phenomenon, but also means "universality," "cause," "principle," etc. Its meaning can be traced back to "ἀρχὴ" and "principium" used by ancient Greek and Roman philosophers. Husserl himself, when talking about "originality" (Ursprünglichkeit) in the beginning of the *Ideas I*, said, "We are not talking here in terms of history. In this reference to originality there need not be, and should not be, any thought of genesis along the lines either of psychological causality or of evolutionary history. What other meaning is intended will become clear only in the sequel." (Hua III/1, 7, note 1) Derrida's remark on "Grammatology" can be seen as a reply to this question: "the question of origin is coincident with that of essence. We can also say that it is premised on the onto-phenomenological question in a strict sense."[1]

In fact, Husserl's answer to this question lies in his analysis of time: "The question about the essence of time thus leads back to the question about the *'origin' of time*. But this *question of origin* is directed towards the *primitive* formations of time-consciousness, in which the primitive differences of the temporal become constituted intuitively and properly as the original sources of all the evidences relating to time. This question of origin should not be confused with *the question about psychological origin*, with the controversial issue that divides *empiricism and nativism.*" (Hua X, [373])

Because Husserl thought psychology "takes experiences to be psychic states of empirical persons, of psychophysical subjects," and because psychology "follows the becoming, the taking-shape, and the being-reshaped of psychic experi-

---

[1] Jacques Derrida, *De la grammatologie*, Paris 1967. Chinese version, trans. by T. Wang, Shanghai 1999, p. 107.

ences *according to natural laws*" (Hua X, [373]), the difference between the study of origin in psychology and that in phenomenology, from Husserl's standpoint in 1917, is not only a difference between the study of experience and that of essence, but also a difference between a natural perspective and a transcendental one.

Many hints show that Husserl employed the concept "the study of 'origin'" (Ursprung) to mean the study of real original experience in phenomenology, and used the concept "the study of 'genesis'" to mean the study of origin in psychology. This distinction is helpful in understanding Husserl's remarks that "the genetic problem about origins does not concern the phenomenologist at all" and that "the question about empirical genesis is a matter of indifference as far as we are concerned."

There is an exception to this explanation in the *Lectures*: Husserl still used the concept "*apriori-phenomenological geneses*" in § 25 concerning memory (Hua X, [412]). It is very likely that in this period (1917-1921) Husserl began to consider "a real idea of genetic phenomenology". Genetic phenomenology in this sense is no longer a psychology of experiential causal explanation, but an "apriori grasp of the motivational connection of transcendental consciousness".[1] This is precisely the most important meaning of Husserl's concept of "genesis" in his late period.[2]

Here we need to touch upon the *Bernau Manuscripts* (1917-1918). We can see it as a follow-up of the *Lectures* (Hua X), since it was formed during Husserl's revision of the *Lectures* in 1917-1918. (Hua XXXIII, XX)

III. "Time" and "genesis" in the period of the Cartesian Meditations

In brief, although Husserl considered "time" and "genesis" in the first edition of the Logical Investigations (1900-1901) and Ideas I (1913), they did not become real themes and had no real connection. While both were mentioned in writing the Lectures and the Bernau Manuscripts (1904-1917, 1918), they were mainly considered in an oppositional relationship. However, when Husserl wrote the Cartesian Meditations (1921-1929) and C-Manuscripts (1929-1934), the immanent relationship between "time" and "genesis" was established.

This immanent relationship is most obvious in the Cartesian Meditations (1929). Husserl took "time" as "the universal form of all egological genesis".[3] He emphasized a kind of "formal regularity pertaining to a universal genesis", or the universal unity-form of the conscious flux. This universal genetic form means

[1] Cf. Rudolf Bernet/Iso Kern/Eduard Marbach, *Edmund Husserl, Darstellung seines Denkens*. Hamburg 1989, p. 179.
[2] Other significations Husserl gave to the concept of "genesis" can be found in the seventh chapter, "Statische und genetische Konstitution".
[3] This is the title of § 37 in the *Cartesian Meditations.*

"this most universal form, which belongs to all particular forms of concrete subjective processes (with the products that are flowingly constituted in the flux of such processes) is the form of a motivation, connecting all and governing within each single process in particular." (Hua I[1], 109)

At a first glance, Husserl seems to equate "genesis" in this sense with "constitution". In other words, he equates the genetic form with the constitutive form, the laws of genesis with the laws of constitution. If we don't take the basic meaning of "constitution" and "genesis" into consideration, we may see it as a contradictory viewpoint to the statement he made in 1921. He said in a manuscript at that time, "Tracing back to constitution is not tracing back to genesis, which exactly is the genesis of constitution and is active as genesis in a monad." (Hua XIV, 41) In another manuscript written in 1921, he also explicitly divided phenomenology into: "1) the universal phenomenology of the structure of general consciousness, 2) the constitutive phenomenology, and 3) the genetic phenomenology" (Hua XI, 340, note 1). That is to say that Husserl established a kind of parallel relationship between constitutive phenomenology and genetic phenomenology in 1921.

But if we think carefully about the specific meaning of "constitution" and "genesis" used by Husserl, we will find that when Husserl said the study of genesis is not equal to that of constitution, "constitution" here means the constitution of "objects". When he said the study of genesis is equal to that of constitution, "constitution" in this context means the constitution of the "ego".[2] The former can be said to be a "direct" constitution, while the latter is a "reflective" one; the former is the theme of static phenomenology, while the latter belongs to genetic phenomenology.

It seems that Husserl gave much thought to the relationship between these two kinds of phenomenology in 1921, giving detailed discussions in the two cited manuscripts. He thought one characteristic of static phenomenology was to start from outer perception in order to explore the intentional object's sensible data its variations of adumbration and its form of apprehension. In addition, static phenomenology analyzes all kinds of intentional relations between the object of perceptual cognition and perceptual cognizing, and considers the essential possibilities of these experiential activities and experiential connections, which may appear in a monad. Of course we can go on to study conscious experience of other types, including memory, phantasy, and sign-consciousness. These are issues of conscious constitution, or to be exact, exploring the transverse relativity between constituting consciousness and constituted objects. But

---

[1] *Cartesian Meditations*. English version, trans. by D. Cairns, The Hague 1977.

[2] According to Husserl, "ego" here is different from "Ego (Ich)": "From the Ego as identical pole, and as substrate of habitualities, we distinguish the ego taken in full concreteness". That is to say, "Ego" is understood here as the "Ego-pole" of intentional experience, i.e., it comprises "persisting properties", "the same substrate of habitualities". By contrast, "the ego taken in full concreteness" means the Leibnizian "monad" subject, i.e., the "Ego" and all its concrete intentional experiences. (Hua I, §§ 31-33)

they are not issues of genetic study in a monad. Here, "I can exclude genetic question completely." (Hua XIV, 38)

However, once the question of time was introduced into transverse relativity, it was only a matter of time for the genetic question to be brought into discussion. Thus, the studies of all types of conscious experiences have to take time into consideration.

We can explore this situation in two steps. First, as Husserl said, "Every experience has its experiential temporality (Erlebniszeitlichkeit)." (Hua I, 79) Therefore, the factor of time is indispensable to the studies of types of conscious experiences. This is true not only because the objects of perception, memory, and expectation have temporal properties, but also because all acts of perception, memory, and expectation are in the flux of time, so that the acts themselves are temporal.

Second, the exploration of these features of time will bring us to a new study of constitution, i.e., the study of horizontal relativity. This study is related to the sequence of time, but goes further. It concerns the sequence of the genesis of conscious constitution and the sequence of conscious objects constituted by consciousness, and the horizontal relativity between acts and objects in genetic sequence: how the former affects the latter and how the latter traces back to the former. Consequently, the study of horizontal relativity includes not only the study of passive genesis, i.e., how one consciousness is motivated by another passively, but also the study of active genesis, i.e., how consciousness actively constitutes cultural products and ideal objects.

Thus, Husserl's understanding of the task of genetic phenomenology is to explore the original becoming (Werden) in the flux of time, to study genetically effective motivations, to account for how consciousness is generated from consciousness, and to explain how the productions of constitution come to be. (Hua XIV, 40-41)

In light of this, Husserl had enough reason to think that "the primal laws (Urgesetz) of genesis are the original laws of time-constitution, laws of association and reproduction, i.e., laws by which monads themselves constitute a unity for themselves." (Hua XIV, 39) In another manuscript from 1921, a similar statement appears almost verbatim: "Primal laws of genesis are the laws of original time-consciousness, the primordial laws of reproduction, and then of association and associative expectation. In relation to this there is genesis on the basis of active motivation." (Hua XI, 344)

Even earlier, when revising the Lectures, Husserl had discovered "transverse relativity" and "horizontal relativity". It can be said that they are the two most universal structures of consciousness in Husserl's conscious analyses. They can be seen as two components of intentionality, which is the most universal essence of consciousness. Husserl's lectures on time-consciousness gave Heidegger a reason to bring time-consciousness into the category of intentionality. Of particular importance is Text No. 54 of Husserl's research manuscripts, which became § 39 in the Lectures: here Husserl labels the intentionality of time-consciousness as "horizontal intentionality" (Längsintentionalität), in contrast to "transverse intentionality" (Querintentionalität) in general. Heidegger remarks in the preface that "the pivot here is the analysis of the intentional characteristic of time-consciousness and the ultimate clarification of intentionality" (Hua X, XXV). This means the most universal structure of consciousness is intentionality, which can be further divided into horizontal intentionality and transverse intentionality. Therefore, it can be said that the "genetic" problem had already been discussed in Husserlian phenomenology in his early period. What was lacking was only the label of "genetic study". As a result of the absence of the ego or monad carrying genesis, genetic study is merged in the analyses of inner time-consciousness.

We may therefore revise Husserl's division of phenomenology (Hua XI, 340, note 1) mentioned above. The universal phenomenology of the general conscious structure can now be divided into: 1) constitutive phenomenology, or transversely constitutive phenomenology, i.e., transverse intentionality analytics; 2) genetic phenomenology, or horizontally constitutive phenomenology, i.e., horizontal intentionality analytics.

In these two manuscripts of 1921, Husserl had not yet clearly recognized their own relation to static and genetic (or descriptive and demonstrative) phenomenology. He only thought that the two kinds of phenomenology all have their universal requirements: universal structure and universal genesis.[1] According to the order of research, static phenomenology should lay the foundation for genetic phenomenology, not vice reverse. But the results of his research show that genetic phenomenology is not only related to the essential structure of the constituting noesis and the constituted noema, but also related to the unity of universal genesis of the ego (Hua I, § 37), i.e., related to the noesis of the ego (as universal constitutive activities) and the noema of the ego (as the universal being constituted world). In this respect, the laws of genesis are constitutive principles that are more universal.

Husserl's thought in Ideas I is obviously different from that in the Cartesian Meditations. In Ideas I, he called for "the suspending of the material-eidetic disciplines", and put forward: "If we wish to construct a phenomenology as a pure descriptive eidetics of the essential nature of the immanent formations of Consciousness[2], of the events which under the limitations of the phenomenological suspension can be grasped within the stream of experiences, we must exclude from this limited field everything that is transcendently individual, therefore also all the transcendent essences." (Hua III/1, [114])

[1] Husserl here mentioned the interaction and inter-determination of some relevant laws. Cf. Hua XIV, p. 40.

[2] Here "pure descriptive eidetics" or "pure descriptive phenomenology" is "static phenomenology" according by Husserl. For instance, cf. Hua XI, p. 340.

But in the Cartesian Meditations, the following statements prove that he had changed his thought: "The phenomenology developed at first is merely 'static'; its descriptions are analogous to those of natural history, which concern particular types and, at best, arrange them in their systematic order. Questions of universal genesis and the genetic structure of the ego in his universality, so far as that structure is more than temporal formation, are still far away; and, indeed, they belong to a higher level. But even when they are raised, it is with a restriction. At first, even eidetic observation will consider an ego as such with the restriction that a constituted world already exists for him. This, moreover, is a necessary level; only by laying open the law-forms of the genesis pertaining to this level can one see the possibilities of a maximally universal eidetic phenomenology." (Hua I, 110)

This change of emphasis on the question to be studied is due to the change of Husserl's understanding of the range of pure phenomenology. And this understanding is in line with the range of phenomenological reduction. We'll touch upon this question later.

IV. The idea of "History" after 1921

In addition to placing "time" and "genesis" in an immanent relationship, the Cartesian Meditations possess another important feature that is related to our topic: Husserl began to bring "history" into the study of "time" and "genesis". Specifically, he not only pointed out the necessity of paying attention to the question of historical meaning at the end of his "Pariser Vorträge" in 1929 (Hua I, 38-39), but also emphasized in the forth meditation concerning the universal genesis of the ego: "The ego constitutes himself for himself in, so to speak, the unity of a 'history'." (Hua I, 109)

"History" in this sense can find its basic definition in the Crisis. It represents Husserl's general understanding of "history": "history is from the start nothing other than the vital movement of the coexistence and the interweaving of original formations and sedimentations of meaning [Sinnbildung und Sinnsedimentierung]."[1]

"Sense-constitution" here is related to the theme of "constitutive phenomenology", according to Husserl. That is to say, the study of sense-constitution is in the sphere of static and descriptive phenomenology. "Sense-sedimentation" is a topic, in a certain sense, of genetic and hermeneutic phenomenology. Therefore, generally speaking, a phenomenology of history includes constitutive phenomenology (as the study of sense-constitution) and genetic phenomenology (as the study of sense-sedimentation).

[1] Hua VI, pp. 380-381. Here we put aside another definition of history as discussed by Husserl from another perspective, namely that "Die Geschichte ist das große Faktum des absoluten Seins" (Hua VIII, 506).

As a result, Husserl could claim in the Cartesian Meditations, "We said that the constitution of the ego contains all the constitutions of all the objectivities existing for him, whether these be immanent or transcendent, ideal or real. It should now be added that the constitutive systems (systems actualizable by the ego), by virtue of which such and such objects and categories of objects exist for him, are themselves possible only within the frame of a genesis in conformity with laws." and "any historical knowledge concerns some knowledges about 'form' and 'essence', and is based on these knowledges." (Hua I, 109)

Two conclusions can be drawn from this understanding: first, the study of the phenomenology of history[1] is a study of essence; second, according to the categories of object in the sense of phenomenology, the study in phenomenology of history includes the following four aspects: 1) the constitutive genesis and history of transcendent objectivity, 2) the constitutive genesis and history of immanent objectivity, 3) the constitutive genesis and history of ideal objectivity, 4) the constitutive genesis and history of real objectivity.

The first point means that the real theme of historical theory or philosophy of history is not historical facts. Instead, the primary task of those disciplines is to grasp the "inner structure" or "essential unvaryingness" in the genesis of history, or behind "historical fact" (Hua VI[2], 380-381). Therefore, I. Kern said that the history Husserl discussed "is not actual history of individual apperception, but the universal form or type of history. They are considered by Husserl as apriori or essence."[3]

Husserl himself also thought that historical study was characterized by "teleological historical exploration." Furthermore, the truth grasped by historical study can never be refuted through the "self-proved" quotations from past philosophers' writings, or through experiential confirmations of the historical facts, because it presents itself in an evidence of critical general intuition which can make people detect the "meaningful-final" harmony behind the veneer of the development of historical affinity and opposition (Hua VI, 74), "in an unusual sense, namely, in virtue of a thematic direction which opens up depth-problems quite unknown to ordinary history, problems which, in their own way, are undoubtedly historical problems." (Hua VI, 365) These problems can be called problems of the history of "sense" in Husserlian terminology, or problems of "history of intentionality"[4] in Fink's words.

---

[1] Or as Derrida said, "the history of phenomenology", cf. J. Derrida, *Edmund Husserl, L'origine de la Géométry: Traduction et Introduction*. Paris 1962, p. 7. – Derrida also used the term "phenomenology of history" in this book.

[2] *The Crisis of European Sciences and Transcendental Phenomenology*. English version, trans. by D. Carr, Evanston 1970.

[3] R. Bernet/I. Kern/E. Marbach, *Edmund Husserl, Darstellung seines Denkens*, ibid., p. 186.

[4] Eugen Fink referred to it as "the problem of origin of geometry as the problem of intentional history" (Hua VI, 364, note 1), when he published Husserl's manuscripts about the origin of geometry in 1939 (later published as Appendix 3 of Hua VI).

Here we can see the difference between two kinds of historical studies and two kinds of historical ideas: namely, the study of real history, and the study of the universal form of history.

According to P. Ricoeur's speculation, Husserl's study of real history, just like the concrete or "case" study that he did to the European history in the Crisis, and the concrete analysis of history which put one's own understanding of philosophy and history together, started one year later, i.e., in 1930.[1] And the study of universal form of history can be traced back to 1921. Husserl equated the historical study in this sense with genetic study according to essential laws: "all natural apperceptions, all objective reality-apperceptions, themselves with respect to their essence have a history and a genesis according to the primal-laws. Thus, it is a necessary task to identify the universal and primitive laws by which apperceptions are constituted from the primal-apperception, and systematically deduce the possible constituents, i.e., clarify every constituent from their origins. This 'history' of consciousness (History of all possible apperceptions) does not involve any actual genesis for actual apperceptions or actual types in an actual stream of consciousness or in all actual people's stream of consciousness – therefore, there is nothing like the development of plants or animals – rather, every Gestalt of apperceptions is an essential Gestalt and has its genesis according to its essential laws. Consequently, it includes in the idea of such apperception that it can be subject to a 'genetic analysis'." (Hua XI, 339)

Husserl here differentiates two kinds of "history" as well as two kinds of "genesis". On the one hand, there is actual (faktische) genesis and history; on the other hand, there is genesis and history according to the laws (gesetzliche, gesetzmäßige). This distinction reveals a fundamental aspect of Husserl's understanding of history: namely, phenomenology – whether static phenomenology, or genetic phenomenology, or the phenomenology of history – is, first and foremost, the science of essence. To put it differently, even in the flowing phenomena such as time, genesis and history, the aim of phenomenology still lies in grasping essential structure. Our earlier analysis of time provides just one example of this belief; genesis and history provide two more.

It is can be said that, until 1930, Husserl's understanding of actual genesis and actual history was still Platonic. This attitude finds its expression in Ideas I, which we quoted above: "We are not talking here in terms of history." (Hua III/1, 7, note 1) It means not talking in terms of history as genesis of reality.[2]

---

[1] Cf. Paul Ricoeur, *Husserl et le sens de l'histoire*, in: Revue de Métaphysique et de Morale 54 (1949), p. 280. Ricoeur thought that Husserl, this most unhistorical professor, put forward explanations for history because he was forced by history. If "unhistorical" here means that *the actual history and genesis* was not Husserl's first object of study, then what Ricoeur said is reasonable.

[2] This is a fairly common belief of Husserl's contemporaries. Ernst Cassirer, the writer of *The Phenomenology of Knowledge*, made a similar statement: "In Plato's opinion, pure change cannot constitute scientific knowledge". (E. Cassirer, *Die Logik der Kulturwissenschaften*. Chinese version, trans. by T. Kwan, Shanghai 2004, p. 96) In line with this, Mar-

We can only understand Husserl's concept of "history" in this way, i.e., as "the vital movement of the coexistence and the interweaving of original formations and sedimentations of meaning [Sinnbildung, Sinnsedimentierung]". The movement has its laws, which are the essences to be grasped by the phenomenology of history.

Let us turn to the second point, viz., the range of historical study. If the phenomenology of history, like general phenomenology, must carry out a reductive method[1], it can only examine the constitutive genesis of two kinds of historical objectivity: immanent and ideal. The constitutive genesis of history with respect to the other two kinds of objectivity – transcendent and real objectivity - should be excluded from phenomenological exploration in a strict sense.

The first kind of constitutive genesis of the objectivity of history, according to Husserl's explanation of the phenomenological reduction, does not imply a realm which excludes the natural world, human world, cultural world and their social forms, but a realm which includes them as conscious constitutions in itself in a manner of conscious philosophy. This realm includes not only the natural world, human world, cultural world and other social forms, which form a history of experiential possibilities for the Ego, i.e., the history which is constituted in the immanent realm of consciousness (Hua I, 109), but also the present constitution of the ego and its past and future grasped by reflection, i.e., the history of the conscious constitutive activities themselves.[2] In other words, from the perspective of the phenomenology of history, "natural history" and "cultural history" (or "social history") are, in a certain sense, "histories of noema" (histories of "the signified"), and the "history of mind" means in a certain sense the "history of noesis" (history of "the signifier").

In Husserl's own words, "past, present, and future, become unitarily constituted over and over again, in a certain noetic-noematic formal structure of flowing modes of givenness." (Hua I, 109) The idea here is that these two kinds of history are both the history of intentional productions of conscious synthesis and they are included as sense in consciousness itself, instead of being incursions into consciousness from outside.

Another kind of theme discussed in the phenomenology of history is constitutive genesis and the history of ideal objectivity. Once this theme becomes

---

tin Heidegger also quoted Plato in the beginning of *Being and Time*: "If we are to understand the problem of Being, our first philosophical step consists in not 'telling a story'." (M. Heidegger, *Being and Time*, trans. by J. Macquarrie & E. Robinson, New York 1962, p. 8) Yet this expression only represents one of Heidegger's tendencies. Another tendency, in which temporality is combined with history in study, showed up in *Sein und Zeit* and *Der Begriff der Zeit* in 1924. Cf. Heidegger, *Der Begriff der Zeit*, Frankfurt a.M. 2004, especially „IV. Zeitlichkeit und Geschichtlichkeit", pp. 85-103.

[1] This is the method of transcendental reduction and essential reduction. The essential feature of the study of history in phenomenology mentioned in the first point actually presupposes the execution of the method of essential reduction.

[2] Analyses of this question in detail can be found in Klaus Held: *Lebendige Gegenwart*, Den Haag 1966, II. Teil, C, pp. 79-81.

possible, the understanding of the ideal since Plato will be radically changed. Even Husserl's understanding of the ideas as überzeitlich (over-time) and allzeitlich (all-time) will be overturned. We can not unfold this theme here, but leave it to the discussion about its connection with Derrida's Edmund Husserl's Origin of Geometry: an Introduction.

In any case, in his late period Husserl came up with a view on history that is consistent with his thought on time and genesis. "Consistency" here means first of all methodological consistency。

V. Concluding remarks: The study of history in connection with "time" and "genesis"

As stated in the very beginning of this paper, time, genesis and history are three different phenomena, but obviously there exists an immanent relationship among them. It seems that we can give a Husserlian definition of time, genesis, and history: time, the continuous process of conscious activities; genesis, the proceeding process of conscious activities; history, the process of sense-sedimentation as a result of conscious activities.

Perhaps the concept of "horizontal intentionality" can be expanded to describe this immanent connection. Compared with "transverse intentionality", "horizontal intentionality" is pure and formal, as well as an essential, structural element. The meaning of Husserl's concept "time-consciousness" is also two-fold: first, consciousness of "Aufeinanderlegen" (superposition), and second, consciousness of "Nacheinanderfolgen" (succession). In a similar sense, Husserl also talked about the two-fold meaning of genesis or the laws of genesis: "1) laws of genesis in the sense of verification of the laws for conjunction of individual events in the stream of consciousness. [...] 2) legalities which govern the constitution of apperception." (Hua XI, 336) This double meaning is in line with the double meaning of history according to Husserl.

From this perspective, there is an immanent connection among time, genesis, and history because the form of time is the pivot that connects transverse intentionality and horizontal intentionality; the form of time includes in itself the horizontally and transversely unobjective directedness on the level of three-fold structure of time-consciousness (i.e., the directedness of retention, protention and primal impression). The form of genesis on the one hand represents the conjunctive form, i.e., the form of horizontal intentionality (the form of sense-sedimentation), and on the other hand represents the form of superimposing. And by Husserl's definition of history, the form of history finally also covers the two-fold form (the form of sense-constitution and sense-sedimentation) of transverse intentionality and horizontal intentionality.

Among these three, the form of time is supposed to be the most original and basic, or, to put it differently, the most formalized; the form of history is the most rich and comprehensive, or the most materialized. The connection between time and history is consistent with how historians themselves understand history. M. Bloch held that, "This real time is, in essence, a continuum. It is also perpetual change. The great problems of historical inquiry derive from this antithesis of these two attributes."[1]

But Husserl's idea of history is, in the final word, the dominant idea of the historical study in European intellectual arena. It came down in a continuous line with the Greek tradition represented by Plato. It is such a powerful tradition that originators of Greek history are under its sway. Both Herodotus and Thucydides, though very different or even contradictory in their historical belief, find their common ground in views of the historical study: the former believes the force that dominates history is outside and the latter believes history determined by human nature. To a great extent, they represent a philosophical-metaphysical view of history, which attempts to excavate the foundation or laws of history from things beyond individual level. Strictly speaking, what's acting in Herodotus is a meta-physical view of history, and in Thucydides is a meta-psychological view of history. Therefore, when it comes to the contradiction between Herodotus and Thucydides, R.G. Collingwood has enough reason to bring these two kinds of view of history into the category of Greek spirit and believes that they are in nature "rigorously anti-historical", and "uncongenial to the growth of historical thought".[2]

But what does the "thought of history" mean? When Plato said that pure change cannot constitute scientific knowledge, he in fact set science and history against each other. This is why Schopenhauer was able to say that "science is a system of knowledge always talking about categories while history always concerns itself with the individual. Thus, history is a science of the individual. There is a paradox in it."[3] The feature of history, in his view, lies in that "even the most universal thing in history is just single and individual, i.e., a long time period or a main attribute. And the relationship between it and the individual event is equal to that between the whole and the part, but not to that between the laws and the event; this relationship, in contrast, exists in all actual sciences, because what they provide is concepts but not facts."[4] There is no doubt that Schopenhauer's viewpoint has its reasonable aspect. It reminds people not to confuse science and history. Out of the same purpose, Collingwood once claimed that "it has been necessary to engage in a running fight with what may be called a positivistic conception, or rather misconception, of history, as the study of successive events lying in a dead past, events to be understood as the scientist understands natural

---

[1] Marc Bloch, *Apologie Pour l'Histoire*, Engl. *The Historian's Craft*. Trans. by Peter Putnam, New York 1953, p. 28.
[2] R. G. Collingwood, *The Idea of History*, London 1961, p. 20, pp. 28-31.
[3] Arthur Schopenhauer, *Die Welt als Wille und Vorstellung*, II, Stuttgart/Frankfurt a.M. 1987, p. 564.
[4] Ibid., p. 565.

events, by classifying them and establishing relations between the classes thus defined. This misconception is not only an endemic error in modern philosophical thought about history, it is also a constant peril to historical thought itself."[1]

In light of this line of thinking, if philosophy and science provide ideas that are over-time (überzeitlich), they are extraordinarily difficult to connect with history. Nonetheless, we can identify two such connections.

First, ideas are not seen as beyond time but within time, i.e., ideas have their own history. In this way, philosophers can also be researchers of the history of ideas.

Second, science primarily studies transverse (synchronous) laws, i.e., the presently given structural and systematic laws, whereas history mainly explores horizontal (diachronous) laws, i.e., the laws of time and genesis from the past to the present.

These two points are very close to Husserl's view of history mentioned above. Putting aside the first point about the genesis of ideas, we can clearly see the similarity between Husserl's view of history as the history of sense and Collingwood's view of history as the history of mind. To a certain extent, Collingwood is a phenomenologist of history.

Even though Husserl is not a historian and can hardly be seen as a philosopher of history, he has his own view of history and his own historical study. "History" in Husserl's sense can be brought into the last of the three kinds of history ("original history", "reflective history" and "philosophical history") induced by Hegel in The Philosophy of History, viz., philosophical history.[2] This idea of philosophical history, which differs from the usual conception of history, may originate from Kant. It seems that Kant's distinction between "Geschichte" and "Historie"[3] influenced not only Hegel but also contemporary philosophers. Kant's influence can be seen in Husserl's distinction between "history" and "history of facts" (Faktengeschichte, Tatsachenhistorie) (Hua VI, 386), Heidegger's "authentic historicality" (eigentliche Geschichtlichkeit) and "inauthentic historicality" (uneigentliche Geschichtlichkeit),[4] Derrida's mark on the difference between "Historie" and "Geschichte",[5] and so forth.

In the main, the Husserlian understanding of history stated above is basically consistent with Husserl's understanding of genesis. For Husserl, the historical problem is an extension of genetic problem, i.e., an extension of horizontal phenomenology of intentional constitution. Husserl himself mentioned two

---

[1] Collingwood, *The Idea of History*, loc. cit, p. 228.
[2] Cf. G. W. F. Hegel, *Philosophie der Geschichte*, Einleitung, Stuttgart 1961, pp. 1-15.
[3] Cf. I. Kant, *Kants Gesammelte Schriften*, Berlin 1902-23, Bd. VIII, pp. 162-164.
[4] Heidegger, *Sein und Zeit*, Tübingen 1979, §§ 74-75, and *Der Begriff der Zeit*, GA 64, Frankfurt a.M. 2004, „IV. Zeitlichkeit und Geschichtlichkeit". Although the distinction between "Geschichte" and "Historie" can also be found in Heidegger's writing, this distinction doesn't correspond with Kant's. See also *Sein und Zeit*, § 72.
[5] For instance, cf. J. Derrida, *Edmund Husserl, L'origine de la Géométry: Traduction et Introduction*. Paris 1962, p. 5.

kinds of constitutive phenomenology: "A constitutive phenomenology can regard the nexuses of apperceptions in which the same object is constituted eidetically, in which it shows itself in its constituted ipseity in the way it is expected and can be expected. Another 'constitutive' phenomenology, the phenomenology of genesis, follows the history, the necessary history of this objectivation and thereby the history of the object itself as the object of a possible knowledge. The primordial history of objects leads back to hyletic objects and to the immanent ones in general, that is, to the genesis of them in original time-consciousness. Contained within the universal genesis of a monad are the histories of the constitution of objects" (Hua XI, 345). In the latter kind of constitutive phenomenology, we can clearly see the immanent relationship among time-consciousness, genesis and history in the laws of longitudinal constitution of history.

This could explain why Husserl explored time-consciousness in the relationship among perception, phantasy and memory in the early period, but discussed it mainly in the relationship among the Ego, monad and inter-subjectivity in the late period. To be specific, Husserl didn't focus on the ego-problem in any particular section of the Lectures; in the Bernau Manuscripts, only two out of twenty-two texts focused on the Ego-problem. However, in the C-Manuscripts almost every text explored "Ego", "ego", "monad", "individual" or "personality".

Only in this immanent relationship can the problem of time be integrated with the genetic problem and the historical problem to form a significant field of investigation.

It is obvious that Husserl didn't want to equate time with history, since time is first and foremost a form, albeit a flowing form. Therefore, the first question is: what is the difference between formal time, genetic time, and historical time? If all of them are characterized by a kind of intentionality, what is their essential difference and connection? On the one hand, the form of time as perpetual moving from primal impression to retention has a form, viz., a flux-form, "the universal unity-form of the flux" (Hua I, 109). The flux-form also implies a genetic form and a historical form. The mode of time described by Husserl also implies a genetic mode and a historical mode: the more experiences there are, the more extended the horizontal line becomes and the deeper the vertical line falls. The primal point of experience will become the deepest sediment, the furthest past.

In fact, Husserl's essential grasp of horizontal intentionality in genetic phenomenology starts from but does not halt at experiential content, just like his essential grasp of transverse intentionality in descriptive phenomenology. In the Ideas II, the constitution of physical nature, animal nature and spiritual world, and the constitution of the ego in his late analysis of time, are all themes of ontology, i.e., eidetics, and the eidetic study of genesis and history in this sense. Only the study of genesis and history in the Crisis is close to reality and experience on the level of essence. Only here began Husserl to talk about Europeans as a part of humanity.

This development may demonstrate that Husserl in his late period realized more clearly that what phenomenology, especially genetic phenomenology and phenomenology of history, is concerned with far more than the genetic form and historical form. This is also true for the problems of the ego and the monad. A monad or an ego only with genetic form is still empty constitution. The study of formal genesis and formal history can be transferred to the material studies of genesis and history, with the former guiding the latter.

Clearly, according to Husserl, if phenomenology wants to study experiential genesis and history, it must be led by pure phenomenology, which means pure genetic phenomenology. This requires a phenomenological account of the origin, genesis and historical evolution of ideal objects.

Ideal objects and their historical evolution lie behind all experiential presentations and historical facts, but latter are not necessarily metaphysical insofar as they can be grasped through essences or ideations. Just as all the transverse essential structure can be grasped by seeing an essence, so can the horizontal essential structure be grasped ideally. Perhaps we can speak of seeing an essence transversely and seeing an essence horizontally.

Although it seems that Husserl himself didn't employ the concept "horizontally seeing an essence", it was just on the tip of the tongue in Philosophy as a Rigorous Science. Through criticism on Dilthey's tendency of empiricism, he pointed out, "a Geisteswissenschaft that is still of experience can neither put forward contradictory arguments for something that raises a claim of objective validity, nor put forward favourable arguments for it. If this experiential viewpoint aiming at experiential understanding is changed into essential viewpoint of phenomenology, the case will be naturally different." (Hua XXV, [326]) He was certain that, "compared with the exploration of nature, the exploration of universal spiritual life even provides more original and therefore more foundational research materials for philosophers. Because phenomenology, as an eidetics, its realm soon extends from individual spirit to the whole sphere of universal spirit; and if W. Dilthey affirms in such a distinct way that psychophysical psychology is not the one which can work as 'the foundation of Geisteswissenschaft', then what I want to say is, only phenomenological eidetics is able to provide arguments for a philosophy of spirit." (Hua XXV, [47]) "Phenomenological eidetics" here obviously includes seeing an essence not only transversely, but also horizontally.

In fact, through the interpretation and application of Kant's "intellectual intuition", horizontal intuition of life has been carried forward as well in eastern philosophy. It is called "horizontal intuition" by Mou Zongsan, and is one of his three interpretations of Kant's concept "intellectual intuition".[1] It is just horizontally seeing an essence in a certain sense, i.e., seeing an essence of spiritual life.

In any case, Husserl has pointed out in Origin of Geometry that the ideal essence can have its history, and the history of the ideal essence determines the ideal essence of history. This ideal essence, which lies behind circumstances, language, nation, times, and cultural formations, is also called "inner history" or "universal, historical apriori". It will lead to the highest historical question: "an universal teleology of reason" (Hua VI, 386).

Although Husserl himself didn't explicitly put forward the horizontal seeing an essence – perhaps like Kant's unconscious employment of transverse intellectual intuition – Husserl silently applied the method of horizontally seeing an essence[2]. We may be able to understand the so-called "critique of historical reason" in this sense: horizontally seeing the essence of horizontal intentionality. Only in this sense could Husserl be a transcendental phenomenologist as well as phenomenologist of history at the same time. That is to say, he is neither as Ricoeur said, "the most unhistorical" philosopher, nor as Merleau-Ponty supposed, finally "gave up the essential philosophy covertly" in the dimension of history.

It is as a result of Husserl's focus on the "time" problem and his endeavour in the analysis of time-consciousness that "horizontal intentionality" turns out to be an important theme is kept active, which thereby leads to the study of the forming and unfolding of the "genetic" problem. Consequently, there are more and more studies of the becoming and development of the Ego, individual and monad, which finally lead to the "historical" problem of the consequences of individual conscious experiences. This "history" includes the history of natural world and cultural world (science and arts, social form, etc.).

Finally we can say that the strain between history and philosophy in the philosophy of history can get dispelled through Husserl's grasp of the laws of horizontal intentionality in time, genesis and history. History is retrospective and philosophy is reflective; both study humanity in a certain sense. In the horizontal grasp of humanity, history and philosophy are in line with each other in terms of intentionality and methodology.

In this sense, we could understand what Husserl said in the Crisis: "The problem of genuine historical explanation comes together, in the case of the sciences, with 'epistemological' grounding or clarification." (Hua VI, 381)

(Translated from the Chinese original by WANG Honghe)

---

[1] Regarding this theme, "The basic meaning of the concept 'intellectual intuition' and its different fate in eastern and western thought", see L. Ni, *The Dimension of Consciousness*, Beijing 2007, pp. 90-120.

[2] In the *Philosophie als strenge Wissenschaft*, Husserl talked about "durch innerliche Intuition" die in Geistesleben waltenden "Motivation nachfühlen", or "durch innerstes Nachleben", or "im immanenten Schauen dem Fluß der Phänomene nachschauend" etc. (Hua XXV, [323], [313]). Actually, they just mean horizontally seeing an essence.

6. Zwei Wege zum Denken des „Ich"

Ein neuer Blick auf drei Texte von Husserl um 1920[1]

INHALT

Wir treffen heute hier vor allem zusammen, um Husserls zu gedenken. Als ein morgenländischer Phänomenologe sollte ich das Privileg besitzen, dieser Gedenkfeier ein paar orientalische Elemente beizufügen. Hinsichtlich des eingeschränkten Rahmens möchte ich diese morgenländische Denkrichtung jedoch lediglich als einen Anhang zum Vortrag hinterlegen.[2] Was ich hier vortragen möchte, kreist weiterhin um Husserl, und zwar um das Ich-Problem in struktureller und genetischer Hinsicht. Insbesondere soll dabei die zentrale Stellung der genetischen und geschichtlichen Forschung in Husserls gesamter Gedankenwelt dargestellt werden, wobei auch die inhaltlichen und methodischen Gemeinsamkeiten und Differenzen zwischen der strukturellen und der genetischen Analyse in Betracht gezogen werden.

---

[1] Bei den drei im Untertitel genannten Texten handelt es sich um die Folgenden: Hua XXV, „Natur und Geist" (1919), S. 316-324; Hua XIV, Beilage 1: „Phänomenologie der monadischen Individualität und Phänomenologie der allgemeinen Möglichkeiten und Verträglichkeiten von Erlebnissen. Statische und genetische Phänomenologie (Juni 1921)", S. 34-42; Hua XI, „Statische und genetische phänomenologische Methode" (1921), S. 336-345.

[2] Dieser Anhang stellt unter dem Titel „Ālaya-Urstiftung und Genesis des Bewusstseins – Ein ergänzender Vergleich der Forschungen zur Längsintentionalität in Yogācāra-Buddhismus und Phänomenologie" (vgl. den 13. Text des vorliegenden Bandes) meine aus den reichen Yogācāra-buddhistischen Ressourcen schöpfenden Überlegungen der letzten Jahre zum Vergleich mit der Phänomenologie Husserls dar. Anhand der yogācārabuddhistischen Argumentation versuche ich, die beiden Möglichkeiten der Bewusstseinsanalyse: die Ansicht der Quer- und Längsintentionalität sowie die Methode der Wesensschau in den beiden Richtungen der Quer- und Längsintentionalität, weiter und tiefer auszuführen.

Im Allgemeinen kann man sagen, dass wir zwar prinzipiell nur in der Reflexion über unser Ich nachdenken, in dem reflexiven Blick jedoch verschiedene Denkwege unterschieden werden können. Sie lassen sich zunächst in zwei Weisen: die querintentionale und die längsintentionale bzw. die statische und die genetische, unterteilen. Im weiteren Verlauf können wir in der genetischen Ich-Forschung verschiedene Stufen des Ich im weitesten Sinne unterscheiden und dementsprechend verschiedene Forschungsmöglichkeiten verfolgen. Sie stehen mit den Möglichkeiten der von Husserl viele Jahre erwogenen Phänomenologie des Ur-Ich, des Vor-Ich sowie der egologischen Phänomenologie in einem immanenten Zusammenhang. „Ich" ist hier nicht nur eine Frage, die es zu beantworten gilt, sondern zugleich ein Sonderfall, mit welchem man eine wichtige, aber noch nicht genügend beachtete Dimension sowie eine wichtige, aber ebenfalls noch nicht genügend beachtete Methode in Husserls Bewusstseinsanalyse erklären kann: die Dimension der Längsintentionalität und die Methode der längsintentionalen Wesensschau.

I. Einleitung: Geschichtsbewusstsein und Längsintentionalität

Im Großen und Ganzen wird Husserl als ein traditioneller Idealist betrachtet, und zwar in dem Sinne, dass es ihm – wie auch I. Kant – an Geschichtsbewusstsein mangelt bzw. dass er es vernachlässigt haben soll. Selbst innerhalb des Lagers der Phänomenologie wird diese Ansicht häufig vertreten, so etwa bei P. Ricœur, H.-G. Gadamer, M. Merleau-Ponty und anderen.[1] In gewissem Maße besteht diese Auffassung zurecht: Husserl ist ein Philosoph, der Kant viel näher steht als Hegel.

Philosophiehistoriker teilen die Philosophen in der Geschichte häufig ein: in Rationalisten und Empiristen oder in Idealisten und Materialisten, Nominalisten und Realisten, usw. Heute ließen sich durchaus noch weitere Kategorien zur Einteilung anführen: etwa Philosophen, die auf die Strukturen blicken und solche, die zur Geschichte neigen, wie Kant und Hegel, Husserl und Heidegger, usw. Es ist dabei nicht so, dass Husserl gar kein Geschichtsbewusstsein besaß; er hoffte und strebte allerdings danach, in der Geschichte eine stabile Struktur aufzufinden. Wenn wir unbedingt einen „Mangel" in Bezug auf das Problem der Geschichte bei ihm feststellen wollen, können wir nur sagen, dass er innerhalb der gegensätzlichen Pole Geschichte und Struktur nach wie vor eher an der Struktur interessiert ist.

---

[1] Sie meinen mehr oder weniger, dass Husserl in seiner Spätzeit nur aufgrund äußerer Krisen über das Problem der Geschichte der Menschheit nachdenken musste. Vgl. dazu P. Ricœur, „Husserl und der Sinn der Geschichte", in: H. Noack (Hrsg.), *Husserl*, Darmstadt 1973, S. 231-281; H.-G. Gadamer, „Die Wissenschaft von der Lebenswelt", in: ders., *Hegel, Husserl, Heidegger*, Tübingen 1987, S. 147-159; M. Merleau-Ponty, „Einleitung: Die klassischen Vorurteile und der Rückgang auf die Phänomene", in: ders., *Phänomenologie der Perzeption*, dt. Übersetzung von R. Boehm, Berlin 1966, S. 3ff.

Die Philosophie befindet sich gegenwärtig in einer Epoche, in der das Geschichtsbewusstsein stark dominiert. Der wesentliche Gegensatz, der uns heute betrifft, ist der zwischen Genesis und Struktur. Die Erstere bezieht sich auf Fluss und Wandel der Dinge, die Letztere hebt ihre Stabilität und Ständigkeit hervor. Innerhalb der Phänomenologie gehört Husserl der Letzteren an, Heidegger hingegen der Ersteren. In der Tat kann man viele Hermeneutiker vor und nach Husserls Phänomenologie dem Interesse an der Genesis der Dinge zurechnen, wie W. Dilthey, H.-G. Gadamer, G. B. Vico usw. Die Hermeneutik ist sozusagen eine der Hauptverantwortlichen dafür, dass das Geschichtsbewusstsein heute den Zeitgeist bildet.

Diese Unterscheidung verfährt allerdings nach einer einseitigen Lokalisierung innerhalb des Gedankengebäudes eines Philosophen, möglicherweise auf Kosten der Verdunkelung anderer Charakterzüge. So lassen sich etwa bei Heidegger – besonders in seinen frühen Vorlesungen und in *Sein und Zeit* – Elemente des Strukturalismus in dem genannten Sinne finden. Und auch bei Husserl werden uns zahlreiche geistige Ressourcen entgehen, wenn wir keine Rücksicht auf die genetische Ebene seines Denkens nehmen.

Bereits in dem frühen Vortrag „Natur und Geist" (1919) stellt Husserl „Entwicklung"[1] und „Geschichte" auf eine so hohe Ebene, dass sie als Merkmale der Unterscheidung zwischen Geisteswissenschaften und Naturwissenschaften fungieren können. In seinem späteren Werk *Die Krisis der europäischen Wissenschaften und die transzendentale Phänomenologie* (1935) konfrontiert sich Husserl unmittelbar mit der Problematik der historischen Vernunft, was dazu führt, dass es Denkern, die auf der Zeitlosigkeit und Ungeschichtlichkeit der Wesen bzw. Ideen bestehen, wie etwa K. Gödel, scheint, als bedeute Husserls Aufmerksamkeit auf das Problem der Geschichte so viel wie den Verzicht auf die Erforschung der reinen Wesenheiten.[2]

Das Verfolgen von Genesis und Geschichte gehört zu Husserls Forschungsreihe der Längsintentionalität. Sein Denken in dieser Richtung geht ursprünglich auf die Analyse des inneren Zeitbewusstseins aus den Jahren 1909-1911 zurück.[3] Dort unterscheidet Husserl zwei Arten von Intentionalität: Querintentionalität

---

[1] Für Husserl ist „Entwicklung" eben „Genesis im besonderen Sinn" (Hua XXV, 12).

[2] Beispielsweise deutet H. Wang an, dass K. Gödel das Spätwerk Husserls *Die Krisis der europäischen Wissenschaften und die transzendentale Phänomenologie* nur deshalb nicht möge, weil das Buch in Husserls philosophisches Denken eine Dimension der Geschichte einführe und so, nach M. Merleau-Ponty, „heimlich die Wesensphilosophie preisgebe." (Vgl. H. Wang, *Reflections on Kurt Gödel*, Massachusetts Institute of Technology 1987 [chinesische Übersetzung von H. Kang, Shanghai 2002], S. 277)

[3] Man kann sogar sagen, dass sich Husserls Überlegungen zur psychischen Genesis in seinem Frühwerk *Philosophie der Arithmetik* in die Reihe der Längsintentionalität einordnen lassen. Vgl. dazu R. Bernet/ I. Kern/ E. Marbach, *Edmund Husserl. Darstellung seines Denkens*, Hamburg 1989, S. 181. Anm. 1, wo I. Kern bereits darauf hinweist: „Vom Gesichtspunkt dieser genetischen Phänomenologie kann Husserl den psychologisch-genetischen Überlegungen seiner *Philosophie der Arithmetik* wiederum eine gültige Seite abgewinnen."

und Längsintentionalität. Diese doppelte Intentionalität bezieht sich zunächst auf die „Retention", mit welcher er sich in der Analyse des inneren Zeitbewusstseins beschäftigt. „Jede Bewusstseinsabschattung der Art ‚Retention' hat", so sagt Husserl dort, „eine doppelte Intentionalität: einmal die für die Konstitution des immanenten Objekts, des Tones dienende, d. i. diejenige, die wir ‚Erinnerung' an den (soeben empfundenen) Ton nennen; die andere ist die für die Einheit dieser primären Erinnerung im Fluß konstitutive, nämlich die Retention ist in eins damit, daß sie Erinnerung an den Ton ist, Reproduktion der verflossenen Ton-Empfindung, genauer der Urempfindung. Und noch genauer: Sie ist in ihrem stetigen Sich-abschatten im Fluß stetige Reproduktion von den stetig vorangegangenen Phasen." (Hua X, 379)

Diese doppelte Intentionalität stellt so viel wie einen doppelten Blick dar. „Der Blick kann sich einmal durch die im stetigen Fortgang des Flusses sich ‚deckenden' Phasen, als Intentionalitäten vom Ton, richten. Der Blick kann aber auch dem Fluß entlang gehen, auf eine Strecke des Flusses, auf den Übergang des fließenden Bewusstseins vom Ton-Einsatz zum Ton-Ende." (Hua X, 379f.) Sobald man diesen mit der Retention angesetzten und in der Analyse des Zeitbewusstseins zu erfassenden Doppelblick jeweils in beiden Richtungen erweitert, entsteht die Möglichkeit der Phänomenologie, und zwar sowohl die der Genesis als auch die der Struktur des Bewusstseins. Sämtliche Analysen der Bewusstseinsphänomenologie lassen sich in die zwei Kategorien: die Analyse der Querintentionalität und Analyse der Längsintentionalität einteilen. Bei der ersten handelt es sich um die Erforschung der *durch* die im stetigen Fortgang des Flusses sich „deckenden" Phasen gehenden Querintentionalität, also um die Erforschung der stetigen Elemente im Bewusstseinsfluss, kurz: die Erforschung der Struktur des Bewusstseins. Die zweite Analyseform ist dann die Erforschung der den Fluss *entlang*gehenden Längsintentionalität, also die Erforschung des Bewusstseinswerdens, -wandelns und -fließens, aber auch ihrer Form und Regel, kurz: die Erforschung der Bewusstseinsgenesis.

Wir können hier noch hinzufügen, dass die Erforschung der Querintentionalität sich auf die Sinnbildung im Bewusstsein richtet, die der Längsintentionalität dagegen auf die Sinnsedimentierung.[1]

---

[1] Es handelt sich dabei nach Husserl um eine Bestimmung der Geschichte: „Geschichte ist von vornherein nichts anderes als die lebendige Bewegung des Miteinander und Ineinander von ursprünglicher Sinnbildung und Sinnsedimentierung." (Hua VI, S. 380) Überdies spricht er auch in ähnlichen Kontexten über „Sinngenesis" und „Sinngeschichte". (Hua XVII, S. 215) – Wir verwenden diese Bestimmung der Geschichte in Bezug auf das Verständnis der Geschichte des individuellen Ich. – Das immanente Verhältnis zwischen Zeit, Genesis und Geschichte diskutiere ich in meinem Aufsatz „Longitudinal-intention: Time, Genesis, History – Their immanent relationship in Husserl". (Demnächst in: D. Lohmar/I. Yamaguchi (Hrsg.), *On Time*, im Druck).

Der hier genannte Bewusstseinsfluss bzw. -strom ist vor allem derjenige des phänomenologisch Reflektierenden. Husserls phänomenologische Arbeit in seiner Frühzeit lässt sich im Grunde genommen – bis auf die Zeitbewusstseinsanalyse – in die deskriptive Erforschung der Querintentionalität einordnen. Von den allgemeinsten Charakteristiken der Bewusstseinsmomente, wie etwa den Grundverhältnissen zwischen Sinnesdaten und ihren Apperzeptionen, Sinngebung und Sinnerfüllung, Noesis und Noema usw., bis zu Charakteristiken der objektivierenden Bewusstseinsakte wie Wahrnehmung, Phantasie, Bildbewusstsein, Signifikation, Urteil usw., vom Bewusstseinsakt und Bewusstseinsgegenstand in den *Logischen Untersuchungen* bis zum Erscheinen und Erscheinenden in der *Idee der Phänomenologie* und Noesis und Noema in den *Ideen zu einer reinen Phänomenologie und phänomenologischen Philosophie* I – all das gehört zu der „deskriptiven", statischen Forschung der Phänomenologie, also zur Erforschung der Querintentionalität.

Hier möchten wir zunächst eine Unterscheidung von drei Arten phänomenologischer Forschung einführen, die Husserl selbst in einem Forschungsmanuskript von 1921 vornimmt. Die erste ist die „statische"[1]: „[Als] statisch kann ich wohl phänomenologische Forschungen bezeichnen, die den Korrelationen zwischen konstituierendem Bewusstsein und konstituierter Gegenständlichkeit nachgehen und genetische Probleme überhaupt ausschließen." (Hua XIV, 38) Diese Art von phänomenologischer Forschung ist deshalb statisch oder deskriptiv, weil sie eine in der phänomenologischen Reflexion durchgeführte strukturelle Analyse oder Beschreibung eines Querschnitts des Bewusstseinsflusses darstellt.

In dieser statisch-phänomenologischen Analyse erfasst Husserl „Noesis-Noema" als die allgemeinste Bewusstseinsstruktur und kennzeichnet sie mit dem Ausdruck „Bewusstsein jeder Art ist Bewusstsein von etwas" (Hua XXV, 100). Überdies merkt er in den *Logischen Untersuchungen* und den *Vorlesungen über die Phänomenologie des inneren Zeitbewusstseins* an, dass allen Bewusstseinsakten in ihrem Vollzug dieser Vollzug selbst ungegenständlich bewusst ist. Deshalb sagt er: „Jeder Akt ist Bewusstsein von etwas, aber jeder Akt ist auch bewusst. Jedes Erlebnis ist ‚empfunden', ist immanent ‚wahrgenommen' (inneres Bewusstsein)." Diese Bewusstheit des Bewusstseins bezeichnet Husserl ebenfalls als „inneres Bewusstsein", „innere Wahrnehmung", „Selbstbewusstsein", „Urbewusstsein", usw.

Man kann demgemäß sagen, dass Husserl in allen Bewusstseinsakten drei grundlegende Elemente festhält: Noesis, Noema und Selbstbewusstsein. Sowohl

[1] Oder auch „deskriptive" (*LU* II/1, B_1 245) bzw. „beschreibende" (vgl. den späteren Hinweis von Husserl: „In den Vorlesungen sagte ich nicht ‚beschreibende', sondern ‚statische' Phänomenologie." (Hua XI, S. 340)

objektivierende als auch nichtobjektivierende Akte richten sich auf Gegenstände. Zwischen ihnen besteht nur ein Unterschied der Intentionalität: die Ersteren richten sich nicht nur auf Gegenstände, sie können auch Gegenstände konstituieren; die Letzteren hingegen können es nicht, sie richten sich lediglich auf die Gegenstände, die durch die Ersteren konstituiert sind. In diesem Sinne sind die nichtobjektivierenden Akte in den objektivierenden fundiert.

Es ist hier zunächst daran zu erinnern, dass diese Feststellung in den Zusammenhang der Querintentionalität gehört, da es sich um eine Wesenserfassung der Bewusstseinsstruktur handelt. Dann ist zu bemerken, dass das Ich in der Feststellung der Bewusstseinselemente nicht eingeschlossen ist; es wird lediglich als leerer Pol der Noesis zugerechnet. Mit Husserls eigenen Worten: „Wir abstrahieren nicht bloß vom Ich, als ob das Ich doch darin stehe und nur nicht darauf hingewiesen würde, sondern wir schalten die transzendente Setzung des Ich aus und halten uns an das Absolute, an das Bewusstsein im reinen Sinn." (Hua XVI, 41)

So verschmilzt das Ich beim frühen Husserl mit den Bewusstseinsinhalten sowie ihren Verbindungsweisen. Ganz wie F. Brentano führt Husserl seine Phänomenologie zu einer „ichlosen" oder „seelenlosen Psychologie", oder auch zu einer „non-egologischen Phänomenologie". In der ersten Auflage der *Logischen Untersuchungen* (1900/01) nimmt er ruhig und gelassen eine „Psychologie ohne Seele" an, „die von allen metaphysischen Präsumtionen betreffs der Seele absieht – und von ihnen absieht, da sie doch erst in der vollendeten Wissenschaft zu Einsichten werden könnten" (*LU* II/1, A 338f.). Er versucht in dieser Zeit offenbar, jeder Art Ichmetaphysik fernzubleiben, wie auch die Naturwissenschaft alle Theorien über die metaphysische Natur des Physischen vorerst ablehnt. Selbst in der Vorlesung über „Ding und Raum" aus dem Jahre 1907 besteht er noch darauf, dass das Denken, von dem die phänomenologische Analyse spricht, „niemandes Denken" ist (Hua XVI, 41).

Zusammengefasst hat das „Ich" in den *Logischen Untersuchungen* zwei Bedeutungen: als „empirisches, körperlich-seelisches Ich (Ich als Mensch) und als Komplexion der phänomenologisch erfassten Erlebnisse".[1] Die beiden bilden im Grunde genommen eine Einheit, d. h. zwischen ihnen besteht nur eine phänomenologische Reduktion: „Scheiden wir den Ichleib vom empirischen Ich ab und beschränken wir dann das rein psychische Ich auf seinen phänomenologischen Gehalt", sagt Husserl, „so reduziert es sich auf die Bewusstseinseinheit, also auf die reale Erlebniskomplexion." (*LU* II/1, A 331) In diesem Sinne wird das rein empirische Ich als Verknüpfungseinheit des Bewusstseins betrachtet, was kein selbstständiges Moment ist, kein „Eigenartiges, das über den mannigfaltigen Erlebnissen schwebte". Wenn es Inhalte hat, so bestehen diese aus verschiedenen Verknüpfungsformen, sie „laufen in vielfältiger Weise von Inhalt zu Inhalt, von Inhaltskomplexion zu Inhaltskomplexion, und schließlich konsti-

[1] Vgl. dazu auch I. Kern, *Husserl und Kant – Eine Untersuchung über Husserls Verhältnis zu Kant und zum Kantianismus*, Den Haag 1964, S. 286.

tuiert sich eine einheitliche Inhaltsgesamtheit, die nichts anderes ist als das phänomenologisch reduzierte Ich selbst. Die Inhalte haben eben, so wie Inhalte überhaupt, ihre gesetzlich bestimmten Weisen miteinander zusammenzugehen, zu umfassenderen Einheiten zu verschmelzen, und indem sie so eins werden und eins sind, hat sich schon das phänomenologische Ich oder die Bewusstseinseinheit konstituiert, ohne dass es darüber hinaus eines eigenen, alle Inhalte tragenden, sie alle noch einmal einigenden Ichprinzips bedürfte. Und hier wie sonst wäre die Leistung eines solchen Prinzips unverständlich." (*LU* II/1, A 331-332)

In der zweiten Auflage der *Logischen Untersuchungen* (1913) hat Husserl jedoch diese Worte durchgestrichen und eine Position eingenommen, welche das reine Ich als „Beziehungszentrum" anerkennt. Diese Änderung in der Stellungnahme Husserls zum Problem Ich zeigt sich sowohl in der zweiten Auflage der *Logischen Untersuchungen* als auch in *Ideen* I. In der veränderten zweiten Auflage der *Logischen Untersuchungen* finden sich mehrmals Anmerkungen Husserls wie: „Die sich in diesem Paragraphen schon aussprechende Opposition gegen die Lehre vom ‚reinen' Ich billigt der Verf. [...] nicht mehr." (*LU* II/1, B_1 354) „Inzwischen habe ich es zu finden gelernt, bzw. gelernt, mich durch Besorgnisse vor den Ausartungen der Ichmetaphysik in dem reinen Erfassen des Gegebenen nicht beirren zu lassen." (*LU* II/1, B_1 361)

Wenn das Ich kein „Eigenartiges" ist, „das über den mannigfaltigen Erlebnissen schwebte", keine Hypothese bzw. Präsumtion der „Ichmetaphysik" oder der „Metapsychologie" im Sinne S. Freuds, sondern seinen eigenen Bestand hat und ein notwendiges Beziehungszentrum darstellt, dann muss es in der phänomenologischen Weise erscheinen können, muss seinen anschaubaren, beschreibbaren Gehalt haben, muss durch „reines Erfassen" zugänglich sein. Denn bei Husserl heißt es: „[N]ur soweit, wie die unmittelbare evident feststellbare Wesenseigentümlichkeit und Mitgegebenheit mit dem reinen Bewusstsein reicht, wollen wir das reine Ich als phänomenologisches Datum rechnen." (Hua III/1, 110)

Das reine Ich ist hier nicht mehr etwas, was sich in den Bewusstseinsinhalten sowie ihren Verknüpfungsweisen auflöst, sondern „eine eigenartige Transzendenz", welche übrigbleibt, nachdem die phänomenologische Reduktion die Welt und die zu ihr gehörige empirische Subjektivität ausgeschaltet hat. Es ist keine gewissermaßen „konstituierte Transzendenz", sondern „eine Transzendenz in der Immanenz" (Hua III/1, 110). Die konstituierte Transzendenz ist das reale Ich als Einheit der bloßen Intentionen, das reine Ich hingegen die immanente, selbstgegebene Einheit.

Das reine Ich fungiert in den Erlebnissen zumeist in der Weise eines Hintergrundes und kann nur durch immanente Reflexion zum Gegenstand werden. In der Tat bietet es in der Reflexion, also in der Gegebenheitsweise, außer seinen formalen Charakteren nichts Reelles dar. Somit ist die Rede von der Leere des reinen Ich doch in gewissem Umfang richtig und akzeptabel, weil sie den Grundzug des reinen Ich, in sich keinen reellen Inhalt zu haben, erläutert.

„Leere" bedeutet inhaltliche Leere.[1] Es sollte hervorgehoben werden, dass Husserl zwar den Bestand des reinen Ich anerkennt, aber in dieser Problematik noch nicht zu der von ihm erwünschten Klarheit und Fülle gelangen kann.[2] Das Entscheidende ist hier, dass in der Blickrichtung der Querintentionalität das reine Ich nur ein Beziehungszentrum, ein leerer Pol sein kann. Die verschiedenen Beziehungs- oder Verhaltungsweisen zwischen dem reinen Ich und den reinen Erlebnissen werden nicht oder können nicht näher erläutert werden.

Wenn für Husserl nach der phänomenologischen Ausschaltung als Residuum nicht nur „ein reines Ich" verbleiben soll, sondern auch „für jeden Erlebnisstrom ein prinzipiell verschiedenes" (Hua III/1, 109f.), dann steht es noch offen, wie wir zu einem solchen gelangen können.

Auch auf der Ebene der Sprache zeigen einige Ausdrücke, die in der zweiten Auflage unverändert bleiben, deutlich Husserls Position gegenüber dem ersten Personalpronomen – dass es bedeutungslos ist: „Lesen wir das Wort [ich], ohne zu wissen, wer es geschrieben hat, so haben wir, wenn nicht ein bedeutungsloses, so zum mindesten ein seiner normalen Bedeutung entfremdetes Wort. [...] Es ist die allgemeine Bedeutungsfunktion des Wortes *ich,* den jeweilig Redenden zu bezeichnen, aber der Begriff, durch den wir diese Funktion ausdrücken, ist nicht der Begriff, der unmittelbar und selbst seine Bedeutung ausmacht." (*LU* II/1, A 82/B_1 82)

Kommen wir auf die Ebene des Bewusstseins zurück: Außer dass das reine Ich ein Gerichtetsein-auf bzw. außer dass es einen „Ichblick-auf" (Hua III/1, 65) hat, scheinen wir keinen anderen Inhalt von ihm zu haben. Wenigstens in den *Ideen* II verleiht Husserl dem reinen Ich tatsächlich den Charakter der Inhaltslosigkeit: es wird als das abstrakte „ego" im „cogito" betrachtet. Es heißt dort: „Als reines Ich birgt es keine verborgenen inneren Reichtümer, es ist absolut einfach, liegt absolut zutage, aller Reichtum liegt im cogito und der darin

[1] Wenn J. Derrida meint, das transzendentale Ich sei keine inhalts lose Form, betrachtet er das Problem des Ich bereits aus einem Standpunkt der historischen Subjektivität, also der Längsintentionalität in unserem Sinne: „Ebenso hat das phänomenologisch transzendentale Ego keinen anderen Inhalt als das empirische Ich, es hat überhaupt keinen eigenen reellen Inhalt, und ist doch ebensowenig – wie falsche Problemstellungen suggerieren wollen – abstrakte *Form* eines Inhalts. Radikal verstanden eröffnet alle transzendentale Reduktion eine durch und durch *geschichtliche* Subjektivität." (J. Derrida, *Edmund Husserl: L'origine de la Géométrie – Traduction et Introduction*, Paris 1962 [deutsche Übersetzung von R. Hentschel und A. Knop, *Husserls Weg in die Geschichte am Leitfaden der Geometrie*, München 1987; chinesische Übersetzung von X. Fang, Nanjing 2004], S. 160, Anm. 1)

[2] Mit dem Hinweis auf den merkwürdigen Tonfall Husserls in der Rede „inzwischen habe ich es zu finden gelernt ..." (*LU* I, B_1 361), versucht D. Lohmar den unwilligen Gemütszustand Husserls in der Anerkennung des reinen Ich zu erklären. (Vgl. D. Lohmar, „A History of the ego – The ‚Arch-ego' in Husserl's late manuscripts on time and the *Crisis*", in: *The Phenomenological and Philosophical Research in China*, Bd. 10, Shanghai 2008, S. 121)

adäquat erfassbaren Weise der Funktion.“ (Hua IV, 105) Auch in einem langen Aufsatz von 1921, „Phänomenologie und Erkenntnistheorie“, erklärt er: „Denn Gott z. B. ist keine absolute Gegebenheit, er ist nicht Bewusstseinsdatum, auch <nicht wie> das reine Ego, das wir als zum *cogito* gehörig in phänomenologischer Reduktion vorfinden könnten.“ (Hua XXV 173) Eben in diesem Sinne kann das reine Ich als eine Art „leeres Ich“ bezeichnet werden.[1]

In der Tat hat Th. W. Adorno in seinem „mißverständnisvollen, dennoch wichtigen Werk“[2] *Zur Metakritik der Erkenntnistheorie* doch seinen Grund, zu kritisieren: „Wird das transzendentale Ich gänzlich vom animus oder intellectus getrennt, so wird problematisch das Recht, es überhaupt ‚Ich‘ zu nennen.“[3] Husserl selbst sagt in seinem Manuskript: „Statt ‚Ich‘ müsste ich vielleicht besser immer sagen ‚Selbst‘.“ (Hua XIV, 48)

In der Betrachtungsweise Noesis-Noema kann das reine Ich demnach weiterhin etwas sein, was „zu formal“ ist (wie Husserl selbst in seinem Manuskript sagt, vgl. Ms. A VI 30, 37a), wie der Punkt in der Geometrie oder die Null in der Mathematik, also etwas, was Bedeutung hat, aber keinen Inhalt.

In der Spätzeit machen Husserls Überlegungen in Hinsicht auf Ich-Umwelt, Ichpol gegenüber Gegenstandspol, Ich als Funktionszentrum usw. ein Streben nach Entformalisierung des Ich deutlich. Seine Arbeiten in dieser Richtung gehören weiterhin zum Nachdenken in Blickrichtung der Querintentionalität.

III. Die fundierungsstrukturelle Erfassung des Ich

Neben der phänomenologischen Erforschung der Querintentionalität erwähnt Husserl in dem genannten Text von 1921 noch eine weitere Art von phänomenologischen Forschungen: „Davon habe ich zu unterscheiden phänomenologische Forschungen, die die Typik verschiedener sich darbietender Gestalten des Erlebens und der Genese betrachten nach ihren Wesensmöglichkeiten, Verträglichkeiten usw., ohne aber die Individualprobleme im Zusammenhang zu betrachten.“ (Hua XIV, 38)

Diese Art von phänomenologischer Forschung bezieht sich m. E. vor allem auf die Fundierungsverhältnisse zwischen den verschiedenen Bewusstseinsakten. Die von ihm genannte „Typik verschiedener sich darbietender Gestalten des

[1] Vgl. dazu auch Hua III/1, S. 160, sowie die Ansichten von Kern und Marbach: I. Kern, *Husserl und Kant – Eine Untersuchung über Husserls Verhältnis zu Kant und zum Kantianismus*, a.a.O., S. 286; R. Bernet/ I. Kern/ E. Marbach, *Edmund Husserl. Darstellung seines Denkens*, a.a.O., S. 195.

[2] J. Patočka, „Der Subjektivismus der Husserlschen und die Möglichkeit einer ‚asubjektiven‘ Phänomenologie“, in: *Philosophische Perspektiven* Bd. 2, Frankfurt a. M. 1970 [chinesische Übersetzung von J. Wu, in L. Ni (Hrsg.), *Zur Sache selbst – Klassische Schriften der Phänomenologie*, Beijing 2000], S. 318, Anm. 1.

[3] Th. W. Adorno, *Zur Metakritik der Erkenntnistheorie. Studien über Husserl und die phänomenologischen Antinomien*, Frankfurt a. M. 1990, S. 228.

Erlebens und der Genese“ gleicht den Gegenständen phänomenologischer Forschung, wie sie unter Titeln wie „Deskriptive Charakteristik der Akte als ‚intentionaler‘ Erlebnisse“ oder in den *Logischen Untersuchungen* durchgeführt wird. Sie umfasst verschiedene Typen der intentionalen Erlebnisse sowie ihre Fundierungsverhältnisse, wie etwa aktive und passive Akte (vgl. Hua I, 112) oder auch objektivierende und nichtobjektierende Akte sowie ihre Fundierungsverhältnisse, des Weiteren die „statische und dynamische Erfüllung oder Erkennung“ sowie ihren „unzweifelhaften phänomenologischen Unterschied“ (*LU* II/2, A 506/B_2 34) usw.

Husserls Erfassung der Fundierungsverhältnisse der gesamten Bewusstseinsakte lässt sich in wenigstens fünf Schritte unterscheiden:

1. Alle nichtobjektivierenden Bewusstseinsakte (also Liebe, Hass, Mitgefühl, Zorn, Freude usw.) sind fundiert in objektivierenden (wie Vorstellung, Urteil usw.), weil ein nichtobjektivierender Bewusstseinsakt nicht denkbar ist, bevor das Objekt durch objektivierende Akte konstituiert worden ist (z. B. Liebe ohne das Geliebte, Furcht ohne das Gefürchtete, usw.).

2. Innerhalb der objektivierenden Akte sind Urteile fundiert in Vorstellungen; jedes Urteil kann im Prinzip auf eine Vorstellung reduziert werden, z. B. das Urteil „der Himmel ist blau“ auf die Vorstellung „der blaue Himmel“.

3. Innerhalb der Vorstellungen sind alle anderen Bewusstseinsakte (Bildbewusstsein, Zeichenbewusstsein) in den Anschauungen (Wahrnehmung und Phantasie) fundiert, weil jedes Bildbewusstsein (wie eine durch ein Bild dargestellte Person) oder Zeichenbewusstsein (wie ein durch eine Vokabel dargestelltes Instrument) erst vermittels einer Anschauung (Sehen oder Hören des Bildes oder Zeichens) vollzogen werden kann.

4. Innerhalb der Anschauungen sind Phantasie bzw. Imagination fundiert in Wahrnehmung. Somit kann man auch sagen, dass jede Konstitution eines Objekts auf Wahrnehmung zurückgeführt werden kann. Selbst ein in der Phantasie fingierter Gegenstand beruht auf Sinnesdaten aus der Wahrnehmung; so muss sich z. B. die Vorstellung eines Drachens auf den Kopf eines Löwen, den Körper einer Schlange, die Kralle eines Adlers usw. berufen, welche bereits in der Wahrnehmung erschienen sind, und des Weiteren überhaupt auf Sinnesdaten wie Farbe und Ausdehnung usw.

5. Obwohl die Wahrnehmung den untersten intentionalen Bewusstseinsakt bildet, können nicht alle Wahrnehmungsakte gleichermaßen als Originalbewusstsein bezeichnet werden. Die Wahrnehmung teilt sich wieder in die immanente und die transzendente Wahrnehmung. In der transzendenten Wahrnehmung unterscheiden sich Originalbewusstsein und Nichtoriginalbewusstsein, wie etwa die original gegebene Vorderseite eines Tisches und seine nichtoriginal gegebene, nur mitvergegenwärtigte Rückseite.

All diese Bewusstseinserlebnisse mit ihren Fundierungsverhältnissen sind Akte des Ichlebens, Icherlebnisses, Akte als *cogito*. Jedes Erlebnis ist Icherlebnis, z. B. Icherinnerung auf Grund einer Ichwahrnehmung. „Das Ich hat sein Ichleben in Akten und Affekten." (Hua XIV, 43) Aber das Ich in diesem Sinne bleibt stets eine Art von leerem Pol. Wie Husserl sagt: „Das Ich ist nichts anderes als qualitätsloser Pol von Akten und hat alle Bestimmungen aus dieser Polarität, wobei die Akte selbst etwas Unvergleichliches sind und nicht etwas neben dem Ich, das irgendwie erst zu ihm in Bezug gesetzt würde." (Hua XIV, 43)

Phänomenologische Forschungen in diesem Sinne gehören im Grunde genommen zur Analyse der Querintentionalität.[1] Die Eigenart dieser Analyse liegt darin, dass ihr Gesichtswinkel dazu bestimmt ist, nur schwer die Qualität oder den Inhalt des Ich erfassen zu können. In der Querblickrichtung kann das *ego* im *cogito* nicht zu einem Gegenstand mit Inhalt werden – genau so, wie wir in der Reflexion auf uns selbst kaum in einer ganz statischen Weise erfassen, was das pure Ich bedeuten kann; wir können zwar einen Namen und einen Beruf haben, welche auf einer Visitenkarte vermerkt sind, aber diese haben mit dem reellen Inhalt einer Person nichts zu tun. In einer solchen Reflexion erfassen wir stets unseren gegenwärtigen Bewusstseinsakt: seinen intentionalen Vollzug ebenso wie seine intentionalen Korrelate. Nur in der den Bewusstseinsfluss entlanggehenden Blickrichtung der Reflexion, also in der reflektierenden Blickrichtung der Längsintentionalität, können wir den qualitativen Gehalt des reinen Ich erfassen.

Wir haben eigentlich in der phänomenologischen Forschung dieser Richtung bereits die drei Begriffe des Ich berührt, die auch Husserl in einem Manuskript von 1921 (Hua XIV, 42-28) unterscheidet: 1. das reine Ich als Ichpol, als *ego* im *cogito*, dem der Gegenstandspol und die Umwelt gegenüberstehen; 2. das als Jetzt im *cogito* dauernde reine Ich, dem der in verschiedenen Zeitphasen erscheinende Ichpol gegenübersteht; 3. das Ich der Aktionen und Passionen, des Wirkens und Leidens, dem die verschiedenen aktiv oder passiv zu vollziehenden Bewusstseinsakte gegenüberstehen.

Alle diese Begriffe des „Ich" sind in der Blickrichtung der Querintentionalität und in der deskriptiven Phänomenologie zu erfassen. Sie beziehen sich auf das Ich als Pol. Natürlich hat der zweite Begriff des Ich bereits mit der Zeit, Dauer und Genesis des Ich zu tun. Er scheint einen Zwischenbereich zwischen der statischen und der genetischen Erforschung des Ich zu bilden, also einen Pol, der sowohl einer der Genesis ist als auch einer der Struktur.

Im unmittelbaren Anschluss will Husserl noch den vierten Begriff des Ich in die Diskussion einbringen, nämlich das konkrete Ich: „Wir werden nun also sprechen dürfen vom konkreten Ich" (Hua XIV, 43); jedoch stellt er die Rede vom konkreten Ich alsbald in Frage: „Das konkrete Ich in der Einheit seines Ichlebens ist aber genau besehen noch nicht wirklich kon-

[1] D. Welton tendiert dazu, diesen Problembereich der Fundierungsstruktur der Bewusstseinsakte dem Forschungsfeld der genetischen Phänomenologie zuzurechnen. Vgl. D. Welton, „Husserl's Genetic Phenomenology of Perception", in: *Research in Phenomenology*, 1982, Bd. 12, Nummer 1, S. 59f.

kret“ (Hervorhebung von Husserl). Er erklärt noch in einer Fußnote: „Aber diese ganze Betrachtung gibt keine Konkretion, wie ich selbst schließlich sehe. [...] – Wo ist die richtige Stelle für die Erläuterung des Habituellen, der Vermögen?“ (Hua XIV, 44, Anm. 1) In einem späteren Rückblick kann er bereits feststellen: „Das ‚Ich‘ bleibt im vorstehenden abstrakt und unbestimmt. Es ist eben abstrahiert davon, dass es als monadisches Ich notwendig ‚personal‘ ist.“ (Hua XIV, 48)

Husserl steht hier vor einem Dilemma: Einerseits ist er offenbar nicht zufrieden mit der Schlussfolgerung, das reine Ich sei so viel wie ein formales Ich, und versucht Inhaltliches darin zu finden, oder besser: einen Weg zu finden, durch welchen man den inhaltlichen Teil darin einnehmen kann. Andererseits aber scheint Husserl den Weg der genetischen Analyse nicht gerne einzuschlagen, sondern diese noch immer auf die statische Analyse zurückführen zu wollen. Dies zeigt sich in seiner folgenden Überlegung besonders deutlich: „Der Konstitution nachgehen ist nicht der Genesis nachgehen, die eben Genesis der Konstitution ist und sich als Genesis in einer Monade bewegt. Ist die statische Phänomenologie nicht eben die Phänomenologie der Leitfäden, die Phänomenologie der Konstitution leitender Typen von Gegenständlichkeiten in ihrem Sein und der Konstitution ihres Nichtseins, der bloßen Scheine, der Nichtigkeiten, der Widerstimmigkeiten etc.?“ (Hua XIV, 41)

Allem Anschein nach schwankt Husserl hier nur deshalb, weil er sich nicht entscheiden kann, die Erforschung der „Typik der Zusammenhänge im Bewusstsein irgendeiner Entwicklungsstufe“ als Forschungen der statischen oder genetischen Phänomenologie zu betrachten – oder sogar als „eine Frage der Dynamis“?[1] Das bedeutet, ob die Untersuchungen der Fundierungsverhältnisse zwischen objektivierenden und nichtobjektivierenden Akten, zwischen den Vorstellungen und Urteilen, zwischen den anschauenden und nichtanschauenden usw. zu den Untersuchungen der genetischen oder statischen Phänomenologie gehören. Das Entscheidende hier ist nicht die Frage ihrer Nennung und ihrer Namen, sondern die Frage, ob sie zu den phänomenologischen Forschungen der Querintentionalität gehören oder zu denjenigen der Längsintentionalität.

Wäre sie stets statisch-phänomenologische Erforschung der Querintentionalität, so müsste die phänomenologische Erfassung weiterhin formal und leer

---

[1] Der Kontext, aus dem dieses Zitat stammt, ist folgender: „Indem die Phänomenologie der Genesis dem ursprünglichen Werden im Zeitstrom, das selbst ein ursprünglich konstituierendes Werden ist, und den genetisch fungierenden so genannten ‚Motivationen‘ nachgeht, zeigt sie, wie Bewusstsein aus Bewusstsein wird. Wie dabei im Werden sich immerfort auch konstitutive Leistung vollzieht, so der Bedingtheitszusammenhang zwischen Motivanten und Motivaten oder der notwendige Übergang von Impression in Retention, in dem <sich> das Bewusstsein eben dieses Werdens und korrelativ des Sich-Wandelns des Jetzt in soeben vergangenes Jetzt konstituiert. Indessen, statisch beschreibe ich nicht nur die konstitutiven Möglichkeiten in Beziehung auf einen Gegenstand als Leitfaden, ich beschreibe auch die Typik der Zusammenhänge im Bewusstsein irgendeiner Entwicklungsstufe.“ (Hua XIV, S. 41)

bleiben. Würde sie bereits zu der genetisch-phänomenologischen Erforschung der Längsintentionalität gehören, entstünde die Frage, wo der Ort der phänomenologischen Erforschung des Ich als Person sein kann, an dem sich solche Forschungen entfalten sollen. Das Ich in diesem Sinne soll nicht mehr das reine Ich sein, sondern das konkrete Ich im prägnanten Sinne, das Substrat bzw. der Träger des Habituellen, der Interessen, der Vermögen, der „Dispositionen", der Charaktere (vgl. Hua XIV, 34, 44), der Träger von Faktizität, Erwerb, idealen Zielen und praktischen Zwecken (vgl. Hua Mat. VIII, 17, 96), wie auch das Substrat bzw. der Träger des Verborgenen, des „Unbewussten" (vgl. Hua XIV, 34).

Von daher betrachtet kann man sagen, dass die Meinung, Husserl habe erst mit der Aufstellung von Begriffen wie Ich der Habitualitäten, der Vermögen usw. begonnen, über die genetische Phänomenologie nachzudenken, ergänzt werden kann. Reifliche Überlegungen zur Methode einer genetischen Phänomenologie bilden ebenfalls wichtige Maßstäbe zur Festsetzung der Entstehungszeit der genetischen Phänomenologie bei Husserl.[1]

IV. Die längsintentionale, genetische Erfassung des Ich

Fassen wir kurz zusammen: In der oben erwähnten Überlegung Husserls unterscheidet er zwei Arten von phänomenologischer Forschung und vier diesbezügliche Begriffe vom Ich.[2] Wie er dann feststellt, ist jedoch noch eine weitere Art von phänomenologischer Forschung zur Diskussion zu stellen: „Endlich haben wir die Phänomenologie der monadischen Individualität, darin beschlossen die Phänomenologie einer zusammenhängenden Genesis, in der Einheit der Monade erwächst, in der die Monade ist, indem sie wird." (Hua XIV, 38)

Allerdings liegt, wie E. Marbach vermutet, diesem Wandel der Stellung Husserls zum Problem des Ich ein Wandel im Verständnis der Phänomenologie selbst zugrunde.[3] Bereits in den *Ideen* II wird diese dritte Art von Phänomenologie erwähnt, als Phänomenologie des Ich als Person. Dieses Ich als Person konfrontiert sich mit dem Ich als Pol.[4] Das Ich als Pol, als reines Ich, bildet innerhalb der phänomenologischen Forschung das Korrelat der Querintentionalität, das Ich als Person hingegen das Korrelat der Längsintentionalität.

---

[1] Vgl. R. Bernet/ I. Kern/ E. Marbach, *Edmund Husserl. Darstellung seines Denkens*, a.a.O., S. 185; T. Sakakibara, „Das Problem des Ich und der Ursprung der genetischen Phänomenologie bei Husserl", in: *Husserl Studies*, 1997, Bd. 14, S. 21f.

[2] Diese vier Begriffe des Ich werden später in den §§ 30-33 der *Cartesianischen Meditationen* wieder aufgenommen, worauf wir noch zurückkommen werden.

[3] E. Marbach, *Das Problem des Ich in Husserls Phänomenologie*, Phaenomenologica 59, Den Haag 1974, S. XIII.

[4] Es sei bemerkt, dass Husserl in seiner Terminologie „Pol" nicht stets wie hier als Eigenheit des reinen Ich betrachtet. Ab und zu benutzt er „Pol" auch zur Bestimmung des personalen Ich: Er spricht z. B. vom „Pol personaler Charaktere" (Hua XIV, S. 34), vom „Pol der geweckten <Erlebnisse>" (a.a.O., S. 310) oder dem „Pol der Reflexionen auf die früheren Erfassungen (a.a.O., S. 430).

Die „Phänomenologie einer zusammenhängenden Genesis", die Husserl hier im Zitat erwähnt, hat die Individualität der Monade zum Forschungsgegenstand. Er kommt hier zu folgender Einsicht: „[S]ollte die Individualität einer Monade festgehalten sein, so müssen alle Möglichkeiten ausgewählt sein; was individuell einig ist, das fordert sich im Dasein. Fordern kann es sich nur nach Gesetzen." (Hua XIV, 41)

Mit der Einheit der monadischen Individualität, welche sich im Dasein fordert, ist die Einheit der Genesis, des Werdens gemeint. „Hat die Monade notwendig die Form einer Werdenseinheit, einer Einheit unaufhörlicher Genesis, so hat sie konkreten Aufbau nur aus ‚Elementen', die selbst Werdenseinheiten sind und einen abstrakten Aufbau nach Phasen haben wie die ganze Monade." (Hua XIV, 34) Einheit in diesem Sinne bedeutet so viel wie Einheit der Längsintentionalität in unserem Sinne. Husserl betrachtet sie zunächst als „in der Form der immanenten Zeit konstituierte Einheit" (Hua XIV, 47).

Die Einheit der Genesis ist in Husserl Intentionalitätsanalyse zunächst in Form einer in der Zeit dauernden Einheit aufgetreten. Das in dieser Analyse erfasste Ich ist ein dauerndes einheitliches Ich. Es steht mit dem von Husserl oben erwähnten zweiten Ich-Begriff in engem Zusammenhang, nämlich dem „reine[n] Ich" oder „*ego*", das „als dauernd [...] und zwar in der Ichwahrnehmung, Selbstwahrnehmung als jetzt dauernd" gegeben ist. (Hua XIV, 42)

Welcher Wesensunterschied besteht zwischen den beiden dargestellten Begriffen des Ich? Es handelt sich dabei um eine Frage, die Husserl selbst lange und immer wieder neu erwogen hat.[1]

In Hinsicht auf die Form ist das Ich in der ursprünglichen Ichwahrnehmung dasselbe Ich wie in der späteren Icherinnerung. Dieses Ich ist von der Form her betrachtet unverändert, nicht im Geringsten durch die zeitliche Dauer verwandelt. In diesem Sinne kann Husserl sagen: „Das Ich ist unzeitlich. Natürlich hat es keinen Sinn, das Ich als zeitlich zu betrachten. Das Ich ist überzeitlich, es ist der Pol von Ich-Verhaltungsweisen zu Zeitlichem, es ist das Subjekt, das sich zu Zeitlichem verhält [...]" (Ms. E III 2, 50). „Das Ich hat eigentlich in diesem Sinne schlechthin keine Dauer" (Ms. C 16 VII, 5).[2] Diese Schlussfolgerung stimmt mit dem Resultat der *Ideen* I und II überein: Das reine

---

[1] Vgl. die Zusammenfassung der diesbezüglichen Überlegung bei Husserl von E. Marbach: Husserl meine einerseits in seinen Manuskripten: „[D]as reine Ich ist nicht die Person. [...] Die Person Ich ist das Identische im Wandel meines Ichlebens, meines Aktiv- und Affiziertseins" (Ms. A VI 21, S. 21); andererseits betrachte er das reine Ich jedoch auch als eine Einheit, die durch die Einheit der Person hindurchgehe. Daher liege das „reine Ich [...] aber auch im personalen Ich beschlossen, jeder Akt cogito des personalen Ich ist ein Akt des reinen Ich" (ebd.). (Vgl. R. Bernet/ I. Kern/ E. Marbach, *Edmund Husserl. Darstellung seines Denkens*, a.a.O., S. 198)

[2] Näheres dazu bei K. Held, *Lebendige Gegenwart – Die Frage nach der Seinsweise des transzendentalen Ich bei Edmund Husserl, entwickelt am Leitfaden der Zeitproblematik*, Phaenomenologica 23, Den Haag 1966, S. 117.

Ich ist inhaltslos, zeitlos und unveränderlich. Es ist lediglich ein einheitlicher, aber leerer Pol des Erlebnisstroms.

Andererseits jedoch ist das Ich im Hinblick auf den Inhalt in der ursprünglichen Ichwahrnehmung nicht dasselbe wie in der späteren Icherinnerung. Das Ich geschieht und ändert sich in jedem Augenblick: „jedes Moment in einer Phase stellt seine Forderungen hinsichtlich des Werdens; so für die weitere Genesis jedes die Forderung des Zeitlichkeit konstituierenden Verströmens etc." (Hua XIV, 34). In diesem Sinne ist die Monade „eine lebendige Einheit, die ein Ich als Pol des Wirkens und Leidens in sich trägt, und eine Einheit des wachen und des verborgenen Lebens, eine Einheit von Vermögen, von ‚Dispositionen', und das Verborgene, ‚Unbewusste' ist ein eigener Modus für monadische Beschlossenheiten, dessen notwendiger Sinn man in eigenen Weisen ursprünglich schöpfen muss." (Hua XIV, 34) – Husserl setzt die Wörter „Dispositionen" und „Unbewusste[s]" in Anführungszeichen, weil er mit Bedacht stets Distanz gegenüber der naturalistischen Psychologie halten möchte: „Doch dürfen wir hier nicht mit naturalistischen Begriffen herankommen." (Hua XIV, 34)

Der Unterschied zwischen dem reinen Ich und dem personalen Ich ist hier recht klar geworden. Husserls Ansicht nach ist das reine Ich unveränderlich, obwohl es „wandelbar [ist] in seinen Betätigungen; in seinen Aktivitäten und Passivitäten, in seinem Angezogensein und Abgestoßensein usw. Aber diese Wandlungen wandeln es selbst nicht. In sich ist es vielmehr unwandelbar. [...] es hat keine ursprünglichen und erworbenen Charakteranlagen, keine Fähigkeiten, Dispositionen usw." (Hua IV, 104) Deshalb ist das reine Ich nicht zeitlich. In diesem Sinne heißt es bei Husserl: „[U]m zu wissen, daß das reine Ich ist und was es ist, kann mich keine noch so große Häufung von Selbsterfahrungen eines besseren belehren als die einzelne Erfahrung eines einzigen schlichten *cogito*." (Hua IV, 104)

Anders verhält es sich jedoch mit dem personalen Ich. Es ist werdend, entstehend, wandelbar. Dieses Werden und Sichwandeln bedeutet keine Änderung der Form des einheitlichen Ich und der Form der Zeit, sondern die mit der zeitlichen Dauer geschehende inhaltliche Veränderung, das Bereichern des Inhalts bzw. Ablagern des Sinnes. Die Erforschung des personalen Ich bildet das Hauptthema der von Husserl erwähnten dritten Art phänomenologischer Forschung, d. h. den Inhalt der „Phänomenologie der monadischen Individualität, darin beschlossen die Phänomenologie einer zusammenhängenden Genesis, in der Einheit der Monade erwächst, in der die Monade ist, indem sie wird." (Hua XIV, 38) – Wir können sie auch Phänomenologie des personalen Ich nennen.

Dies betrifft die Bewusstseinskonstitution bereits in einem anderen Sinne als die übliche Konstitution des Objekts bzw. Gegenstandes durch das Bewusstsein. Diese andersartige Bewusstseinskonstitution ist die des Subjekts bzw. Bewusstseins selbst, die Konstitution in der Richtung der Längsintentionalität. Obwohl Husserl die Analyse der subjektiv-objektiven Korrelation des personalen Ich und seiner Umwelt in der Blickrichtung der Querintentionalität weiterhin durchführt, wird die längsintentional-genetische Konstitution des Subjekts sichtlich zum Schwerpunkt seiner Forschung: „[Dieses] ist nicht nur überhaupt abstrakter Ichpunkt und bezogen auf eine dingliche Umwelt, sondern es ist als Subjekt, das diese Umwelt hat, Subjekt von Vermögen (ein Subjekt, das ein bestimmtes ‚ich kann' hat)." (Ms. A VI 30, 39f.) Forschungen in dieser Richtung sind zugleich Forschungen der Bewusstseinskonstitution. Sie beziehen sich einerseits auf die einheitliche Zeitform der monadischen Individualität, andererseits auf die mannigfaltigen Inhalte ihrer Genesis. Deshalb sagt Husserl: „Das Ich ist doch immerzu ‚konstituiert' (in völlig eigenartiger Weise konstituiert) als personales Ich, Ich seiner Habitualitäten, seiner Vermögen, seines Charakters." (Hua XIV, 44, Anm. 1; vgl. 275) Dieser Gedanke kommt später in seinen *Cartesianischen Meditationen* noch deutlicher zum Ausdruck: „So haben wir also das ego nicht als bloßen leeren Pol, sondern jeweils als das stehende und bleibende Ich der verharrenden Überzeugungen, der Habitualitäten, in deren Veränderung sich allererst Einheit des personalen Ich und seines personalen Charakters konstituiert. Aber davon wieder zu scheiden ist das ego in voller Konkretion, das konkret nur ist in der strömenden Vielfältigkeit seines intentionalen Lebens und mit den darin vermeinten und für es sich konstituierenden Gegenständen. Dafür sagen wir auch ego als konkrete Monade. Da Ich als transzendentales ego es bin, der ich mich selbst als ego in dem einen und anderen Sinn vorfinden und meines wirklichen und wahren Seins innewerden kann, ist also auch das <ein konstitutives>, und sogar das radikalste konstitutive Problem."[1]

So gesehen stellt der Übergang von der querintentionalen Betrachtungsweise zu der längsintentionalen keine Wendung im Denken Husserls dar, sondern vielmehr die logische Entfaltung seines Denkens von Bewusstseinskonstitution.

In Bezug auf die drei Arten der von Husserl erwähnten phänomenologischen Forschungen seien hier zwei Punkte besonders hervorgehoben: Erstens kann unter diesen drei Arten von Forschung nur die genetische das personale Ich zum Thema machen, da die stufenweise Konstitution nur in der Blickrichtung der Längsintentionalität erfasst werden kann; zweitens stellt die genetische Phänomenologie das Ganze der Phänomenologie dar, sie umfasst schließlich die statische Phänomenologie und die Phänomenologie der Fundierungsverhältnisse in sich. Wenn die statische Phänomenologie die Erforschung des Querschnitts der Bewusstseins- und Ich-Problematik bedeutet, dann kann sie erst in einer Gesamtuntersuchung der genetischen Phänomenologie vollständig begriffen und erläutert werden. Darauf weist Husserl deutlich hin: „[E]inen Querschnitt kann man nur vollkommen verstehen, wenn man sein Ganzes erforscht."[2] Das gilt genauso für das Ichproblem.

---

[1] Hua I, S. 26. Die letzte Hervorhebung stammt vom Verfasser.

[2] Es ist hier nötig, auch den Kontext, in den diese Rede Husserls gehört, wiederzugeben: „Wer sich ursprünglich für das Thema Einheit – Mannigfaltigkeit, Gegenstand – Ver-

V. Egologisch-phänomenologische Wege der Ich-Forschung und Charaktere der längsintentionalen Anschauung des personalen Ich

Vor und nach 1920 zieht Husserl mehrmals eine systematische Phänomenologie in Erwägung, und zwar von verschiedenen Gesichtspunkten aus: des Inhalts, der Methoden und der Verhältnisse der statischen und genetischen Phänomenologie.

Entweder teilt er das Forschungsfeld der Phänomenologie in zwei Pole: in den Gegenstandspol des Bewusstseinslebens, das Vorgestellte, das Gedachte, Erfreuliche, Gewollte usw., das die phänomenologische Deskription einerseits rein zu beschreiben hat, und den diesem Pol der Gegenstände gegenüberstehenden Ichpol, der andererseits „das Bewusstsein in Form von Akten vollzieht und in der wechselnden Mannigfaltigkeit von Akten sich als identisch Selbiges weiß". „Daraus entspringt", so fährt Husserl fort, „eine unendliche Fülle von Problemen: Deskription der Bewusstseinserlebnisse in sich selbst, Deskription der wesenhaft geschlossenen typischen Mannigfaltigkeit von Bewusstseinserlebnissen, die zu einem immanenten Gegenstandstypus, wie etwa materielles Ding, zusammengehören; Deskription der zum Titel Ich gehörigen Typik, Deskription seiner in Akten sich vollziehenden Taten, Gegenstände immer neu konstituierenden Leistungen; Deskription der Niederschläge alles Leistens in nachwirkenden Ichcharakteren und somit Studium der unaufhörlichen Entwicklung der Personalität als des bleibenden Subjekts typisch verharrender und doch wandelbarer personaler Charaktereigenschaften." (Hua XXV, 320) Phänomenologie in diesem Sinne ist egologische Phänomenologie, einschließlich der personalen Phänomenologie. Sie bezieht sich auf eine Forschungsrichtung bzw. ein Forschungsthema, mit dem sich Husserl in seiner Spätzeit zunehmend mehr beschäftigt hat, nämlich „das stehende und bleibende Ich der verharrenden Überzeugungen, der Habitualitäten" (Hua I, 26).

Oder er unterscheidet, wie oben bereits dargestellt, drei Arten von phänomenologischer Forschung und sieht darin die Aufgabe einer systematischen Phänomenologie: Diese „geht den Stufen möglicher Konstitutionen nach, zuunterst die immerfort notwendige Konstitution des immanenten Zeitstromes und des monadischen Seins als immanente zeitliche Einheit, dann die genetisch höheren Stufen, die Stufen der Transzendenz, Phantome etc., die Konstitution einer

---

nunftbewusstsein von ihm, mögliche Erkenntnis von ihm interessiert, muß doch mit der Vernunft die Unvernunft (negative Vernunft) und Nichtvernunft, das gesamte reine Bewusstsein studieren und dabei auch das reine Ich selbst, wie es in diesem als fungierendes aufweisbar ist. Was aus Wesensgründen Eines ist, kann man nicht auseinander reißen. Die spezifisch erkenntnistheoretischen Probleme, und vernunfttheoretischen überhaupt, die dem zunächst empirischen Vermögenstitel Vernunft entsprechen (sofern sie seiner transzendentalen Reinigung entstammen), sind nur Querschnitte des Bewusstseins- und Ichproblems überhaupt, und einen Querschnitt kann man nur vollkommen verstehen, wenn man sein Ganzes erforscht." (Hua XXV, S. 198f.)

Natur, die Konstitution von Animalien in der Natur, alles ‚Ästhetische'. Dann die Leistungen des Denkens, das auf allen Stufen ansetzen könnte, und seine verschiedenen Gestalten nach diesen Stufen (Aktivität des Ich). Das sind also genetische Betrachtungen und als Deskription fertig konstituierter Gebilde und ihrer Konstitutionen in den Zusammenhang genetischer Forschung hineingestellt. Man kann diese Korrelationen auch für sich in ihrer Typik und Notwendigkeit der Zusammengehörigkeit solcher Korrelate beschreiben. In der Genesis wird ihr Werden aus konstitutiven Unterstufen verständlich." (Hua XIV, 38) Die hier aufgestellte Idee einer systematischen phänomenologischen Forschung gehört größtenteils zu der dritten Art der von ihm aufgezählten phänomenologischen Forschungen. In der Tat hat er mit einer solchen Forschung bereits in den *Logischen Untersuchungen* begonnen. Es handelt sich dabei um Untersuchungen zur Bewusstseinskonstitution auf den verschiedenen Stufen und ihren Fundierungsverhältnissen. Nur betrachtete er sie damals nicht als Arbeit der genetischen Phänomenologie, sondern ordnete sie in die Kategorie der beschreibenden Phänomenologie ein.

In seinen Überlegungen zur genetischen und statischen Phänomenologie von 1921 unterscheidet Husserl beide dann aber noch klar in methodischer Hinsicht: „In gewisser Weise scheiden sich also ‚erklärende' Phänomenologie als Phänomenologie der gesetzmäßigen Genesis und ‚beschreibende' Phänomenologie als Phänomenologie der möglichen, wie immer gewordenen Wesensgestalten im reinen Bewusstsein, und ihrer teleologischen Ordnung im Reich der möglichen Vernunft unter den Titeln ‚Gegenstand' und ‚Sinn'." Die statische Phänomenologie „gibt Verständnis der intentionalen Leistung, insbesondere der Vernunftleistung und ihrer Negate. Sie zeigt uns die Stufenfolge von intentionalen Gegenständen, die in fundierten Apperzeptionen höherer Stufe als gegenständliche Sinne und in Funktionen der Sinngebung auftreten, und wie sie dabei fungieren usw." (Hua XI, 340). Diese Einstellung wird später in *Die Krisis der europäischen Wissenschaften und die transzendentale Phänomenologie* nochmals hervorgehoben und konkreter erläutert: gegenüber der notwendigen Fundamentalstufe der „Deskription" ist „Erklärung" eine Leistung auf höherer Stufe, „eine Methode, welche den deskriptiven Bereich, einen durch wirklich erfahrende Anschauung realisierbaren, überschreitet". (Hua VI, 227) Der zentrale Unterschied zwischen beiden besteht also darin, dass die „Beschreibung" sich streng auf den Anschauungsbereich beschränken muss. Deshalb bedeutet der „Bereich der Deskription" einen „durch wirklich erfahrende Anschauung realisierbaren Bereich". Dagegen kann die „Erklärung" den Bereich der Anschauung und Beschreibung überschreiten und so mit einem konstitutiven Gehalt behaftet sein. Aber Husserl betont zugleich, dass das Überschreiten der Erklärung „auf Grund der ‚deskriptiven' Erkenntnis [geschieht], und als wissenschaftliche Methode in einem einsichtigen, in den deskriptiven Gegebenheiten sich zuletzt verifizierenden Verfahren".[1]

All diese Gedanken zu den statischen und genetischen phänomenologischen Forschungen sowie darauf aufbauend die systematische phänomenologische Forschung sind Husserl zu dieser Zeit weiterhin nicht ganz klar, vor allem wegen der Verwicklung ihrer Methoden und Inhalte ineinander. Dies führt dazu, dass Husserl immer erneut bemüht ist, sich Rechenschaft darüber abzulegen.

Hier können wir versuchen, durch Überprüfung dieser Reflexionen Husserls der egologischen Phänomenologie einen Weg der Forschung zu bereiten, der von der früheren non-egologisch-phänomenologischen Forschung abweicht. Die uns bisher zur Verfügung stehenden Quellen lassen sich im Allgemeinen wie folgt zusammenfassen: Die Eigenheit der gesamten Inhalte der egologischen Phänomenologie ist das personale Ich; die Eigenheit ihrer gesamten Methoden ist die Erklärung der Motive (hermeneutische Phänomenologie); sie hat als konkretes Forschungsziel die Erklärung der Genesis der intentionalen Leistung, und die Erklärung der Motivation (einschließlich Aktivität und Passivität) als konkreten Forschungsgegenstand. Dem Inhalt nach kann sie Phänomenologie der Person genannt werden, der Methode nach Phänomenologie der Erklärung, der Eigenheit nach Phänomenologie der Genesis.

In diesem Bereich können all diese Begriffe unter den Titeln „längsintentionale Analyse" bzw. „Phänomenologie der Längsintentionalität" zusammengenommen werden. Husserls Überlegungen zur statischen und genetischen Phänomenologie um 1920 konzentrieren sich häufig auf ihre Unterschiede wie etwa statisch und genetisch, individuell und allgemein, empirisch und wesensmäßig, stehend und strömend, gestalthaft und geschichtlich, usw. Hier soll jedoch auch eine Gemeinsamkeit zwischen beiden hervorgehoben werden: Sowohl die statische als auch die genetische Phänomenologie haben die konstitutiven Leistungen des Bewusstseins zum Thema, die querintentionalen einerseits, die längsintentionalen andererseits.

So wie im querintentionalen Bewusstsein die Apperzeption bzw. Appräsentation eine entscheidende Funktion ausübt, so ist es auch der Fall im längsintentionalen Bewusstsein. Die Ergebnisse der querintentionalen Bewusstseinsleistung sind einerseits die Konstitution des Gegenstandspols sowie der Umwelt, andererseits im reflexiven Blick die Konstitution des Ichpols als reines Ich. Im Unterschied dazu entsteht in der längsintentionalen Konstitution das personale

[1] Hua VI, S. 226f. – Diese Unterscheidung stimmt mit der Differenzierung der „beschreibenden" von den „erklärenden" Wissenschaften, die Heidegger zur gleichen Zeit vornimmt, überein. Aber Heidegger und Husserl stehen einander in der Interpretation der Fundamentstellung der beiden Wissenschaften gerade gegenüber: „Jede Wissenschaft, auch die so genannte ‚beschreibende', ist *erklärend*: das Unbekannte des Gebietes wird in verschiedenen Weisen und Reichweiten der Rückführung auf ein Bekanntes und Verständliches zurückgebracht. Die Bereitstellung der Erklärungsbedingungen ist die Untersuchung." (M. Heidegger, *Beiträge zur Philosophie (Vom Ereignis)*, GA 65, Frankfurt a. M. 1989, S. 146)

Ich, welches nicht mehr ein „Punkt" ist, sondern eine „Linie" vom „Ur-Ich" zum „Vor-Ich"[1] oder ungegenständlichen Ich und dann weiter zum gegenständlichen Ich. Bei dieser Konstitution des genetischen und geschichtlichen Ich ist das im Bewusstseinsstrom in der Weise der Anschauung gegenwärtige Ich eigentlich selbstgegeben, aber auch das vergangene und das künftige Ich sind in der Weise der Appräsentation mitgegeben oder, mit Husserls Worten, mitgegenwärtig bzw. mitvergegenwärtigt. Für die Ich-Wahrnehmung also ist ihr präsentierter Teil das gegenwärtige Ich, ihr appräsentierter Teil das vergangene und das künftige Ich. Wie auch die Fremdwahrnehmung stellt die Ich-Wahrnehmung eine Art von „appräsentative[r] ‚Wahrnehmung'"[2] dar.

Hier können wir mittels einer Charakteristik der äußeren Wahrnehmung durch Husserl die Grundzüge der Wahrnehmung des personalen Ich beschreiben:

> Die *längsintentionale Ich-Wahrnehmung* ist eine beständige Prätention, etwas zu leisten, was sie ihrem eigenen Wesen nach zu leisten außerstande ist. Also gewissermaßen ein Widerspruch gehört zu ihrem Wesen. [...] Worauf wir zunächst achten, ist, daß der Aspekt, die perspektivische Abschattung, in der *jedes personale Ich* unweigerlich erscheint, es immer nur *punktuell* zur Erscheinung bringt. Wir mögen *ein personales Ich* noch so vollkommen wahrnehmen, es fällt nie in der *Allzeitigkeit* der ihm zukommenden und es *lebendig und genetisch* ausmachenden Eigenheiten in die Wahrnehmung. Die Rede von diesen und jenen Punkten des Gegenstandes, die zu wirklicher Wahrnehmung kommen, ist unvermeidlich. Jeder Aspekt, jede noch so weit fortgeführte Kontinuität von einzelnen Abschattungen gibt nur Punkte, und das ist, wie wir uns überzeugen, kein bloßes Faktum: Eine *Ich-Wahrnehmung* ist undenkbar, die ihr Wahrgenommenes in ihrem genetischen Gehalt erschöpfte, ein Wahrnehmungsgegenstand *als personales Ich* ist undenkbar, der in einer abgeschlossenen Wahrnehmung im strengsten Sinn allzeitig, nach der Allheit seiner genetisch anschaulichen Merkmale gegeben sein könnte. So gehört zum Urwesen der Korrelation *Ich-Wahrnehmung* und *Ich als ‚Gegenstand'* diese fundamentale Scheidung von eigentlich Wahrgenommenem und eigentlich Nichtwahrgenommenem.[3]

[1] Unter „Vor-Ich" wird bei Husserl „das ‚Zentrum' der noch blinden Instinkte" verstanden (S. Taguchi, *Das Problem des „Ur-Ich" bei Edmund Husserl: Die Frage nach der selbstverständlichen ‚Nähe' des Selbst*, Phaenomenologica 178, Dordrecht u. a. 2006, S. 118), das – so Husserl – „schon Zentrum ist, aber noch nicht ‚Person', geschweige denn Person im gewöhnlichen Sinne der menschlichen Person". (Hua Mat VIII, 352) – Wir betrachten hier das Vor-Ich als eine Zwischenstufe zwischen dem Ur-Ich und dem Ich in einer egologischen Genetik. Darauf werde ich unten bei der Erläuterung zur Phänomenologie des Vor-Ich noch zurückkommen.

[2] Hua XIII, S. 378. – Zu Näherem vgl. L. Ni, *Selbstbewusstsein und Reflexion – Die Grundprobleme der abendländischen Philosophie seit der Neuzeit*, Beijing 2002, 2006², die 20. Vorlesung „Husserl (1): Bewusstseinsstruktur mit der Appräsentation und die Zweifelhaftigkeit des Ich", S. 368-386, insbesondere § 3 „Appräsentation in der Selbstwahrnehmung".

[3] Dies ist eine Umschreibung der Charakteristik der äußeren Wahrnehmung, welche Husserl am Anfang seiner Vorlesung „Analyse zur passiven Synthesis" (1920/21) gegeben

Die Transzendenz, die das Bewusstsein bei der Konstitution des äußeren Gegenstandes vollzieht, bzw. die Fähigkeit der Transzendenz des Bewusstseins bezeichnet Husserl als „im reellen Sinne transzendent". (Hua II, 9, vgl. Hua XI, 17) Sie kann den einseitig gegebenen, durch „Abschattungen" zur Erscheinung kommenden Teil des Gegenstandes als den ganzen Gegenstand, den Gegenstand überhaupt auffassen. Diese Fähigkeit lässt sich ebenfalls in der längsintentionalen Wahrnehmung des personalen Ich entdecken. Deshalb kann Husserl behaupten: „Fundamental für die Theorie des Bewusstseins ist die universale Durcherforschung der Verhältnisse des über sich hinausmeinenden Bewusstseins (über sein Selbst hinaus), das hier Apperzeption heißt, zur Assoziation." (Hua XI, 337, Anm. 1)

In diesem Sinne soll die genetische Phänomenologie eine Art von Erforschung der Apperzeptionsgeschichte des Bewusstseins sein; sie ist nicht unbedingt eine empirische, naturalisierte Erforschung, sondern kann durchaus Wesenserforschung der Genesis sein: „Diese ‚Geschichte' des Bewusstseins (die Geschichte aller möglichen Apperzeptionen) betrifft nicht die Aufweisung faktischer Genesis für faktische Apperzeptionen oder faktische Typen in einem faktischen Bewusstseinsstrom oder auch in dem aller faktischen Menschen – nichts Ähnliches also wie die Entwicklung der Pflanzen- und Tierspezies –, vielmehr jede Gestalt von Apperzeptionen ist eine Wesensgestalt und hat ihre Genesis nach Wesensgesetzen, und somit liegt in der Idee solcher Apperzeption beschlossen, daß sie einer ‚genetischen Analyse' zu unterziehen ist." (Hua XI, 339)

An verschiedenen Stellen weist Husserl immer wieder darauf hin, dass die Genesis ihre Wesensgesetzmäßigkeiten hat, und dass die Forschung der genetischen Phänomenologie Wesensforschung ist. Die hier zitierte Darstellung Husserls ist ein Beleg dafür. Unten werden wir in der Schlussfolgerung in § 7 noch einen anderen Beleg dafür liefern. Ich selber neige dazu, die Methode der Wesensforschung der genetischen Phänomenologie als eine längsgerichtete Wesensschau zu betrachten. Denn Husserl spricht in seinem Aufsatz „Philosophie als strenge Wissenschaft" von dem „Einleben durch innerliche Intuition in die Einheit des Geisteslebens", dem „Nachfühlen der in ihm waltenden Motivationen" oder „innerste[n] Nachleben", oder dem „im immanenten Schauen dem

hat. Sämtliche Hervorhebungen stammen von mir und bedeuten zugleich Änderungen bzw. Umschreibungen. – Es ist hier einzusehen, dass die phänomenologische Beschreibung der äußeren Wahrnehmung *mutatis mutandis* für die Ich-Wahrnehmung gelten kann. – Anzumerken ist weiter, dass das Wort „Abschattung" zwar eher auf die Charakteristik der Wahrnehmung der Raumgegenstände angewendet wird, Husserl jedoch in einem erweiterten Sinne die zeitliche „Retention" oder „Protention" innerhalb der Analyse des Zeitbewusstseins als Abschattung bezeichnet. (Vgl. Hua X, S. 29, 47) Aus diesem Grund wird der Begriff in der Charakteristik der längsintentionalen Ich-Wahrnehmung beibehalten.

Fluss der Phänomene [N]achschauen" usw. (Vgl. Hua XXV, [323], [313]), womit nichts anders gemeint ist als längsgerichtete Wesensschau.[1]

Wenn dies der Fall ist, kann man bereits jetzt sagen, dass Husserl die Fragen nach den Forschungsgegenständen und -methoden der genetischen Phänomenologie theoretisch im Wesentlichen beantwortet hat. Und die genetische Erforschung der Ich-Apperzeptionen gehört zu den wichtigen Bestandteilen der genetischen Phänomenologie. Ich habe oben die genetische Phänomenologie in diesem Sinne als die hermeneutische Phänomenologie Husserls bezeichnet und stimme D. Zahavi[2] und somit auch S. S. Crowell[3] in dem Punkt zu, dass zwischen Husserl und Heidegger kein eigentlicher Gegensatz zwischen einer reflexiven und einer hermeneutischen Phänomenologie besteht. Beide sind in dem reflexiven Blick durchgeführt. Die fundamentale Differenz zwischen beiden, wenn eine solche überhaupt besteht, liegt vielmehr darin, ob der reflexive Blick hauptsächlich quergerichtet ist oder längsgerichtet.

VI. Drei Möglichkeiten zur längsintentionalen Erforschung des Ichlebens

In der langjährigen phänomenologischen Forschung Husserls werden dem Begriff Ich zahlreiche Bedeutungen verliehen. In unterschiedlichen Phasen und unterschiedlichen Kontexten wird der Begriff geistig unterschiedlich verstanden und sprachlich unterschiedlich verwendet. Lediglich in Hinsicht auf seine Ausführungen in den *Cartesianischen Meditationen* spricht er neben dem von seinen Erlebnissen unabtrennbaren transzendentalen *ego* noch vom Ich als identischem Pol der Erlebnisse und dem Ich als Substrat von Habitualitäten (vgl. Hua I, §§ 30ff.), weiter vom personalen Ich, dem konkreten Ich, der Monade usw. Diese Unterscheidung kann in der Tat bis in die erste Auflage der *Logischen Untersuchungen* zurückverfolgt werden, wo Husserl das Ich bereits in drei Grundarten einteilt: „Wollen wir genauer sein, so hätten wir zwischen dem phänomenologischen Ich des Augenblicks, dem phänomenologischen Ich in der ausgedehnten Zeit und dem Ich als verharrendem Gegenstand, als dem Bleibenden im Wechsel, zu unterscheiden." (*LU* II/1, A 332) Hier können wir sie einfach als 1. augenblickliches Ich, 2. zeitliches Ich und 3. geschichtliches Ich (verharrender Gegenstand, Bleibendes im Wechsel) bezeichnen. An verschiedenen Stellen finden sich noch weitere Ausführungen, wie z. B. die von D. Lohmar erwähnten drei Kontexte des Ur-Ich,[4] die von Zahavi erwähnten drei Bedeutungen des Ich[1]

---

[1] Vgl. dazu auch den 5. Text des vorliegenden Bandes: „Horizontal-intention: Time, Genesis, History – Husserl's understanding of their immanent relationship".

[2] D. Zahavi, *Subjectivity and Selfhood – Investigating the First-Person Perspective*, Cambridge, MA 2006 [chinesische Übersetzung von W. Cai, Shanghai 2008], Kap. 4, § 6.

[3] S. S. Crowell, *Husserl, Heidegger, and the Space of Meaning – Paths toward Transcendental Phenomenology*, Evanston, Ill., 2001, S. 137.

[4] D. Lohmar, „A History of the ego – The ‚Arch-ego' in Husserl's late manuscripts on time and the *Crisis*", a.a.O., S. 124ff.

oder das von S. Taguchi erwähnte dreifache Ich: Ich, Vor-Ich und Ur-Ich,[2] usw. Für meinen Teil werde ich jedoch hier alle von Husserl diskutierten Ich-Probleme in zwei Klassen aufteilen: in das im quergerichteten phänomenologischen Blick erscheinende Ich und das im längsgerichteten phänomenologischen Blick erscheinende Ich. Betrachten wir die Ich-Akte als Thema sämtlicher Geisteswissenschaften, stimmen diese beiden Arten von Ich mit den zwei Arten von Geisteswissenschaften, die Husserl unterscheidet, überein: die eine ist „morphologisch generalisierende" und die andere „in der Weise der Historie individualisierende" Untersuchung.[3] Diese entsprechen den beiden oben dargestellten Untersuchungen des Ich, der strukturellen und der genetischen.[4]

Eben diese beiden Untersuchungen des Ich stellen das dar, was ich im Titel meines Beitrages als die zwei Wege zum Denken des Ich bezeichne. Genauer gesagt, ist der eine die Weise zum Denken des Ich, der andere die Weise zum Denken des *ego*. In seinem Spätwerk *Cartesianische Meditationen* hat Husserl die beiden Wege bereits erläutert. In § 30 diskutiert er zunächst das transzendentale Ich und betrachtet es als unabtrennbar von seinen Erlebnissen; in dem anschließenden § 31 führt er vor allem das Ich als identischen Pol der Erlebnisse ein, welches als aktiver und passiver Bewusstseinstätiger bezogen auf alle Gegenstände nicht verändert wird und stets dasselbe bleibt. Dieses Ich ist sowohl transzendentales als auch reines Ich. Es stellt das Ich dar, welches wir Ich im reflexiven und quergerichteten Blick nennen.

Bisher bleibt dieses reine Ich als Pol inhaltslos und leer. Aber es kann Inhalte haben, sofern wir es nicht mehr in dem quergerichteten Blick erfassen, sondern unseren Blick in die längsintentionale Richtung wenden. So fordert Husserl in dem folgenden § 32 Aufmerksamkeit dafür, „daß dieses zentrierende Ich nicht ein leerer Identitätspol ist (so wenig irgendein Gegenstand das ist), sondern vermöge einer Gesetzmäßigkeit der *transzendentalen Genesis* mit jedem der von ihm ausstrahlenden Akte eines neuen gegenständlichen Sinnes eine neue bleibende Eigenheit gewinnt. Entscheide ich mich z. B. erstmalig in einem Urteilsakte für ein Sein und So-sein, so vergeht dieser flüchtige Akt aber nun-

---

[1] D. Zahavi, *Self-Awareness and Alterity: Phenomenological Investigation*, Evanston, Ill. 1999, S. 10ff.

[2] S. Taguchi, *Das Problem des „Ur-Ich" bei Edmund Husserl: Die Frage nach der selbstverständlichen ‚Nähe' des Selbst*, a.a.O., S. 116ff., und N. Lee, *Edmund Husserls Phänomenologie der Instinkte*, Phaenomenologica 128, Dordrecht u. a. 1993, S. 214f.

[3] Hua XXV, S. 323. – Der „Geist", von dem Husserl hier spricht, bedeutet eine Bewusstseinsgestalt neben der Natur, d. h. konkreter: das Vernunftbewusstsein.

[4] Im Anhang versuche ich zu erläutern, dass diese Entzweiung der Untersuchungen bezüglich des Ich sowie weitere diesbezügliche Unterscheidungen gut mit den yogācāra-buddhistischen Forschungsrichtungen und -ergebnissen konvergieren. Mit anderen Worten, ich treffe die Unterscheidung der Husserlschen Ich-Untersuchungen in der Tat mit Hilfe der entsprechenden Forschungsrichtungen und -ergebnisse des Yogācāra-Buddhismus. Sie können uns in gewissem Umfang dabei helfen, einige vermeidbare Verwicklungen und Konfusionen in der phänomenologischen Ich-Forschung loszuwerden.

mehr bin ich und bleibend das so und so entschiedene Ich, ich bin der betreffenden Überzeugung." (Hua I, 100)

Hier sind die drei phänomenologischen Forschungsrichtungen einig geworden: die genetisch-phänomenologische Erforschung des Ich, die von Husserl in den *Analysen zur passiven Synthesis* aufgestellte phänomenologische Erforschung der „‚Geschichte' des Bewusstseins (der Geschichte aller möglichen Apperzeptionen)" (Hua XI, 339) und die von Husserl in *Krisis der europäischen Wissenschaften und die transzendentale Phänomenologie* erwähnte phänomenologische Erforschung der „Geschichte" als „lebendige[r] Bewegung des Miteinander und Ineinander von ursprünglicher Sinnbildung und Sinnsedimentierung" (Hua VI, 380).

Hierbei geht Husserl bereits vom reinen Ich zum genetischen oder personalen Ich über. Anders als das erstere hat das letztere seine Inhalte und kann sich verändern. Aber Husserl betrachtet es dennoch als dasselbe, womit er Recht hat, weil es dasselbe ist; es kommt uns nur in verschiedenen Blickrichtungen zur Erscheinung und sieht somit unterschiedlich aus.

Aber dieses Anderssein ist entscheidend. Es bedeutet, dass das Ichleben dem längsgerichteten Blick seine zahlreichen Gehalte darbietet. Eben deshalb gibt es unter den vielen Titeln der Phänomenologie, wie etwa genetische Phänomenologie, Phänomenologie der Person, der Habitualitäten, der Entwicklung, der Geschichte, der Assoziation, der Motivation, der Instinkte usw., keinen einzigen, der allein die entsprechenden Gesamtanstrengungen des späten Husserl kennzeichnen kann. Vielleicht wäre die Phänomenologie der Längsintentionalität ein möglicher Titel, der all diese Erwägungen zu umfassen vermag. Wir können hier folgende Möglichkeiten der egologisch-genetischen Phänomenologie unterscheiden, die sämtlich in der von Husserl erwähnten „universellen Theorie der Genesis" (Hua XI, 340) enthalten sind. Die Unterscheidung stützt sich auf Husserls Überlegungen in den verschiedenen Phasen seines Denkens, ist aber keine bloße Wiederholung, sondern vielmehr Interpretation derselben:

1) Genetische Phänomenologie des Ur-Ich, die mit der buddhistischen Terminologie auch Phänomenologie des *pratītyā-samutpāda* bzw. *phenomenology of dependent origination* genannt werden kann.[1] – Diese Phänomenologie hat das „Ur-Ich" oder „Urleben" oder „Urphänomen" oder die „Urwelt" zum Forschungsthema. Das „Ur-Ich" in diesem Sinne stellt ebenfalls einen Pol dar: den Ur-Pol aller einheitlichen Zeitigung. Es bedeutet die Urstufe bzw. den Urboden

[1] Eine komparatistische Studie über Husserls Phänomenologie und den Yogācāra-Buddhismus im Hinblick auf die Bewusstseinsanalyse findet sich im Anhang; hier ist nicht der richtige Ort, um auf dieses Thema einzugehen. – Ebenso wenig können wir auf ein anderes Thema eingehen, das hier wenigstens anzumerken ist, dass nämlich N. Lee dieses „Ur-Ich" als „den letzten Geltungsursprung" und das weiter unten noch zu erwähnende „Vor-Ich" bei Husserl als „den letzten Genesisursprung" definiert (vgl. N. Lee, *Edmund Husserls Phänomenologie der Instinkte*, a.a.O., S. 214).

der zeitlichen Einheiten, auf welchem alle anderen Stufen gründen müssen.[1] Da es sich dabei um das Phänomen der Genesis handelt, kann seine Erforschung auch „Phänomenologie der Uranlage“ genannt werden.

Dieses Ur-Ich ist aber fast rein formal; wir wollen es daher „Ur-Hyle“, „Ur-streben“ oder „Ur-Kinästhese“ nennen. Mit ihm hängen die so genannten „‚Erbmasse‘ ohne Erinnerung und doch eine Art ‚Erfüllung‘ von Weckungen etc.“ zusammen, welche Husserl in seinem Manuskripten ab und zu erwähnt (Ms. K III 4a, 123).

Wenn die „Uranlage des Ich“ in diesem Sinne als eine Art Intentionalität zu betrachten ist, wie Husserl es in seinen unveröffentlichten Manuskripten ab und zu tut, dann bedeutet diese Intentionalität nicht mehr Intentionalität im Sinne von „jedes Bewusstsein ist Bewusstsein von etwas“, sondern ein gewisses Streben und Sichrichten des Bewusstseins sowie reinen Trieb bzw. Instinkt in diesem Sinne. Sie enthält nichts Inhaltliches in sich und kann durchaus als reines Streben des transzendentalen Ich bezeichnet werden. Auf diese Weise können wir auch sagen, alles Bewusstseinsleben sei transzendentales Streben.

Die genetische Phänomenologie auf dieser Stufe wird in den von Husserl veröffentlichten Schriften kaum diskutiert, bildet jedoch in seinen Forschungsmanuskripten, z. B. in den C-Manuskripten, ein wichtiges Forschungsthema.[2] Überdies kann der Begriff „das letzte Bewusstsein“ (Hua X, 382), den Husserl um 1910 verwendet, als ein anderer Ausdruck für das „Ur-Ich“ betrachtet werden.[3]

Das Entscheidende ist hier die Frage, auf welche Weise dieser Boden im phänomenologischen Forschungsfeld in den phänomenologischen Blick kommt. L. Langrebe spricht von einem „Wissen vor dem entwickelten Ichbewusstsein“[4].

---

[1] Vgl. Hua Mat VIII, S. 1ff.; zur systematischen Erforschung des Themas vgl. S. Taguchi, *Das Problem des „Ur-Ich“ bei Edmund Husserl: Die Frage nach der selbstverständlichen ‚Nähe‘ des Selbst*, a.a.O.

[2] In seinem Buch *Husserl and the Cartesian Meditations* hat A. D. Smith auf der Grundlage von Husserls Manuskripten insbesondere die genetische Phänomenologie auf dieser Stufe ausgeführt. Vgl. A. D. Smith, *Husserl and the Cartesian Meditations*, Routledge 2003 [chinesische Übersetzung von Y. Zhao, Guilin 2007], Kap. 3, § 2: „The static and genetic phenomenology“, S. 133-145.

[3] Dieses Thema erinnert an manche Gedanken von S. Freud: dem Inhalt nach an sein „Es“, der Methode nach an seinen Begriff „Metapsychologie“. Diesen Begriff verwendet Freud erstmalig in einem Brief an W. Fliess. Metapsychologie bezeichnet demnach eine Psychologie, die „hinter das Bewusstsein führt“, und Annahmen zum Forschungsthema hat, welche die Grundlagen der theoretischen Systeme der Psychoanalyse bilden. Zu diesen Grundannahmen gehören folgende Postulate: Alle seelischen Prozesse unterliegen a) dynamischen Beziehungen (damit sind Triebkräfte gemeint), b) strukturellen Bedingungen (d. h. Funktionen der seelischen Strukturen Ich, Es und Über-Ich). (Vgl. S. Freud, *Aus den Anfängen der Psychoanalyse: Briefe an Wilhelm Fliess, Abhandlungen und Notizen aus den Jahren 1887-1902*, London 1950, S. 168, und J. Ritter/ K. Gründer (Hrsg.), *Historisches Wörterbuch der Philosophie*, Bd. 5, Basel/Stuttgart 1980, S. 1299)

[4] L. Landgrebe, „Das Problem der passiven Synthesis“, in: ders., *Faktizität und Individuation: Studien zu den Grundfragen der Phänomenologie*, Hamburg 1982, S. 83.

Husserl hingegen wird ihn nicht als „Wissen" bezeichnen, sondern eher als ein „Innewerden", also Selbstbewusstsein des reinen Urstrebens. Im Kontrast zu Husserls Stillschweigen in seinen Veröffentlichungen bildet das Selbstbewusstsein in diesem Sinne, als Ur-Selbstbewusstsein, das meistdiskutierte Thema in der systematischen Bewusstseinsanalyse des Yogācāra-Buddhismus. – Diese Problematik wird im Anhang eingehend erörtert.

2) Die genetische Phänomenologie des Vor-Ich, also des ungegenständlichen Ichbewusstseins. – Diese Art von genetischer Phänomenologie hat als Forschungsthemen das Bewusstsein des Vor-Ich, also des ungegenständlichen Ich, sowie natürlich die Entwicklung des Bewusstseinslebens vom ungegenständlichen zum gegenständlichen Ich. Das hier genannte ungegenständliche Ichbewusstsein oder Bewusstsein des Vor-Ich kennzeichnet ein andersartiges Selbstinnewerden vor dem entwickelten Ichbewusstsein, vor jedem gegenständlichen Bewusstsein – sei es das geradeaus gerichtete oder das reflexive. Worin besteht der Unterschied zwischen diesem Selbstinnewerden des Vor-Ich und dem Selbstinnewerden des Ur-Ich? Dies ist eine Frage, die bei Yogācāra-Buddhisten bis heute diskutiert wird. Prinzipiell kann man sagen, dass das Selbstinnewerden des Ur-Ich noch rein formal ist, während im Selbstinnewerden des Vor-Ich bereits manches Sachliche enthalten ist. Husserl selber hat wie oben dargestellt dem „Vor-Ich" die Erläuterung gegeben, dass es „schon Zentrum ist, aber noch nicht ‚Person', geschweige denn Person im gewöhnlichen Sinne der menschlichen Person" (Hua Mat VIII, 352). Taguchi definiert es als „die Vorstufe des entwickelten Ich, die der Genesis der höherstufigen Selbstkonstitution vorausgeht, die es ermöglicht, mich letztlich als ‚Person' aufzufassen."[1] Anders als das „Ur-Ich" ist das „Vor-Ich" demnach nicht reines Streben, sondern besitzt reichlich sachliche Inhalte. Meiner Ansicht nach könnten der „Sprachsinn" W. von Humboldts (bzw. der „language instinct" von N. Chomsky) oder die „vier Moralsinne" (Sympathie, Scham, Hochachtung, sittliche Einsicht) von Mengzi u. dgl. zu den Forschungsthemen der genetischen Phänomenologie des Ich auf dieser Stufe gehören.[2]

Konkreter gesagt, hat die genetische Phänomenologie in diesem Sinne, also die Phänomenologie des Vor-Ich, das Ich zu erforschen, das Husserl als Substrat der Vermögen, der Dispositionen, der Anlagen aufstellt. Sie ist *phenomenology of human nature* im prägnanten Sinn, und nicht *phenomenology of human nurture*. Mit Husserl können wir sie sogar „Phänomenologie des Eingeborenen, des Angeborenes"[3] nennen.

---

[1] S. Taguchi, *Das Problem des „Ur-Ich" bei Edmund Husserl: Die Frage nach der selbstverständlichen ‚Nähe' des Selbst*, a.a.O., S. 18.

[2] Das Vor-Ich in diesem Sinne steht dem Freudschen Ich recht nahe. Das dritte Forschungsthema der genetischen Phänomenologie des Ich, von dem unten noch die Rede sein wird, entspräche dann dem „Über-Ich" im Freudschen Sinne.

[3] „Eingeboren" oder „angeboren" in Sinne Husserls: „Möglichkeit der Erkenntnis und Norm der Wahrheit ist in der immanenten Sphäre dem Bewusstsein sozusagen eingeboren, nicht als Faktum, sondern als Wesensnotwendigkeit." (Hua XI, 477) – Ansonsten

In unmittelbarem Zusammenhang mit diesem „Vor-Ich" spricht Husserl auch vom „Ich der Habitualitäten" oder Ich als „Substrat der Habitualitäten". Die Ichforschung in diesem Sinne bezieht sich bereits auf die dritte Art von genetischer Phänomenologie des Ich, sie enthält in sich die Phänomenologie der Habitualitäten.

3) Die genetische Phänomenologie des *ego*, die wir auch die geschichtliche Phänomenologie des *ego* nennen können. – Das *ego* in diesem Sinne ist es, was den grundlegenden Inhalt der phänomenologischen Ichforschung ausmacht. Sie hat vor allem die objektivierenden (vorstellenden und urteilenden) Akte zu erforschen, aber auch die nichtobjektivierenden (fühlenden und wollenden).

Die nichtobjektivierenden Akte hier sind zwar nicht objektivierend, konstituieren also keine Objekte, aber sie richten sich doch auf Objekte und haben in diesem Sinne Objekte. Dadurch unterscheiden sie sich von den oben dargestellten beiden Arten der nichtobjektivierenden, ja ungegenständlichen Akte in der Phänomenologie des Ur-Ich und des Vor-Ich.

So beziehen sich die Forschungsgegenstände dieser genetischen Phänomenologie einerseits auf alle Bewusstseinserlebnisse in gerader Richtung, also sowohl auf diejenigen, welche Objekte konstituieren, wie Vorstellungen, als auch auf diejenigen, welche sich auf Objekte richten, wie Gefühle, andererseits auch auf alle Bewusstseinserlebnisse in reflexiver Richtung, die das *ego-cogito-cogitatum* zum Gegenstand machen.

Die letzte Art von Bewusstseinserlebnissen gehört zu den quergerichteten Reflexionen auf das Bewusstseinsleben. Nachdem wir die Analyse oben durchgeführt haben, können wir sagen, dass das, was die phänomenologischen Reflexionen erfassen, das Bewusstseinsleben ist, das *cogito* mit dem darin enthaltenen *ego*, nicht aber das Ich, denn im quergerichteten Blick stellt das Ich nur einen leeren Pol dar.

Aber in dieser genetischen Phänomenologie des *ego* soll der reflexive Blick nicht lediglich quergerichtet, sondern er kann wie die Blickrichtungen der beiden vorgenannten genetischen Phänomenologien auch längsgerichtet sein. Der Unterschied zwischen der genetischen Phänomenologie des *ego* und den beiden zuvor genannten genetischen Phänomenologien besteht darin, dass die Erstere sich vor allem mit den gegenständlichen Akten (Vorstellungen und Gefühlen) beschäftigt. Während die letztgenannten beiden das vor-objektivierende Bewusstsein zum Thema haben, richtet sich die Erstgenannte auf das objektivierende und das nichtobjektivierende Bewusstsein, mit anderen Worten, auf das nach-objektivierende Bewusstsein.[1]

---

verwendet Husserl das Wort „eingeboren" oder „angeboren" sehr vorsichtig und streicht seine Eintragung häufig wieder. (Vgl. z. B. Hua XXV, S. 289, 389)

[1] Mit „vor" und „nach" ist hier die Reihenfolge der Genesis und der Fundierung gemeint. Näheres zum Problem der Reihenfolge von Genesis und Fundierung von objektivierenden und nichtobjektivierenden Akten findet sich bei L. Ni, „Zum Problem des Fundierungsverhältnisses zwischen objektivierenden und nichtobjektivierenden Bewusst-

Diese genetische Phänomenologie wird am besten durch die von Husserl aufgestellte Phänomenologie der Motivationen dargestellt. Was er in seiner Früh- wie Spätzeit als „Aktregung und Aktvollzug“, als „Wahrnehmung und Wahrnehmungstendenz“, als „Ichzuwendung“, als „Ichtendenz als Interesse“ usw. angedeutet hat, bezieht sich auf diese genetische Phänomenologie des *ego*. (Vgl. z. B. Hua III/1, § 115; *EU*, § 17)

Da das *ego* sich hier auf der Stufe des intentionalen Erlebnisses (der objektivierenden Akte) befindet, ist das *ego* etwas, was Sinnbildung und Sinnsedimentierung zugleich vollzieht. In diesem Sinne kann diese Form der genetischen Phänomenologie auch als eine geschichtliche Phänomenologie des *ego* bezeichnet werden.[1]

VII. Schlussbemerkung: Von der genetischen Phänomenologie des Ich zur universalen Vernunftteleologie

Die oben dargestellten drei Arten von genetischer Phänomenologie des Ich sollen sämtlich Phänomenologien sein, die die Genesis bzw. die Geschichte des Ich zum Forschungsthema haben, und die mit der Methode der Wesensschau – einschließlich der erwähnten längsgerichteten Wesensschau – operieren. Sie unterscheiden sich vor allem in ihren Forschungsgegenständen: Sie sind Erforschungen des Ich auf verschiedenen Stufen. Da der Forschungsgegenstand der Phänomenologie das Bewusstsein ist, und zwar das reine Bewusstsein, wird das Fließen und Sichwandeln zu ihrem Hauptthema. Ihre Untersuchung des Bewusstseins jedoch darf sich nicht mit einer einfachen Aufzeichnung des Fließens und Sichwandelns decken, sondern muss dazu führen, durch die phänomenologische reflexive Wesensschau Gesetzmäßigkeiten im Bewusstsein zu entdecken. In diesem Sinne betont Husserl: „In der Phänomenologie wird nicht eine Welt toter (Sachen), sondern das fungierende Bewusstseinsleben in idealer Allgemeinheit zum Thema gemacht.“ (Hua XXV, 198) Er bezeichnet dieses Ich bzw. Ichleben als „die absolute Subjektivität in ihrer Historizität“. In einem Brief an G. Misch vom 16. November 1930 kann Husserl schon voller Zuversicht behaupten: „[M]it der ‚tr‹anszendentalen› Reduktion’ war meiner Überzeugung nach die letztlich wirkliche und concrete Subjektivität in der ganzen Fülle ihres Seins u. Lebens gewonnen, in ihr das universale leistende u. nicht bloß theoretisch leistende Leben: die abs‹olute› Subj‹ektivität› in ihrer Historizität. Subjektivität – Wissensch‹aft›, Welt, Kultur, ethisch-relig‹iöses› Streben etc. – alles – in einem neuen Noem‹atischen› und Sinn.“ (Hua Dok III, VI, 282)

---

seinsakten – in Betrachtungsweisen des Yogācāra-Buddhismus und der Phänomenologie“, in: *Philosophische Forschungen*, 2008, Nr. 11, S. 80-87.

[1] Der Begriff „Geschichte“ stützt sich hier auf das oben bereits zitierte „Geschichts“-Verständnis Husserls. (Vgl. Hua VI, S. 380)

Ebenso wie die Konstitution der Welt im Bewusstsein ist die Genesis des Ich eine Frage der gesetzmäßigen Bewusstseinskonstitution. Die Erstere ist eine quergerichtete Konstitution, eine Querschnittskonstitution, die Letztere eine längsgerichtete Konstitution, welche die quergerichtete in sich einschließt, also eine Konstitution im Ganzen. Die Untersuchungen der beiden Konstitutionen machen die doppelte Aufgabe der konstitutiven Phänomenologie aus. Dafür hat Husserl in *CM* eine programmatische Erläuterung gegeben: „Das Für-sich-selbst-seiende ego ist Sein in beständiger Selbstkonstitution, die ihrerseits das Fundament ist für alle Konstitution von so genannten Transzendenten, von weltlichen Gegenständlichkeiten, so ist es das Fundament der konstitutiven Phänomenologie, in der Lehre von der Konstitution der *immanenten* Zeitlichkeit und der ihr eingeordneten *immanenten* Erlebnisse eine egologische Theorie zu schaffen, durch die schrittweise verständlich wird, *wie das Für-sich-selbst-sein des ego konkret möglich und verständlich ist.*“[1]

Unter der „egologischen Theorie“, von der Hussserl hier spricht, verstehe ich die drei Arten von genetischer Phänomenologie, welche die dreifache diachronische Forschung des Ich bilden: die zeitliche, die genetische und die geschichtliche. Da das Ich die Welt nicht nur in der Querrichtung konstituiert, sondern sich während seiner Weltkonstitution auch sedimentiert und dadurch selbst konstituert und seine Zukunft bildet, wird es in diesem Sinne betrachtet als der „Pol einer Einheit des durch das ganze strömende Bewusstsein hindurchgehenden Strebens“, das in seinen mannigfachen Modalitäten das ganze Leben des Ich ausmacht. (Vgl. Hua XIV, 172)

Was die genetische Phänomenologie des Ich zu untersuchen hat, ist bisher die Monade, die genetische und geschichtliche Monade, also ein Ich, das sich im Längsblick befindet, welcher in sich den Querblick enthält, bzw. ein Ich, das als personales Ich in sich das Ich als Pol enthält, oder ein Ich, das als Sinnsedimentierendes in sich das Ich als Sinnbildendes enthält, ein in sich das synchronische Ich enthaltendes diachronisches Ich.

In der längsgerichteten Blickrichtung können wir verstehen, was Husserl in *Krisis* sagt: „Das Problem der echten historischen Erklärung fällt bei den Wissenschaften mit der ‚erkenntnistheoretischen‘ Begründung oder Aufklärung zusammen.“ (Hua VI, 381) Denn im Grunde genommen ist die Phänomenologie

---

[1] Hua I, S. 25. – Es sei beachtet, dass das von Husserl benutzte Wort *ego* im Grunde genommen gleichbedeutend ist mit seinem Begriff Ich. Aber er differenziert *ego* und Ich ab und zu und in einem spezifischen Sinne voneinander: „Vom Ich als identischem Pol und als Substrat von Habitualitäten unterscheiden wir das in voller Konkretion genommene ego (das wir mit dem Leibnizschen Worte Monade nennen wollen)“ (Hua I, S. 102). Mit dem Ich ist also häufig ein abstrahierter Pol gemeint, während das *ego* stets im konkreten Zusammenhang mit dem Erleben steht, ja das Erleben in sich selbst enthält. In gewissem Maße kann man sogar sagen, dass das Ich ein Produkt der Reflexion ist und erst durch Reflexion entdeckt werden kann, während das *ego* immer nur latent oder patent im Erleben als *cogito* beschlossen ist.

eine Erkenntnistheorie mit dem längsgerichteten Blick und mit dem Thema des geschichtlichen und lebendigen Bewusstseinslebens.

Natürlich begnügt sich Husserl offenbar nicht mit der bloßen Erforschung einer *genetischen Phänomenologie des Ich*. Seine letzte Intention bzw. sein letztes Ziel kommt in seiner Interpretation des Ideals von Fichtes Philosophie deutlich zum Ausdruck: „Die Geschichte des Ich, der absoluten Intelligenz, schreiben ist also, die Geschichte der notwendigen Teleologie schreiben, in der die Welt als phänomenale zur fortschreitenden Schöpfung kommt, zur Schöpfung in dieser Intelligenz. Diese ist also kein Gegenstand der Erfahrung, sondern eine metaphysische Potenz. Weil wir erkennende Menschen aber doch Iche sind, in welchen dieses absolute Ich sich in sich zerspalten hat, können wir, durch schauende Vertiefung in das zum reinen Wesen des Ich, der Subjektivität Gehörige, die notwendige Folge teleologischer Prozesse rekonstruieren, aus denen die ganze Welt und schließlich wir selbst (in einem uns unbewussten Walten der absoluten Intelligenz) gebildet wurden, gebildet in teleologischer Notwendigkeit. So verfahrend sind wir Philosophen, und die einzig echte Aufgabe der Philosophie liegt gerade hier, sie besteht darin: die Welt als teleologisches Produkt des absoluten Ich begreifen und, in der Aufklärung der Schöpfung der Welt im absoluten Ich, deren letzten Sinn herausstellen." (Hua XXV, 276)

Von diesem Gesichtspunkt aus betrachtet, möchte Husserl mit seiner Bewusstseinstheorie – sowohl der Theorie der Querintentionalität als auch der Theorie der Längsintentionalität – schließlich zu dem gelangen, was er als eine „universale Teleologie der Vernunft" (Hua VI, 386) bezeichnet.

7. Die Aporie der phänomenologischen Reflexion

Die unterschiedlichen Stellungnahmen zu dem Problem der Reflexion bei Husserl, Scheler und Heidegger sowie ihre inneren Gründe

Es handelt sich um die Neigung, das in nachträglicher Reflexion Vorfindbare ohne weiteres dem ursprünglichen Tatbestande einzulegen.

E. Husserl (*LU* II/1, A 62/B_1 62)

Wollte man das Gemeinsame der phänomenologischen Methode in den Philosophien Husserls, Schelers und Heideggers zu Thema machen, wäre es ein gängiger Weg, die phänomenologische Wesensschau zu analysieren; denn diese wird im Allgemeinen, auch von den drei Philosophen selbst, als der erste gemeinsame Gehalt der phänomenologischen Methode anerkannt. Dagegen bietet die Aufmerksamkeit auf das Problem der Reflexion einen möglichen Zugang, wenn man in die Verschiedenheit der phänomenologischen Methoden und damit der phänomenologischen Forschungsgebiete bei den drei Philosophen einzudringen versucht.[1]

In der europäisch-philosophischen Tradition, besonders seit Descartes, stellt die Reflexion, d. h. die Reflexivität der Philosophie, eine relevante und viel beachtete Problematik dar. Der Rekurs der äußeren Wahrnehmung auf die innere bei Descartes ebenso wie die Frage nach der Möglichkeit der Wissenschaft bei Kant sind beide Träger der Hoffnung, durch philosophische Reflexion ursprüngliche Gewissheit zu erlangen. Wenn in dieser Tradition auch einige Gegenstimmen zu finden sind, wie etwa die Umkehrung der Rangfolge von *sensation* und *reflection* im späten englischen Empirismus oder die Ablehnung der Reflexion als des einzigen Weges zur Ewigkeit bzw. Wahrheit bei Hegel, so ist doch die zentrale Stellung der Reflexion in der abendländischen Philosophie der Neuzeit nicht zu bezweifeln. Im Grunde genommen wird die Reflexion nach Kant zu einem Grenzstein der Trennlinie zwischen Naturwissenschaft und Philosophie.

[1] In meiner Arbeit *Phänomenologie und ihre Folgen – Husserl und die deutschsprachige Philosophie der Gegenwart* (Beijing 1994) habe ich das Problem der Reflexion in der Phänomenologie Husserls bereits dargestellt, jedoch nicht eigens im weitesten Sinne der Phänomenologie behandelt. Der vorliegende Versuch ist demnach als eine notwendige Ergänzung zum zweiten Teil des genannten Buches zu verstehen.

I.

Im Vergleich zu Scheler und Heidegger steht Husserl dieser Tradition näher. Das zeigt sich auch darin, dass in seiner phänomenologischen Philosophie die Reflexion von Anfang an eine unentbehrliche Voraussetzung bildet. Sowohl in seinen *Logischen Untersuchungen* und *Ideen zu einer reinen Phänomenologie und phänomenologischen Philosophie* I, als auch in seinen späteren *Cartesianischen Meditationen* und *Krisis der europäischen Wissenschaft und die transzendentale Phänomenologie* wird die phänomenologische Deskription und Analyse ausnahmslos in der Reflexion durchgeführt. Es ist kaum übertrieben zu sagen, dass die Reflexion den auffälligsten Charakter der Husserlschen Phänomenologie darstellt. Seine Phänomenologie ist deshalb Phänomenologie und unterschieden von der natürlichen, unphilosophischen Einstellung, weil sie keine Geradehin-Denkrichtung, sondern eine reflexive Denktätigkeit kennzeichnet. Einige Zitate werden für diese den meisten phänomenologischen Forschern selbstverständliche Tatsache ausreichend Belege liefern:

> Die Quelle aller Schwierigkeiten liegt in der widernatürlichen Anschauungs- und Denkrichtung, die in der phänomenologischen Analyse gefordert wird. Anstatt im Vollzug der mannigfaltig aufgebauten Akte aufzugehen und somit die in ihrem Sinn gemeinten Gegenstände sozusagen naiv als seiend zu setzen und zu bestimmen oder hypothetisch anzusetzen, daraufhin Folgen zu setzen u. dgl., sollen wir vielmehr „reflektieren", d. h., diese Akte selbst und ihren immanenten Sinnesgehalt zu Gegenständen machen.[1]

> Die reine Phänomenologie ist die Wissenschaft von dem reinen Bewusstsein. Dies besagt, daß sie ausschließlich aus der reinen Reflexion schöpft.[2]

> Die Intentionalität [...] ist verborgen, solange sie nicht durch eine Reflexion enthüllt und damit selbst zum Thema geworden ist.[3] Usw.

Auch in der späteren Entwicklung seines Denkens, in seiner intensiven Beschäftigung mit „Lebenswelt" und „Intersubjektivität", hat Husserl den Anspruch auf philosophische Reflexivität niemals preisgegeben. Die faktische menschliche Vergemeinschaftung und Lebenswelt sind für Husserl noch immer schlichte, natürliche und von den philosophischen bzw. den transzendental-phänomenologischen Sphären unterschiedene Gebiete.

Die Überzeugung von der phänomenologischen Reflexion hängt bei Husserl offenbar mit seinem Verständnis von Philosophie zusammen: danach ist Philosophie die Intention auf absolute Erkenntnis, auf letzte Gewissheit, die ihre ausschließliche Herkunft in der Selbstbesinnung und Selbsterkenntnis hat. In diesem Sinne definiert Husserl die phänomenologische Philosophie als

---

[1] E. Husserl, *Logische Untersuchungen*, Bd. II/1, A10/B_1 10.
[2] E. Husserl, *Aufsätze und Vorträge* (1911-1921), Dordrecht u. a. 1987, S. 75.
[3] E. Husserl, *Formale und transzendentale Logik*, Den Haag 1974, S. 38.

universalste und konsequenteste Durchführung der Idee der Selbsterkenntnis, die nicht nur die Urquelle aller echten Erkenntnis ist, sondern auch alle echte Erkenntnis in sich befaßt.[1]

Auch in seinem Manuskript schreibt Husserl ausdrücklich:

Unser ganzes Vorgehen ist, eine Selbstbesinnung vollziehen und auf das absolut wahrnehmungsmäßig Gegebene reduzieren ...[2]

Die Reflexion im Sinne Husserls ist natürlich nicht der inneren Wahrnehmung im Sinne Brentanos gleichzusetzen. Brentanos Verständnis von der inneren und äußeren Wahrnehmung bezieht sich unmittelbar auf seine Unterscheidung zwischen dem Psychischen und dem Physischen: die innere Wahrnehmung sei diejenige des psychischen Phänomens (der psychischen Akte und Funktionen) und die äußere diejenige des physischen (der äußerlichen Dinge und objektiven Gegenstände). Wie bei Descartes, hat die innere Wahrnehmung bei Brentano einen Vorrang der Evidenz.[3] In der Beilage über die äußere und innere Wahrnehmung am Schluss der *Logischen Untersuchungen* kritisiert Husserl diese Unterscheidung Brentanos und stellt fest, dass die äußere und innere Wahrnehmung eigentlich den gleichen erkenntnistheoretischen Charakter haben, dass sie Psychologie und Physik, also Philosophie und Naturwissenschaft im Sinne Brentanos, nicht hinreichend voneinander abgrenzen können. Zum Ersatz für die Begriffe „innere“ und „äußere Wahrnehmung“ nimmt Husserl die Begriffe „immanente“ und „transzendente“ Wahrnehmung. Und der Begriff der immanenten Wahrnehmung bei Husserl ist im Grunde genommen ein Synonym für Reflexion im phänomenologischen Sinne.[4]

II.

Diese Auffassung Husserls findet auch ein gewisse Echo bei einem anderen Vertreter der Phänomenologie, bei Max Scheler. Brentanos Lehre von der inneren Wahrnehmung erfährt auch bei ihm Kritik, und zwar eine, die, so Scheler,[5] noch

[1] E. Husserl, *Cartesianische Meditation*, Den Haag 1973, S. 193.
[2] E. Husserl, Ms. C 7 I, S. 34; zitiert aus K. Held, *Lebendige Gegenwart. Die Frage nach der Seinsweise des transzendentalen Ich bei Edmund Husserl, entwickelt am Leitfaden der Zeitproblematik,* Den Haag 1966, S. VII.
[3] Vgl. F. Brentano, *Psychologie vom empirischen Standpunkt*, Bd. I, Hamburg 1955, S. 40.
[4] Vgl. E. Husserl, *Ideen zu einer reinen Phänomenologie und phänomenologischen Philosophie* I, a.a.O., S. 50.
[5] Vgl. M. Scheler, *Vom Umsturz der Werte*, Bern und München 1972, S. 246. Scheler übt hier seine Kritik an Husserl, indem er zu zeigen versucht, dass Husserls Ansicht zum Problem der inneren und äußeren Wahrnehmung in den *Logischen Untersuchungen* (1900/01) und in *Philosophie als strenge Wissenschaft* (1910) nicht konsequent ist, weil er das Wesen des Phänomens mit dem des Psychischen und die Phänomenologie mit der Psychologie verwechselt.

radikaler ist als diejenige, die Husserl gegenüber Brentano übt. Scheler unterscheidet ebenfalls die Reflexion von der inneren Wahrnehmung: die Erstere richtet sich auf den Vollzug der Akte, die Letztere hingegen auf den Gegenstand – den Gegenstand als das Ich:

> „Reflexion" ist indes keine „Vergegenständlichung", keine „Wahrnehmung", also auch keine „innere Wahrnehmung", die ja selbst eine besondere Art von Akten ist. Die Reflexion ist allein ein Mitschweben des völlig unqualifizierten „Bewusstseins von" mit dem sich vollziehenden Akt – nur möglich da, wo die Person nicht ganz im Aktvollzug aufgeht.[1]

> Niemals aber ist ein Akt auch ein Gegenstand; denn es gehört zum Wesen des Seins von Akten, nur im Vollzug selbst erlebt und in Reflexion gegeben zu sein. Niemals kann mithin ein Akt in irgendeiner Form der Wahrnehmung (oder gar Beobachtung) – sei es der äußeren oder inneren Wahrnehmung – gegeben sein.

> Das reflexive Wissen „begleitet" ihn [den Akt], aber vergegenständlicht ihn nicht.[2]

Diese Erläuterung Schelers, die mit Husserls Darstellung der immanenten Wahrnehmung einige gemeinsame Punkte hat, weist von einem anderen Aspekt her den eigenen Charakter der phänomenologischen Reflexion gegenüber der inneren Wahrnehmung bei Descartes und Brentano auf. Im Vergleich zu Husserls Bemühung hat Schelers Scheidung m. E. noch den Vorteil, dass er die Reflexion nicht mehr als einen Akt im gewöhnlichen Sinne betrachtet, und dadurch die Äquivokation und Verwirrung vermeidet, welche die Rede von der immanenten Wahrnehmung bei Husserl leicht verursachen kann. Die Reflexion ist bei Scheler sowohl unterschieden von der inneren Wahrnehmung, die das individuelle Ich usw. zum Gegenstand hat, als auch von der äußeren Wahrnehmung, die etwa die Sonne, den Stein usw. zum Gegenstand hat; es handelt sich vielmehr um eine Art Wissen, das sich auf die Akte und die im Vollzug der Akte lebenden Personen richtet, eine Art „reflexives Wissen".

Eben in diesem Sinne hebt Scheler mitunter die reflexiven Momente in der phänomenologischen Methode hervor:

> Durstig nach dem Sein im Er-leben wird der phänomenologische Philosoph allüberall an den „Quellen" selbst, in denen sich der Gehalt der Welt auftut, zu trinken suchen. Sein reflektierender Blick weilt dabei allein an der Be-

---

[1] M. Scheler, *Vom Umsturz der Werte*, a.a.O., S. 234.

[2] M. Scheler, *Der Formalismus in der Ethik und die materiale Wertethik*, Bern und München 1980, S. 374. (Die Reihenfolge der Zitate wurde von mir geändert.) Allem Anschein nach unterscheidet Scheler die Reflexion, um die es uns hier geht, nicht ganz klar von der Art Reflexion, die Husserl als „Selbstbewusstsein" bezeichnet. Es ist aber nicht möglich, dieses Thema hier zu entfalten. Näheres zum Selbstbewusstsein bei Husserl findet sich bei I. Kern, „Selbstbewusstsein und Ich bei Husserl", in: *Husserl-Symposion Mainz* 27.6-4.7.1988, hrsg. von G. Funke, Mainz 1989, S. 51-63.

rührungsstelle von Er-leben und Gegenstand Welt – ganz gleichgültig, ob es [sich] dabei um Physisches oder Psychisches, um Zahlen oder Gott oder sonst etwas handelt. Nur was und sofern es in diesem dichtesten, lebendigsten Kontakt „da" ist, soll der Strahl der Reflexion zu treffen suchen.[1]

Die gemeinsame Ablehnung des Brentanoschen Begriffs innere Wahrnehmung sowie die gemeinsame Hervorhebung des Begriffs Reflexion können jedoch nicht die prinzipiellen Unterschiede verbergen, die zwischen Scheler und Husserl vorhanden sind. Die Akte und Personen, die Scheler dem reflexiven Wissen zuschreibt, orientieren sich nach einer ganz anderen Richtung als diejenigen, die Husserl der Reflexion vorschreibt, also die Noesis mitsamt ihren zwei Polen: dem Ich und dem Noema.

Nach Scheler kann die Person ihrem Wesen nach niemals ein Gegenstand sein. Das Ich hingegen ist in jedem Wortsinn ein Gegenstand: die Ichheit bzw. das „überindividuelle" Ich als Gegenstand der formlosen Anschauung, das individuelle Ich als Gegenstand der inneren Wahrnehmung.

Person ist nicht, wie diese Worte, ein so fühlbar relativer, sondern ein absoluter Name. Mit dem Wort „Ich" ist ein Hinweis auf ein „Du" einerseits, auf eine „Außenwelt" andererseits, immer verbunden. Nicht so mit dem Namen Person. Gott z. B. kann Person, aber kein „Ich" sein, da es weder „Du" noch „Außenwelt" für ihn gibt. Das mit Person Gemeinte hat dem Ich gegenüber etwas von einer Totalität, die sich selbst genügt.[2]

Auch in Bezug auf die Akte, in welchen die Person lebt, ist die Meinungsverschiedenheit zwischen Scheler und Husserl deutlich zu bemerken. Die Gesamtsphäre der Akte bezeichnet Scheler als „Geist".

Aller Geist ist wesensnotwendig „persönlich" und die Idee eines „unpersönlichen Geistes ist „widersinnig" [...]

Keineswegs aber gehört ein „Ich" zum Wesen des Geistes;

Vielmehr ist Person die wesensnotwendige und einzige Existenzform des Geistes, sofern es sich um konkreten Geist handelt.[3]

Die Begriffe „Person" und „Akt" liegen natürlich den Husserlschen Begriffen, „dem reinen Ich und dem reinen Bewusstsein", „dem Wunder aller Wunder"[4], fern. Wenn Scheler daher dem Anspruch Husserls auf Reflexion auch in gewissem Maße zustimmt, führt er sie doch in einer ganz anderen Richtung durch als Husserl es tut. Husserl verlangt von der Philosophie, durch eine Reflexion des Bewusstseins auf sich selbst, mit anderen Worten, durch eine Kritik der Ver-

---

[1] M. Scheler, *Schriften aus dem Nachlaß*, Bd. I, Bern und München 1986, S. 380f.
[2] M. Scheler, *Schriften aus dem Nachlaß*, a.a.O., S. 389.
[3] Vgl. a.a.O., S. 388f.
[4] E. Husserl, *Ideen zu einer reinen Phänomenologie und phänomenologischen Philosophie* III, a.a.O., S. 75.

nunft zu den ursprünglichen Quellen der eigentlichen Erkenntnis vorzudringen. Diese Auffassung hält Scheler für wirklichkeitsfern. Für ihn ist die Selbsterkenntnis nichts anderes als ein „Idol", dessen Herkunft sich bis auf Bacons *Novum Organum* zurückführen lässt.[1]

Andererseits, selbst wenn Husserl durch die Reflexion auf das reine Bewusstsein zu einer absoluten Selbsterkenntnis zu gelangen vermag, handelt es sich dabei für Scheler um eine recht begrenzte Erkenntnis. Schelers ausdrückliche Beschränkung der Allgemeingültigkeit des reflexiven Wissens können wir nicht nur in seinen veröffentlichten Schriften, sondern auch in seinem zu Lebzeiten unveröffentlichten Nachlass finden:[2]

> Was „ist" denn Bewusst-sein? Es ist erstens „Wissen-von" der weitere Begriff. [Es gibt] aber auch nicht bewusstes „Wissen-von" in Ekstasen. Ferner: „überbewusstes" Wissen-von, wo jede Reflexion fehlt, ferner unbewusstes Wissen-von ...
>
> „Reines" Bewusstsein ist Grenze der Reflexionen; die Reflexion findet erst statt, wenn Hemmung gegeben ist.[3]

Im Anschluss findet sich die folgende These Schelers:

> „Bewusstsein" im subjektiven Sinne ist nur eine Art „des Wissens", nämlich das Wissen durch Reflexion auf den wissengebenden Aktgehalt.[4]

Die Beschränkung des reflexiven Wissens impliziert in der Tat zwei Kritikpunkte Schelers an der Husserlschen Philosophie der Reflexion. In *Phänomenologie und ihre Folgen* habe ich sie in zusammenfassender Weise wiedergegeben: Einerseits kann das *Bewusstsein* in der Phänomenologie Husserls keinen Anspruch auf eine fundierende Ursprünglichkeit erheben, weil bereits vor dem *Bewusst-sein* etwas *gewusst* werden muss; andererseits kann dieses erst durch Reflexion zu erfassende Bewusstsein auch nicht behaupten, dass es den Charakter der Totalität besitze, da die Reflexion nur eine von verschiedenen Arten des *Wissens* darstellt.

Darüber hinaus habe ich das Gefühl, dass Scheler zu der folgenden Auffassung tendiert: Was in der Reflexion zu gewinnen ist, können nur „Begriffe" oder „Kategorien" sein, aber nicht die „materiellen Werte", nach denen Scheler strebt; die letzteren sind lediglich in der Einsicht der Wesensschau zu erfassen.[5] In diesem Punkt stimmt Scheler wieder nicht mit Husserl überein. Bei diesem treten Reflexion und Wesensschau in den phänomenologischen Konzerten stets als

---

[1] Vgl. M. Scheler, *Vom Umsturz der Werte*, S. 215ff.

[2] In meinem Buch *Phänomenologie und ihre Folgen*, zweiter Teil, § 24, a.a.O., S. 335-337, ist bereits eine allgemeine Darstellung dazu gegeben. Die wiederholenden Teile wurden hier weggelassen.

[3] M. Scheler, *Schriften aus dem Nachlaß*, Bd. II, Bern und München 1979, S. 100f.

[4] M. Scheler, *Wesen und Formen der Sympathie*, Bern und München 1973, S. 219.

[5] Vgl. M. Scheler, *Der Formalismus in der Ethik und die materiale Wertethik*, a.a.O., S. 99.

Duo auf: die Wesensschau ist eine reflexive Wesensschau, die Reflexion eine wesenserschauende Reflexion. Im anderen Fall könnte sich die phänomenologische Wesensschau nicht von der naturwissenschaftlichen, wie etwa der mathematischen Wesensschau, unterscheiden.

Die Verschiedenheit der von Scheler und Husserl je ins Auge gefassten Gebiete (der personale Geist und das reine Bewusstsein) ist natürlich einer der Gründe für das Aufkommen einer Differenz zwischen den beiden Philosophen. In ihr wurzeln ihre Stellungnahmen zu Leben, Welt, Gott, Philosophie, Theorie, Ethik, usw. Es mag zwar von Wert sein, die entsprechenden Analysen dazu zu entfalten; Ziel der vorliegenden Arbeit ist dies jedoch nicht.

Im Allgemeinen ist „Reflexion" in der Philosophie keineswegs ein entscheidender, genereller Methodenbegriff. Sie ist überdies vielen Beschränkungen unterworfen. Die Methode der Reflexion, die Husserl hochschätzt, stößt bereits bei seinem Zeitgenossen Scheler auf Schwierigkeiten. Wie wir noch sehen werden, wird die Notwendigkeit und Gültigkeit der Reflexionsmethode später in der Philosophie Heideggers noch entschiedener in Frage gestellt.

III.

Ob, und wenn ja, inwiefern die oben dargestellten Gedanken Schelers den anderen Vertreter der Phänomenologie, Heidegger, beeinflusst haben, ist aus der für mich verfügbaren Literatur noch nicht ersichtlich. Aber es lassen sich in der Tat ähnliche Ansichten auch bei Heidegger finden.

Wir gehen davon aus, dass die Philosophie Heideggers das Sein des Seienden zum Thema hat, und dass Heidegger sich zunächst und primär um das Sein des Daseins bemüht. Die Frage, die ich mir hier vor allem stellen möchte, ist, ob der Blick des Philosophen, wenn er sich auf das Sein des Daseins richtet, reflexiv verfasst sein muss.

Soweit meine beschränkten Kenntnisse über Heidegger reichen, hat er sich zur Reflexion ausdrücklich kaum geäußert, ja den Begriff auch kaum eindeutig verwendet, selbst in den phänomenologischen Forschungen seiner frühen und mittleren Zeit. Ich denke, es handelt sich dabei um die wissentliche Abwendung von einer recht empfindlichen Frage. Dies wird in folgendem Beispiel deutlich: In Heideggers definitorischer Bestimmung der drei Momente (Reduktion, Rekonstruktion, Destruktion) der phänomenologischen Methode ist die Reflexion, die bei Husserl mehrfache Unterstreichungen erfahren hat, nicht enthalten.[1] Und auch in seiner Darstellung der drei zentralen Entdeckungen der Phänomenologie – Intentionalität, Wesensschau, Apriori – kommt die Reflexion nicht in Betracht. Bei Husserl jedoch haben alle drei Entdeckungen wesentlich mit Reflexion zu tun: die Intentionalität als Struktur der Erlebnisse kann nur durch

[1] M. Heidegger, *Die Grundprobleme der Phänomenologie*, Frankfurt a. M. 1975, § 5, S. 26-32.

Reflexion erfasst, die Wesensschau wiederum soll in der Reflexion vollzogen werden. Und das Apriori ist als ein durch Reflexion zur Evidenz gekommenes Apriori der Bewusstseinsakte sowie ihrer Korrelate zu verstehen.

Im klaren Kontrast dazu betont Heidegger immer wieder die Schlichtheit, Naivität oder Natürlichkeit des phänomenologischen „Sehens“. So behauptet er beispielsweise in seiner Kathederanalyse:

> [...] wir wollen allerdings Naivität und reine Naivität, die zunächst und eigentlich den Kathederstuhl sieht [...] „sehen“ besagt hier nichts anders als „schlichte“ Kenntnisnahme des Vorfindlichen.
>
> Was sehe ich in meiner „natürlichen“ Wahrnehmung, in der lebend ich mich hier im Saal aufhalte, was kann ich von dem Stuhl aussagen.[1]

„Mit ‚Naivität‘ setzt die phänomenologische Analyse der Wahrnehmung ein!“, so stellt Cheung in seiner Dissertationsarbeit fest, „was ‚Naivität‘ für die Phänomenologie bedeutet, hat Heidegger an dieser Stelle nicht ausführlich geklärt. Abgesehen jedoch von der Undurchsichtigkeit dieses Begriffs liegt darin die erste Anzeige des Ausgangsphänomens für die Weltanalyse Heideggers, eines Phänomens, das phänomenologisch ursprünglicher ist als dasjenige in der phänomenologischen Einstellung Husserls: Denn vor jeder erkenntnistheoretischen bzw. transzendentalen phänomenologischen Betrachtung der Dinge ist schon der primäre Zugang des Daseins zum innerweltlichen Seienden, nämlich der besorgende Umgang mit dem Seienden, eröffnet.“ „Daher unterscheidet sich die Naivität von der natürlichen Einstellung Husserls so, daß sie überhaupt keine Einstellung im Sinne einer bestimmten Glaubenssetzung ist. In dieser ‚naiven‘ Verhaltung zum Ding steht die Seinssetzung dieses Dings nicht zur Frage, und darin vollzieht sich kein Ansatz der Generalthesis. Naivität besagt vielmehr eine Verhaltensweise, in der ich in meiner Alltäglichkeit zunächst und zumeist mit den innerweltlichen Dingen umgehe. Naivität ist, noch vorwegnehmend gesagt, das Ausgangsphänomen der phänomenologischen Analyse.“[2]

Allerdings ist dies eine Schlussfolgerung vom Standpunkt Heideggers aus. Trotzdem weist Cheung objektiv auf die Undeutlichkeit des Begriffs Schlichtheit bei Heidegger hin. Eine Definition der „Schlichtheit“ hat Heidegger freilich vorgelegt:

> Schlichtheit besagt Fehlen von gestuften, erst nachträglich Einheit stiftenden Akten. Dieser Charakter des ‚schlicht‘ meint also eine Weise des Erfassens, d. h. einen Charakter der Intentionalität.[3]

---

[1] M. Heidegger, *Prolegomena zur Geschichte des Zeitbegriffs*, Frankfurt a. M. 1979, S. 49, S. 51, S. 53.

[2] Ch.-F. Cheung, *Der anfängliche Boden der Phänomenologie – Heideggers Auseinandersetzung mit der Phänomenologie Husserls in seinen Marburger Vorlesungen*, Frankfurt am Main u. a. 1983, S. 140ff.

[3] M. Heidegger, *Prolegomena zur Geschichte des Zeitbegriffs*, a.a.O., S. 82.

Aber was sich in der Definition äußert, ist nicht das Charakteristische des phänomenologischen „Sehens", sondern vielmehr der Grundzug des durch dieses Sehen Gesehenen. Ich stimme hier der Ansicht von Cheung zu, dass Heidegger die Erläuterung der Bestimmung der Intentionalität „absichtlich nicht im Hinblick auf das Bewusstsein, sondern auf das Sein des Verhaltens vollzieht"[1]; jedoch wird dadurch nicht im Ansatz bewiesen, dass die Intentionalität in Bezug auf das Sein des Verhaltens ursprünglicher ist als die Intentionalität des Bewusstseins.

Heideggers Beschreibung des Wahrgenommenen als Umweltding, Naturding und Dinglichkeit entspricht eigentlich der Husserlschen Charakteristik der Lebenswelt. Aber die Lebenswelt bildet bei Husserl von vornherein einen empirischen Ausgang bzw. Zugang und keinen Zielpunkt der transzendentalen Phänomenologie. Was die Philosophie zu überwinden hat, ist nach Husserl eben die naive, natürliche Schlichtheit. Die Ursprünglichkeit der Lebenswelt stellt sich als natürlich und schlicht dar, aber sie hat mit der Philosophie nichts zu tun. Und wenn doch, dann besteht dieses Zu-tun-haben gerade darin, dass die Philosophie durch Reflexion ihre Schlichtheit aufdeckt und feststellt. Mit dem Aufdecken und Feststellen ist jedoch das Gebiet der Schlichtheit an sich bereits überschritten. Mit anderen Worten, die phänomenologische Reflexion selbst ist sekundär, was sie aber, von der bisherigen Analyse her betrachtet, nicht daran hindert, die primären Akte in der Einsicht erfassen zu können.

Ähnlich wie bei der Analyse zum Problem der Intentionalität, sind in Heideggers Erläuterung zur kategorialen Anschauung gewisse nicht-reflexive, ja anti-reflexive Neigungen zu verspüren. Ein Satz von Husserl, den Heidegger an dieser Stelle zitiert, wird häufig beachtet:[2]

> Nicht in der Reflexion auf Urteile oder vielmehr Urteilserfüllung, sondern in der Urteilserfüllung selbst liegt wahrhaft der Ursprung der Begriffe Sachverhalt und Sein (im Sinne der Kopula); nicht in diesen Akten als Gegenständen, sondern in den Gegenständen dieser Akte finden wir das Abstraktionsfundament für die Realisierung der besagten Begriffe.[3]

Den Satz isoliert zu zitieren, führt leicht zu Missverständnissen, aber eben dies scheint Heideggers Absicht zu sein. Cheung behauptet demgemäß ganz im Sinne Heideggers: „Die kategorialen Formen können wir nicht durch Reflexion auf die psychischen Vorkommnisse bekommen. Wir finden sie überhaupt nicht ‚in der Richtung auf den Akt, sondern auf das, was der Akt selbst gibt.'"[4]

---

[1] Ch.-F. Cheung, *Der anfängliche Boden der Phänomenologie*, a.a.O., S. 53.

[2] Vgl. dazu auch R.-L. Zhangs jüngste Veröffentlichung *Heidegger und die Philosophie der Gegenwart* (Shanghai 1995). Offenbar hat auch Zhang das Problem hier im Auge, wird aber ebenso offenbar von Heidegger irregeleitet.

[3] E. Husserl, *Logische Untersuchungen*, Bd. II/2, a.a.O., A 613/B_2 141. Vgl. M. Heidegger, *Prolegomena zur Geschichte des Zeitbegriffs*, a.a.O., S. 79.

[4] Ch.-F. Cheung, *Der anfängliche Boden der Phänomenologie*, a.a.O., S. 71. Zum impliziten Zitat vgl. M. Heidegger, *Prolegomena zur Geschichte des Zeitbegriffs*, a.a.O., S. 80.

Jedoch hat Heidegger nicht erwähnt, dass Husserl vor diesem Satz noch eine Erklärung zu der so genannten „Reflexion" gibt:

> Reflexion ist sonst ein ziemlich vages Wort. In der Erkenntnistheorie hat es den wenigstens relativ festen Sinn, den ihm Locke gegeben hat, den der inneren Wahrnehmung; also nur an diesen können wir uns bei der Interpretation der Lehre halten, welche den Ursprung des Begriffes Sein in der Reflexion auf das Urteil glaubt finden zu können. Einen solchen Ursprung also leugnen wir.[1]

Es ist also klar, dass die „Reflexion" in dem von Heidegger zitierten Satz nicht mit der Reflexion im phänomenologischen Sinne Husserls, sondern mit derjenigen im Sinne der inneren Wahrnehmung gleichzusetzen ist. Denn das Wort „Reflexion" wird von Husserl in diesem Zusammenhang ausnahmslos in Anführungszeichen gesetzt oder durch schräge Schriftzeichen markiert; ein anderer Beweis dafür ist, dass der Paragraf, der die diesbezüglichen Darstellungen enthält, von Husserl als „Der Ursprung des Begriffs Sein und der übrigen Kategorien liegt nicht im Gebiet der inneren Wahrnehmung" betitelt wird. Ich habe oben von der Kritik vonseiten Husserls und Schelers an der Reflexion im Sinne der inneren Wahrnehmung gesprochen. Nun können wir die Bedeutung dieser Kritikpunkte besser verstehen: der Begriff Sein stammt freilich nicht von der inneren Wahrnehmung bzw. „Reflexion", ebenso wie sinnliche und ideale Gegenstände nicht durch Reflexion im Sinne der inneren Wahrnehmung entstehen, sondern in der entsprechenden sinnlichen Anschauung und Ideation gegeben bzw. konstituiert sind. Wer dies leugnet, verfällt letztendlich dem Psychologismus: Vorstellung, Begriff, Kategorie, Urteil, Schluss haben ihre Herkunft in der inneren Wahrnehmung des Psychischen, die Gesetzmäßigkeiten der psychischen Tätigkeiten werden zu den Gesetzmäßigkeiten sämtlicher Gesetze. Dafür ist Brentanos Einstellung im Hinblick auf die innere Wahrnehmung ein typisches Vorbild.

Das bedeutet jedoch keinesfalls die Verneinung der phänomenologischen Reflexion. Sonst würde Husserl in einen allzu ersichtlichen bzw. leichtsinnigen Widerspruch verwickelt, da seine deskriptive Analyse selbst in der phänomenologischen Reflexion durchgeführt wird. Was sie zu beachten hat, ist die Konstitution bzw. die Verschmelzung des Seins im Bewusstsein. Darum handelt es sich um Ereignisse auf zwei verschieden Stufen: dass das Sein im Urteilsakt gegeben wird, und dass das Urteil mit dem in ihm gegebenen Sein durch die phänomenologische Reflexion erfasst wird. Mit oder ohne Absicht vermischt Heidegger die beiden Stufen in seiner Erörterung. Husserl selbst bleibt in dieser Unterscheidung konsequent, jedenfalls habe ich bisher kein Zögern und Schwanken bei ihm in dieser Hinsicht bemerkt. Auch an der in Frage stehenden Stelle hebt er weiterhin hervor:

---

[1] E. Husserl, *Logische Untersuchungen,* Bd. II/2, a.a.O., A 612/B_2 140.

> Wie nun der Begriff sinnlicher Gegenstand (Reales) nicht durch „Reflexion“ auf die Wahrnehmung entspringen kann, weil dann eben der Begriff Wahrnehmung oder ein Begriff von irgendwelchen realen Konstituentien von Wahrnehmung resultierte, so kann auch der Begriff Sachverhalt nicht aus der Reflexion auf Urteile entspringen, weil wir dadurch nur Begriffe von Urteilen oder von realen Konstituentien von Urteilen enthalten könnten.[1]

In der Tat kommt Heideggers eigentliche Absicht schon in dem so genannten „Kriegsnotsemester 1919“ recht deutlich zum Ausdruck, obwohl er sich zu dieser Zeit in Anbetracht Husserls damit abmüht, seine eigene Meinung mittels ausgewählter Worte nur in andeutender Weise darzustellen.

Bekanntlich erfuhr Husserl nach dem Erscheinen der *Logischen Untersuchungen* Kritik vonseiten Natorps. Die Kritik kreiste zunächst um die Idee des reinen Ich bei Husserl, und richtete sich weiter gegen seine Methode der Reflexion. Den ersten Kritikpunkt hat Husserl in der zweiten Auflage der *Logischen Untersuchungen* und in *Ideen* I aufrichtig angenommen.[2] Zum zweiten Kritikpunkt hat er sich nie geäußert. Heidegger bezeichnet diesen Kritikpunkt Natorps als den bislang einzigen wissenschaftlich beachtenswerten Einwand gegen die Phänomenologie. In seiner Vorlesung fasst er ihn wie folgt zusammen:

> In der reflexiven Blickwendung machen wir ein vordem nicht erblicktes, sondern nur schlicht, reflexionslos erlebtes Erlebnis zu einem „erblickten“. Wir sehen auf es hin. In der Reflexion haben wir es dastehen, sind darauf gerichtet, machen es zum Objekt, Gegenstand überhaupt. D. h. in der Reflexion sind wir theoretisch eingestellt. Alles theoretische Verhalten, sagten wir, ist ein entlebendes. Das zeigt sich nun in einem ganz eminenten Sinne bei den Erlebnissen. Sie werden ja in der Reflexion nicht mehr erlebt, sondern, das ist ihr Sinn, erblickt. Wir stellen die Erlebnisse hin und aus dem unmittelbaren Erleben heraus.[3]

Anschließend zitiert Heidegger den Satz Natorps: „Diese Reflexion übt auf das Erlebte notwendig eine analysierende, gleichsam sezierende oder chemisch zersetzende Wirkung.“[4]

Bis hierhin stimmen Heidegger und Natorp eigentlich in großem Umfang überein. Die Hervorhebung des Unterschiedes zwischen der Reflexivität und der Schlichtheit der Erlebnisse ist uns oben schon mehrmals begegnet; die Zuneigung zum Leben selbst sowie eine daraus folgende Abneigung gegen die „entlebende“ Theorie können wir auch in Heideggers Brief an Husserls Tochter Elishabeth sowie in seiner Rezension zu Jaspers *Psychologie der Weltanschauung*

---

[1] E. Husserl, *Logische Untersuchungen*, a.a.O., A 613f./B_2 141f.
[2] Vgl. E. Husserl, *Logische Untersuchungen*, Bd. II/1, B_1 363, a.a.O. und *Ideen zu einer reinen Phänomenologie und phänomenologischen Philosophie* I, a.a.O., [S. 110].
[3] M. Heidegger, *Zur Bestimmung der Philosophie*, Frankfurt a. M. 1987, S. 100.
[4] P. Natorp, *Allgemeine Psychologie nach kritischer Methode*, Erstes Buch, Tübingen 1912, S. 190f. Zitiert aus M. Heidegger, *Zur Bestimmung der Philosophie*, a.a.O., S. 101.

finden.[1] Es ist also zweifellos so, dass Heidegger hier nicht nur die Auffassung Natorps wiedergibt, sondern zugleich, wenn auch nur implizit, mit seiner eigenen Sprache seinen eigenen Standpunkt darstellt.

In der darauf folgenden Erwiderung auf Natorp scheint Heidegger dennoch aus der Perspektive der Husserlschen Phänomenologie zu sprechen:

> Seine [Natorps] Auseinandersetzung mit der Phänomenologie kommt überhaupt nicht an die eigentliche Problemsphäre heran [...]. Überall ist die fundamentale Forderung der Phänomenologie übersehen [...]. Dieses Übersehen ist der eindringliche Beweis dafür, daß der eigentliche Sinn der Phänomenologie nicht verstanden wird.[2]

Was Heidegger hier unter „eigentlicher Sphäre" versteht, ist freilich nicht die Sphäre der Reflexion, welche Husserl dafür hält und welche Natorp kritisiert, sondern die, wie Heidegger immer wieder angedeutet hat, Sphäre des Naiven, Schlichten und Anschaulichen. Aber er stützt sich weiterhin auf Husserl, indem er Husserls Bestimmung des „Prinzips aller Prinzipien" der Phänomenologie anführt und darin die Grundforderung der Phänomenologie zur Erfassung der „Sphäre der Eigentlichkeit" erblickt, nämlich

> alles, was sich uns in der „Intuition" originär (sozusagen in seiner leibhaften Wirklichkeit) darbietet, einfach hinzunehmen.[3]

In diesem Zitat ist keine Spur mehr von einer Hervorhebung der Reflexion zu finden, wie sie Husserl sonst überall hinterlässt, wonach die Anschauung eine in der Reflexion durchzuführende Anschauung sein soll. Es sieht so aus, als hätte Heidegger hier im Namen Husserls die Antwort auf die Kritik Natorps an der phänomenologischen Reflexion vollendet. Näher besehen hat Heidegger Husserl jedoch nur in der Hinsicht verteidigt, dass er dessen Phänomenologie modifiziert hat.

IV.

Es ist hier nicht meine Absicht, die Eigentlichkeit der phänomenologischen Methode Husserls in jeder Hinsicht zu verteidigen. Im Gegenteil, anstatt einer möglichen Aporie der phänomenologischen Methode Husserls aus dem Weg zu gehen, versuchte ich in *Phänomenologie und ihre Folgen* eher, diese Aporie möglichst klar zu fassen. Mein Zweifel bezieht sich nur auf die Frage, ob es Heidegger jemals gelingen wird, Reflexivität durch Naivität zu ersetzen, und wenn ja,

---

[1] Zu Näherem vgl. meine Erläuterungen in *Phänomenologie und ihre Folgen*, a.a.O., besonders zum Begriff „Entlebnis" S. 166f.

[2] M. Heidegger, *Zur Bestimmung der Philosophie*, a.a.O., S. 109.

[3] E. Husserl, *Ideen zu einer reinen Phänomenologie und phänomenologischen Philosophie* I, a.a.O., S. 43f.

ob er auf diese Weise zu seiner so genannten „reinen Naivität" bzw. „naiven Reinheit" gelangen kann.

In meinen bereits ein Jahrzehnt andauernden Husserl-Forschungen habe ich oft das Gefühl, dass mir Husserl immer zuvorkommt. Wenn ich Fehler oder Schwächen bei ihm zu entdecken glaube, stelle ich häufig nachher fest, dass diese Husserl bereits selbst bewusst waren. So bleibt mir nichts anderes übrig, als zu beobachten, wie er darauf reagiert und antwortet, und zu versuchen, seine Antwort zu entfalten, zu ergänzen oder zu korrigieren dort, wo sie mangelhaft sein sollte. Wenn ich mich nach verschiedenen Philosophen und philosophischen Schulen umschaue, kann ich sogar bemerken, dass dies nicht nur das Geschick vieler phänomenologischer Forscher zu sein scheint, sondern zugleich auch vieler Denker, die über Husserls Denkwelt hinauszukommen versuchen. Das Gleiche gilt für den Problembereich der Reflexion. Husserl hat sich offenbar die Aporie, auf die die phänomenologische Reflexion zusteuert, zu Bewusstsein gebracht, und zwar nicht erst, wie ich ursprünglich meinte, 1913 in den *Ideen* I, sondern bereits 1901 in den *Logischen Untersuchungen* II:

> Eine vielerörterte Schwierigkeit, welche die Möglichkeit jeder immanenten Deskription psychischer Akte und, in naheliegender Übertragung, die Möglichkeit einer phänomenologischen Wesenslehre prinzipiell zu bedrohen scheint, besteht darin, daß im Übergang vom naiven Vollzug der Akte in die Einstellung der Reflexion bzw. in den Vollzug der ihr zugehörigen Akte, sich die ersteren Akte notwendig verändern. Wie ist Art und Umfang dieser Veränderung richtig zu bewerten, ja wie können wir von ihr – sei es als Faktum oder als Wesensnotwendigkeit – überhaupt etwas wissen?[1]

Und in den *Ideen* I hat Husserl dann einen weiteren Schritt getan, indem er den Bestand einer Art Modifikation bestätigt, derjenigen etwa zwischen der inneren Wahrnehmung eines „Zorns" und der Reflexion auf diesen. Diese Modifikation wird später von manchen phänomenologisch orientierten Philosophen als *Zwischenbereich* des *natürlichen Lebens* und des *philosophisch-reflexiven Lebens* bezeichnet werden.[2]

In *Phänomenologie und ihre Folgen* habe ich versucht, diese Aporie der phänomenologischen Reflexion in folgender zusammenfassender Weise darzustellen: Die phänomenologische Reflexion ist entweder eine erinnernde Reflexion oder sie ist eine Bewusstheitsmodifikation.

---

[1] E. Husserl, *Logische Untersuchungen*, Bd. II/1, a.a.O., B_1 10.

[2] Neben den Forschungsergebnissen von I. Kern und B. Waldenfels, auf die ich in *Phänomenologie und ihre Folgen* (a.a.O., S. 109, Anm. 2) bereits hingewiesen habe, hat auch A. Schütz in seiner phänomenologischen Erforschung des Sozialen auf das Problem aufmerksam gemacht. Er versucht, die merkwürdige Spannung zwischen dem fortdauernden Erlebnis und der Reflexion auf das Erlebte, kurz, zwischen Leben und Denken zu beseitigen. Vgl. A. Schütz, *Der sinnhafte Aufbau der sozialen Welt – Eine Einleitung in die verstehende Soziologie*, Frankfurt a. M. 1981, S. 94.

Sowohl als reproduktive Modifikation als auch als Bewusstheitsmodifikation ist die phänomenologische Reflexion – wie jede Art Reflexion – nicht reflexive Anschauung, noch weniger immanente Wahrnehmung im Sinne Husserls, sondern unvermeidlich eine Art reflexiver Reproduktion, eine Art „Nach-Denken". Das heißt, man muss zunächst ein Erlebnis haben, um dann erinnernd darauf reflektieren zu können. Mit Recht stellt auch Holenstein fest: „Das Ichbewusstsein ist abhängig von intersubjektiven Erfahrungen, die der Reflexion auf sich selbst vorausgehen und sie leiten."[1]

Die Tatsache, dass man nur in der Reproduktion reflektieren und dass mithin die phänomenologische Reflexion wie die Reflexion überhaupt keine originär gewahrende sein kann, bezieht sich eigentlich nicht nur auf die Frage der Reihenfolge und somit der Primordalität, sondern führt noch zu einem weiteren Resultat: Bei jedem Erlebnis, auf das wir reflektieren, kann es sich nicht mehr um das originale Erlebnis handeln, sondern um das bereits reproduzierte, da es erst durch Reproduktion in der Reflexion auftauchen kann. Mit anderen Worten, die phänomenologische Forschung hat statt den originalen Erlebnissen die schon modifizierten zum Gegenstand. Diese Schlussfolgerung stimmt mit dem oben zitierten Bedenken Husserls und der ebenfalls zitierten Behauptung Heideggers überein. Sie beide weisen darauf hin, dass zwischen Husserls Methode zur Erfassung des Originals und dem von ihm angestrebten Ideal der Originalität eine Distanz besteht.

Ist jedoch diese Aporie auf Schelerschem oder Heideggerschem Wege zu beseitigen? Diesen Eindruck habe ich bisher nicht. Es ist wahr, dass sich eine philosophische Lehre, die nach *Immanenz* strebt, ausschließlich in der Reflexion ihren methodischen Stützpunkt schaffen muss. Die Philosophien von Scheler und Heidegger haben jedoch beide den Bereich der Immanenz überschritten; sie gehören mehr oder weniger zur Kategorie der „Transzendenz-Philosophie" und machen sich somit nicht mehr von der Methode der Reflexion allein abhängig.

Dennoch scheint mir die Reflexion noch immer unentbehrlich zu sein. Selbst die Feststellung der Aporie der phänomenologischen Reflexion ist bereits in der phänomenologischen Reflexion vollzogen. Sowohl in Schelers Beschäftigung mit dem „personalen Geist" als auch in Heideggers Behandlung des „Seins im Dasein" ist das Moment der Reflexion auf verschiedene Weise vorhanden. Anders als die Immanenz-Philosophie bedarf eine solche Transzendenz-Philosophie nicht mehr des Selbstvertrauens der Vernunft bzw. der Selbsterkenntnis des Bewusstseins, welcher Art immer, als ihrer Voraussetzung; sie stützt sich, wenn hier überhaupt noch von ‚stützen' die Rede sein kann, auf eine methodische wie theoretische Vielfalt. Die Zeit, die auf die Epoche des Idols der absoluten Selbsterkenntnis mittels der reinen Reflexion folgt, ist also nicht nur durch einen theoretischen oder kulturellen, sondern auch durch einen methodologischen Pluralismus gekennzeichnet.

---

[1] E. Holenstein, *Menschliches Selbstverständnis. Ichbewusstsein – Intersubjektive Verantwortung – Interkulturelle Verständigung*, Frankfurt a. M. 1985, S. 7.

Zu bemerken ist deshalb, dass auch Schelers und Heideggers Erläuterungen zur phänomenologischen Philosophie und der phänomenologischen Methode in der Weise der Reflexion erfolgen mussten.

Wir können höchstens sagen, dass die Reflexion nicht der einzige Weg der philosophischen Besinnung sein muss. Aber wir können dagegen *wenigstens* sagen: Selbst wenn die philosophische Forschung nicht ausschließlich reflexiv verfasst ist, muss sie durch eine Reflexion auf die eigene Methode garantiert werden. Die phänomenologische Reflexion bietet eine solche Garantie in einem relativen Sinne an, ist sie doch schließlich eine Art „Methodenreflexion" im Sinne Husserls.[1]

[1] Vgl. E. Husserl, „Methodenreflexion als der erste Weg zu einer transzendentalen Psychologie" (Ms. A IV 2, S. 11-18). „Die Methodenreflexion einer Natur- oder Kulturwissenschaft wendet sich dem Subjektiven zu, wird also psychologisch." (Ms. A VI 20, S. 2-5) Und am deutlichsten in *Ideen* I: „Die Phänomenologie [...] fordert die vollkommenste Voraussetzungslosigkeit und in Beziehung auf sich selbst absolute reflexive Einsicht. Ihr eigenes Wesen zu realisieren und somit auch über die Prinzipien ihrer Methode." (*Ideen* I, a.a.O., S. 121)

II.

Phänomenologie des sittlichen Bewusstseins

1. Die Sittliche Einsicht als Methode einer phänomenologischen Ethik bei M. Scheler

Die sittliche bzw. ethische Einsicht bildet einen Kernbegriff in der phänomenologischen Ethik Max Schelers. Er selbst bezeichnet seine Ethik als „Einsichtsethik“ – also als eine Ethik, welche auf der sittlichen Einsicht beruht –, um sich von der „Pflichtethik“ Kants abzugrenzen, welche im Pflichtbewusstsein gründet.[1] Scheler meint sogar, die sittliche Einsicht sei wichtiger als die Ethik selbst, denn „das sittliche Wollen muß durchaus nicht durch Ethik – durch die evidentermaßen kein Mensch ‚gut' wird –, wohl aber durch die sittliche Einsicht seinen prinzipiellen Durchgang nehmen“ (GW II, 88).

Die konkreten Fragen, mit welchen wir uns hier zu beschäftigen haben, lauten:

1. Was bedeutet sittliche Einsicht? Wie funktioniert sie in unserem sittlichen Wollen und Verhalten? – Diese Frage nimmt Bezug auf das Verhältnis zwischen Scheler und Aristoteles.

2. Wie unterscheidet sich die sittliche Einsicht a) vom Pflichtbewusstsein und b) vom Gewissen? – Diese Frage bezieht sich auf das Verhältnis zwischen Scheler und Kant.

Nach der Behandlung beider Fragen können wir einige Grundzüge von Schelers ethischer Methode und Exposition erfassen, und wir können vor allem verstehen, inwiefern die sittliche Einsicht methodische Anhalte für seine Ethik zu liefern vermag.

I. Die sittliche Einsicht und Phronêsis

Wir behandeln zunächst die erste Frage. Schelers „sittliche Einsicht“ hat offenbar einen Herkunftsbezug zu Aristoteles' ethischen Gedanken, und zwar zu dem grundlegenden Begriff seiner Ethik, der Tugend (*aretê*).

Die Tugend wird im Allgemeinen als eine eigene Fähigkeit verstanden. Der Untersuchung A. MacIntyres zufolge bezeichnet sie zunächst (z. B. in Homers Epik) die Fähigkeit, eine einem von der Gesellschaft zugeteilte Aufgabe zu erfüllen. Tugend bedeutet bei den Griechen also die Fähigkeit zur Erfüllung einer gesellschaftlichen Pflicht. Natürlich unterscheiden sich die Tugenden der gesellschaftlichen Rollen und Pflichten voneinander. Die Tugend eines Königs liegt in der Fähigkeit zur Herrschaft und Verwaltung, die Tugend eines Kämpfers in der

[1] Vgl. M. Scheler, *Der Formalismus in der Ethik und die materiale Wertethik. Neuer Versuch der Grundlegung eines ethischen Personalismus*, GW Bd. II, Bern und München [6]1980, S. 202. – Im Folgenden im Fließtext zitiert als GW II.

Tapferkeit, die Tugend der Ehefrau in der Treue u. dgl. So gesehen ist die auf Tugend gegründete Ethik zunächst eine Ethik der gesellschaftlichen Pflicht.

Bei Aristoteles kommt es zu einer spezifischen, ja sogar wesentlichen Änderung. Sie zeigt sich in seiner Definition der Tugend. Er teilt zunächst sämtliche psychische Phänomene [Seele] in drei Arten auf: in Affekte, Vermögen und Habitus. Die Tugend ist eine davon, nämlich der Habitus.[1] Genauer gesagt, bildet die Tugend einen Teil des Habitus': „Tugend ist ein Habitus des Wählens, der die nach uns bemessene Mitte hält und durch die Vernunft [*logos*] bestimmt wird, und zwar so, wie ein kluger Mann [ein Mann mit sittlicher Einsicht] ihn zu bestimmen pflegt." (NE, 1107a, 5)

Bereits vor der Definition beginnt Aristoteles mit der Klassifizierung und Charakterisierung der Tugend. Er unterscheidet zu Beginn des zweiten Buches der *Nikomachischen Ethik* zwei Sorten von Tugenden: die dianoetische Tugend (*aretê dianoêtikê*) und die ethische Tugend (*aretê êthikê*). Die Letztere umfasst die allgemeine sittliche Tugend, die dazu auffordert, nach dem *logos* zu handeln, sowie einzelne sittliche Tugenden, wie etwa Mut, Mäßigkeit, Freigiebigkeit, Hochherzigkeit, Ehre, Gerechtigkeit usw. (NE, 1103a 15). Die dianoetische Tugend hingegen umfasst die folgenden fünf Tugenden: Kunst (*technê*), Klugheit (sittliche Einsicht, *phronêsis*), Wissenschaft (*epistêmê*), Weisheit (*sophia*) und Verstand (*nous*).

In Bezug auf die Herkunft der Tugenden meint Aristoteles, dass die dianoetische Tugend hauptsächlich durch Belehrung entsteht und wächst, dass sie daher der Erfahrung und der Zeit bedarf. Die ethische Tugend dagegen wird uns durch Gewöhnung zuteil (vgl. NE, 1103a 15). Daher kann man sagen, dass sämtliche Tugenden postnatal ausgebildet werden. Aristoteles sagt ausdrücklich, dass „keine von den sittlichen Tugenden uns von Natur zuteil wird". Zugleich jedoch behält er sich einen gewissen Platz für das Pränatale vor: „wir haben die natürliche Anlage, sie in uns aufzunehmen, zur Wirklichkeit aber wird diese Anlage durch Gewöhnung" (NE, 1103a, 15, 25). So betrachtet, ist die Tugend bei Aristoteles nicht durch Natur geschaffen, nicht angeboren, ja nicht einmal Potenzialität, aber sie richtet sich auch nicht gegen die Natur.

Überdies fügt Aristoteles noch zwei Erklärungen bezüglich der Tugend hinzu: Erstens „bringen wir zu dem, was wir von Natur besitzen, zuerst das Vermögen mit, und dann erst äußern wir die entsprechenden Tätigkeiten [...]. Die Tugenden dagegen erlangen wir nach vorausgegangener Tätigkeit." Zweitens „entsteht jede Tugend aus denselben Ursachen, durch die sie zerstört wird". In diesen zwei Punkten ist die Tugend den Künsten viel ähnlicher als den Sinnen. Das bedeutet: die Tugend ist nicht, wie etwa die kindliche Fähigkeit des Sehens oder Hörens, ohne Belehrung zu erwerben, sondern, wie die Fähigkeit des Gehens und Sprechens, nur durch allmähliches Lernen und Üben. Darin, dass er

---

[1] Aristoteles, *Philosophische Schriften*, in sechs Bänden, Übersetzt von Hermann Bonitz, Eugen Rolfes, Horst Seidl und Hans Günter Zekl, Hamburg 1995, Band 3: *Nikomachische Ethik*. 1105b, 20; 1106b, 35. – Im Folgenden im Fließtext zitiert als NE.

sehr viel Gewicht auf die Gewohnheit legt, erweist sich Aristoteles als Empirist: „[D]arum ist nicht wenig daran gelegen, ob man gleich von Jugend auf sich so oder so gewöhnt, vielmehr kommt hierauf sehr viel, oder besser gesagt, alles an." (Vgl. NE, 1103a, 25-b, 25)

Man kann also die Tugend im Aristotelischen Sinne sehr wohl als „die aus der natürlichen Anlage durch wirkliches Handeln herausgebildete Fertigkeit zu vernunftmäßiger Tätigkeit des Menschen"[1] verstehen.

Kehren wir nun zurück zu Scheler! Was Scheler als „sittliche Einsicht" bezeichnet, besagt nichts anderes als *phronêsis*. Sie gehört also zu den fünf dianoetischen Tugenden bei Aristoteles. Obwohl wir noch keine Stelle bei Scheler gefunden haben, an der er seinen Begriff „sittliche Einsicht" dem Aristotelischen Begriff *phronêsis* gleichsetzt,[2] ist festzustellen, dass Scheler die „sittliche Einsicht" auch als einen der Kernbegriffe bei Aristoteles betrachtet. (Vgl. GW II, 330)

Hierbei muss auf einen wichtigen Punkt in Bezug auf das Verhältnis zwischen Theorie und Praxis hingewiesen werden: Hinsichtlich der Frage der Fundierung der beiden Tugenden, der ethischen und der dianoetischen, erklärt Aristoteles ohne jeden Vorbehalt, dass die ethischen Tugenden auf den dianoetischen gründen müssen. Man kann sagen, dass ein Habitus wie Mut, Gerechtigkeit, Mäßigkeit usw. ohne dianoetische Tugenden gar nicht zu einer ethischen Tugend werden kann. Denn in den Augen Aristoteles' ist ein Habitus wie Mut auch bei Tieren zu finden. Ohne Verstand (*nous*) oder sittliche Einsicht (*phronêsis*) kann ein solcher Habitus offenbar auch schädlich sein. Der mit ihm Begabte gleicht jemandem, der einen starken Körper, jedoch keinen Gesichtssinn hat: er wird im Handeln nur noch schwerer stürzen. Deshalb sagt Aristoteles im zweiten Buch der *Nikomachischen Ethik*: „Man muß nach der rechten Vernunft [*logos*] handeln" (NE, 1103b, 30), und ebenso im sechsten Buch: „Tugend ist ein solcher Habitus, der bloß der Klugheit [*phronêsis*] gemäß ist." (NE, 1144b, 25) Und er meint darüber hinaus, „daß man nicht im eigentlichen Sinne tugendhaft sein kann ohne Klugheit, noch klug ohne sittliche Tugend." (NE, 1144b, 35)

In diesem Sinne stimmt Aristoteles Sokrates' These zu: Die Tugenden sind allesamt Wissenschaften. Sokrates folgert daraus weiter, dass Tugenden erlernbar seien. Niemand will Schlechtes tun, das Schlechte entsteht lediglich durch Unwissenheit (Untugend). Deshalb gibt es nur eine Art von Tugend, nämlich Weisheit oder Wissen. Mit anderen Worten: alle Tugenden beruhen auf Weisheit oder Wissen. Aristoteles würde jedoch der These von Sokrates lieber hinzufügen, dass die Tugenden mit Vernunft [*logos*] verbunden sind. (NE, 1144b, 30)

In diesem Punkt ist sich Scheler mit Aristoteles offensichtlich einig. Denn er meint, dass sich das sittliche Wollen, ja das gesamte sittliche Verhalten auf der

---

[1] Vgl. F. Kirchner/ C. Michaelis: *Wörterbuch der Philosophischen Grundbegriffe*, Leipzig 1907, S. 652-653.

[2] „Sittliche Einsicht" ist die allgemeinste Übersetzung von *phronêsis*. Neben dieser ist noch die Übersetzung durch „Klugheit", „Besonnenheit" usw. üblich.

sittlichen Erkenntnis und Einsicht (und im besonderen Fall auf der sittlichen Werterkenntnis) sowie auf ihrem eigenen apriorischen Gehalt und ihrer eigenen Evidenz aufbaut, so dass jegliches Wollen (ja jegliches Streben überhaupt) primär auf die Realisierung eines in diesen Akten gegebenen Wertes gerichtet ist. (Vgl. GW II, 87) Aus diesem Grund kann Scheler von einem „intentionalen Fühlen“ sprechen (vgl. GW II, 261f.). Er kann auch in einem Aristoteles ähnlichen Sinne die Sokratische These „Tugend ist Wissen“ wiederholen: „[I]n diesem Sinne – aber auch nur in diesem Sinne – restituiert sich der Satz des Sokrates, daß alles ‚gute Wollen' in der ‚Erkenntnis des Guten' fundiert sei; resp. alles böse Wollen auf sittlicher Täuschung und Verirrung beruhe“ (GW II, 87f.) Dass hiervon „nur in diesem Sinne“ die Rede ist, liegt vor allem daran, dass Scheler zugleich betonen will: „Die gesamte Sphäre sittlicher Erkenntnis ist aber nun von der Urteils- und Satzsphäre (auch von der Sphäre, in der wir Wertverhalte in ‚Beurteilungen' oder Werthaltungen erfassen) völlig unabhängig.“ (GW II, 88)

Dabei können wir einen zentralen Charakter der ethischen Gedanken Schelers erkennen, welchen er mit Aristoteles' teilt: Er glaubt weder, dass die sittliche Erkenntnis durch die reine theoretische Erkenntnis (*epistêmê*) ersetzt werden könne, noch meint er, die sittliche Erkenntnis sei gar keine Erkenntnis und könne damit nicht objektiv sein. Deshalb weist der Begriff der sittlichen Einsicht (*phronêsis*) gerade auf eine Sphäre hin, die sowohl von der Platonischen Einsicht (Ideenschau) unabhängig als auch von den rein subjektiven Erfahrungen und Gefühlen geschieden ist.

Scheler schreibt: „Nicht in ‚innerer Wahrnehmung' oder Beobachtung (in der ja nur Psychisches gegeben ist), sondern im fühlenden, lebendigen Verkehr mit der Welt (sei sie psychisch oder physisch oder was sonst), im Vorziehen und Nachsetzen, im Lieben und Hassen selbst, d. h. in der Linie des Vollzugs jener intentionalen Funktion und Akte blitzen die Werte und ihre Ordnungen auf!“[1] (GW II, 87) Dies bedeutet, dass die sittliche Einsicht stets ihre intentionalen Korrelate hat: Werte und ihre Rangordnungen (d. i. wesentliche strukturelle Verhältnisse zwischen den Werten).

Hierbei ist auch ein wesentlicher Unterschied zwischen Scheler und Aristoteles zu beobachten: Scheler besteht darauf, dass die sittliche Einsicht ihre eigenen objektiven Korrelate hat, „daß Gefühlszustände aller Art weder Werte sind, noch Werte bedingen, sondern höchstens Träger von Werten sein können.“ (GW II, 258) Aristoteles hingegen betrachtet die *phronêsis* mehr als eine durch Belehrung und Übung gebildete Willensfähigkeit, sich auf das moralische Gute

[1] Das Zitat differiert an einigen Stellen gegenüber dem originalen Text in der 6. Auflage von Schelers *Der Formalismus in der Ethik und die materiale Wertethik. Neuer Versuch der Grundlegung eines ethischen Personalismus* (Bern und München [6]1980), der unverständlicherweise lautet: „Nicht *nur* ‚innere Wahrnehmung' oder Beobachtung (in der ja nur Psychisches gegeben ist), sondern im fühlenden, lebendigen Verkehr mir der Welt (sei sie psychisch oder physisch oder was sonst), [...] blitzen die Werte und ihre Ordnungen auf!“ – Die unterstrichenen Stellen beziehen sich auf die Änderungen.

zu richten; bei ihm – wie Scheler zu Recht meint – gibt es in der Tat keinen Platz für eine Wertethik (vgl. GW II, 20).

Was Scheler unter sittlicher Einsicht versteht, gehört zu einer Art Fühlen von etwas (GW II, 261). Dabei ist seine dreifache Einteilung des Fühlens und Gefühls zu erwähnen: 1. Gefühle im Sinne von Zuständen – man kann sie Gefühle nennen, die nur „subjektive" Gefühlsinhalte haben; 2. das Fühlen von gegenständlichen emotionalen Stimmungs-Charakteren – diese lassen sich als Gefühle bezeichnen, die subjektiv-objektiv gemischte Gefühlsinhalte haben; 3. das Gefühl von Werten – man kann es ein Gefühl nennen, das einen objektiven Gefühlsinhalt hat. (Vgl. GW II, 262f.)

Die sittliche Einsicht kann in die dritte Art von Gefühl eingeordnet werden. Das besagt, dass sie sich sowohl von den „objektlosen", rein subjektiven Gefühlszuständen als auch von dem wertfreien, insbesondere dem sittlich-wertfreien Fühlen unterscheidet.

Dass hier von Einordnung die Rede ist, liegt daran, dass die sittliche Einsicht nicht das gesamte Wertfühlen ausbildet, sondern nur einen Teil davon. Sie ist in zwei Punkten vom Wertfühlen überhaupt unterschieden: Einerseits ist die sittliche Einsicht lediglich das Fühlen des Wertes ‚gut'. Das Fühlen von Werten wie ‚schön', ‚angenehm' usw. hat zwar, wie Scheler bemerkt, eine kognitive Funktion, also den Charakter der Werterkenntnis, aber es gehört nicht zur sittlichen Einsicht. So wie die sittlichen Werte nur einen Teil der Werte überhaupt ausbilden, sind die sittlichen apriorischen Werte (die sittliche Wertessenz) auch nur ein Teil der apriorischen Werte (der Wertessenz) überhaupt. Andererseits kann die sittliche Einsicht nur deshalb „Einsicht" genannt werden, weil sie nicht das allgemeine Fühlen von Werten ist, sondern das wesentliche Fühlen von Wertapriori. Genauer gesagt ist die sittliche Einsicht – der von Husserl dargestellten Wesenserschauung der apriorischen Ideen ähnlich – eine Art von Wesenserschauung der apriorischen Werte. „Einsicht" ist Ideenschau im Platonischen Sinne, ist das Erblicken und Sehen der Ideenwelt aus der Höhle heraus.

Damit hängt noch ein weiterer Wesensunterschied zwischen Scheler und Aristoteles zusammen: Wie bereits erläutert entsteht und wächst in den Augen Aristoteles' die dianoetische Tugend hauptsächlich durch Belehrung und bedarf daher der Erfahrung und der Zeit (vgl. NE, 1103a 15). Man kann sagen, dass die *phronêsis* bei Aristoteles eine Art empirische Erkenntnis sittlicher Werte darstellt. Bei Scheler dagegen bildet die sittliche Einsicht als Einsicht eine Wesenserkenntnis, uns zwar eine solche von sittlichen Werten. Die intentionalen Korrelate der sittlichen Werte sind verschiedenartige Wertapriori.

Diese Differenz ist ausschlaggebend. Denn wenn man die sittliche Einsicht als etwas Kunstartiges anerkennt, wie Sprechen und Gehen, was wir erst durch Lernen und Üben beherrschen können, dann ist die sittliche Einsicht eine postnatal erworbene Fähigkeit; erkennt man sie hingegen als ein Sinnesvermögen an, so wie wir in der Lage sind, ohne Übung Dinge zu sehen und Geräusche zu hören, dann ist die sittliche Einsicht eine pränatal mitgegebene Anlage.[1]

Sittliche Einsicht bei Scheler ist Wesenserkenntnis. Dies stimmt mit dem Sinn überein, den Platon und Husserl dem Begriff „Einsicht" verliehen haben. Dadurch steht Scheler mit ihnen – wie auch mit Kant – auf einer Seite: „Alle Erfahrung über Gut und Böse in diesem Sinne setzt die Wesenserkenntnis, was gut und böse sei, voraus. Auch wenn ich frage, was Menschen hier und dort für gut und böse hielten, wie diese Meinungen entstanden seien, wie sittliche Einsicht zu wecken sei und durch welche Systeme von Mitteln sich der gute und böse Wille als wirksam erweise, so sind alle diese Fragen, die nur durch Erfahrung im Sinne der ‚Induktion' zu entscheiden sind, überhaupt nur sinnvoll, sofern es ethische Wesenserkenntnis überhaupt gibt. Auch der Hedonismus und der Utilitarismus hat seinen Satz, daß gut die größte Summe der Lust oder der Gesamtnutzen sei, nicht aus der ‚Erfahrung', sondern muß für ihn intuitive Evidenz in Anspruch nehmen". (GW II, 65)

Diese sittliche Einsicht ist so wichtig, dass Scheler nicht nur sagen kann, dass „alles sittliche Verhalten auf sittlicher Einsicht aufbaut", sondern auch behaupten darf, dass „alle Ethik auf die in der sittlichen Erkenntnis gelegenen Tatsachen und ihre apriorischen Verhältnisse zurückgehen muß" (GW II, 88). Dies bedeutet, die sittliche Einsicht bildet nicht nur Anhaltspunkt und Fundament für alle moralischen, praktischen Handlungen, sondern auch Ausgangspunkt und Voraussetzung für alle Forschungen ethischer Theorien. Dies stimmt wieder mit der These von Aristoteles überein, wonach die ethischen Tugenden nur mit der *phronêsis* sämtlich vorhanden sein können (vgl. NE, 1144b, 35).[2]

II. Sittliche Einsicht und Pflichtbewusstsein

In gewissem Sinne können wir sagen, Aristoteles, Kant und Scheler sind alle Befürworter der Tugendlehre. Die „Tugend" in der Tugendlehre kann sich ausgehend von der Zweideutigkeit des Wortes „Ethos" in zwei Richtungen entwickeln. Wie bekannt, besitzt dieses Wort ursprünglich sowohl die Bedeutung von Gewohnheit, Sitte usw. als auch die Bedeutung von Charakter, Gesinnung usw.

Wenn wir wie Kant unter Tugend eine eigene Fähigkeit verstehen, so hat sie die Eigenschaft des Pränatalen – hierbei wird die erste Bedeutung des Wortes „Ethos" hervorgehoben; und wenn wir wie Aristoteles unter Tugend einen erworbenen Habitus verstehen, so hat sie die Eigenschaft des Postnatalen – hierbei wird die zweite Bedeutung des Wortes „Ethos" unterstrichen.

---

[1] Husserl bezeichnet die Fähigkeit der Wesensschau als „einen anderen Sinn" (Hua II, 61). Diese Bezeichnung korrespondiert mit Schelers Verständnis der sittlichen Einsicht.

[2] Aristoteles unterscheidet zwei Arten von ethischen Tugenden: die natürlichen und die eigentlichen, und behauptet, die eigentliche ethische Tugend entwickle sich nicht ohne *phronêsis*. (Vgl. NE, 1144b, 15)

Und nicht nur das! Wenn wir Kant folgend die Tugend als ein eigenes Vermögen verstehen, wird sie zur Grundlage einer psychologischen Ethik – hierbei wird wieder die erste Bedeutung des Wortes „Ethos“ hervorgehoben. Folgen wir Aristoteles darin, die Tugend als eine durch Belehrung erworbene Fähigkeit zu verstehen, wird sie zur Grundlage einer soziologischen Ethik – und hierbei wird wiederum die zweite Bedeutung des Wortes „Ethos“ unterstrichen.

In diesen Fragen steht Scheler als phänomenologischer Essenzialist oder Idealist dem Rationalisten Kant viel näher als dem Empiristen Aristoteles. Besonders in der Frage der sittlichen Einsicht (d. i. *phronêsis* als sittlicher Tugend im Aristotelischen Sinne) repräsentiert Scheler eine essenzialistische Position. Wie bereits dargestellt, stimmt er Kant zu, dass „alle Erfahrung über Gut und Böse in diesem Sinne [...] die Wesenserkenntnis, was gut und böse sei, voraus[setzt]“. Deshalb kann die Erkenntnis des Guten „nicht aus der ‚Erfahrung'“ entstehen, sondern muss die „intuitive Evidenz in Anspruch nehmen“ (GW II, 65).

Aber ein wesentlicher Unterschied besteht doch zwischen Scheler und Kant. Ein Ziel, das Scheler mit seinem Formalismus-Buch erreichen möchte, ist in der Tat, seine sittliche Einsicht und Kants Pflichtbewusstsein, und damit auch seine „Einsicht“ und Kants „Pflichtethik“ voneinander zu unterscheiden. Er kritisiert Kant vor allem in dem Punkt, dass diesem „die Tatsache der ‚sittlichen Einsicht' völlig unbekannt“ sei und er sie durch sein Pflichtbewusstsein ersetzen wolle. (GW II, 88-89)

Kant für seinen Teil kann sowohl ein Theoretiker der Tugendlehre als auch ein solcher der Pflichtlehre genannt werden. Die beiden Lehren sind bei ihm prinzipiell eins, doch mit einer gewissen terminologischen Differenz. In Bezug auf Ethik, Pflichtlehre und Tugendlehre sagt Kant: „Ethik bedeutete in den alten Zeiten die Sittenlehre (philosophia moralis) überhaupt, welche man auch die Lehre von den Pflichten benannte. In der Folge hat man es ratsam gefunden, diesen Namen auf einen Teil der Sittenlehre, nämlich auf die Lehre von den Pflichten, die nicht unter äußeren Gesetzen stehen, allein zu übertragen (dem man im Deutschen den Namen Tugendlehre angemessen gefunden hat): so, daß jetzt das System der allgemeinen Pflichtenlehre in das der Rechtslehre (ius), welche äußerer Gesetze fähig ist, und der Tugendlehre (ethica) eingeteilt wird, die deren nicht fähig ist; wobei es denn auch sein Bewenden haben mag.“[1]

Diese Scheidung von Ethik, Tugendlehre und Pflichtlehre hat Kant offenbar nach der terminologischen Gewohnheit seiner Zeit getroffen. Er neigt auch dazu, die Tugend als ein apriorisches Vermögen anzusehen, und zwar ein Vermögen zum Gehorsam gegenüber inneren Gesetzen (so wie er das „Recht“ als ein Vermögen zum Gehorsam gegenüber äußeren Gesetzen betrachtet). Dies führt dazu, dass die Tugendlehre Kants sich vor allem nicht auf eine Ethik der Sozialität oder der Anderen bezieht (bzw. nicht auf das Politische), sondern auf eine Ethik der

---

[1] I. Kant, *Die Metaphysik der Sitten* (zweiter Teil), *Metaphysische Anfangsgründe der Tugendlehre*, Digitale Bibliothek Band 2: Philosophie (vgl. Kant-W Bd. 8, 300). – Im Folgenden im Fließtext zitiert als MS.

Individualität (bzw. auf Psychologie). Das bedeutet, dass Kant hauptsächlich im Inneren und nicht im Äußeren nach der Quelle des Moralbewusstseins sucht.

Überdies ist aus dem oben Dargestellten klar, dass Kant ein regeldeontologischer Theoretiker ist. Er ist nämlich der Ansicht, dass man in dem allgemeinen Gesetz erfassen kann, was gut ist. Dieses Erfassen ist kein empirisches, einzelnes, sondern ein rationales, generelles. Dennoch hat Kant keine weitere Erklärung über die Methode der Erfassung gegeben. Er stellt nur einen „kategorischen Imperativ" fest: „Handle so, als ob die Maxime deiner Handlung durch deinen Willen zum allgemeinen Naturgesetze werden sollte."[1] Auf die Frage, wie dieser kategorische Imperativ möglich ist, antwortet er, dass „es durch kein Beispiel, mithin empirisch auszumachen sei, ob es überall irgendeinen dergleichen Imperativ gebe"; „wir werden also die Möglichkeit eines kategorischen Imperativs gänzlich a priori zu untersuchen haben." (GMS, 419)

In Wirklichkeit kann Kant die Frage nach dem Wie der Möglichkeit nur schwer beantworten. Das ist auch der Punkt, an welchem Scheler seine kritische Frage ansetzt. Denn selbst wenn wir den kategorischen Imperativ anerkennen, können wir der Frage nicht ausweichen, „woher denn in aller Welt jener ‚Maßstab', jene ‚Norm', die an die seelischen Vorgänge herangebracht werden sollen, um sittliche Unterscheidungen zu ermöglichen, gewonnen werden sollen? [...] Führen sie selbst auf einen solchen seelischen Vorgang zurück, einen besonderen psychischen Tatbestand des Sollens, ein Gefühl der Verpflichtung, ein erlebtes inneres Kommando usw.?" (GW II, 199)

Für diese Fragen, d. h. die an sich selbst gestellte Frage Kants, wie der kategorische Imperativ möglich ist, kann man letztlich bei Kant doch eine Antwort finden. Nur liegt diese Antwort schon außerhalb der Begriffe Pflicht und Tugend: Kant appelliert vielmehr an die „Idee einer Vernunft, die über alle subjektiven Bewegursachen völlige Gewalt hätte" (also eine objektive Idee im Kantischen Sinne), die dem kategorischen Imperativ als „synthetisch-praktischem Satz apriori" die „notwendige" und „objektive" Gültigkeit verleiht. (Vgl. GMS, 420)

Scheler ist die „Objektivität" in diesem Sinne nicht aufgefallen, die Kant der Idee der „Pflicht" verliehen hat, und selbst wenn er sie bemerkt hätte, hätte er nicht geglaubt, dass diese Objektivität in irgendeiner Beziehung zu seiner eigenen Objektivität der Werte steht. Deshalb versucht er vielmehr von verschiedenen Seiten, Kants Begriff der Pflicht und seinen eigenen Begriff der sittlichen Einsicht voneinander zu unterscheiden. Diese Unterscheidung lässt sich in folgenden vier Punkten zusammenfassen:

1) Pflicht ist eine Art von Nötigung bzw. Zwang. Dies gesteht auch Kant selbst: „Der Pflichtbegriff ist an sich schon der Begriff von einer Nötigung (Zwang) der freien Willkür durchs Gesetz; dieser Zwang mag nun ein äußerer oder ein Selbstzwang sein." (MS, 301) „Alle Pflichten enthalten einen Begriff der

---

[1] Immanuel Kant, *Grundlegung zur Metaphysik der Sitten*, Hamburg 1957, S. 421. – Im Folgenden im Fließtext zitiert als GMS.

Nötigung durch das Gesetz; die ethische eine solche, wozu nur eine innere, die Rechtspflichten dagegen eine solche Nötigung, wozu auch eine äußere Gesetzgebung möglich ist; beide also eines Zwanges, er mag nun Selbstzwang oder Zwang durch einen andern sein." (MS, 331) Aber Scheler geht noch einen Schritt weiter und findet, dass diese Nötigung nicht nur, wie Kant meint, eine Nötigung der Neigung ist, sondern zugleich eine solche des individuellen Willens. Dagegen hat die sittliche Einsicht an sich kein Merkmal der Nötigung: „Wo wir selbst evident einsehen, daß eine Handlung oder ein Wollen des Individuums gut ist, reden wir nicht von ‚Pflicht'. Ja, wo diese Einsicht eine völlig adäquate und ideal vollkommene ist, da bestimmt sie auch das Wollen ohne irgendwelches sich dazwischen schiebendes Zwangs- oder Nötigungsmoment eindeutig." (GW II, 200)

2) Die Pflicht ist nicht nur eine Nötigung, sondern auch eine „blinde" Nötigung. „In der Nötigung der Pflicht", so Scheler, „liegt ein Moment der Blindheit, das wesentlich zu ihr gehört", weil die Pflicht sich „weder weiter ‚begründet', noch unmittelbar Einsicht ist." „Mit dem ‚das ist meine Pflicht' oder ‚einfach meine Pflicht' schneidet man die geistige Bemühung nach Einsicht weit mehr ab, als daß man der gewonnenen Einsicht Ausdruck gäbe." Die sittliche Einsicht hingegen hat an sich wesentlich kein Moment der Blindheit, sonst könnte sie nicht ‚Einsicht' genannt werden. Im Fall einer sittlichen Einsicht kann nicht darüber gestritten werden, ob eine sittliche Einsicht richtig oder falsch ist, sondern nur darüber, ob hier überhaupt eine sittliche Einsicht vorhanden ist. In diesem Punkt stehen Pflicht und sittliche Einsicht einander entgegen, ja sie schließen sich gegenseitig aus. (Vgl. GW II, 201)

3) Die Pflicht ist eine aus dem Inneren stammende blinde Nötigung. Diese Nötigung kommt zwar nicht von außen, ist aber dennoch als eine „allgemeingültige" gegeben. Scheler nennt sie „eine subjektive bedingte, durchaus keine gegenständlich, im Wesenswerte der Sache gegründete" Nötigung, welche konkreterweise besagen wird, dass „wir also das Bewusstsein haben, daß auch jeder andere im gleichen Falle so zu handeln hätte". Deswegen ist diese Nötigung meistens vermischt mit sozialer Suggestion. Sie stellt eine aus dem Inneren kommende Selbstaufforderung zur Anpassung an die Gesellschaft dar und bringt in dieser Hinsicht eine Nötigkeit mit sich. Hingegen ist die sittliche Einsicht gegenständlich, d. h., sie hat ihre intentionalen Korrelate. In diesem Sinne ist sie objektive Einsicht. Mit den Worten Schelers: Die sittliche Einsicht ist „im unverfälschten Sinne der Worte gegenständlich und objektiv", und ist häufig nur individuell gültig für denjenigen, der sie vollzieht. (Vgl. GW II, 201)

4) Die Pflicht hat, wie Scheler letztlich feststellt, „einen wesentlich negativen und einschränkenden Charakter". Dies kann auch in folgender These Kants Unterstützung finden: „Pflicht ist die Notwendigkeit einer Handlung aus Achtung fürs Gesetz." (MS, 400) Der Begriff der Pflicht enthält zwar den eines guten Willens, aber „unter gewissen subjektiven Einschränkungen", und zwar Einschränkungen des Willens auf eine allgemeine Gesetzgebung. (Vgl. MS, 397) Dazu sagt Scheler für seinen Teil ausdrücklich nicht nur, „daß uns durch

Pflichtbewusstsein mehr verboten als geboten wird", sondern auch, dass, selbst wenn die Pflicht nicht als Verbot, sondern als Gebot auftritt, sie doch auf einen negativen Charakter im Sinne von „das Gegenteil ist unmöglich" hinweist. Darin liegt auch der Grund, warum wir beim Sagen „einfach meine Pflicht" öfters einen Sinn der Willensbeschränkung verspüren. Hingegen hat die sittliche Einsicht einen positiven und unbeschränkten Charakter. Sie braucht sich nicht zu überlegen, ob auch das Gegenteil möglich wäre. Dies bestimmt schon die Eigentlichkeit der sittlichen Einsicht. Deshalb stellt sie sich nicht negativ dar und „braucht nicht hindurch durch ein versuchtes Gegenwollen gegen das Wollen, dessen Wert in Frage steht". (GW II, 202)

In diesen vier Punkten, so Scheler, lässt sich die sittliche Einsicht vom Pflichtbewusstsein unterscheiden. Man darf daher Einsichtsethik und Pflichtethik nicht zusammenwerfen. „Sie widerstreiten sich" (GW II, 202)

Ein historischer Fall, den Scheler bei der Unterscheidung zwischen Einsicht und Pflicht anführt, ist der General von York, der sich nicht von der Blindheit seines militärischen Pflichtbewusstseins leiten lassen wollte und nur seiner höheren sittlichen Einsicht folgt. Dieses Beispiel dient Scheler zur Darstellung des Konflikts zwischen sittlicher Einsicht und Pflicht. (GW II, 201)

Zusammenfassend kann man sagen, dass der Unterschied zwischen Pflicht und sittlicher Einsicht in den Augen Schelers vor allem in Folgendem besteht: Pflicht ist ein aus dem Innern stammender, aber blinder (ihm ist unbekannt, was gut ist) und passiver Druck zum guten Verhalten bzw. zur guten Handlung; die sittliche Einsicht aber ist ein aktives, unmittelbares Erfassen des Guten.

III. Die sittliche Einsicht und das Gewissen

Bei der Erläuterung des Unterschiedes zwischen Pflichtbewusstsein und sittlicher Einsicht haben wir einige Züge berührt, die uns an das „Gewissen" erinnern. Das ist kaum verwunderlich, da zwischen Pflichtbewusstsein und Gewissen keine scharfe Grenze besteht. Beispielsweise bilden bei Kant das Gewissen, das „moralische Gefühl", die „Liebe des Nächsten" sowie die „Achtung für sich selbst" zusammen die subjektiven Bedingungen für den Begriff der Pflicht. Ohne diese Bedingungen kann man kein Pflichtbewusstsein haben (vgl. MS, 338). Und bei F. Thilly – um ein anderes Beispiel zu nennen – sind Pflichtgefühl und Verantwortungsgefühl Bestandteile des Gewissens.[1]

Ein wichtiger Unterschied zwischen Kants und Aristoteles' Ethik liegt darin, dass Kant auf der Apriorität der Tugenden besteht. Dies gilt auch für das Gewissen, wenn er meint: „Eben so ist das Gewissen nicht etwas Erwerbliches und es gibt keine Pflicht, sich eines anzuschaffen; sondern jeder Mensch, als sittliches Wesen, hat ein solches ursprünglich in sich." (MS, 341) Aber auch als

[1] Vgl. F. Thilly, *Introduction to Ethics*, New York 1913; chinesische Übersetzung von He Yi, Guilin 2002, S. 51.

Transzendentalist behält sich Kant ebenso wie in der Erkenntnislehre auch in der Tugendlehre weiterhin einen Platz für aposteriorische Erfahrungen vor.

Im Falle Schelers kann kaum von einem Theoretiker der Gewissenslehre gesprochen werden. Zumindest würde er im Gewissen kein zentrales Moment in seiner eigenen Ethik sehen. Vielleicht ist das auf den Einfluss durch Aristoteles zurückzuführen. Aber der noch wahrscheinlichere Grund dürfte darin liegen, dass der Appell an das Gewissen für Scheler allzu subjektiv gefärbt ist und sittliche Werte als intentionale Korrelate vernachlässigt. Das bildet für ihn auch den Grundunterschied zwischen Gewissen und sittlicher Einsicht.

Schelers Einstellung bezüglich der Problematik des Gewissens lässt sich daher in folgenden zwei Punkten resümieren: Einerseits kritisiert Scheler Kants Gewissenslehre und seine auf dem Gewissen basierende Metaphysik der Sitten, indem er meint: „Nur jene subjektivistische Wendung, die Kant seinem Autonomiebegriff gegeben hat, wonach sittliche Einsicht und sittliches Wollen einmal nicht unterschieden werden und gleichzeitig der Sinn der Worte gut und böse auf ein Normgesetz zurückgeführt wird, das sich die Vernunftperson selbst gibt (‚Selbstgesetzgebung'), schlösse die für das Individuum heteronome Übertragungsform des Wertgehaltes eines früheren autonomen Personaktes von vornherein aus. Würde man diese (kantische) Auffassung der ‚Autonomie' der Autonomie überhaupt gleichsetzen, so müßte man die Idee einer ‚autonomen' Ethik überhaupt zurückweisen. Wir halten diese Terminologie indes für unzweckmäßig und irreführend. Sie ließe übersehen, daß alles objektiv sittlich Wertvolle auch wesenhaft an ‚autonome' Personakte geknüpft ist, wie schwierig es immer sei, die bestimmte individuelle Person zu bestimmen, der ursprünglich diese Akte zugehören." (GW II, 488)

Das im Zitat zuletzt erwähnte „alles objektiv sittlich Wertvolle" sind die durch frühere autonome Personakte konstituierten Werte. Sie machen den objektiven Gehalt der Autonomie aus. Wenn Kant die Autonomie und Selbstgesetzgebung des Individuums unterstreicht, so muss dieser in der Autonomie eingeschlossene objektive Gehalt ausgestrichen werden. Der Begriff des Ethos' wird unter diesen Umständen auf die Gesetze reduziert, die das Individuum sich selbst gibt, und kann schließlich gar nicht mehr bestehen. Denn würde jedes Individuum nur an sich und für sich leben, gäbe es keine Form ethischen Lebens. – Natürlich kann diese Kritik Schelers nur dann gelten, wenn man die entsprechenden Ansichten Kants ins Extrem getrieben hat.

Auf jeden Fall jedoch wird der Begriff des Gewissens aufgrund seiner subjektiven Färbung in der Tat häufig als Grundstein einer radikal individualistischen Ethik betrachtet und benutzt. Hegel z. B. hat bereits vor Scheler das Gewissen in ähnlicher Weise behandelt, indem er es in seinen *Grundlinien der Philosophie des Rechts* als inhaltslose, subjektive Form des individuellen Willens ansieht, also als subjektiven Akt ohne intentionales Korrelat, dessen übermäßige

Entwicklung zu einer Übermacht der subjektiven Willkür in der Moralität führen wird.[1]

Dies macht ebenfalls die Hauptabsicht der Schelerschen Ausführungen in Bezug auf das Problem des Gewissens aus, nämlich: durch Hervorhebung der intentionalen Korrelate die sichtliche Einsicht vom Gewissen im Kantischen wie auch im allgemeinen Sinne zu unterscheiden. Scheler vertritt dabei folgende Ansicht: „Zunächst ist ‚Gewissen' nicht gleichbedeutend mit sittlicher Einsicht, oder auch nur ‚Fähigkeit' zu solcher. Während die evidente Einsicht in das, was gut und böse ist, wesenhaft nicht täuschen kann (sondern nur Täuschungen darüber möglich sind, daß eine solche vorliege), gibt es auch ‚Gewissenstäuschungen'." (GW II, 324)

Eine solche Unterscheidung ist jedoch offenbar nicht deutlich genug, was auch den springenden Punkt in Schelers Gewissenskritik ausmacht. Denn hier kann man sehen, dass die Unterscheidung zwischen sittlicher Einsicht und Gewissen viel schwieriger ist als die zwischen sittlicher Einsicht und Pflichtbewusstsein.

Die Schwierigkeit besteht zunächst darin, dass im Begriff des Gewissens kein Moment der blinden Nötigung enthalten ist wie im Begriff der Pflicht. Ganz im Gegenteil wird das Gewissen stets als ein „Wissen" betrachtet, sei es als ein Wissen für sich selbst, sei es als ein Wissen mit anderen. In der Tat gibt es Phänomene der Gewissenstäuschung bzw. Fälle von Gewissenlosigkeit. Aber einerseits ist, wie Kant feststellt, „Gewissenlosigkeit nicht Mangel des Gewissens, sondern Hang, sich an dessen Urteil nicht zu kehren. Wenn aber jemand sich bewusst ist, nach Gewissen gehandelt zu haben, so kann von ihm, was Schuld oder Unschuld betrifft, nichts mehr verlangt werden." (MS, 342) Was wir im Allgemeinen unter einem schlechten Gewissen verstehen, bedeutet also nicht, dass das Gewissen böse Entscheidung trifft, sondern nur, dass wir nicht auf die Stimme des Gewissens hören.

Wenn Scheler andererseits sagt: „Man kann die Tatsache der ‚Gewissenstäuschung' nicht mit der Einrede abtun (wie z. B. J. G. Fichte und Fries), daß es nur darüber Täuschungen geben kann, ob es das Gewissen ist, oder ein anderes Gefühl oder Impuls, die uns das zuflüstern, was wir (nur fälschlich) für Aussage des Gewissens halten" (GW II, 324), dann wird der dritte Punkt seiner Argumentation, mit welcher Scheler die Gewissheit der sittlichen Einsicht aufzeigen möchte, zugleich mit in Frage gestellt: Kann sich die sittliche Einsicht nicht auch irren?

Wenn wir die Gewissenstäuschungen nicht mit dem Nichtdasein des Gewissens erklären können, so dürfen wir auch Irrtümer der sittlichen Einsicht nicht mit dem Nichtexistieren der sittlichen Einsicht erklären. Das heißt also: Wenn man darauf besteht, ein Gewissen oder sittliche Einsicht zu haben, und

[1] Näheres dazu in meinem Aufsatz „Gewissen: Zwischen Selbstbewusstsein und Mitbewusstsein – Die inhaltliche Struktur und geschichtliche Entwicklung in der abendländischen Philosphie", in: *China Scholarship*, Bd. I, Nr. 1, S. 12-37.

sich dies später als Täuschung erweist, so kann man stets als Einwand vorbringen, dass das, was vorher für das Gewissen oder die sittliche Einsicht gehalten wurde, dies in Wirklichkeit nicht war.

Dessen ist sich Scheler selbst bewusst. Daher legt er bei seiner Unterscheidung zwischen sittlicher Einsicht und Gewissen mehr Wert auf die Kritik an der Innerlichkeit und Subjektivität des Gewissens, so wie er bei der Unterscheidung zwischen sittlicher Einsicht und Pflichtbewusstsein seine Kritik an der Blindheit und Zwanghaftigkeit der Pflicht verstärkte. Er ist der Ansicht, dass es sich bei der sittlichen Einsicht um ein Erfassen objektiver Werte handelt, während das Gewissen keinen Bezug auf objektive Werte nimmt, so dass der Fall der Gewissensfreiheit, also der Unverbindlichkeit sittlicher Werte, auftreten kann. Darum spricht er gegen eine solche „selbstverständliche" Theorie, die behautet, „daß alle sittlichen Werturteile ‚subjektiv' seien, es schon darum seien, da sie auf Aussagen des ‚Gewissens' beruhen, und das anerkannte ‚Prinzip der Gewissenfreiheit' eine Korrektur der Gewissensaussage durch eine andere Instanz der Einsicht ausschließe." (GW II, 321)

Dem steht Schelers Lehre von der sittlichen Einsicht gegenüber. Weil die sittliche Einsicht an ein intentionales Korrelat gebunden ist, kann sie nicht frei und willkürlich sein; eine übermäßige Freiheit des Subjekts wird damit vermieden. Eben darum konnte sich ja das Gewissen täuschen, die sittliche Einsicht jedoch nicht. Dies bildet auch den zentralen Punkt seiner Unterscheidung zwischen sittlicher Einsicht und Gewissen: „Wird aber ‚Gewissen' zum scheinbaren Ersatz der sittlichen Einsicht, so muß das Prinzip der ‚Gewissensfreiheit' allerdings auch zum Prinzip der ‚Anarchie in allen sittlichen Fragen' werden. Jeder kann sich dann auf sein ‚Gewissen' berufen und von allen anderen absolute Anerkennung fordern für das, was er sagt." (GW II, 326)

In den Augen Schelers sind alle Versuche, in der inneren Erfahrung nach dem Grund des Ethischen zu suchen, nicht akzeptabel. Die so genannte „innere Erfahrung" schließt auch das Gewissen ein. Er ist der Meinung, dass zwischen den verschiedenen Gefühlen (etwa den Gefühlen des „Schicklichen" und „Unschicklichen", der „Reue", der „Sünde", der „Schuld" usw.) und dem in und an diesen Gefühlen Gewahrten (also dem, was man „Schicklichkeit", „Unschicklichkeit", „Reue", „Sünde", „Schuld" usw. nennt) ein wesentlicher Unterschied besteht. (Vgl. GW II, 174) Die Ersteren stellen den subjektiven Akt der Beurteilung dar, die Letzteren die objektiven Wertgehalte. In ihnen liegt eben der Stützpunkt der von Scheler erwähnten „anderen Instanz". Und wie oben dargestellt, sind die intentionalen Korrelate der sittlichen Einsicht verschiedene Arten von Wertapriori. Deshalb hält er dafür: „Auch für das ethische Apriori ist es von höchster Wichtigkeit, daß es durchaus nicht die Tätigkeitsweise eines ‚Ich', eines ‚Bewusstseins überhaupt' usw. darstellt. Auch hier ist das Ich (in jedem Sinn) nur Träger von Werten, nicht aber eine Voraussetzung der Werte, oder ein ‚wertendes' Subjekt, durch das es erst Werte gäbe, oder durch das Werte erfaßbar wären." (GW II, 95)

In diesem Sinne gibt Scheler für die Gewissensfreiheit eine andere bzw. umfassendere Erklärung als Kant, indem er meint: „Es gibt gewissenlose Menschen nicht nur in dem Sinne des Wortes, daß sie jene ‚Stimme' nicht beachten, oder ihr keine praktische Folge geben usw., ihre Klarheit durch Triebimpulse überwinden lassen, sondern auch in dem Sinne, daß die ‚Stimme' selbst nicht oder nur schwach vorhanden ist. Der Unterschied der Nichtbeachtung einer Gewissenregung und einer Gewissentäuschung wird in allen Fällen klar, wo erst die nach der Handlung eintretende Korrektur oder der Tadel von anderer Seite ein Bewusstsein der Schlechtigkeit des betreffenden Verhaltens hervorruft und die klare Erinnerung gleichwohl sagt, daß man sich ‚dabei gar nichts Schlechtes gedacht habe'; desgleichen da, wo ein höherwertiges Verhalten einem erst von anderer Seite gezeigt wird, und man nun erst von dieser neuen Einsicht aus das eigene Verhalten ‚als' schlecht fühlt und beurteilt." (GW II, 325)

Diese Kritik Schelers an der Gewissenslehre stimmt mit seiner Widerlegung des Subjektivismus in der Aprioritätslehre überein. Er vertritt die Meinung, dass die übermäßige Erhebung der individuellen Subjekte in der Tat „den sittlichen Wert des individuellen Ich am meisten entrechtet, ja ihn geradezu zu einer contradictio in adjecto gemacht hat". Der Grund dafür liegt darin, dass wir im Grunde genommen nicht erklären können, woher die Wesenswerte stammen und woher das „individuelles Gewissen" sowie das für das individuelle Ich „Gute" stammt. Es sei denn, wir führen wie Kant das individuelle, empirische Ich auf das transzendentale Ich zurück und sehen somit das individuelle Ich „nur als eine empirische Trübung jenes transzendentalen Ich an□" (vgl. GW II, 95f.).

Scheler führt Sokrates und Jesus als Beispiele an, um zu zeigen, dass diese nicht von Natur aus besser waren als ihre Zeit, sondern nur das objektive Gute früher als ihre Zeit einsahen, mit anderen Worten, dass Wert des Guten nur ihnen erschien. Deshalb sind Konflikte in Bezug auf Wertfragen zwischen individuellen und gesellschaftlichen Subjekten seiner Ansicht nach nur unter der Voraussetzung der Anerkennung von objektiven Werten lösbar.

Bisher können wir sehen, dass sich die Kritik Schelers an der Ethik Kants sowie die Entwicklung seiner eigenen Ethik vor allem in zwei Punkten darstellt: als Kritik an der Äußerlichkeit, Zwanghaftigkeit und Blindheit des Begriffs „Pflicht" einerseits, und als Kritik an der Innerlichkeit, Freiheit und Willkürlichkeit des Begriffs „Gewissen" andererseits. Die erste Kritik bezieht sich in erster Linie auf die bloße Objektivität von Moral, die zweite auf eine bloße Subjektivität derselben. Verstehen wir die sittliche Einsicht als das Erfassen des Wertes eines objektiven Guten in der Wesensschau, dann handelt es sich dabei um einen sittlichen Erkenntnisakt sowohl im Unterschied zur Pflicht als auch zum Gewissen. Mit anderen Worten lässt sich diese These natürlich auch wie folgt ausdrücken: Sittliche Einsicht ist ein Erkenntnisakt, der seinen Platz zwischen dem Pflichtbewusstsein und dem Gewissen einnimmt.

Würde sich die Frage stellen, welcher von beiden der sittlichen Einsicht näher liegt, Kants Begriff des Pflichtbewusstseins oder aber sein Begriff des Gewissens, so würde Scheler sich wohl für den Letzteren entscheiden.

In einem bestimmten Grade gesteht Scheler eine Gemeinsamkeit von sittlicher Einsicht und Gewissen ein, die darin besteht, dass sie beide unmittelbar Evidenz für das Individuum haben können. Darum bildet die gemeinsame Erkenntnis für den Fall der sittlichen Einsicht sowie des Gewissens keine notwendige Voraussetzung. Scheler drückt das so aus: „Es wird sich uns später zeigen, daß es eine Evidenz gibt in der streng objektiven Einsicht, daß ein bestimmtes Wollen, Handeln, Sein nur für ein Individuum, z. B. für mich gut ist, und nicht verallgemeinert werden kann; ja noch mehr: daß eine sittliche Einsicht in die reinen, puren und absoluten sittlichen Werte eines Seins und Verhaltens, je adäquater sie dies ist (d. h. also je ‚objektiver' sie ist), stets und notwendig diesen auf das Individuum eingeschränkten Charakter an sich tragen muß." (GW II, 322) Dies repräsentiert und bestätigt eine grundsätzliche Überzeugung Schelers im Bereich des Ethischen: Moralgesetze sind weder individuell-subjektiv noch intersubjektiv. Denn die Werte, die die sittliche Einsicht erfasst, sind objektiv. Ob sie letztlich von einem Individuum oder einer Gruppe erfasst werden, ist für diese Werte selbst gewissermaßen gleichgültig.

Bei Scheler bildet somit die Allgemeingültigkeit der sittlichen Gesetze nicht mehr die „Maxime" der Ethik oder der ethischen Gesetze. Er betrachtet den Anspruch auf Allgemeingültigkeit vielmehr als einen durch das neuzeitliche Denken eingeführten Missstand, wenn er schreibt, „daß wir generell die Gemeinsamkeit unserer ethischen Werturteile zu überschätzen neigen – eine Überschätzung, die daher rührt, daß wir alle von Hause aus dazu neigen, unsere Handlungen dadurch zu rechtfertigen und zu entschuldigen, daß ‚ein anderer auch so gehandelt hat'". (GW II, 322)

In dieser Frage verhält sich Scheler also gegenüber Kants ethischem Prinzip des kategorischen Imperativs genauso wie gegenüber Husserls epistemologischem Prinzip der Wesenserfassung: Er glaubt nicht, dass die Wahrheit als intentionales Korrelat – sowohl in Bezug auf sittliche Werte als auch auf wissenschaftliche Ideen – an jeder Zeit und an jedem Ort im Vollzug der entsprechenden Akte in Form der sittlichen Einsicht oder Ideenschau erscheinen muss. Deshalb kritisiert Scheler sowohl den Anspruch auf Allgemeingültigkeit, der nach Husserl in der phänomenologischen Methode als Variation der freien Imagination liegt, [1] als auch denjenigen, den Kants „kategorischer Imperativ" („Handle nur nach derjenigen Maxime, durch die du zugleich wollen kannst, daß sie ein allgemeines Gesetz werde." GMS, 421) darstellt.

Hierbei übt Scheler vor allem Kritik an Kants „allgemeinen Gesetzen": „Diese Neigung nach sozialem Anhalt ist sogar so groß, daß sie Kant so weit von der Wahrheit abirren ließ, daß er die bloße Verallgemeinerungsfähigkeit einer

---

[1] Näheres dazu in meiner Arbeit *Phänomenologie und die Folgen – Husserl und die deutsche Philosophie der Gegenwart*, Beijing 1995, S. 80f.

Maxime des Wollens zum Maßstab ihrer sittlichen Richtigkeit machen wollte.“ (GW II, 322) Scheler selber schließt diesen Anpruch auf Verallgemeinerung in seiner ethischen Theorie einfach aus, und meint dazu: „Dieser Ausschluß der Verallgemeinerungsfähigkeit der ‚Maxime' kann also nicht nur stattfinden, unbeschadet der strengen Objektivität und des verpflichtenden Charakters dieser Einsicht, sondern er muß es sogar in dem Maße, als es sich um die letzte und evidente und volladäquate strengste Einsicht in das absolut Gute selbst, und nicht nur um Regeln handelt, die für die Unterdrückung von Impulsen gelten, welche die bloße Fähigkeit zu dieser Einsicht trüben und entstellen.“ (GW II, 322f.)

Von daher gesehen sind jedoch der Ausschluss der Allgemeinheit und der Appell an das Individuum Züge, die sowohl das Gewissen als auch die sittliche Einsicht gleichermaßen besitzen. Aber selbst an dieser Gemeinsamkeit zeigt Scheler noch das die beiden Differenzierende auf: Im Falle des Gewissens geht es um das für das Individuum, d. i. den Gewissenhabenden Gute, das nur für ihn Verbindlichkeit besitzt. Eine Gewissensaussage wie „Das ist dein und nur dein Gutes, was immer das Gute für andere sei“ muss sich widersprechen.

Anders verhält es sich im Fall der sittlichen Einsicht, zu welcher Scheler meint: „Es gibt sittliche Einsicht, die auf den sittlichen Wert allgemeingültiger Normen geht, und sittliche Einsicht, die nur auf das ‚für' ein Individuum oder ‚für' eine Gruppe gleichwohl an sich Gute geht; und beide sind von gleicher Strenge und Objektivität.“ (GW II, 327)

Das bedeutet, dass das Gewissen sich nur auf das für das Individuum Gute bezieht, und dass die sittliche Einsicht sowohl auf das für das Individuum als auch auf das für das Kollektiv Gute, ja sogar auf das für die Gesamtheit Gute geht. Und wie bereits erläutert, stellt es für den objektiven sittlichen Wert selbst keine grundlegende Frage dar, ob er dem Individuum oder aber dem Kollektiv erscheint.

Nach dieser Unterscheidung kann Scheler das Verhältnis zwischen sittlicher Einsicht und Gewissen wie folgt zusammenfassen: „Der berechtigte Sinn des ‚Gewissens' ist nun eben der, daß es 1. nur die individuelle Ökonomisierungsform sittlicher Einsicht, 2. diese Einsicht nur insoweit und in den Grenzen darstellt, als sie auf das ‚für mich' an sich Gute gerichtet ist.“ (GW II, 327)

So gesehen ist Schelers Beurteilung des Gewissens im Großen und Ganzen positiv. Zugleich muss jedoch betont werden, dass bei ihm das Gewissen im Verhältnis zur sittlichen Einsicht stets den zweiten Platz einnimmt. Der Grund dafür liegt darin, dass es durchaus möglich ist, das Gewissen durch sittliche Einsicht zu ersetzen, dass aber das Gegenteil nicht möglich ist. In diesem Sinne bezeichnet Scheler das Gewissen „als de[n] Inbegriff dessen, was die eigene individuelle Erkenntnisbestätigung und sittliche Erfahrung zur sittlichen Einsicht beiträgt“, als „nur eine Ökonomisierungsform der letzten sittlichen Einsicht“. (Vgl. GW II, 325)

Überdies zeigt sich der Unterschied zwischen sittlicher Einsicht und Gewissen noch darin, dass das Gewissen und die Sätze der Autorität bzw. Gehalte der Tradition zusammenwirken und sich gegenseitig korrigieren müssen (weil sie alle nur subjektive Erkenntnisquellen sind), um die subjektive Gewinnung der Einsicht in das Gute in einem Höchstmaß zu gewährleisten. Die sittliche Einsicht hingegen kann selbstständig und allein sämtliche Quellen der sittlichen Erkenntnis umgreifen, weil sie in der evidenten Selbstgegebenheit unmittelbar erfassen kann, was gut ist und was nicht. (Vgl. GW II, 325f.)

Von all diesen Gesichtspunkten her betrachtet, können wir sagen, dass Scheler in der Frage des Gewissens Hegel viel näher steht als Kant.

IV. Abschließende Zusammenfassung

Aus dem oben Dargestellten können wir die Differenzen und Gemeinsamkeiten zwischen Scheler und Aristoteles bzw. Kant festellen. Wir fassen sie abschließend zusammen:

1. Da wir hier die phänomenologische Methode von Schelers Ethik untersuchen, haben wir keinen Extra-Bezug auf den ontologischen Gedanken seiner Wertethik genommen, und somit auch nicht die grundlegenden Differenzen zwischen seiner materialen Ethik und Aristoteles' Ethik darstellen können. Dies könnte Missverständnisse hervorrufen wie das N. Hartmanns bei seiner Lektüre des Formalismus-Buches, der meint, dass die „Schelersche[n] Gedanken" ein „neues Licht auf Aristoteles werfen" könnten. Scheler selbst widerlegt dies im Vorwort der dritten Auflage seines Buches. Er sieht den Unterschied zwischen seiner Ethik und der Aristotelischen in Folgendem: „Aristoteles kennt weder eine scharfe Trennung von ‚Gütern' und ‚Werten', noch überhaupt einen eigenen, von der Selbständigkeit und Graden des Seins (d. h. dem Maße der Ausprägung der entelechialen Zieltätigkeit, die jedem Dinge zugrunde liegt) unabhängigen Wertbegriff." Er meint sogar, dass erst nachdem Kant die Formen der Aristotelischen „Güter-" und „objektive[n] Zweckethik" zerstört hatte, eine materiale Wertethik entstehen konnte. (Vgl. GW II, 20)

2. Wegen der Begrenzung des vorliegenden Themas wird hier ebenfalls auf eine Diskussion der grundlegenden Differenz zwischen Scheler und Kant verzichtet: der Differenz zwischen Schelers materialer und Kants formaler Ethik. Einfach gesagt, steht Scheler häufig mit Hegel auf einer Seite und somit Kant gegenüber, wenn er auf der Objektivität der Werte, einschließlich der sittlichen Werte, besteht. Dies wird auch durch eine methodologische Differenz repräsentiert. Wir können sagen, dass der Unterschied zwischen Kants und Schelers Ethik neben der Differenz der materialen und formalen Ethik noch in den folgenden zwei Seiten: einerseits der Differenz zwischen Einsichtethik und Pflichtethik, andererseits derjenigen zwischen Wertethik (Heteronomieethik bzw. Theonomieethik) und Autonomieethik besteht.

3. Aber gerade hier zeugt die von Scheler behauptete sittliche Einsicht insbesondere von einer methodischen Eigenschaft der phänomenologischen Ethik: der Einheit von Noesis und Noema. Scheler reduziert sie auf zwei fundamentale Wesenszusammenhänge: „Die erste besteht zwischen Wesen des Aktes und Wesen des Gegenstandes überhaupt!"; „Die zweite ist der Wesenszusammenhang von Akt und ‚Person' und Gegenstand und ‚Welt'." (GW II, 96, Anm. 3) Was wir hier behandelt haben, war der erste Wesenszusammenhang.

Von diesen Aspekten her betrachtet, stimmen wir der Beurteilung von M. S. Frings zu Schelers Formalismus-Buches gerne zu: Dieses Buch stellt ohne Zweifel die Hauptleistung der Ethik des 20. Jahrhunderts dar und gehört neben Aristoteles' *Nikomachischer Ethik* und Kants *Kritik der praktischen Vernunft* zu den tiefsten, weitesten und originärsten Werken der Ethik in der philosophischen Geschichte.[1]

[1] M. S. Frings, *Max Scheler. A Concise Introduction into the World of a Great Thinker.* 2nd ed. Milwaukee 1996; chinesische Übersetzung von Wang Peng, Beijing 2004, S. 70.

2. The problem of the phenomenology of feeling in E. Husserl and M. Scheler[1]

In the entire *Logical Investigations*, inside the phenomenological cycle the most attention is paid to the fifth investigation. Perhaps logicians, linguists, symbolic philosophers, and analytical philosophers will insist on their own ideas about the former four investigations in the first and second volumes of *Logical Investigations*, but in their own circle phenomenologists will only argue in favour of the fifth or sixth Investigation.[2]

For Husserl himself, "the most important Investigation from a phenomenological point of view" is not the fifth investigation but the sixth.[3] However, as he noted, "The inquiry back from the various objectivities into the subjective experience and the active formations of a subject, which is conscious of such objectivities,"[4] (that is, the actions of phenomenology) manifest themselves most obviously in the fifth Investigation. According to Husserl, "in it cardinal problems of phenomenology (in particular those of the phenomenological doctrine of judgement) were tackled".[5] The fifth Investigation thus became the original introduction to phenomenology. The understanding of phenomenology of consciousness often returns to this investigation. It signifies the origin and secret of Husserl's consciousness phenomenology to a great degree.

From the pure logic in *Prolegomena* to the phenomenology of intentional experience in the fifth Investigation, the itinerary of thought of the whole *LU*

---

[1] Paper presented to the "International Conference On Phenomenology: Phenomenology and Chinese Culture, and the Centenary of Edmund Husserl's Logical Investigations", October 13-16, 2001, Beijing/China; first published in: Lau, Kwok-Ying/Drummond, John J. (Eds.), *Husserl's Logical Investigations in the New Century: Western and Chinese Perspectives*, Series: *Contributions to Phenomenology*, Vol. 55, Springer: New York 2007, pp. 67-82.

[2] Of course, persons outside the circle of phenomenology frequently lay particular stress on the last two investigations; for example, J. N. Findlay, the English translator of *Logical Investigations*, said, "it may also claim, particularly in its last two studies, ... to have reached an Aristotelian level of many-sided profundity, and to have sketched the basic grammar of conscious experience in a manner never before or since surpassed, or even equaled" (Cf. E. Husserl, *Logical Investigations*, Vol. 1, Eng. trans. J. N. Findlay [London: Routledge & Kegan Paul, 1970], p. 2). In this text, when giving the page numbers of this book, we will refer to this book using the shortened form *LU*.

[3] Cf. *LU* I, B VI.

[4] Hua IX, p. 26. This was Husserl's conclusion when he reviewed *LU* in 1925. The full text of the related passage is as follows, "The inquiry back from the various objectivities into the subjective experience and the active formations of a subject, which is conscious of such objectivities, was prescribed from the beginning by certain dominant intentions, which certainly (I had not reached the reflective clarity yet till then) did not manifest themselves in the form of clear thoughts and requests."

[5] Cf. *LU* I, B XV-XVI.

goes along the notion of “asking in retrospect” from *noema* to *noesis*. This direction of thought and itinerary, which makes the work “a systematically bound *chain of investigations*”,[1] runs through all of these investigations.

The “systematic liaison” between the fourth and fifth Investigations manifests itself as a founding relationship. More precisely, the passage from the fourth Investigation to the fifth is in fact a return from the higher founding level of *noema* to the deeper level of *noesis*. It only signifies that if there is no return to the founding formation, the formation founded will be impossible to be given in itself. The founding links are also called the “origin” in the founding relations. But the concept “origin” here should not be considered as the genetic “origin” in genetic phenomenology, for Husserl still concentrated on “the pure descriptive psychological analysis,” and it seems that he was not eager to give “regard…to genetic connections”.[2]

In Chapter 1, Part 1 of my book *Phenomenology and its Effects: Husserl and Contemporary German Philosophy* (《现象学及其效应——胡塞尔与当代德国哲学》Beijing, 1994), the discussion is fundamentally looked upon as an introduction to the fifth Investigation. A whole section is devoted to this subject (Section 3) and to the subject of exemplificative reconstruction (Section 4) in Husserl's analysis of intentionality in the fifth Investigation. Therefore, the discussion on these subjects will not be repeated. A descriptive analysis of non-objectifying acts and, first of all, of acts of intentional feeling is our critical concerns.

I. From intentional experience to intentional feeling

“Intentionality”, which is used to indicate the most general essence of consciousness, is a kernel concept of phenomenology. It is due to this point that the title of the fifth investigation is “On Intentional Experience and its ‘Contents’”; and its second chapter is even entitled “Consciousness as Intentional Experience”, viz., consciousness is intentional experience. As to the most fundamental proposition of consciousness phenomenology, Husserl admitted at the beginning his close relationship with his teacher F. Brentano, who himself traced the tradition of the problem ‘intentionality’ back to medieval philosophy.

The kernel of this tradition lies in regarding the most fundamental character of the “psychological phenomenon” of intention as “intentional”. Brentano said that, “every mental phenomenon is characterized by what the mediaeval schoolmen called the intentional (or mental) inexistence of an object, and by what we, not without ambiguity, call the relation to a content, the direction to an object (by which a reality is not to be understood) or an immanent objectivity. Each mental phenomenon contains something as object in itself, though not all in the

[1] Ibid., B XI.
[2] Ibid., A 375/B_1 398.

same manner."[1] Here, Brentano first defined "intentionality" as a *relation* with an object and as an *orientation* towards an object, then defined it as a *possession* of objects in different ways.

From Husserl's own explanation of the word "intentional", we can also determine that he inherited Brentano's ideas: "The qualifying adjective 'intentional' names the essence common to the class of experiences we wish to make off, the peculiarity of *intending*, of referring to what is objective, in a presentative or other analogous fashion."[2] But compared with Brentano's definition, Husserl's illumination seems to be quite vague, for the *relationship* with an object has not been further determined and Brentano's other definitions, such as orientation relations and possession ones, have not been clearly adopted by Husserl. The reason for this is that Husserl has here approached but not entered the field of constitutive phenomenology. In other words, consciousness is always the consciousness about something. Does this basic principium of phenomenology ever signify that *consciousness always aims at an object* or that *consciousness always constitutes an object*? To this question, Husserl did not yet give any explicit key. However, like the founding relations of presentation, judgement, and emotion in Brentano, the founding relations between various consciousnesses in *LU* still constitutes the major theme of Husserl's phenomenology.

In the phenomenological description of this founding relationship, what Husserl first of all considered doing was to differentiate between presentation and judgement. In his differentiation, he has broken away from Brentano's definition of his system of concepts. For Husserl, presentation is objectifying a thing, for example, watching a "desk"; judgement is objectifying a state-of-a thing, for example, conscious that "The desk is moved." From the viewpoint of linguistics, the former belongs to a word, and the latter to a sentence. In Husserl's theoretical system of phenomenology, both still belong to the genus of an objectifying act. In the terms used in *LU*, these kinds of acts can intentionally constitute objects and actions of the state-of-things.

What follows is an attempt to distinguish between *objectifying acts* and *non-objectifying acts*. Husserl thinks that an objectifying act is the foundation of a non-objectifying act. The so-called non-objectifying act signifies such an act that itself does not possess the ability of object-constituting but aims at an object. Generally speaking, an objectifying act is equal to a cognitive act, and a non-objectifying act mostly refers to an emotional act and a willing act. We still cannot say that all cognitive acts are intentional and that none of the emotional acts and the willing acts is intentional, for emotional acts and willing acts are not objectifying acts, but acts aiming at objects. In a phenomenological sense, the phrase "Consciousness is always that of something", does not mean that consciousness always constitutes an object, but that consciousness always contains

[1] F. Brentano, *Psychologie vom empirischen Standpunkt*, Vol. I, p. 115. Quoted here from Husserl, *LU* II/1, A 347/ B_1 367.
[2] Cf. *LU* II/1, A 357/B_1 378.

an object. For example, liking something does not signify constituting it, but at least signifies containing and possessing it intentionally, or this kind of liking will be groundless.

We can distinguish the broad sense and the narrow sense of the concept "intentional" or "intention" in Husserl. If we define "intentional" as "object-constituting", the emotional acts and the willing acts will be "non-intentional"; but if we define "intentional" as "object-orientating", the emotional acts and the willing acts will be "intentional". What is reflected in the former case is the concept of "intentionality" or "intention" *in the narrow sense*, and what is dealt with in the latter sense is the concept of "intentionality" or "intention" *in the broad sense*.

We can then directly enter the problems of "intentional experience" and "non-intentional experience" of which Husserl has spoken in the fifth investigation.

When Husserl discussed "intentional experience" and "non-intentional experience" in Chapter 2, he obviously used the word "intentional" in the narrow sense, because all experiences should be intentional in the broad sense. If we do not consider the category "intentional experience" for the present, "non-intentional experience" must be related to emotional acts and willing acts, which are also the "feeling" (*Gefühl*) or "act of feeling" (*Gefühlsakt*) discussed here by Husserl.

To recapitulate: Objectifying acts are intentional acts in the strict sense. They constitute objects and states-of-things. Accordingly they can be divided into two kinds of acts: presentation and judgement, which Husserl called intuition and judgement. Non-objectifying acts are intentional acts in the broad sense; they contain objects but do not constitute them. It is due to this point that they must be based on acts that can constitute objects, i.e., the objectifying acts.

II. The problem of intentionality of acts of feeling

Brentano also offered a further classification of "psychological phenomena," that is, as the determination of the founding relations between "presentation", "judgement", and "emotions". Husserl said that, "Brentano's attempted classification of mental phenomena into presentations, judgements and emotions ('phenomena of love and hate') is plainly based upon this 'manner of reference', of which three basically different kinds are distinguished (each admitting of many further specifications)."[1] This is in fact where Husserl's thought, which distinguishes objectifying acts (presentation and judgement) and non-objectifying acts, originated from, and this is of course also the source of

[1] Ibid., A 347/B_1 367.

thought for "feeling phenomenology", put forward by another phenomenologist M. Scheler. We will come back to this later.

Generally speaking, it is obvious that presentation and judgement have intentionality. Presentation is always the objectification of something and judgement is always the judgement of some state-of-things. Both of them are objectifying. But the situation becomes more complicated with regard to feeling acts. For the present, this kind of complication is not a Heiderggerian complication, such as "anxiety" (*Angst*) without object and the "care" (*Sorge*) without objectivity, and so forth. Husserl did not tackle these "fundamental emotions" in *LU*. The most examples he gave here are as follows, "pleased by a melody", "displeased at a shrill blast", etc. They have their own objects, that is, a certain kind of music and a certain whistle here. "Intentional feeling" signifies such feeling acts or emotional acts aimed at objects. In Section 15a, Husserl discussed the question of whether or not intentional feeling exists.

At first sight, what we discussed here seems to be a question about the definition of terms, but a deeper study will demonstrate that this question is related to the basic problems of philosophy.

A person who recognizes the intentionality of feeling will think that feeling has also an object, for example, the liking for something, the dislike of somebody, etc. Therefore, "human experiences commonly classed as 'feeling' have an undeniable, real relation to something objective."[1] But "those who question the intentionality of feeling say: Feelings are mere states, not acts or intentions. Where they relate to objects, they owe their relation to a complication with presentations."[2]

The real difference between the two ideas does not lie in the question of *whether* a feeling act contains an object, but in the question of *how* a feeling act contains an object. If a feeling act must be aimed at an object, as Husserl said in an example, "pleasure without anything pleasant is unthinkable",[3] and the feeling act itself has not possessed the capacity of constitution (This word was not used by Husserl in *LU*), the object aimed at in the feeling act can only be given by some other acts, namely, by the objectifying act (such as the presentation) that can constitute objects. In this sense, objectifying acts can go without non-objectifying acts. The process does not work in reverse. Therefore, non-objectifying acts are based on objectifying acts.

---

[1] Ibid., A 366/B_1 388.

[2] Ibid.

[3] "And it is unthinkable," Husserl continued to say, "not because we are here dealing with correlative expressions, as when we say, e.g., that a cause without an effect, or a father without a child, is unthinkable: but because *the specific essence of pleasure demands a relation to something pleasing.*" Therefore, there is "no desire whose specific character can do without something desired, no agreement or approval without something agreed on or approved etc. etc." Ibid., A 368/B_1, 390.

Accordingly, a feeling only contains the objects constituted by the objectifying acts and in this sense it is *intentional*; but it cannot constitute objects itself, and in this sense it is non-intentional.

This is the basic ideas held by Brentano. As Husserl pointed out, "Brentano who defends the intentionality of feelings, also maintains without inconsistency that feelings, like all acts that are not themselves presentations, have presentations as their foundations."[1] But Brentano's analysis of intention still leads to the question: Are there two intentions at all in the feeling act or just one intention? Husserl thought that, "Brentano thinks we have here two intentions built on one another: the underlying, founding intention gives us the *presented* object, the founded intention the *felt* object. The former is separable from the latter, the latter inseparable from the former, His opponents think there is only *one* intention here, the presenting one."[2] Until then, Husserl had not deviated from Brentano's position. He thought, "If we subject the situation to a careful phenomenological review, Brentano's conception seems definitely to be preferred."[3]

Of course, what is expressed here in language still seems a little disordered, for the following two explanations can be justified here: On the one hand, there is only one object in a feeling act; but there are two intentions in it, namely the two intentions aiming at the same object. They are the intention of presentation and that of feeling.[4] On the other hand, there are two objects in a feeling act: the object presented and the object felt. Take a harsh whistle for an example: Hearing this harsh whistle is a presentation of this voice, that is, the voice as an object is constituted; and the antipathy to this harsh whistle is the feeling of the voice. Now the question to be answered is: Is this feeling a feeling of "whistle" or that of "harsh"?

Perhaps is this only a question of terminology, i.e., an extrinsic and non-essential question? Can we say that a feeling act feels the felt intentionally and that a presentative act presents the presented intentionally? No matter what we call the things coming forth here, two kinds of intentions (a feeling intention and a presentative intention) or two kinds of objects (an object felt and an object presented), they are related to an identical thing (a harsh voice).

But it seems that the question is not so simple, and it will become more and more complicated with the deepening of the analysis. Even if we put aside such a suspicion: when we hear the voice and feel harsh, does that belong to two kinds of acts at all or to one composite act? Is this related to two objects at all or to one composite object? We are still confronted with this kind of difficulty: What

---

[1] Ibid., A 367/B_1 388. Brentano's two ideas quoted here by Husserl come respectively from: Brentano, *Psychologie vom empirischen Standpunkt*, Vol. 1, pp. 116-117. and pp. 107-108.

[2] Ibid., A 367/B_1 389.

[3] Ibid.

[4] Husserl has offered a basis for what he has said, "Pleasure or distaste *direct* themselves to the presented object, and could not exist without such a direction." Ibid., A 367/B_1 389.

on earth is the relationship between the two parts or the two elements? The attitude of Brentano's and Husserl's – at least that of Husserl's in the *LU* phase – does not seem to be clear enough in this question. Husserl admitted, "These are all intentions, genuine acts in our sense. They all 'owe' their intentional relation to certain underlying presentations. But it is part of what we mean by such 'owing' that they themselves really now *have* what they owe so something else."[1] That is to say, the relations between them are implicative each other. But it seems that his further analysis has encountered difficulties. He only pointed out that: The feeling act does not proceed in such an order; that is, the feeling act at first has a presentative object, then this presentative object results in a feeling act. The feeling act does not proceed on the basis of the law of causation; it is not caused by extrinsic things in reality. What this act requires is only the presentative object as an intentional object, and so on. He took aesthetic feeling as an example, "Pleasantness or pleasure do not belong as effect to this landscape considered as a physical reality, but only to it as appearing in this or that manner, perhaps as thus and thus judged of or as reminding us of this or that, in the conscious act here in question: it is as such that the landscape 'demands', 'arouses' such feelings."[2] The "requires" and "awakens" here are put into quotation marks. This explains that in his analysis of intention in the *LU* phase, Husserl had not yet found a suitable instrument to analyse non-objectifying acts, which are more complicated than objectifying acts.

It is due to this that when we encounter Scheler's question of value feeling, we will think that Husserl's analysis of non-objectifying acts seems to be somewhat insufficient. This insufficiency will even damage the founding relations between objectifying acts and non-objectifying acts.

In any case, feeling is "intentional," not only in the broad sense but also in the narrow sense. That is to say, the non-objectifying act also refers to an object, only in a sense different from that of the objectifying act.

But does any non-intentional feeling exist? This is another question Husserl faced in the fifth investigation.

III. The problem of non-intentionality of acts of feeling

It does not seem very strange that all feeling acts should be intentional, for all intentional acts are intentional. This is a fundamental principle of Husserl's phenomenology. But could it be that a non-intentional feeling really does not exist? If we really find a non-intentional feeling, we can demonstrate the non-universality of Husserl's principle of intentionality at the same time.

Before we answer this question, we will make a classified research of the act "feeling". What is first of all considered is the sensible feeling, which comprises

---

[1] Ibid., A 368/B_1 390.
[2] Ibid., B_1 391.

liking, comfort, enjoyment, pain, etc. Compared with the feelings of love, hate, mercy, and abomination that we mentioned above, they belong to a totally different genus. Perhaps with the help of Husserl's terms we can generalize them and include them into two broader categories: pain-feeling (sensible pain) and enjoyment-feeling (sensible enjoyment). Or perhaps, with the help of Scheler's terms, we can regard them as activities corresponding to sensible values (comfort-discomfort). This class of acts of consciousness is very close to sensation (*Empfindung*); therefore, we often mention them and sensation in the same breath. For example, when the feeling of pain is related to touch, the feeling of a burning hand contains a pain-feeling and a touch-feeling. Take another example, when we hear a voice that is pleasing to the ear, feelings of hearing and enjoyment are frequently integrated indivisibly.

What status, then, does sensation have in Husserl's analysis of consciousness? Is it that it can be regarded as a non-intentional act of consciousness or an act of feeling?

So-called "sensation," for Husserl, is basically synonymous to "datum" or "hyle". The connotation he gives to 'sensation' does not deviate from the traditional concept of sensation; for example, it does not deviate from the concept of "sensation" used by Brentano or from the notion of "sensation" as understood by English empiricists. Husserl defined "sensation" in the normal and narrow sense as "the intuitively presentative contents of outer perception".[1] In this way, any of the senses, whether of touch, taste, smell, hearing, or sight, is indeed non-intentional.

Husserl himself never denied that sensible feeling is non-intentional in nature. But Husserl did not think that sensation is an independent act of consciousness, instead, he regarded sensation as the real contents of an independent act of consciousness.[2] "Sensation" in this sense is synonymous with "sensible hyle" (or "hyle" for short) and "sensible content".[3] That is to say, sensation and the objects felt are two different expressions for the same thing: this signifies the primitive status of consciousness, in which there is no split between subject and object.[4] The sensible hyle constitutes the real content of consciousness. This means that there exist non-intentional components and elements, but that a complete and independent act of non-intentional consciousness is impossible.

---

[1] *LU* II/2, A 551/B_2 79.

[2] The following expatiation of "sensation" comes from the entry "*Empfindung*" in this writer's book, *A General Interpretation of Husserl's Concepts of Phenomenology*. For more detailed discussions about this concept, please refer to the entries "*Empfindung*", "*Datum*", "Hyle", etc. in this book.

[3] Cf. Hua XXIII, p. 309, "So versteht sich, warum ich in den *Logischen Untersuchungen* Empfinden und Empfindungsinhalt identifizieren konnte."

[4] Cf. H. U. Asemissen, *Strukturanalytische Probleme der Wahrnehmung in der Phänomenologie Husserls* (Köln: Kölner Universitätsverlag, 1957), pp. 29-31.

With regard to this, "sensation" itself is not a complete act of consciousness, it is only determined contents owned by certain acts of consciousness.[1] Therefore, the essential difference between "sensation" as contents and "perception" (*Wahrnehmung*) lies in the fact that the former can only be experienced and the latter reflected.[2] Moreover, although objects are constituted on the basis of "sensation" through "apperception" (or "apprehension"), "sensation" itself is not an object, it only provides the object with materials.[3] This is the essential difference between a "sensation" and an object. Precisely in these two levels of sense mentioned above, Husserl stressed that, "sensations cannot themselves count as appearance, whether in the sense of acts or of apparent objects."[4]

This understanding of sensation is identical with Brentano's ideas. It is obvious that, here, Husserl was influenced by Brentano. This can be seen from his discussion, as follows, "Brentano has already pointed to the ambiguity here dealt with, in discussing the intentionality of feelings. He draws a distinction in sense if not in words, between *sensations* of pain and pleasure (feeling-sensation, *Gefühlsempfindung*) and pain and pleasure in the sense of *feelings*. The contents of the former – or, as I should simply say, the former – are in this terminology 'physical', while the latter are 'psychical phenomena', and they belong therefore to essentially different genera. This notion I regard as quite correct, but only doubt, whether the meaning of the word 'feeling' does not lean predominantly towards 'feeling-sensation', and whether the many acts we call 'feelings' do not owe their name to the feeling-sensations with which they are essentially inter woven. One must of course not mix up questions of suitable terminology with questions regarding the factual correctness of Brentano's distinction."[5]

From this we can see that Husserl basically accepted the distinctions made by Brentano, but he did not adopt the terms used by Brentano. That is to say, Both Husserl and Brentano thought that "sensation" and "feeling" were not the same and that they do not belong to an identical genus of acts. The "sensation" is not an independent act of consciousness but a part of an independent act of consciousness. In Husserl's words, they are "at best presentative contents of objects of intentions, but not themselves intentions."[6] On the contrary, "feeling" is a non-independent act. The term "non-independent" signifies that the feeling act cannot stand alone; it is possible only in a composite act, which refers to a compounding of a feeling act with one or more presentative acts (or objectifying acts). Strictly speaking, the feeling act can only emerge in its compound with a presentative act and an objectifying act. In this way, if we say that all acts are

[1] Cf. Hua XXIII, p. 83.
[2] Cf. Hua III/1, Section 45.
[3] Ibid., A 707-708.
[4] Cf. Ibid.
[5] *LU* II/1, A 371/B_1 393-394.
[6] Ibid., A 371/B_1 393.

intentional, this means in fact that the feeling act must be intentional because it must emerge together with an intentional act.

Of course, the "emerging together" here is only a summarization in principle. We can often see in effective happenings that the feeling act still exists but that the presentative acts on which the feeling act is based has completely disappeared. This is also right inversely. Husserl gave an example, "Sensations of pleasure and pain may continue, though the act-character built upon them may lapse. When the facts which provoke pleasure sink into the background, are not longer apperceived as emotionally coloured, and perhaps cease to be intentional objects at all, the pleasurable excitement may linger on for a while: it may itself be felt as agreeable. Instead of representing a pleasant property of the object, it is referred merely to the feeling-subjects, or is itself presented and pleases."[1]

We can give some more detailed examples: For example, even if a relative passed away long ago and no longer appears in front of us, we still feel sad, a feeling we often call "sadness *without a name*". Another example, the melancholy, dreariness, and sentiment that are *without a name*, or excitement and delight *for no reason*, are so far from the things or events that had "activated" them that we do not know and even cannot know their origins, and so forth. But in principle, Husserl thought that these feelings must be founded on the related things or events that had 'activated' them. In this sense, Husserl could say, "Each act has its own appropriate, intentional, objective reference: this is as true of complex as of simple acts. Whether the composition of an act out of partial acts may be, if it is an act at all, it must have a single objective correlate, to which we say it is 'directed', in the full, primary sense of the word."[2]

In this way, we have answered the question in the beginning of this section: feeling acts are also intentional, that is, they also refer to objects, even if they refer to objects that are not originally constituted by themselves.

IV. Another kind of analysis of act of feeling

Such an interpretation of the founding relations between acts of consciousness has not been recognized or agreed upon by every member of the phenomenological movement. Not only in Scheler's but also in Heidegger's phenomenological understanding, cognitive acts or objectifying acts are not founded any more on their relations with non-objectifying acts. But here we only pay attention to the Scheler's relative analysis. In Brentano's and Husserl's intentional analysis of feeling acts mentioned above, we quoted a passage by Husserl, "Brentano thinks we have here two intentions built on one another: the underlying, founding intention gives us the *presented* object, the founded intention the *felt* object. The former is separable from the latter, the latter inseparable from the former, His

[1] Ibid., A 372/B_1 395.
[2] Ibid., A 377/B_1 402.

opponents think there is only *one* intention here, the presenting one."[1] Husserl seemed to prefer "Brentano's conception definitely".[2] Of course, the following analysis indicates that the word "intention" would only be valuable after a strict definition. In a strict sense, feeling acts contain double signifying relations with *noema*, referring to the presented object (for example, to the scenery seen or imagined) and to the object felt (to the satisfying scenery). But only one *noema* (scenery) is contained in the feeling act. The satisfying scenery must be based on the *noema* intuited (perceived or imagined), for feeling acts cannot constitute their own *noema*. They must be with the help of the *noema* constituted by intuitive acts.

But the conditions and the questions have somewhat changed in Scheler. In Scheler's intentional analysis, feeling acts have their own *noema*. This *noema* is not the various real objects and conceptual objects constituted by the intuitive acts of objectivation, but the various values: "Values of the Person and Values of Things" (*Personwerte und Dingwerte*), "Values of Oneself and Values of the Other" (*Eigenwerte und Fremdwerte*), "Values of Acts, Values of Functions, and Values of Reactions" (*Aktwerte, Funktionswerte, Reaktionswerte*), "Values of Basic Moral Tenor, Values of Deeds, and Values of Success" (*Gesinnungswerte, Handlungswerte, Erfolgswerte*), "Values of Intention and Values of Feeling-States" (*Intentionswerte und Zustandswerte*), "Values Terms of Relations, Values of Forms of Relations, Values of Relations" (*Fundamentwerte, Formwerte und Beziehungswerte*), "Individual Values and Collective Values" (*Individualwerte und Kollektivwerte*), and "Self-Values and Consecutive Values" (*Selbstwerte und Konsekutivwerte*).

The intentional relation between feeling and value understood by Scheler is clearly announced in the following propositions: feeling here "is not *externally brought together* with an object, whether immediately or through a representation (which can be related to a feeling either mechanically and fortuitously or by mere thinking). On the contrary, feeling *originally* intends its *own* kind of objects, namely, capable of 'fulfillment' and 'non-fulfillment'.[3] He explained with an annotation, "For this reason all 'feeling of' is in principle 'understandable'."

We must pay special attention to the sentence stressed by Scheler: "Feeling *originally* intends its *own* kind of objects"! This means that what the feeling acts rely on, according to Scheler, is not the object provided by the presentative act, but the object proper to itself, or we can say, it is the object originally constituted by itself, namely value. That is to say, feeling has its own object and presentation also has its own object.

---

[1] Ibid., A 367/B_1 389.
[2] Ibid., A 367/B_1 389.
[3] M. Scheler, *Formalism in the Ethics and Non-Formal Ethics of Values*, English version, trans. by M. S. Frings and R. L. Funk, Evanston 1973, p. 258. We will give the page numbers of this book in this text with the shortened form *Formalism*.

In this way the essential founding relations between feeling and presentation, which is valid in Husserl, does not exist any more in Scheler. Precisely because of this, Scheler's analysis of feeling acts is totally different from the relative descriptions given by Husserl. If we considered that the book *Formalism* was written sixteen years later after the publishing of *LU*, we can even believe that Scheler's discussions are precisely pertinent to the analysis of the founding relationship between objectifying acts and non-objectifying acts by Husserl, and that these discussions are deliberate.

Therefore, it is not strange that Scheler talked about "intentional feeling" (*intentionales Fühlen*) here. The intention here is not only intention in the sense of "aiming to", but also intention in the sense of "constitution", namely the so-called "original emotive intentionality".[1] Before giving a further explanation of this concept, we are still required to investigate Scheler's differentiation of the whole "feeling". He took advantage of the characteristics of German to distinguish "feeling" in general as "feeling acts" (*Fühlen*) and "feeling contents" or "the felt" (*Gefühl*). For him, "feeling acts" are intentional and "feeling contents" are aimed at.

If "feeling acts" are put aside, Scheler has at least made a triple distinction in terms of "feeling content" and "the felt": First, "The feeling of feelings in the sense of feeling-states and their modes, e.g., suffering, enjoying"; second, "The feeling of objective emotional characteristics of the atmosphere (restfulness of a river, serenity of the skies, sadness of a landscape), in which there are emotionally qualitative characteristics that can also be given as qualities of feeling, but never as 'feelings', i.e., as experienced in relatedness to an ego"; third, "the feeling of *values*, e.g., agreeable, beautiful, good. It is *here* that feeling gains a cognitive function in addition to its intentional nature, whereas it does not do so in the first two cases."[2]

According to what Scheler has said, feeling acts do not always function as the constitution of an object. In the three kinds of feeling contents listed by him, we can say that the feeling of value or constitution of objects is a feeling act related to "*objective*" *feeling contents*, namely the third feeling content mentioned above, for in Scheler's eyes values and the ranking between values are objective. Besides that, there are still feeling acts that are related to the "*subjective*" feeling contents (*Gefühlszustände*, i.e., the first feeling contents mentioned above) and the feeling contents of "unification of subject and object" (*Stimmungen*, i.e., the second feeling contents mentioned above), although Scheler himself has not given such a definition. The "intentional feeling acts" in the strict sense are the feeling acts related to the third feeling. This can be supported by Scheler's texts, "Let us call these feelings that receive values the class of *intentional function of feeling*. It is not necessary for these functions to be connected with the objective sphere through the mediation of so-called objectifying acts of representation,

[1] Ibid., p. 256.
[2] Ibid., p. 257.

judgement, etc. Such meditation is necessary *only* for feeling-states, *not* for genuine intentional feeling, the world of objects 'comes to the fore' by itself, but only in terms of its *value*-aspect. The frequent lack of pictorial objects in intentional feeling shows that feeling is originally an 'objectifying act' that does not require the meditation of representation."[1]

We now begin to face the question: What kind of relationship exists between feeling acts and between feeling acts and the other acts? Concretely speaking, what kind of founding relationship appears here?

V. Another kind of understanding of the founding relations

It is very obvious up to now that "feeling" to Scheler had a much broader sense than to Husserl. It even contains in itself the acts of presentation and judgement, i.e., the "cognitive functions" in Scheler's terms; for example, the judgement and differentiation of truth and falsehood, etc. To a certain degree, this is determined by the *noema* of "feeling acts".

In the book *Formalism* Scheler repeatedly resorts to Pascal's expressions such as "The heart has its reason" (*Le cœur a ses raisons*), "order of heart" (*Ordre du cœur*) or "logic of heart" (*Logique du cœur r*). It should be noted that, in Scheler's eyes, the "reason" mentioned here is not reason in the intellectual sense or the reason of causes, but the "reason" of "order" and "logic"; to be precise, it is "order, law" (*Ordnung, Gesetz*).[2] The saying, "The heart has its reason" also means that between the feeling acts there exist founding relations and founding orders conforming with law.

If we talk about the essential founding relations or the founding relations conforming with law here, at least for Scheler, three aspects of possible founding relations must be considered. They are as follows from a broader sense to narrower sense: 1) the possible founding relations between feeling acts and non-feeling acts in the totality of conscious acts; 2) the possible founding relations between intentional feeling acts and non-intentional feeling acts in the totality of feeling acts; 3) the possible founding relations between various intentional feeling acts.

Let us consider these three aspects of the founding relations one by one from back to front, namely from the bottom to the top.

First of all, let us look at the founding relations between different intentional feeling acts. For Scheler, the various distinct values lie in an objective and hierarchical system: from sensible value (comfort-discomfort) to life value (nobleness-vulgarity) and from there to spiritual value (good-evil, beautiful-ugly, truth-falsehood), up to the value of the holy and the value of the worldly. The embodiment of this founding relationship in the hierarchical values lies in the

---

[1] Ibid., p. 259.
[2] Ibid., p. 253.

partition of four levels: sensible feeling, life feeling, psychic feeling, and spiritual feeling. The relationship between the feeling of values and the values felt corresponds to that between *noesis* and *noema* in Husserl. Scheler himself said, "This feeling therefore has the same relation to its value-correlate as 'representing' has to its 'object', namely an intentional relation."[1]

What can be basically determined here is that in the feeling genus of intentional feeling acts the founding relations between corresponding value *noema*, which has determined the founding relations between various intentional feeling acts, for 'the foundational relations between acts and the heights of values'.[2]

What follows is the founding relations between intentional feeling acts and non-intentional feeling acts in all of the feeling acts. The so-called "intentional" acts signified to Scheler, "only those experiences that can *mean* an object and in whose execution an objective content can *appear*". Therefore, he was justified in saying that intentional feeling acts are precisely objectifying acts. He called the intentional feeling acts in this sense "emotional experience", "which, in a strict sense, constitute value-feeling". This kind of "emotional experience" or "value feeling" is essentially different from the first kind of feeling acts he listed, namely "status feeling", for "status feeling" is mediated by objectifying acts, while "value feeling" is a direct grasp of value. In other words, the former is "feel 'about something'," but the latter is "immediately feel *something*, i.e., a specific value-quality."[3]

In this spectrum and only in this spectrum Scheler can declare, "Our point of departure is the ultimate principle of phenomenology." This principle means for him, "that there is an interconnection between the essence of an object and the essence of intentional experiencing. This essential interconnection can be grasped in any random case of such experience.... Value must be able to appear in a feeling-consciousness."[4]

But the discussions above have made clear that the universally valuable founding relationship between feeling acts and presentative acts recognized by Husserl is only valuable for a certain kind of feeling act here in Scheler: Only the feeling acts of status is founded on presentative acts, precisely speaking, objectifying acts.

Although Scheler has not definitely expressed the idea that intentional feeling acts (value feeling acts) have a founding position and function compared with the other feeling acts, this conclusion can almost be inferred from his discussions. Besides this, he still especially stressed, "that *units of feeling* and *units of values* play a guiding and fundamental role in the world views expressed in these languages".[5]

---

[1] Ibid., p. 258.
[2] Ibid., p. 222.
[3] Ibid., p. 259.
[4] Ibid., p. 265.
[5] Ibid., p. 259.

This has come down to the question of the final founding relationship between feeling acts and non-feeling acts. Although Scheler gave feeling acts a very broad definition, he also recognized many other fundamental types of consciousness, such as "kinds of conscious activities (e.g., the knowing, willing, feeling, loving, and hating kinds)",[1] and so forth. Of course, Scheler is not very strict in the demarcation of concepts. From the above, we can have seen traces of the overlapping of similar concepts: he juxtaposed conscious acts of love and hate with feeling acts, but he later thought that they belong to feeling acts: "*Loving* and *hating* constitute the highest level of our intentional emotive life."[2] Likewise, the recognizant conscious acts listed here are included in intentional feeling acts to a certain degree because the judgement and differentiation of good-evil also belong to value feeling acts. Therefore, when Scheler said, "All experience of *good* and *evil presupposes* in this sense *the comprehension of the essence* of what *is* good and evil."[3] What he referred to is not definitely cognitive acts in a traditional sense, but the acts of value feeling and value grasping, which are equal to such cognitive conscious acts as "moral evidence" (or "essential intuition"). He even also regarded the favouring of higher values and the disfavouring of lower values not as acts of *will* but as acts of *cognition*.[4]

So for Scheler, the relationship of the founding and the founded between cognitive acts and emotional acts, presentative acts and feeling acts, objectifying acts and non-objectifying acts had almost lost their significance. These concepts put forward by Scheler are not completely opposed to each other as are those by Husserl. Although, in his discussions, Scheler often showed some differentiations in this respect, this only means that he was still influenced by the dichotomy or the trichotomy of cognitive acts, emotional acts, and willing acts put forward by Kant, Brentano, and Husserl. Still, we can see clearly his inclination to rebel against and subvert such a founding order.

According to what we have said above, the "phenomenology of feeling" has undergone a radical transformation from Husserl's *LU* to Scheler's *Formalism*. This transformation has been carried out within phenomenology; that is, whether in Husserl or in Scheler, feeling phenomenology is still phenomenology, it is still opposite to metaphysical presupposition. Scheler once said clearly, "Moreover, we do not accept an absolute ontologism, i.e., the theory that there can be objects which are, according to their nature, beyond comprehension by any consciousness. Any assertion of the existence of a class of objects requires, on the basis of this essential interconnection, a description of the kind of experience involved."[5] But as the founding significance of feeling acts conferred by Husserl and Scheler are different, they have taken a radically different position in

[1] Ibid., p. 383.
[2] Ibid., p. 260.
[3] Ibid., p. 45.
[4] Cf. ibid., p. 25.
[5] Ibid., p. 265.

the totality of phenomenological intentional analysis. The positional variation of feeling acts has further resulted in the positional variation of theoretical philosophy and practical philosophy in the phenomenological systems of Husserl and Scheler.

(Translated from the Chinese original by FANG Xianghong)

3. Moral instinct and moral judgment[1]

I. Description of concepts

All of our moral consciousness and all the ethical formulations and acts based upon it rely either on our moral instinct or on moral judgment.

The above proposition is probably indubitable. The only possible questions are: (1) What exactly do moral instinct and moral judgment mean? (2) What is the relationship between them?

Although it may create misleading notions, the author is willing to risk giving descriptive definitions of these two ideas at the beginning. Firstly, "moral" here is an adjective, and its opposite is not "immoral" but "amoral." "Moral instinct" therefore does not mean the nature of morality[2], but rather means moral nature or instinct. It is natural, inborn, non-objective, non-predicative, perceptive, direct, and cannot be argued; it can also be called "the moral disposition" or "intuitive knowledge and innate ability." This corresponds to Mencius's "moral consciousness that can be known without learning and moral ability that can be held without exercise"; we can also call it "moral sentiments" following Adam Smith[3], or "moral feelings" following Eduard von Hartmann[4]. On the other hand, "moral judgment" does not mean judgment on morality, but rather judgment related to morality and in the sense of morality; it is cultural, historical, social, objective, predicative, intellectual-rational, reflective, and arguable.

Moral judgment is opposite to moral instinct in many respects.

In the essay "The Outline of the Sources of Moral Consciousness," I divided the source of morality into three: its internal origin, external origin, and transcendental origin. Moreover, I held that "the reason why we divide the source into three is that these three sources have their own features, and cannot be reduced to one other. The internal source is opposite to the external one, and is also opposite to the transcendental one; likewise, the external source is opposite to both the internal and the transcendental; finally, the transcendental source can be understood as meta-psychical (transcendental in the internal) and metaphysical (transcendental in the external), and it is therefore distinct from the two others in essence"[5].

---

[1] First published in: *Frontiers of Philosophy in China*, 2009, vol. 4, no. 2, pp. 238-250.
[2] Ni, Liangkang, "The outline of the sources of moral consciousness"（道德意识来源论纲）, in: Huang K. ed., *Asking the Way*（问道）, Fuzhou 2007, pp. 47-64.
[3] A. Smith, *The Theory of Moral Sentiments,* Oxford 1759.
[4] E. von Hartmann, *Die Gefühlsmoral,* Hamburg 2006.
[5] Ni, L., "The outline of the sources of moral consciousness", ibid., p. 51.

"The moral instinct" here has a close relationship with the internal source of moral consciousness mentioned above, while "moral judgment" here is closely related to the external source of moral consciousness.

We will put aside the transcendental source[1] and focus only on the distinction between moral instinct and moral judgment and on their definitions.

II. The moral instinct

In this first stage, we can refer to M. Oakeshott's excellent description of the two forms of human moral life: the conventional form and the ideal form. Above all, his description of the conventional moral form very much fits the prescriptions of the moral instinct. For example, he wrote:

> In the first of these forms, the moral life is *a habit of affection and behaviour*; not a habit of *reflective thought*, but a habit of *affection and conduct*. The current situations of a normal life are met, not by consciously applying to ourselves a rule or behaviour, nor by conduct recognized as the expression of a moral ideal, but by acting in accordance with a certain habit of behaviour. The moral life in this form does not spring from the consciousness of possible alternative ways of behaving and a choice, determined by an opinion, a rule or a ideal, from among these alternatives; conduct is nearly as possible without reflection. And consequently, most of the current situations of life do not appear as occasions calling for judgment, or as problems requiring solutions[2].

The point here is that this form of moral life shows itself as a spontaneous moral response.

Oakeshott's description of the second moral form fits the prescriptions of moral judgment on the whole:

> The second form of moral life we are to consider may be regarded as in many respects the opposite of the first. In it activity is determined, not by a habit of behaviour, but by the reflection of a moral criterion. It appears in two common varieties: as the self-conscious pursuit of moral ideals, and as the reflective observance of moral rules. But it is what these varieties have in common that is important, because it is this, and not what distinguishes them from

---

[1] On the transcendental source of moral consciousness, the readers can see the author's essay "The Outline of the Sources of Moral Consciousness" (Ni, L., "The outline of the sources of moral consciousness", ibid., p. 53). In brief, the most important question here is whether the root of the generation of religious feeling lies in reflection on the internal world and moral motivation or in the awe for external things and the origin of universe. The different answers to this question may lead to dividing the transcendental moral consciousness into internally-transcendental moral consciousness and externally-transcendental moral consciousness. Therefore, we may investigate the transcendental moral consciousness within the relationship between the moral instinct and moral judgment.

[2] M. Oakeshott, *Rationalism in Politics and Other Essays,* Indianapolis 1991, pp. 467-468.

> one another, which divides them from the first form of morality. This is a form of the moral life in which a special value is attributed to self-consciousness, individual or social; not only is the rule or the ideal the product of reflective thought, but the application of the rule or the ideal to the situations is also a reflective activity. Normally the rule or the ideal is determined first and in the abstract; that is, the first task in constructing an art of behaviour in this form is to express moral aspirations in words – in a rule of life or in a system of abstract ideals."[1]

The point here is this form of moral life shows itself as well-founded thinking.

I am not however in full accordance with Oakeshott on this point; the divergence appears where we take the next step, to define the first form of moral life. For example, where Oakeshott claimed that "every form of the moral life (because it is affection and behaviour determined by art) depends upon education"[2], I have to go a different way and against him: in my view, once he regards the form of moral life as the result of education, he in a sense stands by the rationalism, or historicism, or culturalism, or socialism in moral theories which he had criticized. In this sense, both of his two forms of moral life belong to my notion of social morality, and belong to the external source of moral consciousness (taught and acquired from outside a posteriori), whether empirical or idealist.

According to Oakeshott, the conventional form of moral life is neither "a form of moral life which assumes the existence of a moral sense or of moral intuition," nor one that includes "a moral theory which attributes authority to conscience," nor one that is "a merely primitive form of morality"; by this conventional form he means "the form which moral action takes in all the emergencies of life when time and opportunity for reflection are lacking"[3]. That is to say, it is not innate but acquired even though it is a spontaneous moral reaction.

If moral education really can change conventional morality into an unconscious, non-reflective direct human moral reaction, i.e. moral instinct, this kind of education must be very powerful, like language education in that the gift will never be lost even if all the memories fade. It becomes an instinct in a specific sense, that is, an acquired instinct.[4]

It is clear, however, that many instinctive moralities, such as the feeling of sympathy, shame, fear, and motherly love, are totally not or not totally the result of education. It is obviously a long way from these instinctive moralities to acquired instincts. One will feel a toothache while watching other people having their teeth filled; a mother loves her children; one will blush out of control, and

---

[1] Ibid., pp. 472-473.
[2] Ibid., p. 468.
[3] Ibid.
[4] The acquired instinct must have its basis in nature. We will come back to this point later.

be unable to hold back tears when sad or in pain – we are not able to learn all these behaviors, but are born with them.

Therefore, the biggest divergence between Oakeshott and me — or in other words, the biggest mistake I believe Oakeshott made — is that he regarded the first form of moral life as the result of education, while I think it is a natural ability. Of course, Oakeshott can criticize the ideal form of the moral life of rationalism, but it is also true that he did not give up the traditional prejudice of empiricism. He even fell behind his empiricist predecessor Hume on this point: as we can see, in Hume "natural virtue" was clearly distinct from "artificial virtue"[1].

In my view, the essential meaning in moral theory is not the opposition between empiricism and rationalism, but the opposition between naturalism and rationalism in its broadest sense. This kind of rationalism includes various forms of moral contract theory, such as historicism, culturalism, and socialism.

III. Groundwork of the naturalistical ethics

Those thinkers who maintain that human moral life is basically founded on natural virtue may often fall into the snare of naturalism. Kant criticized naturalism in his posthumous manuscript "*Reflektionen*" and Husserl intensely opposed its arguments in *Philosophy as Rigorous Science* and other writings[2]. The crucial point is that if one acknowledges naturalism, it almost means that he at the same time accepts a skepticism that gives up all absolute conceptuality and effective objectivity; especially if he acknowledges naturalism in the field of moral philosophy, it will eventually lead to the attribution of all moral norms and regulations to the contingent outcomes of evolution over some period of time in nature, and eventually reduce human moral principles into propositions of evolutionary ethics. This is basically similar to the conclusions of rationalism, historicism, culturalism, and socialism. Because all of the latter eventually regard moral principles as the kind of conventions made by human groups, or as the conventions of all rational men, that is rationalism; or as the conventions made by traditional human conventions of some period, that is historicism; or as the conventions made within some cultures, that is culturalism; or as the conventions made by the whole of human society, that is socialism. Therefore, naturalism, historicism, and so forth are incapable of breaking away from skepticism and relativism in the end.

This is the situation in which theoretical research on morals finds itself at present. Nevertheless, before we find or assign absolute moral principles and ethical imperatives, we still have two possible ways of describing and explaining the moving track of human moral life at present: one has its root in natural in-

---

[1] D. Hume, *A Treatise of Human Nature*, Oxford 1978, pp. 477-483.
[2] See E. Husserl, *Aufsätze und Vorträge (1911-1921)*, Dortrecht/Boston/Lancaste 1987.

stinct while the other is reasonable and necessary moral convention by reason. They are the two supports of human moral life, and the moral instinct and moral judgment referred to in the title of this essay.

It seems that dualism and relativism in moral life are our destiny in the contemporary era. However, even this has not been fully argued until now. The all-important question is, are we moral animals? That is to say, are we born with moral ability? Oakeshott would say no, as would Montaigne. Montaigne observed that some believe that some principles are "stable, unvarying and changeless, [and] they call these natural laws, which lay marks on human races in virtue of the conditions of their being"; he went on to note that "they definitely hold there are natural laws, and the only possible proof for them is universal acceptance." He thereupon challenged them: "let them point out for me which law takes on such quality"[1]. It is however interesting that Montaigne contradicted himself elsewhere, such as on the matter of conscience. He compared the existence of "conscience" to the antivenom excreted by a certain insect against its own poison, as both of these are "a contrariety of nature": "at the same time that men take delight in vice, there springs in the conscience a displeasure that afflicts their sleeping and waking with various tormenting thoughts"[2].

The feelings of morality which are called by the collective name "conscience" are the basic foundation of naturalist moral theory, as justice is the core of the theories of nationalism, historicism, culturalism, and socialism in ethics.

Throughout history and around the world, thinkers have appealed to the various moral instincts collected under the name of "conscience": Aristotle promoted the virtue of friendship, Hume preferred kindheartedness and sympathy, and Rosseau, Adam Smith, Husserl, Scheler, and Berdyayev among others advocated sympathy. The feeling of sympathy is the most original motivator of moral acts, as it were.

Mencius' emphasis on intuitive knowledge that is known without learning and on the intuitive ability that is held without exercise merits particular attention. He reduced these two to four beginnings: the feelings or mindsets of sympathy, of shame, of deference, and of judgment, and believed that these were universally possessed innate moral abilities of men.

An easy way to prove that these abilities are not the results of a posteriori cultivation but rather inherent gifts is to examine whether they come under the control of the intelligence. It is a feature of instinct that it begins to act before any thinking and reflection. For instance, almost every normal human being cannot intentionally control his blushing. It shows the feeling or mindset of

---

[1] Montaigne, *The complete essays of Montaigne in three Volumes* (in Chinese), trans. by Pan L. etc. Nanjing 1996, p. 268.
[2] Ibid., p. 40.

shame is a moral instinct[1]. Research in the natural sciences offers further evidence. The latest research in neurology shows that mirror neurons have the ability to represent behavioral images similar to the observed individual's acts. These discoveries provide physiological evidence explaining the formation of empathy and sympathy[2]. I believe time will resolve the problem of how to prove the existence of the innate mechanisms of other elements (such as the mindset of deference) of conscience by various means.

This means that innate moral abilities certainly are present in human nature, which forms the elementary foundation of naturalist ethics. Thus, we can answer the previously raised question: men are moral animals. As for the question of "why men are like that," it can be translated into another question if innate moral abilities are the results of an accumulation over a long period of time – this question however must now be put aside, and may be better left to the biologists[3].

In moral philosophy, we must initially pay attention to two points: firstly, the proposition that "men are moral animals" indicates that men have the innate instinct to do good, and that men also have the innate instinct to do evil. We will not go into details on the latter.[4] Secondly, the moral instinct does not always hold the line, but may be affected by a posteriori circumstances and then be obscured. Although Mencius stressed that everyone has a conscience, he did not hold that everyone's conscience works. We can see the same opinion in Wang Yangming; one of Wang's disciples, Wang Longxi, said: "Men have conscience and it is originally good. Even if one is most muddle-headed, if only he is able to reflect upon himself, he will get at his own nature. It can be compared to the light of the sun and moon. The sun and moon are shaded by cloud and mist now and then, and become dark. Once the cloud and mist are gone, however, the sun and moon are seen and have suffered no loss"[5]. Such an insight can answer Montaigne's doubts on the universality of natural principles mentioned above. In fact, we can find in Aristotle an opinion similar to those of Mencius, Wang Yangming, and Wang Longxi: "We ought to think about what is natural not in things which are corrupt but in things which are well ordered by nature (*Non in depravatis, sed in his quae bene secundum naturam se habent, considerandum est quid sit naturale*)"[6].

---

[1] Ni, Liangkang, "Considerations on the ethical phenomenology of the heart-minded of shame"（关于羞耻之心的伦理现象学思考）, in *Journal of Nanjing University*, 2007, No. 3, pp. 113-119.

[2] D. Lohmar , "Mirror neurons and the phenomenology of intersubjectivity", *Phenomenology and the Cognitive Sciences*, 2006, Vol. 5, No. 1, pp. 5-16.

[3] R. Wright, *The Moral Animal — Why We Are, the Way We Are* (in Chinese), Chines version, trans. by Chen, R. and Zeng, F. Shanghai 2002, pp. 315-317.

[4] If we do not reach the level of moral judgment but only evaluate moral instinct itself, the standard does not rest with good and evil but rather with moral sensitivity and moral directness.

[5] Wang, Ji., *The Collected Works of Wang Ji*, Volume VI, Nanjing 2007. p. 134.

[6] Aristotles, *Aristotles Philosphischen Schriften*, Band 4: *Politik*, Hamburg 1995, 1254 b.

IV. The parallelism of morality and language

We must go back to Oakeshott after having discussed the above questions, for he offered us another revelation; that is, he pointed out the parallelism between the forms of moral life and language. He wrote,

> There is in it nothing that is absolutely fixed. Just as in a language there may be certain constructions which are simply bad grammar, but in all the important ranges of expression the language is malleable by the writer who uses it and he cannot go wrong unless he deserts its genius, so in this form of the moral life, the more thorough our education the more certain will be our taste and the more extensive our range of behaviour within the tradition. Custom is always adaptable and susceptible to the nuance of the situation. [1]

However, in this paragraph we still see that Oakeshott did not only insist on his bias that the forms of moral life come from a posteriori education, but also that he showed some bias on linguistics, by regarding language as a kind of ability acquired a posteriori. Of course, it is understandable why he showed such biases, because the essay quoted was finished in 1948. At that time, it was impossible for him to read Chomsky's revolutionary work *Syntactic Structures* written in 1959, and did not know the concepts of "mental grammar" and "universal grammar" which gradually came to dominate the field of linguistics in the following decades. Chomsky focused on the innate structure of language, and linguists today no longer take language as an ability merely acquired a posteriori by intelligent beings.

Although both Oakeshott and Chomsky used the metaphor of the tower of Babel, their targets were different: the former used it to show that rationalism in politics overestimates itself, just as did the human beings who attempted to build the tower of Babel, while the latter tried to point out that there really was a common language before the establishment of the tower of Babel.

Of course, Chomsky apparently was not willing to be limited to the field of linguistics, but rather wanted to apply the interdependent and interactional relationship between innate nature and a posteriori nurture to the development of personality, between the modality of behavior and the structure of cognition. He argued that we generally consider that in these categories social circumstance is the uppermost influencing factor. The long-term development of the structure of mind is therefore regarded as arbitrary and accidental, and in general we take the developed as the results of history and do not believe there is a "human nature". However, if we seriously study the system of cognition, we will find that it is not inferior to the development of the structure of organism. Thus, why do we

[1] M. Oakeshott, *Rationalism in Politics and Other Essays,* Indianapolis 1991, pp. 470-471.

not research the nurture of the cognitive structure (such as language) as we research the complicated organs of the body?[1]

In fact, concerning human nature in general, the problem will be expanded to the development of personality, to the pattern of behavior, and, of course, to the form of moral life discussed in this essay, and will not be limited to the gift of language or the structure of cognition. At this point, I believe that the gift of language and moral ability are comparable in structure: like the relation between the gift of language and the structure of cognition, the relationship between moral instinct and moral judgment is a relationship of nature and nurture, of an innate structural form and of empirical content continually acquired.[2]Thus, the two questions asked at the beginning of this essay are basically resolved.

V. The double basis for moral life

One point needs to be supplemented here: naturalist moral theory is characterized by stressing moral instinct as nature, and some advocates of this extreme position even regard moral instinct as the unique basis of moral life, while the moral theories of rationalism, historicism, culturalism, and socialism pay more attention to moral judgment as nurture, and the advocates of this extreme position doubt and then deny any other possible basis of moral life. Between the two extreme positions, however, there still are some moderate opinions. For example, even in the discussions between Pinker and Rorty, and between Chomsky and Foucault, the disputants did not slander the opponents completely, but simply commended their own beliefs and disregarded the opposite ideas.

For example, although the thoughts of Pinker were thoroughly refuted by Rorty, he later admitted that hereditary genes in large part had an impact on our acts, and he gave some examples of the innate psychological qualities determined by genes including autism, homosexuality, discrimination between musical pitches, the capacity for fast calculations, and so on, moral ability included[3]. It shows that he roughly recognized the naturalist forms of moral life.

In the discussion between Chomsky and Foucault, we can see such an inclination more clearly. At least for Chomsky it is true: reviewing the discussion, he said: "We found ourselves in at least partial agreement, it seemed to me, on the question of 'human nature' ... on the one hand, on an intrinsic property of mind, on the other, on a combination of social and intellectual conditions. There is no

[1] St. Pinker, *The Language Instinct – How the mind Creates Language* (in Chinese), trans. by Hong L., Shantou 2004, pp. 28-29.
[2] Of course, although we say that the gift of language and moral ability are parallel and similar, we cannot say at present if the two interact.
[3] R. Rorty, "Philosophy-envy", in *Daedelus*, Fall 2005, pp. 23-27.

question of choosing between these ... But personally I am more interested in the first, while Foucault stresses the second"[1].

Such a moderate attitude must also apply to the selection of the forms of moral life. Such a selection usually is not either-or. So far as the two forms of moral life presented by Oakeshott are concerned, he apparently stood by the first form of moral life and criticized the morality which insists on the ideal form of moral life and rationalism in politics. This did not however prevent him from keeping a clear-headed doubt - that is, a doubt as to whether the two forms of moral life can exist separately, or in other words whether human beings can maintain their own moral life without either of these two forms[2].

Nevertheless, the problem of foundation - that is, the problem of which form of moral life is more essential - has remained unresolved and we are now forced to answer it. The answer to this question often evinces a subjective preference. It seems that the question is related to a choice or a decision: which one we ought to prefer if the two forms of moral life conflict, if we must make an either-or decision between thinking and action, between the dictates of education and tradition.

This is a mistake, however: when we are thinking about how to make a decision, we already stand on the level of moral judgment — that is to say, we have left the level of moral instinct.

VI. The foundation between moral instinct and moral judgment

In my view, the so-called problem of the relationship of foundation between moral instinct and moral judgment is similar to the problem in linguistics of the relationships between universal grammar and the various types of languages after generative transformation. That is to say, it is similar to the relationship of "parole" and "language" in Rousseau and the relationship of "the language" (die Sprache) and "languages" (Sprachen) in Humboldt. The grounding problem of morality in this sense is similar to "the theory of moral structures" and "the measurement of moral weight," two related issues investigated by R. Nozick. I think it is not a happenstance that he referred to the "syntactic structures" of Chomsky at this point[3].

We must say that just like linguistic activity, moral life has both deep-seated and superficial forms, which can be called the deep-seated form and superficial form of moral life. The former does not change with the era, culture, nation, or

---

[1] Yao, Xiaoping., "Descartes, Chomsky and Foucault: Random Thoughts on the Grammaire Générale et Raisonnée (1660)", In: A. Arnauld and C. Lancelot eds. *Grammaire Générale et Raisonnée,* Changsha 2001, p. 15.

[2] Oakeshott, ibid., p. 477.

[3] R. Nozick, *Socratic Puzzles* (in Chinese), trans. by Guo J. & Cheng Y., Beijing 2006, pp. 233-295, p. 5.

individual, and even if it changes, the change will be extremely slow, whereas the latter may change all the time. In this sense, the moral instinct which stands for the deep-seated form of moral life is the foundation of moral judgment, which represents the superficial form of moral life.

In many aspects, the viewpoints we have confirmed here, including those advocated in another sense by Oakeshott, can be taken as the extension and development of Rousseau's thoughts on naturalist ethics. Rousseau regarded "self-love" and "pity" as "two principles a priori to reason" and said they were "pure movement of nature ... before all reflection." At the same time, he also took social principles of justice or fairness as derived because "... these two principles, without it being necessary to bring in the principle of sociability, follow, it seems to me, all the rules of natural right ..."[1]

One paragraph in Rousseau's works can be used to explain the grounding relationship between moral instinct (its key word is "conscience") and moral judgment (its key word is "justice"):

> Hence, it is certain that pity is a natural feeling which, by moderating in each individual the activities of his love of himself [amour de soi-même] contributes to the mutual preservation of the entire species. It is pity which inclines us to help those we see suffering, without reflecting about it, and which, in the state of nature, takes the place of laws, morals, and virtue, with this advantage — no one is tempted to disobey its soft voice. It is pity which will make every robust savage turn away from robbing a weak child or an infirm old man of the sustenance he has acquired with difficulty, if he himself has hopes of being able to find his own somewhere else. It is pity which, in the place of this sublime maxim of rational justice – Do to others what you wish others to do to you – inspires in all men this other maxim of natural goodness, much less perfect than the preceding one, but perhaps more useful: Do what is good for you with the least possible harm to others. Briefly put, it is in natural feeling rather than in subtle arguments that we must seek out the cause of the repugnance which all men would experience at doing wrong, even independently of all the maxims of education.[2]

In the maxim on "justice" or "fairness" in the last paragraph, what Rousseau stated is the basic meaning of the moral judgment that I have discussed. In the maxim on "pity," what he expressed is the basic meaning of moral instinct in my sense.

All these show Rousseau's naturalist moral philosophy is a source of wisdom that deserves more attention from modern thinkers than Kant's rationalist moral philosophy.[3] The former is not a complement to the latter; in fact, it is the other way round.

---

[1] J. Rousseau, *A discourse on Inequality* (in Chinese), trans. by Li P., Beijing 2007, p. 38, p. 73.

[2] Rousseau, ibid., p. 75.

[3] It seems that Oakeshott paid little attention to Rousseau and his thought. He referred to Rousseau only when he treated him as the opposite of Hobbes. In fact, Rousseau abso-

Scheler once said, "No human being becomes 'good' by ethics"[1]. After careful thought, this can be seen as true; perhaps it is the reason for the failure of modern normative ethics. Although by this sentence Scheler wants to stress his moral insights and the intentional connection between moral insights and ethical value, I can also use it to account for the argument made here: moral judgment established on the basis of a posteriori nurture is only a complement to innate moral instinct. Without the ability of the inherent good in human nature, men cannot construct a moral mechanism merely by convention. In this sense, we can understand what Berdyayev said: Ethics is impossible without sympathy[2].

Although ethics never teach us how to be good, they can reveal the sources of moral consciousness, and therefore be helpful in setting a doctrine for moral education and cultivation. This may be the essential distinction between ethics and books on practical cultivation and between "moral philosophy" and moral code, and also the essential distinction between ethics and ethos.

(Translated from the Chinese original by YU Xin)

---

lutely can be regarded as the forerunner of arguments against rationalism in politics. Today, many thinkers who are against modern moral philosophy are supporters of Rousseau's ethics of nature or Aristotle's ethics of virtue to a certain extent.

[1] M. Scheler, *Formalism in Ethics and Non-formal Ethics of Values: A New Attempt toward the Foundation of an Ethical Personalism* (in English), trans. by M. S. Frings and R. L. Funk. Evanston 1973, p. 69.

[2] N. Berdyayev, *On Vocation of Men* (in Chinese), trans. by Zhang B. Shanghai 2001, p. 255.

4. On hypocrisy

A language-philosophical and phenomenological analysis

I.

The Chinese equivalent of "hypocrisy" is "wei-shan"（伪善）, which can be divided into "wei"（伪, fake）and "shan"（善, virtue）. Let me talk about "wei" first.

"Wei" has three meanings in total: a. "false and fake", b. "artificial and man-made", and c. "illegal and puppet". The last meaning has nothing to do with the following discussion, so we just pay attention to the former two implications.

"Wei-shan", in modern Chinese language, is normally related to the first meaning of "wei". Therefore, "wei-shan" is understood as false-virtue. "Wei", meaning "false and fake", is used to describe behavior, language and thought which is not virtuous originally, but appears to be or pretends to be virtuous. But this is definitely not the original and sole meaning of "wei-shan".

In ancient Chinese philosophy, first through Xunzi's exposition, "wei" and "xing" were two correlated concepts. The former means "artificial" and the latter means "natural". Xunzi said, "That part of man which cannot be learned or acquired by effort is called the nature; that part of him which can be acquired by learning and brought to completion by effort is called artificiality. That is the difference between nature and artificiality" (Xunzi, Man's Nature is Evil).

From his point of view, human nature is intrinsically evil. All the evil elements are innate in human nature, they are not learned. And all virtues come from education, and are therefore "artificial" in a sense. Following this logic, all virtues are "wei-shan" (artificial virtues) while all vices are true and natural. So Xunzi declared in his Man's Nature is Evil: "Man's nature is evil; goodness is the result of artificiality."

In Xun's opinion, virtues cannot be classified as true or false since all virtues are artificial. It seems that we will be trapped into moral relativism immediately if we follow his logic. And his opinion to some extent coincide our current social ethical trends. In this sense and only in this sense, "wei-shan" is no longer a negative term. Since all virtues are artificial and result of man-made social contracts, we of course have no need or any qualification to criticize others' "wei-shan". Accordingly, we also have no need to search the everlasting virtues and it is not possible for us to do so either.

II.

However, this is just one understanding of "wei-shan". Before furthering our discussion on this topic, we must reexamine the proposition and eliminate the inappropriate prerequisite in it. For example, Xunzi's argument that human nature is evil has been proved undesirable, just as Menzi' argument that human nature is good has been. It is because that at the beginning of human life (also including that of those who live an isolated life), human nature is both good and evil, non-good and non-evil, and neither good nor evil. For example, the desire for food and sex is essentially neither good nor evil. It is like "moral neutrality" （道德中性）in Western philosophy term and "avyākṛita"（无记）in Buddhist concept. Only when one's nature plays a role in one's social relationship with others does the problem of virtue and vice emerges. Thus, the morally neutral elements in human nature begin to be tainted with various moral values and are classified as good or evil.

From today's angle, we can argue that human nature is both good and evil. It is not difficult to prove the existence of virtue and vice in human nature. As Xunzi said, "The nature of man is such that he is born with a craving for profit. If he indulges this craving, it will lead him into wrangling and strife, and all sense of courtesy and humility will disappear. He is born with feelings of envy and hate, and if he indulges these, they will lead him into violence and crime, and all sense of loyalty and good faith will disappear. Man is born with the desires of the eyes and ears, with a fondness for beautiful sights and sounds. If he indulges these, they will lead him into license and wantonness, and all ritual principles and correct forms will be lost." (Xunzi, Man's Nature is Evil) Menzi acknowledged this innate virtuoushuman nature even earlier. For him, the feeling of commiseration, the feeling of shame and dislike, the feeling of modesty and complaisance, and the feeling of approving and disapproving, are all innate in human nature, with no need of training. Therefore the principles of benevolence, righteousness, propriety and knowledge can be found in human instincts If we conclude here, at least we can say that the distinction between virtue and vice and that between Xing（性, nature）and Wei（伪, artificiality）are not equal. We can use "virtuous" and "vicious" to describe "nature", but also to describe "artificiality", i.e. the artificial and acquired moral conventions.

III.

For the Chinese, the concept of "wei-shan" used in everyday life is closer to the concept of "hypocrisy" in Western intellectual history. Generally speaking, while the ancient Chinese concept of "wei-shan" was used to indicate good behavior, thought or language which does not originate from one's nature, but from his education, the ancient Western concept of "hypocrisy" referred to those good behavior, thought or language which does not arise out of one's nature, but only carried out for appearance. I should also trace the origin of the Western concept of "hypocrisy". Strictly speaking, "hypocrisy" is not a philosophical concept, at least not a classical philosophical concept, i.e. not a Greek philosophical concept. As far as I know, ancient Greek philosophers did not discuss it. Actually "hypocritical" or "hypocrisy" is rather a concept of art. It has its origin in the Greek term "hypokrisis", which means "drama performance", "imitation", "simulation", etc. Normally, it is a neutral concept, with no derogatory sense. And it is even used in a complimentary sense under certain conditions. For example, if an actor is not good at "hypokrisis", he is even not a "good" actor.

Only in the Hebrew tradition did the term "hypocrisy" begin to appear, with religious and ethical implications and an intense derogatory sense. But "hypocrisy" was still not yet a concept then. The "Pharisaism" criticized by Jesus in the Bible was used as a synonym for "hypocrisy": all those who pretend to be very moral or religious but who are not moral or religious in a true, deeper way would be called Pharisees, i.e. hypocrite people.[1]

"Pharisaism" in history was a sect of Judaism formed in the second century B.C. According to the Bible, in the early period of Christianity, Pharisees accused Jesus and his disciples for not holding fast to the religious rules while Jesus accused them of "hypocrisy".

"The hypocrisy of Pharisaism" was manifest in three aspects according to the Bible. First, they did not do what they preached. They preached something to people which they themselves failed to fulfill. Second, there were differences between what they did righteous acts but were evil in their hearts. Third, they considered themselves righteous, enjoying criticizing and judging others. These are the three characters of "the hypocrisy of Pharisaism".

IV.

Based on the above consideration and analysis, we begin our discussion on the general sense of "hypocrisy". I am not aiming to conduct a case study on "the hypocrisy of Pharisaism", but I will use it as a starting point to investigate the essential structure of the phenomenon of "hypocrisy". The question is: what is the essential structure of hypocrisy? In other words, what elements make a charge against hypocrisy valid?

Most generally speaking, the basic prerequisite for any hypocrisy is the lack of natural-virtues and the presence of artificial-virtues.

The so-called "natural-virtues", here excluding commiseration, shame and dislike, modesty and complaisance, and approving and disapproving, suggested

[1] The German term "Heucherlei" is first of all a religious concept, introduced by Martin Luther, which means pretended piety before the God, contrasted with the true religious feeling.

by Menzi, include Socrates' conscience, Aristotle's friendship, Hume's benevolence and responsibility, Smith's sympathy and Rousseau's four inner characters, etc. These are the origins of moral consciousness related to the conscience of the subject.

The so-called "artificial-virtues" are acquired and are the result of education and contracts among human beings, as said by Hume. They are the social ethical consciousness related to universal political rules. The majority of virtues, such as justice, equality, loyalty, xiaodi (filial piety and brotherhood) and chastity are artificial-virtues.

There are many differences and even contrasts between natural-virtues and artificial-virtues. The former are innate, universal, instinctual, non-teachable, non-object-orientated and natural, etc. The latter are acquired, conventional, effective, teachable, rational and cultural, etc. It is not possible for us to examine those differences in detail here.[1] Instead, we will point out that natural-virtues can be a kind of individual morality while artificial-virtues as social morality.

The phenomenon of hypocrisy and the concept of hypocrisy typically manifested the differences and conflicts between individual, inner ethics and social, external ethics. Therefore, rather than focusing on the analysis of the phenomenon of hypocrisy, this paper intends to illustrate the essential relationship between the two origins of moral-consciousness through such analysis.

V.

Many thinkers wrote about the separation of the individual, inner ethics and social, external ethics. For example, Rousseau pointed out, "all the progress of human beings makes them run counter to their original condition." So he wanted "to distinguish the innate from the learned in human nature".[2] H. Bergson took a rather extreme stand by claiming that the former refers to human morality, i.e. a kind of morality that arises out of love, while the latter is social morality, i.e. morality that arises out of social pressure.[3] Besides, we should also pay attention to the modern thinker R. Niebuhr. From his point of view, al-

[1] The author has discussed this aspect in another article entitled "The outline of the sources of moral consciousness"（道德意识来源论纲）, in: Huang K. (ed.) *Asking the Way*（问道）, Fuzhou 2007.

[2] J. J. Rousseau, *Discours sur l'origine et les fondements de l'inégalité parmi les homes*; Chinese version, trans. by Ch. Li, Beijing 1982, p. 63.

[3] H. Bergson divided the morals into the open and the closed. The former is out of social pressure, while the latter is out of love; the former is social morality, while the later is human morality. See H. Bergson, *Les deux sources de la morale et de la religion*; Chinese version, trans. by Z. Wang, Guiyang 2000, pp. 25-36.

though human nature has both selfish and un-selfish impulses, individual morality is still higher than social morality in principle.[1]

If we consider individual, natural morality and social, conventional morality in this sense for the moment, we can conclude that if a good deed is carried out not out of human nature but to fulfill the requirement of social morality, it could be understood as hypocritical.

However, such a definition is obviously quite extreme; "hypocrisy" here is defined as an artificial-virtue. It agrees with one of the definitions of "wei". But since "wei" has other meanings, for example "false and fake", such definition may often mislead people to equal all "artificial-virtues" to "false-virtues". It may make people inappropriately consider a lot of behavior, language and thought as hypocritical. Yet it at least provides us with a platform for further discussion.

Questions concerning the above definition include the following: if a good deed is carried out of neither human nature nor social pressure, then is it a true-virtue or false-virtue? In other words, is there any moral-consciousness which is originated neither from human nature nor from social pressure? For instance, it can be a sense of sympathy or justice as manifested by the soldiers who entered the World War II against the Nazis on their own initiative. In this situation, they followed some social moral consciousness. But their behavior was obviously not hypocritical, even if such behavior had nothing to do with their human nature.

Therefore, the key to these questions lies in the essential difference between the two meanings of hypocrisy: artificial-virtue and false-virtue.

IV.

Perhaps we can further prescribe an element to the meaning of "hypocrisy": hypocrisy occurs only when "it is good" is separated with "it is considered as good". In other words, the fundamental conflict between "moral ontology" and moral phenomenology" is the prerequisite of the existence and occurrence of "hypocrisy".

In this proposition, "it is good in-itself' contrasts with "it is good in the eyes of others", which is different from the contrast between natural-virtue and artificial-virtue.

The so-called "good in-itself" includes not only those inborn, instinctual and natural virtues (natural-virtues), but also those acquired, taught and social virtues (artificial-virtues). Generally speaking, we can divide all moral capabilities

[1] R. Niebuhr, *Moral Man And Immoral Society: A Study in Ethics and Politics*, New York 1932, Chinese version, trans. by Q. Jiang etc., Guiyang 1998, p. 203.

(i.e. Aristotle's concept of moral virtue[1]) into three categories: inborn moral abilities, inborn moral potentials and acquired moral abilities.

The inborn moral abilities refer to those moral abilities, like the abilities of seeing and hearing, which people are already born with, with no need of further training. The inborn moral potentials are different. Although innate in human nature, they cannot be realized without further nurturing, just like the abilities of walking and speaking. Two examples of this kind are parental love and filial piety. The acquired moral abilities are, on the other hand, totally a result of teaching and nurturing, similar to the craft of carpenters and the courage of soldiers. An example is justice.

The so-called "it is good in the eyes of others" refers mainly to those good deeds carried out not out of instinct, but in order to fulfill social ethical requirements. It reminds us of the first two characteristics of Pharisaism: the disagreement between what is in the heart and what is preached, and the disagreement between what is preached and what is done. In the New Testament, Jesus criticized the Pharisees as follows, "Woe to you, teachers of the law and Pharisees, you hypocrites! You are like whitewashed tombs, which looks beautiful on the outside but on the inside are full of dead men's bones and everything unclean."[2] Max Scheler gave a definition on "the hypocrisy of Pharisaism", "If someone will not bless his neighbor – he does not want the blessing realized – but just takes the chance of making himself 'do good deeds', then he is not 'good' and he does not do good deeds. Actually that is a game of the Pharisees: he just wants to be good for himself."[3]

The origin of this disagreement lies in the essential separation and difference between natural morality and artificial morality. But as mentioned above, artificial morality is not false morality. We can only say, hypocrisy is always contained in artificial morality. In other words, all artificial-virtues are not false-virtues, but all false-virtues are artificial virtues.

VII.

This proposition concerns the origin of artificial-virtues. Although the extension of artificial-virtues is much wider than that of false-virtues, false-virtues are totally included in artificial-virtues. This is a basic fact.

Natural-virtues have nothing to do with hypocrisy. These two are against each other. Since natural-virtues are not equal to artificial-virtues, certainly they

---

[1] Aristotle only explained in general: "ethical rationality follows the convention (ethos), thus by slightly changing the spelling, there comes the term 'ethike.'" (II, 1103a, 14) He did not discriminate the meaning of "follow" strictly.

[2] Matthew, 23:27.

[3] M. Scheler, *Der Formalismus in der Ethik und die materiale Wertethik: Neuer Versuch der Grundlegung eines ethischen Personalismus*, Bern und München 1980, p. 48.

are not equal to false-virtues. Therefore, ethics on account of natural-virtues never meets with the problem of hypocrisy. For example, we can say that ethics based on individualism or naturalism eliminiates the possibility of hypocrisy; but the ethical theories of communitarianism and utilitarianism can hardly avoid it.

This can be explained by an example. In "Menzi", King Hui of Liang was sitting aloft in the hall when a man comes along with an ox. The King saw him and asked, "Where is the ox going?" The man replied, "It is going to be sacrificed." The King said, "Let it go. I cannot bear its frightened appearance, as if it were an innocent person going to the place of death." The man answered, "Shall we cancel the sacrifice?" The king said, "How can that be cancelled? Change it for a sheep." The people all supposed that King Hui of Liang grudged the animal, but Menzi did not think so. Even King Hui of Liang himself could not explain his deed. If both the ox and the sheep were innocent, why did he choose to kill the sheep instead of the ox? If King of Liang did not want to kill any livestock, why did not he simply abandon the social custom (it can be regarded as a sort of "rite", i.e., the externalization and institutionalization of the artificial and conventional social ethics)? It is reasonable here to question King Hui of Liang about his hypocrisy. However, if we consider the definition mentioned above, the King may be excused. It is because his action was based on the direct pity of the ox; he did not see the sheep, thus no sympathy was generated. Therefore, Menzi reasonably explained: "Your conduct was an artifice of benevolence. You saw the ox, and had not seen the sheep. So the superior man is indeed affected towards animals, such that, having seen them alive, he cannot bear to see them die; having heard their cries, he cannot bear to eat their flesh. Therefore, he keeps away from his cookroom."[1] Menzi' explanation was based on an obvious principle: a conduct of true-virtue must arise out of natural instinct instead of the calculation of benefits or outside pressure.

Why artificial-virtues cannot be separated from false-virtues easily is because of the fundamental characteristics of the former. Apart from being acquired and taught, artificial-virtues contain conventional, useful and reasonable elements. All of them are premises of hypocrisy. It is necessary to illustrate this point one by one. Let's draw support from Max Scheler's conclusion:

First, since artificial and social virtues are conventional, the motivation of such virtuous behavior may only come from the conventional pressure of the community and is totally irrelevant to the will of the individuals. Such virtuous behavior is characterized by its inevitability. For example, if someone only sees a moral obligation to look after his parents, then his filial-piety contains the element of hypocrisy. In this sense, the obligation theory（义务论）advocated by Kant cannot avoid the phenomenon of hypocrisy. Thus, the critique of Max Scheler for Kant is reasonable to some extent: if a person does good deeds sim-

[1] Menzi, *Menzi*, "King Hui of Liang", Part I.

ply to fulfill his duty instead of out of his own desire, then he is to be considered as hypocritcal.

Second, since artificial and social virtues are useful, such virtuous behaviors may carry the aim of maximizing utility. Under such circumstances, a good man or good behavior inevitably is weighed in terms of interests or profit. If the interests or profit transcends that of the individual, then the conflict between individual interests and social interests will generate the phenomenon of hypocrisy. This is the main problem of utilitarianism.[1] For instance, if the concern of a mother towards her children is out of maternal love, then no hypocrisy is involved. However, if it is totally out of the calculation of interests (e.g. such that her children will provide for her in her old age) then her concern contains the element of hypocrisy.

Third, since artificial and social virtues are introspective, our inborn moral impulses and our acquired moral judgments are separated. The fact that a man does good deeds by following his artificial-virtues is generally the result of moral reflection, but not out of inborn moral impulse or moral response. The former is rational, reflective and critical, while the latter is instinctive, direct and sensational. Here we should pay attention to the difference between moral feeling and moral evaluation. Once we confuse them, the third characteristic of the "hypocrisy of Pharisaism" will occur: they consider themselves always righteous, enjoying criticizing and judging others. We can even move a step forward by saying that even if we are not criticizing others but ourselves, i.e., we think that only by living, acting and existing in some certain way that we can be regarded as good, this judgment may still imply hypocrisy. For example, if someone suddenly sees a child about to fall into a well, instead of experiencing a feeling of commiseration, he thinks first: whether it is a good deed to save the child or whether his behavior will be regarded as a good deed, then under this condition, the behavior of saving the child already contains the element of hypocrisy.

VIII.

Conclusion: The prime prerequisite of the being and occurrence of the phenomenon of hypocrisy is the separation of two types of moralities: natural, individual morality and artificial, social morality. They are the two different origins of human moral-consciousness and they always conflict with each other. As long as this separation exists – it seems that it is unavoidable –, hypocrisy has the basis to be and occur. Before any artificial, conventional and social morality is

[1] M. Scheler even considers that utilitarian ethics will lead to the phenomenon of hypocrisy. Certainly he does not equal utilitarianism to the hypocrisy of Pharisaism, since "the utilitarian behavior is different from that of the Pharisees. When saying 'good,' the latter means 'useful.'" M. Scheler, *Der Formalismus in der Ethik und die materiale Wertethik*, ibid., p. 188.

generated, hypocrisy is unimaginable. Thus, we usually take "wei" to mean "artificial, conventional and social". For example, Max Scheler was even inclined to treat social morality as "intrinsically pharisaistic" morality.[1]

However, in our modern language, the definition of "hypocrisy" is narrower: all good behaviors, words or intentions which do not come from one's instinct, but from one's deliberation to show goodness in front of others[2] or even only to one's self are acts of hypocrisy. Hypocrisy presupposes the existence of artificial-virtues. But they are not the same. Instead, it is contained in false-virtues which are examples of artificial-virtues.

(Translated from the Chinese original by FAN Guangxin)

---

[1] M. Scheler, *Der Formalismus in der Ethik und die materiale Wertethik*, ibid., p. 188.
[2] See M. Scheler, ibid., p. 48.

III.

Komparatistische Untersuchungen

1. The problem of "intellektuelle Anschauung" and its transformations

From Kant to Mou Zongsan and phenomenology

I.

In the process of the transmission of knowledge from the West to the East over the last century, German philosophy has had a profound influence on Eastern thought. Consider for example the work of such thinkers as Kant, Hegel, Marx, Nietzsche, Freud, Husserl, and Heidegger: their writings have had both obvious and subtle influences on Eastern cultures at many levels. Of course, most of these complex influences are concretely represented by specific concepts, views, slogans, ideals and problems. The concept of "intellectual intuition" (*intellektuelle Anschauung*) in German philosophy is one salient case in point. Its influence at a deep theoretical level is but one example of extraordinary cultural interaction.

From a historical perspective, the concept of intellectual intuition was once a magical password in German philosophy. It was commonly believed that intellectual intuition in the effective range of pure reason was a *contradictio in adjecto* vis-à-vis Kant. But now it is certain that in the scope of practical reason, Kant tried with it to use it to solve the problem of the "highest point" of philosophy or "the highest principle in the whole sphere of human knowledge."[1] Fichte thereafter made an attempt to demonstrate his philosophical starting point, i.e., "I", with regard to intellectual intuition, whereas in Schelling's philosophy, intellectual intuition was even called "the organ of all transcendental thought".[2] "Intellectual intuition" and "transcendental philosophy" were here combined together organically.

But with the further development of classical German philosophy, or might we say, with the decline of transcendental philosophy after Schelling, the function of intellectual intuition was soon obstructed. It was first oppugned and rejected by Hegel, who looked upon intellectual intuition as too simple a matter: "Because it is the easiest manner to see as knowledge what occurs to someone,"[3] and that is the same as "the knowledge to recognize a black cow in a pitch black night", or as "the naivety of emptiness of knowledge".[4] With Schopenhauer, a contemporary and opponent of Hegel, it is regarded as the "correct names" of

---

[1] I. Kant, *Kritik der reinen Vernunft*, Hamburg 1998, English version, trans. by N. K. Smith, B 135.
[2] F. W. J. Schelling, *Ausgewählte Schriften*, in 6 Bänden, Frankfurt a. M. 1985, Bd. 2, p. 43.
[3] G. W. Fr., Hegel, *Werke in 20 Bänden*, Frankfurt a. M. 1969-1971, Bd. 20, p. 428.
[4] Hegel, *Werke in 20 Bänden*, Bd. 3, ibid., p. 22.

"humbug and charlatanism".[1] This is one of the few harmonies between Hegel and Schopenhauer. After this, G. Lucacs, in Hegel-Marx's camp, sees the intellectual intuition in Schelling's philosophy as "absurd mystery" and brands it as "the first form of representation of irrationalism" or even as "the irrationalism of pre-fascism".[2]

In sharp contrast to this, "intellectual intuition" exerts deep-seated influence in eastern thought. The most important two thinkers in eastern cultural circles – Nishida Kitaro in Japan and Mou Zongsan in China – each has have both accepted this concept in their philosophy and have understood it in their own way. Nishida comprehends intellectual intuition as "a deep grasp of life". And Mou Zongsan sees the foundation of Chinese philosophy in the concept of "intellectual intuition" and points out that "Confucianism, Taoism, and Buddhism all affirm that 'intellectual intuition' exists". He goes so far as to believe that this concept is "an important idea that forms the difference between Chinese culture and western culture". Finally, Heidegger, who gained some inspiration from his research on eastern thought, presents a standpoint far from the western and quite near to the eastern philosophy in this question. He apprehends intellectual intuition as a seizing grasp of the original phenomenon (*Urphänomen*), which such figures as Goethe and Husserl have mentioned, or as a seizing grasp of "the structure of entity Beings" (*Seiendes*), "of absolute entity-Beings".

The two attitudes towards the problem of intellectual intuition clearly are a significant cultural phenomenon. In other words, the different fates that intellectual intuition has experienced in eastern and western cultures very much represent *de facto* their different characteristics.

Due to time limitations, I will here just lay out and define some fundamental meanings of the concept of intellectual intuition in Kant's philosophy and consider the understanding and reception of this concept in Mou Zongsan's thought. I pay attention to the following question: how is a problematic concept from classic German philosophy developed into a very important category in the thought of one of the most important thinkers – if not *the* most important thinker – in China in the 20th century? And finally, I would like to promote the notion of solving the problem of intellectual intuition from the aspect of phenomenology.

II.

Whether Kant is the first to develop the concept of intellectual intuition does not concern us here. What is important is that even if this concept is not raised

[1] A. Schopenhauer, *Werke in 10 Bänden*, Zürcher Ausgabe, Zürich 1977, Bd. 1, p. 17.
[2] Lucacs, G., *Die Zerstörung der Vernunft*, Berlin 1954, Chinese version, trans. by Wang, J./Cheng, Z/Xie, D., Jinan 1997, p. 109, p. 168.

first by Kant, in his thought it nonetheless becomes a focal philosophical question for the first time.

Kant's own expositions on intellectual intuition are scattered and inconsistent, but there are still three fundamental points found in them, and these in the end can be reduced to Kant's comprehension of the expression "intellectual".

First of all, Kant's notion of "intellectual" refers to "understanding" (*Verstand*), which means the "faculty of connection of given intuitions in an experience" (*Vermögen der Verknüpfung gegebener Anschauungen in einer Erfahrung*). He says, "intellectual refers to cognitions acquired through the understanding, and they can also reach our sense-world."[1] In opposition to "intellectual" in this sense stands the concept "intelligible". "Intelligible refers to objects that can be represented only through the understanding and are inaccessible to any of our sensual intuitions."[2] Kant refers to an "intelligible object" as a "noumenon" or also as a "thing-in-itself". We can say that "intellectual" functions as a principle of the liaison of phenomenaon within an experience, and "intelligible" signifies the noumenon, which goes beyond an experience and cannot be reached through intuition. In this contrary usage to "intelligible", the concept of "intellectual" has a positive meaning in Kant.

Of course, the "intellectual" understood this way has nothing to do with "intuition", because as soon as "intellectus" tries to provide intuitions beyond experience, i.e., "nonsensual intuition" or "intellectual intuition", the object of "intellectual intuition" is then non-intuitive "Noumenon" or "Intelligibelia". So in a strict sense, "intellectual intuition" is "intelligible intuition". And this is a *contradictio in adjecto* in itself, similar to "wooden iron" in Husserl. In the *Prolegomena*, Kant calls "intellectual intuition" "senseless" as well as "useless".[3] And in his *Critique of Pure Reason*, he regards it as something "that is not what we possess, and of which we even cannot have a clear insight into the possibility".[4]

This is the first element that intellectual intuition contains in Kant. Intellectual intuition in this sense is what Kant rejects. From then on the understanding of Kant's concept of intellectual intuition is based on these expositions of his, namely comprehending "intellectual" as "understanding" (the liaison of phenomena within experience) or better as "intelligible" (the noumenon beyond experience). For example, Heidegger points out in his discussion of intellectual intuition that "For Kant, nothing else exists outside sensual intuition; only the objects given through senses are knowledgeable."

For Kant, however, the concept of intellectual intuition contains a second element. This element stands even before the first element in the context of the

[1] Kant, *Prolegomena zu einer jeden künftigen Metaphysik, die als Wissenschaft wird auftreten können*, Hamburg 2001, English version, trans. by G. Hatfield, § 34.
[2] Kant, *Prolegomena*, ibid., § 35.
[3] Ibid., § 34.
[4] Kant, *Kritik der reinen Vernunft*, B 307.

Critique of Pure Reason. Kant identifies the intellectual intuition, which is relative to the second element, with "intuition of self-activity". This definition appears hard to understand at first. But if we link this with Kant's understanding of the concept of "intelligence", which is related to "intellectual", the matter will become clear. "Intelligence" here means here "I" or "soul". In his *Critique of Pure Reason*, Kant has explicated it in different ways, for example: "I exists as an intelligence"[1] or "I as intelligence or thinking subject"[2] or "soul" is "the idea of intelligence",[3] and so on. He illustrates further that we can call ourselves "intelligent" because we are conscious that our thinking activity is spontaneous: "it is owing to this spontaneity that I entitle myself an intelligence."[4] In other words, the existence of "I" is defined through the activity of "I think".

So the second meaning of "intellectual" deals with the spontaneity of thinking or the self-activity of subject. In short, it involves the fundamental principle of the subjectivity-philosophy that has appeared since Descartes, that is, the "self-consciousness" as "highest point" of philosophy. Kant attaches so much importance to the "self-consciousness" in this sense as to say that "to that highest point ... we must ascribe all employment of the understanding, even the whole of logic, and conformably therewith, transcendental philosophy. Indeed this faculty of apperceptions is the understanding itself."[5]

The "intellectual intuition" with regard to the "intelligence" in this sense is at first the intuition of the subject on itself. If the "intellectual intuition" in the first sense means "intuition in the way of understanding", the "intellectual intuition" in the second sense should first of all refer to "the intuition of intelligence on itself".

The concept of intellectual intuition in this second sense has obviously had an impact on such post-Kantian philosophers as Fichte and Schelling. They apprehend "the essence of intelligence" as "observation of itself", and "the immediate self-consciousness" as "back-movement of intelligence" or "intellectual intuition". The concept of intellectual intuition in Mou and Nishida contains the meaning in the same aspect, variously titled as "intuition of life", "intuition of will", "intuition of conscience", and so on.

However, in fact Kant himself does not go so far effectively. In his further consideration of the "I" as "intelligence", he makes distinctions between the consciousness of self-activity and the thinking of I. Strictly speaking, the former belongs to intuition and the latter belongs to thinking. In other words, the self-activity (thinking) is given to us by way of "sensual intuition", but the "I" is just conceived by way of "intellectual thinking" without appearing. In this way, the "self-activity" as phenomenon and the "I" as noumenon separate themselves

---

[1] Ibid., B 158.
[2] Ibid., B 155.
[3] Ibid., B 710.
[4] Ibid., B 158.
[5] Ibid., B 135.

from each other. The activity of "thinking" gets into consciousness, but the I-subject is not recognised. In this sense, Kant says, "the consciousness of itself is thus very far from at he knowledge of the self."[1]

Accordingly the opposition between sensual intuition and intellectual thinking in the outer intuition is now *mutatis mutandis* introduced into the inner intuition. Both the world and I are non-intuitive existence in itself. As Kant says, "if we admit that we know objects only in so far as we are externally affected, we must also recognise that, as for the inner sense, we intuit ourselves through it only as we are inwardly affected by ourselves; in other words, that, so far as inner intuition is concerned, we know our own subject only as appearance, not as what it is in itself."[2]

Following this explanation, the intuition of the self-activity of thinking could be an intuition in a strict sense and an experience of appearances. And the intuition of the subjective "I" behind the self-activity is *contradictio in adjecto* too, and it is therefore an "intelligible intuition", a thinking of the non-appearing noumenon. We could understand now why Kant defines the character of "subject" as "intelligible". It means, just as the object-world in itself does not appear in the sense of sensual objects and it is thus metaphysical, the subject-I in itself does not appear in the sense of sensual objects (self-activity of thinking) either, and it is therefore metapsychical. So Kant says, "the concept of the 'I' in the psychological principle 'I think'", i.e., the concept of the "self" in all the representations of which I am conscious, "tells us nothing",[3] because in a strict sense, "the consciousness of myself in the representation 'I' is not an intuition", "this I has not the least predicate of intuition." In other words, what the representation of "I" or self-consciousness offers is not the intellectual concept about objects.

But the subject as "subject of thinking" or "intelligence" has in Kant's opinion still the characteristic of being "empirical", that is to say, the self-activity of thinking, of which we are aware and intuitive. It is seen as belonging to subject: thinking is my thinking.

According to this, the self-consciousness in sense of self-thinking and self-cognition through intuition of the self are entirely different in Kant: the former is the appearing existence of the "I" and the latter the objective existence of the "I". We could say too that self-consciousness sees correlative acts just as "mine", and self-cognition deals with the question "what is the 'I'".

The latter question, i.e., the question of knowledge about noumenon, is according to Kant not to be resolved through human understanding. But he does exclude the possibility of a solution to this question. We just cannot have insight into the possibility. As Windelband says, "the possibility of this faculty is so little to deny as its reality to affirm."[4]

---

[1] Ibid., B 158.
[2] Ibid., B 156.
[3] Ibid., A 401.
[4] W. Windelband, *Lehrbuch der Geschichte der Philosophie*, Tübingen 1957, p. 470.

Kant in the end ascribes this possibility to God. This is the third element that intellectual intuition has in his thought: "original intuition". Kant elsewhere also calls it "intellectus archetypus" or "divine understanding", "which not only presents to itself the objects that are not given, but through this representation the objects should themselves be given or produced."[1] The so-called "intuitus originarius" means "the intuition that can itself give us the existence of its object."[2] The opposite from this is *intuitus derivativus*. Kant means that, either inner intuition or outer intuition is in a strict sense not "intuition of understanding" or "intelligible intuition", but "sensual intuition", therefore "intuitus derivativus", whereas the "intellectual intuition" "only belongs to the primordial being (*Urwesen*)", and it is "intuitus originarius".[3] "Original" here has here the meaning of "original constitution". We can signify this intuition as "creative intuition" too, because it is on one hand not a passive receptive intuition but an intuition through which the existence of given objects is determined in the same process of intuition. On the other hand, it is not an active spontaneous intuition, because it is not, like the thinking of noumenon, just a presupposition and tells us nothing outside our experience, but it produces its correlates. This is also the main understanding of Mou Zongsan about the concept "intellectual intuition" in Kant: "it is not a faculty of cognition but that of creation", "a faculty of production".

One might give more attention here to the notion that Kant sometimes explains intellectual intuition in this sense of "intuitus originarius" as "imagination", or more strictly as "productive imagination", which finds itself between sensuality and intellectuality. The basic definition of imagination runs as follows: "Imagination is the faculty of representing in intuition an object that is not itself present."[4] So Kant brings it (at least in edition A of *Critique of Pure Reason*) into the category of "intellectual intuition", and it means "one of the fundamental faculties of the human soul"[5] that connects the intellectual concept with the sensual intuition.

Of course, the problem here is as follows: iin which sense is imagination is intuition? If, as Kant says, it is through imagination that the intellectual concept can be connected with the sensual intuition, the imagination itself should not be an "intuition" in a genuine sense, but something between intellectuality and sensuality. It is neither a blind "thinking of intellectuality" nor an empty intuiting of sensuality. It is rather a "spiritual seeing" and a producing through it. In other words, it is a creative seeing or a seeing production, like what Merleau-Ponty calls "the third eye" and the corresponding "image mentale".[6] Here the

---

[1] Kant, *Kritik der reinen Vernunft*, B 732, B 145.
[2] Ibid., B 72.
[3] Ibid., B 72.
[4] Ibid., B 151.
[5] Ibid., A 124.
[6] M. Merleau-Ponty, *L'Œil et l'esprit*, Paris 1961, German version, trans. by K. Held, Wuppertal, not published, pp. 23-24.

intellectual intuition is still "creative" and "original", but it is not a "godly" activity any more but is a "human" activity.

Though Kant himself and Fichte subsequent to him are occupied with the concept of imagination, we cannot say that their explanations are entirely clear. But they provide those who came after them with space for interpretation. In Schelling then, "intellectual intuition" in this sense is not different from "artistic intuition". The connection between "intellectual intuition" and "artistic intuition", which is nearly lost in Kant, is recovered in Schelling again. It is due to the consequence of the influence of Schelling that Nishida later comprehends intellectual intuition as "the intuition that is possessed by artists, religionists and so on".

Let us now sum up. The analysis here shows that the concept of Kant's intellectual intuition has at least three fundamental meanings:

1. In the dimension of the external intuition as "intelligible intuition" of some non-objectified "transcendental object", for example the intuition of the "world" or of "the thing in itself". "Intellectual" means here "the orientation to" or "the relationship with" "the objective noumenon" above all. "Intellectual intuition" is simply to be interpreted as "metaphysical intuition".

2. In the dimension of the internal intuition as "intelligible intuition" of some non-objectified "transcendental object", for example the intuition of "I" or of "freedom of the will"[1]. "Intellectual" means here "the orientation to" or "the relationship with the subjective noumenon". "Intellectual intuition" is simply to be interpreted as "meta-psychical intuition".

3. The creative intuition or imagination in the sense of the "intuitus originarius". "Intellectual intuition" here is understood as "faculty of creation". But in principle just only God has it. In the case of human beings, it amounts to "imagination". "Intellectual intuition" is simply to be interpreted as "creative intuition".

In these different meanings, the first two are limitative concepts, i.e., negative ones. Only the third is positive. The adoption and development of the concept "intellectual intuition" in the west and the east is essentially based on these three original significations.

III.

Up to now the greatest effect that the problem of intellectual intuition has had in the history of thought in the world is embodied without doubt in the thought-system of Mou Zongsan. The two books Mou finished in his later period, namely *Intellectual Intuition and Chinese Philosophy*[2] and *Appearance and*

---

[1] Cf. Kant, *Kritik der praktischen Vernunft*, Hamburg 2003, p. 56.

[2] Mou Zongsan, *Intellectual Intuition and Chinese Philosophy*（智的直觉与中国哲学), Taipei 2000, esp. p. 145-146.

Thing in Itself,[1] give overall expositions of Kant's philosophical system, and they especially provide a profound analysis about the problem of intellectual intuition. Mou has noted the significance of all Kant's insights and has pointed out that "the major crux thereby is whether 'intellectual intuition' exists or not."[2]

Mou Zongsansan believes that the concept of intellectual intuition is "an important idea that forms a difference between Chinese culture and western culture". He tries to gooutgoing from here to accept, to understand, and to transform Kant's notion of intellectual intuition. And he hopes that "we can gain new inspirations through the encounter of classical Chinese philosophy and Kant's philosophy, and we can see the signification and value of the tradition of Chinese philosophy and its epochal mission and its renascence, and we can see shortcomings in Kant's philosophy too."[3] The first basis for the realisation of this hope should lie in the understanding of Kant's concept of intellectual intuition.

Today we are justified in saying that intellectual intuition is a fundamental starting-point for Mou Zongsan's interpretations of Chinese classical thought with the help of Kant. Precisely thanks to this, it provides us with a fundamental starting-point for our grasp of Mou Zongsan's thought-system.

Mou Zongsan's views on this subject in *Intellectual Intuition and Chinese Philosophy* are mainly based on the second and the third meanings that Kant gave to intellectual intuition. In the second meaning (i.e., the "meta-psychical intuition"), Kant's definition is negative. Therefore, Mou Zongsan also identifies the non-self-appearing subjective "I" or soul with "thing-in-itself" and the conscious activities of the subject with "appearance" or "psychic appearance". In his opinion, a dual opposition emerges here: on the one hand, it is "the view of psychic appearance". It means that this is "a thought, which exists withby thinking and ceases to exist withby the cease of thinking." And on the other hand, it is "the view of thing in itself". It means something that is "a movement without moving and a thought without thinking".[4] How could both "the psychic appearance" and "the mind in itself" communicate with each other? This question is unsolvable, according to Kant. So Mou Zongsan points out that "all difficulties lie in the question of how can a subjecta subject can intuit itself inwardly."[5]

For the solution to this difficulty, Mou Zongsan considers a special art of cognition, namely the intellectual intuition rejected by Kant. He gives this concept positive meanings and he thinks that it can be used to interpret the whole of Chinese philosophy: "If humanity really does not have intellectual intuition, the whole of Chinese philosophy must break down completely, and the painstaking

---

[1] Mou, *Appearance and Thing in Itself*（现象与物自身）, Taipei 1996, esp. pp. 102-103.
[2] Mou, *Appearance and Thing in Itself*, ibid., p. 3.
[3] Mou, *Lectures on the Theory of the Four-Causes*（四因说讲演录）, Shanghai 1998, p. 196.
[4] Mou, *Intellectual Intuition and Chinese Philosophy*, ibid., p. 132.
[5] Mou, *Intellectual Intuition and Chinese Philosophy*, ibid., p. 132, p. 142.

effort of many thousand years must go to waste as vain hopes."[1] And as for western philosophy, it is devoid of the tradition of intellectual intuition in the positive sense, so "it [intellectual intuition] cannot be seen as possible even through Kant's wisdom."[2]

This way of intellectual intuition is either called "apperception" or "godly manifestation" vis-a-vis the concepts of Leibniz-Kant or "heaven cognises (presents) the beginning of all things" (*Yi zhuan*) or "knowing without knowledge", and so on, vis-a-vis the concepts of Chinese philosophy. It is evident that the meanings Mou Zongsan finds in the term "intellectual intuition" are numerous and complicated and that they contain nearly all the methodological characteristics of Chinese philosophy. Thus besides the above-mentioned formulations, he also refers to "intellectual intuition" as "the will-less viewing", "the solitary awareness", "the complete consciousness", and sometimes as "thorough knowledge", "evident cognition", and so on.

If these meanings are summarized and listed, one can see the different elements as they are generally incorporated into the concept of intellectual intuition as understood by Mou Zongsan. Even if he himself does not distinguish them in the precise manner described below, from his own explications we can see at least in his own explications at any rate the following three essence-factors. They are interrelated but in the last analysis cannot be further reduced.

1) "Original intuition" or "primitive intuition" (relative to the "sensual intuition" as "secondary intuition").[3] Mou Zongsan finds that intellectual intuition in this sense is also "the cognising (presenting)" in the so-called "heaven cognises (presents) the beginning of all things" in the *Yi zhuan*; it, is "the intuition of the beginning of all things". In this interpretation of the concept of intellectual intuition, Mou Zongsan has made use of Wang Yangming's concept of "conscience", i.e., the "conscience as the basis of all things on heaven and earth". In other words, "the cognising of heaven" is seen as "conscience", and the "beginning" means "the basis of all things on heaven and earth".[4]

The intellectual intuition in this sense also grasps Kant's "foundation of the metaphysics of morals". This grasp is both "heavenly" and "godly", i.e., "heavenly and godly". "Heaven" in Chinese philosophy accords with the "God" of western philosophy. They designate a transcendent ground. Mou Zongsan defines it in terms of the "nature" of Mengzi's notion of "good nature" or Kant's "freedom" and "autonomy".[5] What is acquired through "intellectual intuition" in this senses is "heavenly fate", "heavenly nature", "heavenly mind", and what,

---

[1] Mou, *Appearance and Thing in Itself*, ibid., p. 3.
[2] Mou, *Intellectual Intuition and Chinese Philosophy*, ibid., p. 2-3.
[3] Mou, *Intellectual Intuition and Chinese Philosophy*, ibid., p. 146, and Z. Mu, *19 Lectures on the Chinese Philosophy*, Taipei 1983, p. 421, p. 431.
[4] Mou, *Lectures on the Theory of the Four-Causes*, ibid, p. 196, and Z. Mu, *Appearance and Thing in Itself*, ibid., p. 93.
[5] Mou, *19 Lectures on the Chinese Philosophy*, ibid., p. 431, and *Appearance and Thing in Itself*, ibid., p. 101.

"heavenly human", or in Kant's words, "godly fate", "godly nature", "godly mind", and what is "godly human".[1] The basic characteristics of the corresponding intellectual intuition can be epitomized as primitive or original, or as god-produced or natural, respectively.

2) "Vertical intuition" (relative to "sensual intuition" as "horizontal intuition").[2] Mou Zongsan identifies this meaning of "intellectual intuition" with the former one, or at least he explicates it in combination with the former.[3] For example he says, "If we have a definite understanding about the fundamental ideas of Confucianism, Buddhism, and Taoism, and if we know where the ultimate problem is, we shall know that these three systems direct themselves at the ultimate and last stratum." "We generally call them vertical systems." And in the same place, he says further, "All that directs itself at this final and last stratum belongs to vertical systems."[4] But in this "vertical" is evidently contained a meaning different from "original". In *Appearance and Thing in Itself*, Mou Zongsan uses the expression "through heaven and earth, through past and present". Later, in *Lectures on the Theory of the Four-Causes*, he says, "this 'knowledge' is such a knowledge in the sense of vertical", but "the knowledge in the sense of cognition is a horizontal one and has the opposition of subject and object."[5]

This "vertical" means firstly "creative" and "genetic". Therefore Mou Zongsan says that intellectual intuition is "a principle of creation and not a principle of cognition".[6] He finds the theories of Confucianism the most representative of vertical systems: "It starts through the human, and it develops the ideas of 'nature and substance.'"[7] Then "vertical" contains also the meanings of "development" and "linking-up", that is to say, the so-called "echo of being" or "continuum of the wise life". "Vertical" in this sense mainly means the circulation and linking-up of "the source of our life, of our wisdom, and of our creation of morals". He does not set a high value on Hegel's thought-system, but Mou Zongsan is in agreement with Hegel in respect to the historical, genetic consciousness. The characteristics of the according intellectual intuition related to this can be epitomised as historical, genetic, and livelyliving, or might we say, temporal, being.

3) "Essential intuition" or "genuine intuition" (relative to the "sensual intuition" as "objective intuition"). Mou Zongsan explains intellectual intuition in this sense mostly with the help of Heidegger's "project", i.e., "being-in-itself produced inwardly". But this manner is not suitable and is not consistent with Heidegger's basic position. Maybe it is more appropriate to explain with the aid

[1] Mou, *Appearance and Thing in Itself*, ibid., p. 97.
[2] Mou, *Lectures on the Theory of the Four-Causes*, ibid., p. 196.
[3] Mou, *19 Lectures on the Chinese Philosophy*, ibid., pp. 421-422.
[4] Mou, *Appearance and Thing in Itself*, ibid., pp. 96-97.
[5] Mou, *Lectures on the Theory of the Four-Causes*, ibid., p. 196, and cf. *19 Lectures on the Chinese Philosophy*, ibid., p. 441.
[6] Mou, *Lectures on the Theory of the Four-Causes*, ibid., p. 195.
[7] Mou, *19 Lectures on the Chinese Philosophy*, ibid., p. 435.

of Husserl's "essential intuition", because it is with this method that Husserl grasps the essential moments and structure of the pure consciousness. Mou Zongsan says too, "Through the function of 'apperception' we are conscious of a constant and invariable 'ego', i.e. the soul-mind-substance itself, or called genuine subject, genuine ego."[1] "If we want to have an intuition of this genuine ego as such, this intuition must be intellectual, and not sensual."[2] One might notice another point at which Mou Zongsan is in keeping with Husserl: Mou Zongsan thinks that the "genuine ego" discussed here is not the individual ego, but the "absolute ego" or "pure ego" as it is called by Husserl. He says, "'Mind' mainly means the absolute universal mind, which exists through all ages as one and only."[3]

Mou Zongsan signifies the "being-in-itself of mind" as "so-being".[4] It does not appear, and it is not the "appearance of mind", but it recalls the "*Bhūta-tathatā*" (*Soheit* in German) in the Buddhist sense. We can also say too that it is not "existence" (*Dasein*)the "essence" (Sosein), but "essence" (*Sosein*) the "existence" (Dasein). If intellectual intuition has an object, this object is a kind of "intuition-less being", or "cognition-less being". Mou Zongsan points out, "the ontological character of the understanding is not to be given up."[5] But this "being" must not be an intuitive being. Therefore the so-called intellectual intuition is namely "objectless intuition", "because the duty of this intuition is to realize the being of something as what it is, but not to justify the understanding of the winding appearance of something that already exists. The latter is a matter of the understanding and sensibility."[6] The characteristics of the according "intellectual intuition" related to this can be epitomized as essential, so-being, and appearance-less while appearance-ful.

Of course, in a general view, the correlates of all three kinds of "intellectual intuition" represent the same thing; consequently he does not distinguish these correlates furthermore and sees them at most as three characteristics of the same thing. It is evident that the way he does this is based on his Confucian position. He says, "In China, Confucianism substitutes the Tao-substance for God, and the mind-substance is one with the Tao-substance, so just one is left in the end. If you call it God, it is God; if you call it freedom, it is freedom; if you call it immortal soul, it is immortal soul."[7]

Therefore, to summarise the functions of the concept "intellectual intuition" in Mou Zongsan's philosophical thoughts, we can say that, as mentioned before, this concept really offers Mou Zongsan a fully new perspective or a new fundamental starting-point for the investigation of Chinese philosophy and even

---

[1] Mou, *Intellectual Intuition and Chinese Philosophy*, ibid., p. 145.
[2] Ibid.
[3] Mou, *19 Lectures on the Chinese Philosophy*, ibid., p. 443.
[4] Mou, *Appearance and Thing in Itself*, ibid., p. 98, p. 100.
[5] Mou, ibid., p. 3.
[6] Mou, ibid., p. 100.
[7] Mou, *19 Lectures on the Chinese Philosophy*, ibid., p. 443.

of the whole of eastern and western philosophy. It makes it possible for him to surpass other thinkers who are not familiar with western philosophy in terms of the extensity scope of their horizon or the strictness of their analysis.

Finally one must make mention of two basic goals to which Mou Zongsan's explications on intellectual intuition have aimed: he tries to reinterpret the basic characteristics of Confucianism, Buddhism, and Taoism in Chinese culture with them on the one hand, and on the other hand he wants to use them to make up for shortcomings in Kant's philosophy and even of the whole of western philosophy. The intention of the latter is a little farfetched, because in western thought, although the idea of intellectual intuition is not dominant, there isn't a lack of itit is not missing. For example, we can find it in Fichte and Schelling. Nishida's understanding of intellectual intuition is based mainly on Schelling's interpretations.

IV.

We can sum up the discussion thus far as follows: western philosophy, having developed developing until Kant, manifests two basic lines: one is the line such of meta-physical doctrines, and the other is that of positive theories. Through advancing the negative concept of intellectual intuition, Kant differentiates the two lines entirely. It is due to this that, the Asian thinkers of modern times can see with help of this concept in Kant, where the ultimate problems ultimate lie with the help of Kant's concepts. And the charm magic of Kant's philosophy consists in the fact that lies also toit clearly points out, where the problems lie.

On the one handthe one side, insisting on meta-physical doctrines results in the end lastly in mysticismthe mystic., which That was a home for nearly all metaphysicians to return to of nearly all meta-physicists. On the other handside, adhering to positive theories results lastly in the collapse collapsing of any meta-physical teachings on of morals. That is a the difficult position that humanity is confronted with at present. Kant does his utmost to avoid this dilemma. Nishida is aware cognizant of this point after Kant, and Mou Zongsanan also sees also clearly the root of this problem. They made their choices in their own ways concerning this problem, either with a preference for deflection of meta-physical doctrines or with a preference deflection of for positive theories, but neither of them they do both not managed to clear up this dilemma.

A The comparatively more effective attempt try according to on the problem of intellectual intuition is newly offered by phenomenologists. When they take over this problem, they have can already seen the assignment they are faced with: if the positive concept of intellectual intuition is can be tenable, and if a third way between metaphysical doctrines and positive theories is possible, it must satisfy the following three claims: 1. It must possess the function of law-giver, i.e., the function of providing for itself an original fundament for itself. 2.

It must surpass the manacle of the thinking mode of subject and objectsubject-object-thinking-mode, i.e., it must abandon the empirical-positive position. 3. It must also be a the distinct insight, i.e., it must free itself from the hue colour of mysticism.

Husserl, the originator of phenomenology, touches this problem firstly in *Logical Investigations*. He still would like to wants always works under the title of "intuition", but he expands it from the simple plain to the general. Concretely speaking, Husserl distinguishes "the super-sensual intuition" from "the sensual intuition". The former first is also called as "the essential" or "the categorical intuition". The phenomenological method of consciousness-analysis makes Husserl able to differentiate the two essential moments "signification-intention" (*Bedeutungsintention*) and "signification-fulfilling" (*Bedeutungserfüllung*) in all intuitive acts. He calls them figuratively as "aiming at" and "shootinghitting" to. When our consciousness receives some sensual data, it always has the intention of synthesizing and integrating appreciates them always and recognising them as an object, a table for example. And this intention shall be further more fulfilled with more and more abundant richer sensual datea. The constitution of sensual objects follows this way all the time in this way.

Now, what is the case with the intellectual intuition? Husserl distinguishes here further the moment of "sensual datum" (material intention) and the moment of "categorical form" (formal categorical intention) in the "signification-intention" from each other. He says, "*Mere* sense, however, never fulfils categorical acts, or intentions, which include categorical forms."[1] This fact, which he points out, can explain, why the categorical intuition is such an action intuition without objects: that is because, while categorical intentions like "being", "and", "or", and so on are going on, they can never always not fulfil themselves in sensual data. That is to say, the categorical or formal intuition is still such an intuition that is founded in the "sensual intuition", but it cannot can not be filled out by sensual data.

Accordingly we can so define "intellectual intuition" this way: it is an intuition whose categorical intention must have sensual data as its basis, but it cannot be fulfilled by sensual data. In other words, in the intellectual intuition, it is really something formal somewhat forms is immediately intended, but it cannot be filled out by sensual data. In fact, we are not able to imagine a categorical form that exists without divorced any sensual data, even if this categorical form is as abstract as "being", "time", or "space". After that, Husserl expands lately these "intellectual intuition" to the essential intuition (seeing of an essence) in general. Essences and ideas, such as like "one", "red", "table", and so on, all deal all with the ideal intentions, which start from sensual data, but they cannot can

[1] E. Husserl, *Logische Untersuchungen*. Zweiter Teil. *Untersuchungen zur Phänomenologie und Theorie der Erkenntnis*. In zwei Bänden, edited by Ursula Panzer, The Hague 1984, English version, trans. by J. N. Findlay, *Logical Investigations*, London 1970, *LU* II/2, A 477/B_2 5.

not be fulfilled by themthese. ThereforeThus, Husserl is justified has reasons to maintain as follows: "The old epistemological contrast between *sensuality* and *understanding* achieves a much-needed clarity finds through a distinction between the straightforward or sensuous, and founded or plain categorical intuition."[1]

This result of intentional- analysis uses also has its influence on another the other phenomenologist, Heidegger. He finds sees the special characteristics of the "categorical intuition" pointed out by Husserl, which Husserls points out, and connects them with the intuition of time and that the intuition of being. According to the analysis of philosophers after Kant, Heidegger already had insight into that. Although Kant differentiates between sensuality and understanding and disaffirms intellectual intuition, his affirmations of the forms of intuition themselves, time and space, are neither sensual nor intellectual, because time and space cannot can not be sensually intuited, but they do likewise not belong to categories of understanding either. Therefore, there must exist something that, which can be called intellectual intuition, must exist. It is Even fordue to this this reason, that Heidegger lays excessive stress in his *Kant and the problem of metaphysic* exceedingly on the concept of "imagination" in his *Kant and the Problem of Metaphysics*, and sees it as "building forcecraft". It is a both a "receptive" ability and a "creative" oneability.[2] Meanwhile, from Husserl's interpretation of "intellectual intuition" in *Logical Iinvestigations*, Heidegger wins a starting-point of the problem of being, which he lifetime follows with interest in life: "The here worked-out distinguishing between the sensual and the intellectual intuition worked out here unveils itself for me in its range for the definition of the 'manifold signification' of entity", "so, illuminated by through the phenomenological attitude, I was introduced onto in the road of the problem of being.being-question"[3]

Heidegger's reception of Husserl's notion of "categorical intuition" is embodied showed concretely in the fact his meaning that on the one hand the one side "what is represented in the ideas represented cannot can not be freely imagined; it must be known itself as knowledge". Essentially speaking, this This knowledge is strictly speaking an a "intuition", an a "immediate representation of what is meant in its his being self-presence of being," and it "turns itself to gives on to the God, the world,, and the essence of human being (freedom), i.e., to the totality whole of the existential being of entity".[4] On the other handside, this knowledge, for example taking the fact of freedom for example, is not positive knowledge. It cannot can not be exhibited like the gastrelcoma-nidus on the X-

---

[1] Ibid, *LU* II/2, A 478/B_2 6.

[2] M. Heidegger, *Kant und das Problem der Metaphysik*, GA 3, Frankfurt a. M. 1991, pp. 44 -46, p. 129.

[3] M. Heidegger, *Zur Sache des Denkens*, Tübingen 1988, pp. 95-96.

[4] M. Heidegger, *Schelling: Vom Wesen der menschlichen Freiheit*, GA 31, Frankfurt a.M. 1988, pp. 66-67.

ray plate. As for Toward this fact, we can neither see nor hear it, neither touch nor smell nor and taste it. Therefore, this knowledge is a "non-objective knowledge". What it wants to know is "nothing else asbut the structure of being of the entity, which now does not stands as an object opposite to knowledge, but forms itself becomes in knowledge; this self-forming becoming to itself is the absolute being.knowledge"[1] What This expression of Heidegger articulates here reminds us quite readily easy of what Mou Zongsan's ideas on according to intellectual intuition means. It is in the same sense, that Heidegger says, "An idea is only a guide to discoveringfind, but is not themselves the findingthe discovered itself."[2] This similar analysis and description are similar present at consist of Heidegger's grasping of the relationship between being and being of entity: being cannot can not leavebe separated from being of entity; it is "always being of entity", but being itself is neither entity nor the whole of being of entity.[3]

We might as well shall here finally also make mention of Scheler, another the other important philosopher of phenomenologyphenomenological representative Scheler., whose His definition of the "personalityperson" follows to the same orientation: personality Person can never be an "object", and it can never be given us as an object, but it is the highest problem discussed by ethicsethic discusses.[4] Scheler makes a new definition for the word "intuition" that is even more clear clearly than as that of Husserl indeed the word "intuition": it means "not necessarily necessity the image of contents", but "the immediateness in the given of objects".[5] "Intuition" in this sense is the same as an immediate awakening of life itself in life. Scheler also calls it as "Er-leben des Lebens". also It stands opposite to the perception as "gelebtes Leben". The correlate of the former first has its correlate asis primary, and that of the latter the last asis secondary,[6] and so on. Scheler's distinguishing between "emotional Er-leben" and "perceptive Er-leben" also reminds us of Mou Zongsan's differentiation between "vertical intuition" and "horizontal intuition". We can say that intellectual intuition in Scheler appears in the form of "intuition of life". Precisely Even as Heidegger in his later period admits that he himself is enlightened inspirited by through Husserl's analysis of "categorical intuition" in the respect of the problem of being, he also points out already in the early *Being and Ttime* that also what Scheler accentuates accents in the respect of this problem of "non-objective personality" is exactly what even Husserl has proposed.[7]clued on.

We cannot can not make a further spread detailed discussions on for this and we just have to leave one point have here just to confirmed one pointhere

[1] Cf. ibid., p. 25, pp. 28-30.
[2] Ibid., p. 68-69, p. 64.
[3] M. Heidegger, *Sein und Zeit*, Frankfurt a. M. 1979, pp. 6-9.
[4] M. Scheler, *Formalismus in der Ethik und die materiale Wertethik*, Bern/München 1980, p. 103.
[5] Ibid., p. 176.
[6] Ibid., pp. 206-207.
[7] Heidegger, *Sein und Zeit*, ibid., pp. 46-47.

above all: the problem of intellectual intuition has is acquired a further clarification cleared in phenomenology, and it has also becomes also a fundamental moment through the vein of phenomenology.

According to the above analysis above, phenomenology has really made really a mighty advance in the respect of "seeing" and "descriptiondescribing". As for Towards the dilemma with regard to intellectual intuition, it provides a more convincing programme that neither does abandons intuitive insights nor neither mystifies meta-physical theories to mysticism. Thereupon, So phenomenology can show a possible middle course middle-way between meta-physical doctrines and positive theories. MeanwhileConjointly, the constitutional - analysis of Husserl's phenomenology endows the correlates of intellectual intuition with the same rights as those of "sensual intuition"have: they are all what is originally constituted. In other words, even if the fact of freedom, for example, cannot can not be fulfilled in the sensual data, it can still possesses have the status place of knowledge, even that the place of primary knowledge indeed. As far as this is concernedIn this respect, the explanation of phenomenology can satisfy the threefold claim above to a certain degree the above threefold claims.

Of coursecause, "intellectual intuition" is thus still not an open sesame that can resolve all difficult philosophical problems. Such an open sesame does can ultimately not exist at all. But the phenomenological analysis shows that "intellectual intuition" has already becomes already a possible bridge for the communication between meta-physical doctrines and positive theories. Therefore, Levinas is justified in saying that "Due to Because its renunciation of the descriptive methodto describe, the constitution of types to build classics and the persistence of the to hold tight concepts, the traditional speculation has jumped over quite a few the different steps of research fields. The incontestable contribution of phenomenology lies at the requirement summons to of carry on systematic, and endurant patientdescriptions, which, certainly are preliminary description,in the process of at the 'Returning Back to the thing itself'. So is phenomenology is available useful for both positivists and metaphysicians."[1]

[1] E. Lévinas, *Die Spur des Anderen. Untersuchungen zur Phänomenologie und Sozialphilosophie*, German version, trans. by W. N. Krewani, Freiburg/München 1983, p. 53.

2. Ālaya-Urstiftung und Genesis des Bewusstseins

Ein ergänzender Vergleich der Forschungen zur Längsintentionalität in Yogācāra-Buddhismus und Phänomenologie

Inhalt

I. Einleitung: Die buddhistischen Lehren vom Pratītya-samutpāda (abhängigen Entstehen) und vom Dharmatā (wahren Wesen)

Die buddhistischen Theorien lassen sich in zwei große Systeme aufteilen: die Lehre vom Pratītya-samutpāda (abhängigen Entstehen, 缘起论) und die Lehre vom Dharmatā (wahren Wesen, 实相论). Mittels der Methode des „Koyi" (格义)[1] können wir sie als Genetik im modern-abendländischen Sinne (Lehre vom Werden) sowie Ontologie (Lehre vom Sein) im traditionell-abendländischen Sinne[2] bezeichnen. Unter diesen beiden stellt jedoch die Lehre von Pratītya-samutpāda die zentrale Grundlinie der buddhistischen Theorien dar. Wenn es auch innerhalb des Buddhismus zwischen dem Mahāyāna-Buddhismus und

[1] Zur Notwendigkeit der Methode „Koyi" auf der anfänglichen Stufe des Kulturaustausches vgl. L. Ni, „Das Phänomen ‚Koyi' im interkulturellen Verstehen", in: *Phänomenologische Forschungen*, Nr. 3/1, 1998, S. 85-102 [der 17. Text im vorliegenden Band].

[2] Ontologie im traditionell-abendländischen Sinne bedeutet nach der Ansicht M. Heideggers vor allem Substanzlehre. Seine eigene Ontologie bildet dagegen eine Ausnahme. Heidegger hält die Geschichte der abendländischen Philosophie für eine Geschichte der Seinsvergessenheit, da sie die Niederschläge des Seins, also das Seiende, als das Sein selbst betrachtet. Das wahre Sein ist für Heidegger keine Substanz, sondern ein Prozess bzw. ein Verb und kein Substantiv, ein Fließen und kein Stillstand, ein Sichwandeln und kein Verharren. Meines Erachtens verwendet Heidegger den Namen Ontologie nur, um zu einer Genetik zu gelangen, mit anderen Worten: er will Ontologie als Genetik durchführen.

Hīnayāna-Buddhismus, zwischen Exoterik-Buddhismus und Esoterik-Buddhismus (Tantra) viele Doktrinen gibt, die zu heftigen Auseinandersetzungen und Diskussionen führen, besteht doch kaum eine buddhistische Schule, welche die Lehre von Pratītya-samutpāda nicht anerkennt. Nicht nur Mahāyāna und Hīnayāna, sondern auch Exoterik und Esoterik haben über das Problem der abhängigen Entstehung reichlich meditiert und viel nützliches Gedankengut zurückgelassen. Obgleich die verschiedenen Schulen unterschiedliche Verstehensweisen und Erklärungen zu Art und Eigenheit der Pratītya-samutpāda vorlegen, sind sie sich doch in den beiden folgenden Punkten einig: 1) „Alle Erläuterungen zu Pratītya-samutpāda entfalten ihre Darstellungen des Bezuges von der Bewegung des Herzens als des Zentrums aus."[1] 2) Alle Erläuterungen zu Pratītya-samutpāda halten Buddhas grundlegende Erklärung zu den Phänomenen des abhängigen Entstehens für wahr: „Wenn dieses ist, dann ist jenes, wenn dieses entsteht, dann entsteht jenes; wenn dieses nicht ist, ist jenes nicht, wenn dieses verschwindet, verschwindet jenes."[2]

Die Lehre vom abhängigen Entstehen in diesem Sinne stellt das Verständnis zum Fundierungsverhältnis der Bewusstseins-Genesis dar. Sie betont, dass das Entstehen aller Dinge bzw. Phänomene im Bewusstsein abhängig ist, d. h. bestimmten Bedingungen folgt. Das eben ist die Grundbedeutung des Pratītya-samutpāda: Entstehung aus Ursache. In diesem Sinne kann man sagen: Wenn auch alles sich stets wandelt und verändert, erfolgt dieses Sichwandeln und Verändern doch gesetzmäßig. Vor allem in der Lehre vom Ālaya-Pratītya-samutpāda des Yogācāra-Buddhismus bilden die Möglichkeiten und Wirklichkeiten der dreifachen Umwandlung (Trividha-Pariṇāma-samutpāda) den grundlegenden Gehalt der yogācāra-buddhistischen genetischen Forschung.

Mit Dharmatā ist im Buddhismus dagegen das wahre Wesen gemeint, die wirkliche Substanz bzw. das eigentliche Gesetz aller Dinge, die allem zugrundliegende Essenz. Der Buddhismus lehrt, dass sich das wahre Wesen nur durch Befreiung von den irdischen Kenntnissen als ewige Wahrnehmung, als Buddha-Natur zeigen wird. „Die Lehre vom wahren Wesen im Buddhismus schließt sich oft an die Lehre vom abhängigen Entstehen an", so Ch. Lu, „und zeigt vor allem durch die Phänomene des abhängigen Entstehens den wirklichen Sinn, also das wahre Wesen".[3] Daher soll die Lehre vom wahren Wesen eine auf der Lehre vom abhängigen Entstehen gegründete Theorie des richtigen Urteilens über alles Leben und alle Welten sein, d. h. eine Lehre vom Wahrheitsurteil. Die Lehre vom wahren Wesen und die vom abhängigen Entstehen lassen sich nicht voneinander trennen und widersprechen einander nicht. Die Buddhisten weisen

---

[1] K. Mizuno, *Studien über die buddhistischen Theorien – Ausgewählte Schriften von Kogen Mizuno*（《佛教教理研究——水野弘元著作选集（二）》）, Bd. 2); Übersetzung ins Chinesische von H. Shi, Taipei 2004, S. 49.

[2] "若此有则彼有, 若此生则彼生; 若此无则彼无, 若此灭则彼灭。"– Diese Rede kommt in *Āgama*, *Laṇkāvatāra-Sūtra* und *Saṃdhinirmocana-Sūtra* öfters vor.

[3] Ch. Lu, *Ausgewählte Schriften über den Buddhismus*（《吕澂佛学论著选集》）, Bd. III, Jinan 1991, S. 1343.

darauf hin, dass das wahre Sein am Phänomen des abhängigen Entstehens zu erkennen ist. Wo es ein abhängiges Entstehen gibt, da gibt es auch ein wahres Wesen. Das ist das Ergebnis der metaphysischen Meditation innerhalb des Buddhismus auf Genesis und Geltung bzw. Genetizismus und Strukturalismus.

In meinem Aufsatz „Zero and Metaphysics: Thoughts about being and nothingness from mathematics, Buddhism, Daoism to phenomenology"[1] unterscheide ich zwei Arten von Metaphysik: genetische Metaphysik auf der Grundlage der Unterscheidung zwischen Ursprung und Genesis und epistemische Metaphysik auf der Grundlage der Unterscheidung zwischen Sinnlichkeit und Vernunft. Diese beiden Arten von Metaphysik beziehen sich auf zwei Arten der Fundierung: die genetische und die strukturelle. Beiden metaphysischen Ausdrucksformen stehen im Buddhismus die hier zu diskutierenden Lehren vom abhängigen Entstehen und vom wahren Wesen sehr nahe. Und den beiden buddhistischen Systemen entsprechen wiederum in Husserls Philosophie die statische und die genetische Phänomenologie. Die Letztere hat die Genesis des Bewusstseins zum Forschungsgegenstand, die Erstere hingegen seine Struktur. In vieler Hinsicht verfügen der Yogācāra-Buddhismus und Husserls Phänomenologie nicht nur über gemeinsame Ausgangspunkte, sondern auch über gemeinsame Ziele.

Ich habe hier nicht vor, auf sämtliche buddhistische Lehren vom abhängigen Entstehen und vom wahren Wesen einzugehen, sondern nur, in einige Denkrichtungen des Yogācāra-Buddhismus einzuführen, um sie mit der statischen und genetischen Bewusstseinsphänomenologie Husserls sowie seinen Forschungen bezüglich der Probleme der Quer- und Längsintentionalität zu kontrastieren, und – wenn möglich – beide Theorien einander ergänzen zu lassen, und zwar in der Hoffnung, auf diesem Wege einige Schritte näher zur Sache selbst und zur Lösung der Problematik zu gelangen.

II. Die genetische Verfolgung des längsgerichteten Bewusstseins und die strukturelle Erfassung des quergerichteten Bewusstseins

Die Yogācāra-Schule des Mahāyāna-Buddhismus, die im 2. und 3. Jahrhundert in Indien auftritt, kann als die früheste systematische Bewusstseinsphilosophie in der Weltgeschichte des Denkens betrachtet werden. Hinsichtlich einer Analyse des Bewusstseins findet sich in ihr ebenso umfassendes wie tiefgreifendes Gedankengut. Nach ihrer einige Jahrhunderte lang dauernden Entwicklung weitet sich diese Schule nach Osten aus, bis nach China und Japan, und erfährt hier weiterführende Interpretationen und Entfaltungen.

---

[1] L. Ni, „Zero and Metaphysics: Thoughts about being and nothingness from mathematics, Buddhism, Daoism to phenomenology", in: *Frontiers of Philosophy in China*, 2007, Nr. 2/4, S. 547-556 [der 16. Beitrag im vorliegenden Band].

In Bezug auf die Lehre vom abhängigen Entstehen vertritt die Yogācāra-Schule eine Interpretation der Ālaya-Pratītya-samutpāda, die wir hier mit Ālaya-Urstiftung übersetzen. Sie bildet eine der vier Hauptinterpretationen der buddhistischen Lehre vom abhängigen Entstehen. Der Gedanke der Ālaya-Urstiftung wird vor allem von Asaṅga (310-390 oder 395-470) in seinen Werken *Yogācārabhūmi* und *Mahāyānasaṃgraha* usw. entfaltet. Die Grundthese dieses Gedankens lautet, dass alles aus Ālaya stammt; sie stellt eine neue Lehre der Genesis dar und bildet zugleich die theoretische Grundlage für den Yogācāra-Buddhismus. Sie kann wie folgt zusammengefasst werden: „In Ālaya ist die Fähigkeit, Sein zu erzeugen, genannt Samen, enthalten; diese warten, bis sie reif sind, dann werden sie zu konkreten Phänomenen und treten in die Erscheinung, und als diese Phänomene wirken sie unmittelbar auf Ālaya zurück."[1]

An den Gedanken der Ālaya-Urstiftung schließt sich die yogācāra-buddhistische Lehre von Trividha-Pariṇāma-samutpāda (von der dreifachen Umwandlung) unmittelbar an. Obgleich ich bislang noch auf keine Erforschung bzw. Ausführung der immanenten Beziehung zwischen den beiden Gedanken – dem vom abhängigen Entstehen und dem von der dreifachen Umwandlung – gestoßen bin, ist ihre übergangslose, unmittelbare Verbindung doch eine unwidersprochene Tatsache. Bereits Yin Shun weist darauf hin: „Es ist ganz klar, dass die yogācāra-buddhistischen Gedanken von ‚aus dem Bewusstsein stammen' und ‚mit Bewusstsein umwandeln' durch die Lehre von Pratītya-samutpāda des archaischen Buddhismus angeregt worden sind."[2]

Die Yogācāra-Schule teilt das gesamte Bewusstsein von Anfang an in drei Klassen und acht Arten ein: Ālaya (Samen-Bewusstsein), ungegenständliches Manas (Ich-Bewusstsein), Gesichts-, Gehör-, Geruch-, Geschmacks-, Tast-Bewusstsein, und gegenständliches Manas. Mit der so genannten dreifachen Umwandlung ist die Fähigkeit zur Umwandlung des gesamten Bewusstseins gemeint. Ursprünglich gehört diese Theorie in die Lehre von der Umwandlung des Bewusstseins (vijñāna-pariṇāna), die Asaṅgas Bruder Vasubandhu (um 320-400) in seinem Werk *Triṁśikā vijñaptikārikā* erstmals entwickelt. Vasubandhu stellt dort fest, dass das Bewusstsein sich umwandeln kann, und dass alles Folge dieser Umwandlung ist. Die Umwandlung des Bewusstseins teilt sich wiederum in drei Arten: die erste Umwandlung ist eine Umwandlung zum Reifen (vipāka), genannt Ālaya-Umwandlung; die zweite dann die Umwandlung zum Denken, genannt Manas-Umwandlung (Manana), die dritte schließlich die Umwandlung zum Vergegenständlichen, genannt die sechs Bewusstseinsarten-Umwandlung (Viṣaya-vijñapti). – Diese dreifache Umwandlung lässt sich in einem gewissen Maße mit den Begriffen Ur-Ich, Vor-Ich und Ich bei Husserl erklären.

Im Yogācāra-Buddhismus werden die drei Umwandlungen später Stufe für Stufe behandelt. Die Untersuchungen über Ālaya werden als ontologische

[1] K. Yokuyama, *Einleitung zum yogācāra-buddhistischen Denken*（《唯识思想入门》）, chinesische Übersetzung von Y. Xu, Taipei 2002, S. 7.
[2] Yin Shun，《唯识学探源》(*Studien über den Ursprung des Yogācāra-Buddhismus*), Taipei: ZhengWen Press 1992, S. 36.

Forschung, diejenigen über Manas als anthropologische (Lehre vom menschlichen Leben), die über die sechs Arten des Bewusstseins als epistemologische Forschung aufgefasst.[1] Im Großen und Ganzen betrachtet, besteht der größte Teil der Yogācāra-Theorie in der Geschichte aus Forschungen und Diskussionen über Ālaya. – In Kontrast dazu steht das Problem des „Ur-Ich" oder des „letzten Bewusstseins" bei Husserl, über das dieser sich zwar oft Gedanken macht, öffentlicht jedoch Stillschweigen bewahrt oder aber zwischen Sagen und Nichtsagen schwankt.

Es sei bemerkt, dass Vasubandhu die Frage der Reihenfolge der drei Umwandlungen nicht explizit gestellt hat, sondern sie lediglich unterscheidet: „Die Umwandlung ist dreifach: Reifen, Denken und Vergegenständlichen."[2] Erst in *Chen Weishi Lun* (成唯识论, *Vijñaptimātratā-Siddhi*, *Demonstration of Consciousness Only*) von Xuan Zang wird die Reihenfolge explizit festgelegt. Zuerst geschieht „die erste Umwandlung, die sowohl Mahāyāna-Buddhismus als auch Hīnayāna-Buddhismus als Ālaya bezeichnen".[3] Dann kommt „nach der ersten Umwandlung als Reifen die zweite Umwandlung als Denken".[4] Schließlich geschieht „nach der zweiten Umwandlung als Denken die dritte Umwandlung als das Vergegenständlichen".[5]

Mit dem hier genannten „nach" ist die Reihenfolge der Entstehung der acht Arten von Bewusstsein berührt: Zwischen dem Ālaya, dem Manas und den sechs Arten von Bewusstsein besteht eine Reihenfolge des Werdens, die zugleich die Reihenfolge der genetischen Fundierungen darstellt. Das bedeutet, dass das Manas nicht entstehen kann, bevor das Ālaya erscheint, und dass wiederum die sechs Arten von Bewusstsein nicht entstehen können, bevor das Manas erscheint.

Das Verfolgen der Genese des Bewusstseins bildet einen wichtigen Bestandteil der yogācāra-buddhistischen Bewusstseinsanalyse in dem längsgerichteten Blick. Darüber hinaus haben die Forschungen der Yogācāra-Schule noch Teil an der Erfassung der Bewusstseinsstruktur in dem quergerichteten Blick. Zeitlich gesehen, tritt bei den bedeutenden Vertretern der Yogācāra-Schule die quergerichtete Erfassung der Bewusstseinsstruktur früher auf als die längsgerichtete Verfolgung der Bewusstseinsgenesis. Dies ist bei Husserl ähnlich, bei dem die Analyse der genetischen Phänomenologie auf diejenige der statischen folgt.

Hinsichtlich der quergerichteten Erfassung der Bewusstseinsstruktur hat – nach der Darstellung von Xuan Zang in seinem Werk *Chen Weishi Lun* –

---

[1] Vgl. Fa Fang, *Geschichte des Yogācāra-Buddhismus sowie seine Philosophie* (《唯识史观及其哲学》), Taipei 1993. Kap. 4-6.

[2] Vasubandhu, *Triṃśikā vijñaptikārikā* (《唯识三十论颂》), in: *Chinese Buddhist Electronic Text Association (CBETA)*, Nr. 1586, 2. Vers.

[3] Xuan Zang, *Chen Weishi Lun* (*Demonstration of Consciousness Only*), in: *Chinese Buddhist Electronic Text Association* (CBETA), Nr. 1585 – Zitaten nach der Holzschnitt-Ausgabe von Jinling Scriptural Press (English version, trans. by F. H. Cook, *Three Texts on Consciousness Only*, Berkeley/California 1999.), Bd. 2, Bl. 8.

[4] A.a.O., Bd. 4, Bl. 7.

[5] A.a.O., Bd. 5, Bl. 10.

Dignāga (um 380-460), ein Schüler von Vasubandhu, eine Lehre von drei Elementen aufgestellt, nach der alles Bewusstsein in sich drei Elemente enthalten muss: Dṛṣṭi-bhāga（见分, das Sehen, Noesis）, Lakṣaṇa-bhāga（相分, das Gesehene bzw. Noema）und Sva-saṃvitti-bhāga（自证分, das Selbstbewusstsein).[1] Die späteren Yogācāra-Vertreter führen diese Theorie auf ihre eigene Weise und in ihrer je eigenen Terminologie fort.[2] Dieser Teilung in drei Elemente entspricht exakt die von Husserl erfasste dreifache Bewusstseinsstruktur: Noesis, Noema und Selbstbewusstsein.

Außerdem gibt es im Yogācāra-Buddhismus noch eine Lehrmeinung über eine weitere Erfassung der allgemeinen Struktur des Bewusstseins. Sie existierte bereits vor der Lehre über die drei Elemente und wird von Yogācāra-Schülern allgemein angenommen. Es handelt sich dabei um die Theorie von Citta (Bewusstsein) und Caitta (Bewusstseinzugehöriges), die von Vasubandhu – dem Urstifter der Yogācāra-Schule und Lehrer von Dignāga – in seinem Frühwerk *Abhidharma-kośa* aufgestellt wird. Neben der Unterscheidung der acht Arten von Bewusstsein stellt Vasubandhu fest, dass zu Citta weitere sechs Klassen aus einundfünfzig Arten Caitta gehören (wie etwa Aufmerksamsein, Ärgerlichsein, Zornigsein, Gierigsein, Schamvollsein, Törichtsein, Hassvollsein usw.). Der Yogācāra-Buddhismus hat diese Lehrmeinung später im Großen und Ganzen fortgesetzt.

Mit Hilfe der phänomenologischen Terminologie kann man sagen, dass Citta so viel wie Vorstellung, ja objektivierender Akt bedeutet, während Caitta

---

[1] I. Kern übersetzt diese drei Elemente im Bewusstsein mit der phänomenologischen Terminologie Husserls als „an objectivating act, an objective phenomenon, self-consciousness and consciousness of self-consciousness" (I. Kern, „The Structure of Consciousness according to Xuan Zang", in: *Journal of the British Society for Phenomenology* 19, Nr. 3, 1988, S. 282).

[2] In der chinesischen Tradition des Yogācāra-Buddhismus wird vornehmlich die Lehre von den vier Elementen vertreten, nach der zu den vorgenannten drei Elementen noch ein viertes hinzutritt: Bewusstsein vom Selbstbewusstsein (bei Kern als „consciousness of self-consciousness", vgl. Kern, „The Structure of Consciousness according to Xuan Zang", a.a.O., S. 282). Es handelt sich dabei um Xuan Zangs Fortsetzung der Lehrmeinung seines Lehrer Dharmapāla. Dieses Hinzukommen des vierten Elements erfolgt vor allem aus logischen Gründen: die Yogācāra-Buddhisten legen Wert darauf, dass das Selbstbewusstsein, welches das Sehen und das Gesehene beweist, seinerseits durch etwas bewiesen werden muss; und auf diese Weise kann man in einen unendlichen Regress geraten. Hingegen können das vierte und das dritte Element sich aneinander beweisen, also „Citta und Caitta bestehen alle aus den vier Elementen, die objektivieren und objektiviert werden können. Somit ist der Fehler des unendlichen Regresses vermieden". (Bd. 2, Bl. 18) Aber dieser logische Bedarf ist eigentlich überflüssig, weil das Selbstbewusstsein nicht Reflexion ist, und sich somit nicht selbst zum Gegenstand macht, sondern nur ein ungegenständliches, unmittelbares Innewerden des eigenen Vollzugs. Deshalb existiert hier von Anfang an kein Problem des unendlichen Regresses. Man kann auch sagen, dass dieses Problem bereits durch Descartes bei der Beantwortung der Frage „Wie kann ich sicher sein, dass ich denke (cogito)?" gelöst wurde. – Näheres dazu bei L. Ni, *Selbstbewusstsein und Reflexion – Die Grundprobleme der abendländischen Philosophie seit der Neuzeit)*（《自识与反思——近现代西方哲学的基本问题》）, Beijing 2002, [2]2006, S. 63-88.

so viel wie Wille, Gefühl, ja nichtobjektivierender Akt heißen kann. An den Begriffen der Yogācāra-Schule ist bereits zu sehen, dass Caitta (Bewusstseinszugehöriges) zu Citta gehört, dass es verschiedene Typen von psychischen Erscheinungen darstellt, die nur in Begleitung des Bewusstseins auftauchen. Es ist damit leicht zu verstehen, dass die Theorie von Citta und Caitta in gewissem Maße Husserls Stellungnahme zur Fundierung der nichtobjektivierenden Akte in objektivierenden Akten unterstützen kann. Vom Gesichtspunkt der Bewusstseinsstruktur her betrachtet, fundieren die objektivierenden die nichtobjektivierenden Akte. Der Grund dafür ist klar: die nichtobjektierenden Akte können nur mittels der Gegenstände, welche die objektivierenden Akte konstituiert haben, zustande kommen, da die nichtobjektivierenden Akte selbst nicht fähig sind, Gegenstände zu konstituieren. Ein Sicherfreuen ohne Erfreuendes ist beispielsweise undenkbar.

Aber in Hinsicht auf die Bewusstseinsgenesis, also von der längsintentionalen Blickrichtung her gesehen, gehen Ālaya und Manas den sechs Arten von Bewusstsein, dem vergegenständlichenden Bewusstsein, voran und sind in diesem Sinne fundierend für das vergegenständlichende Bewusstsein. Und allem Anschein nach sind unter den drei Umwandlungen die ersten zwei (Ālaya und Manas) eben nichtobjektivierend. So betrachtet kann man sagen, dass einige nichtobjektivierende Akte zwar in objektivierenden fundiert, dass aber einige andere nichtobjektivierende Akte genetisch wiederum fundierend für objektivierende Akte sind. Dies Letztere kann offenbar Heidegger eine Stütze für seine Forderung liefern, dass die Intentionalität „auf die Ek-statik des Daseins zu gründen“ ist, mit anderen Worten, dass „erkannt werden [muss], daß das Bewusstsein im Da-sein gründet“[1].

Dieses dialektische Verhältnis zwischen der strukturellen und der genetischen Fundierung scheint zwar widersinnig zu sein, bildet jedoch keinen richtigen Widerspruch. Denn es ist offensichtlich, dass es eigentlich derselbe Yogācāra-Vertreter (Vasubandhu) ist, der sowohl die auf der strukturellen Fundierung bestehende Lehre von Citta und Caitta als auch die auf der genetischen Fundierung bestehende Lehre von der dreifachen Umwandlung aufstellt. Die beiden Lehren bilden nichts anderes als differenzierte Perspektiven auf dieselbe Sache. Sie ergänzen einander und liefern uns ein vollständiges, sich längs wie quer darbietendes Stereobild. In der Tat gibt es von Husserl aus eben

---

[1] Vgl. M. Heidegger, *Vier Seminare*, Frankfurt a. M. 1977, S. 122, vgl. auch M. Heidegger, *Die Grundprobleme der Phänomenologie* (1927), GA 24, Frankfurt a. M. 1975, S. 230. In diesem Punkt stimmen Heidegger und Scheler überein. – Zu den verschiedenen Auffassungen der Fundierungsverhältnisse zwischen objektivierenden und nichtobjektivierenden Akten innerhalb der Lager der Phänomenologie sowie zu aufschlussreichen Anregungen durch die entsprechenden Diskussionen in der Geschichte des Yogācāra-Buddhismus vgl. L. Ni, „Das Problem des Fundierungsverhältnisses zwischen objektivierenden und nichtobjektivierenden Bewusstseinsakten – von den Perspektiven des Yogācāra-Buddhismus und der Phänomenologie her betrachtet“（客体化行为与非客体化行为的奠基关系问题——从唯识学和现象学的角度看）, in: *Philosophical Research*（《哲学研究》）, 2008, Nr. 11, S. 80-87.

demselben Grund in seiner Erläuterung des Problems des Fundierungsverhältnisses zwischen der statischen und der genetischen Phänomenologie verschiedene Aussagen, weil er dieses Problem häufig aus verschiedenen, scheinbar widersprüchlichen Perspektiven in Betracht zieht.

III. Ālaya (Speicherbewusstsein) als das erste Pariṇāma (Umwandlung)

Stellen wir zunächst in der genetischen Richtung einen noch genaueren Vergleich von Husserls Phänomenologie mit dem Yogācāra-Buddhismus an.

Die erste Umwandlung, die der Yogācāra-Buddhismus feststellt, ist also Ālaya. Seine eigentliche Bedeutung ist neben Samen（种子）noch „Speicher“（藏）. Ursprünglich ist damit das Lager oder eben der Speicher als Ort der Aufbewahrung oder Verbergung von Waren und Dingen gemeint. Die Yogācāra-Buddhisten benutzen das Wort einerseits zur Erläuterung der ersten Umwandlung (Ālaya) als ein „alles in sich Enthalten“, andererseits zu ihrer Beschreibung als „verborgen und nicht erscheinend“.[1]

Das ist der Grund, warum die Yogācāra-Buddhisten, wie oben bereits dargestellt, die Erwägungen über Ālaya-Bewusstsein als Ontologie, als Lehre vom Sein, bezeichnen. Aber wenn dieses sich in seiner Tiefe verbirgt[2] und somit nur schwer zu Bewusstsein kommt, ja unbewusst oder unterbewusst oder überbewusst bleibt, wie kommen wir dann überhaupt dazu, es zu kennen und von ihm zu sprechen? Wie können wir es dann noch phänomenologisch erfassen und analysieren?

Die Rede von Ālaya kommt im Hīnayāna-Buddhismus nicht vor, und selbst im Mahāyāna-Buddhismus hat nach meinen beschränkten Kenntnissen nicht nur die Wissenschaftslehre von Dignāga, sondern die buddhistische Wissenschaftslehre überhaupt über Ālaya fast Stillschweigen gewahrt. Genauer besehen ist das Ālaya-Bewusstsein ein in der Wissenschaftslehre und in der natürlichen Einstellung nicht zu diskutierender Gegenstand.

Über das achte Ālaya-Bewusstsein und das siebte Manas-Bewusstsein sind unter den buddhistischen Gelehrten noch immer Debatten in Gang. Es handelt sich dabei eigentlich um Diskussionen zwischen solchen, die auf nur sechs

---

[1] Außerdem bildet Ālaya von der Genesis her betrachtet den Ursprung aller Dinge, also den Uranfang alles Seienden; alles andere sind nur Derivate. Daher bedeutet Ālaya als erste Umwandlung auch so viel wie „Wurzel-“, „Stamm-“ oder „Quellenbewusstsein“（本识）. Im Hinblick auf die Zeit ist Ālaya dann der Ausgangspunkt aller Zeit; Ālaya meint auch „Bewusstsein des ersten Augenblicks“. All das erinnert uns an die von Husserl erwähnte Urzeitigung, den Urpol der Zeitigung, die urtümliche Lebendigkeit, die Urgegenwart, die keine Zeitmodalität ist, Urpräsenz usw. (Vgl. z. B. Hua XV, S. 668)

[2] Das klassische Grundwerk über den Yogācāra-Buddhismus heißt eben „Heilige Schrift über die Auseinandersetzung mit dem Tiefliegenden und Sich-Verbergenden“ (Saṃdhinirmocana-Sūtra). Man kann dieses „Tiefliegen und Sich-Verbergen“ des Ālaya-Bewusstseins gut mit dem Wort Husserls von den „dunklen Tiefen des letzten, alle Erkenntniszeitlichkeit konstituierenden Bewusstseins“ (Hua III/1, [163]) übersetzen.

Bewusstseinsarten bestehen, und solchen, die an acht Bewusstseinsarten festhalten. Die von den Hīnayāna-Buddhisten festgestellten sechs Bewusstseinsarten beziehen sich auf Bewusstseinsakte in alltäglichen Erfahrungen und stützen sich dabei auf verschiedene Organe und Gegenstände. Diese Feststellung ist zwar klar und anschaulich, kann aber die Frage des Verhältnisses zwischen dem veränderlichen, unterbrochenen Bewusstsein und dem dauernden, immerwährenden Bewusstsein nicht erklären. So entwickelt der Mahāyāna-Buddhismus nach langen Erwägungen die Lehre, dass neben den sechs Bewusstseinsarten noch das Stamm-Bewusstsein besteht, also das achte Ālaya-Bewusstsein. Es wird als ein kontinuierlich fließendes, immerwährendes und sehr feines Bewusstsein verstanden. Der Gedanke des Stammbewusstseins findet schließlich auch in Buddhas belehrenden Reden eine theoretische Stütze, wie etwa Manas (Denken) unter den achzehn Kategorien（十八界）, oder Vijñāna (Bewusstsein) und den zwölf Arten vom abhängigen Entstehen（十二支缘起）usw. Im Yogācāra-Buddhismus wird das Ālaya-Bewusstsein für „das das Leben zu Ende Führende, den Körper Haltende und das Gebunden- und Gelöstsein Verknüpfende“ gehalten, und nach Yin Shun heißt es weiter, es komme „auf die Forderung des abhängigen Entstehens als Handlungs-Konsequenz (Karma) zustande“, es sei eben „das Wesen des Lebens.“[1]

Aber gerade wegen der Feinheit und Verborgenheit des Ālaya entsteht zwischen der diesbezüglichen ontologischen Behauptung und der phänomenologischen Methode scheinbar ein direkter Gegensatz: das wahre Sein ist das, was nicht erscheint, es ist also metapsychologisch. Ich benutze hier diesen von Freud stammenden Begriff absichtlich. Die Erinnerung an Freud liegt nicht nur darin begründet, dass seine Rede von einer „Metapsychologie“ und Husserls von einer „Ichmetapsychologie“ auf etwas Ähnliches hinweisen, sondern auch darin, dass sein metapsychologischer Begriff des „Es“ und Husserls ichmetapsychologischer Begriff des „Ur-Ich“ einander entsprechen.[2]

Jedoch unterscheidet sich die Phänomenologie methodologisch wesentlich sowohl von der Psychoanalyse als auch von der yogācāra-buddhistischen Forschung. Ich werde im Schlussparagrafen eine diesbezügliche Zusammenfassung geben. Im Folgenden werde ich mich auf die Diskussion der Gemeinsamkeiten und Verschiedenheiten in den Stellungnahmen der Phänomenologie und des Yogācāra-Buddhismus zum Ālaya-Bewusstsein konzentrieren.

Die Yogācāra-Buddhisten gründen ihre Argumentationen zum Bestehen des Ālaya- Bewusstseins vor allem auf zwei Fundamente: auf die Reden Buddhas und die klassischen buddhistischen Schriften sowie auf deren Schlussfolgerungen.

---

[1] Vgl. Yin Shun, *Studien über den Ursprung des Yogācāra-Buddhismus*, a.a.O., S. 50.

[2] Das Bestehen einer ähnlichen Bewusstseinsstruktur wird in der Tat nicht nur durch Husserls Phänomenologie und Freuds Psychoanalyse, sondern auch durch die gegenwärtige Sprachpsychologie und den klassischen Yogācāra-Buddhismus auf verschiedene Weisen demonstriert.

Stellen wir das erste Fundament zunächst beiseite und nehmen als Beispiel für das zweite Fundament *Chen Weishi Lun*: Dieses zieht im Rahmen der Begründung des Ālaya-Bewusstseins insgesamt zehn hypothetische Schlussfolgerungen: 1) „Wenn dieses Bewusstsein nicht besteht, dann kann auch jenes Speicherbewusstsein nicht bestehen"; 2) „Wenn dieses Bewusstsein nicht besteht, dann kann auch jenes Vipāka-Bewusstsein nicht bestehen"; 3) „Wenn dieses Bewusstsein nicht besteht, dann kann auch jenes handelnde und lebende Substrat nicht bestehen"; 4) „Wenn dieses Bewusstsein nicht besteht, dann kann auch jene nehmende und fühlende Fähigkeit nicht bestehen"; 5) „Wenn dieses Bewusstsein nicht besteht, dann kann auch jenes Lebensalter und Körperwärme haltende Bewusstsein nicht bestehen"; 6) „Wenn dieses Bewusstsein nicht besteht, dann kann auch jenes Bewusstsein vor dem Leben und nach dem Tode nicht bestehen"; 7) „Wenn dieses Bewusstsein nicht besteht, dann kann auch jenes Bewusstseinssubjekt nicht bestehen"; 8) „Wenn dieses Bewusstsein nicht besteht, dann kann auch jenes geistige Nahrung aufnehmende Subjekt nicht bestehen"; 9) „Wenn dieses Bewusstsein nicht besteht, dann kann auch jener Zustand nicht bestehen, in dem alles Empfinden und Denken erloschen ist, während das Bewusstsein doch beibehalten ist"; 10) „Wenn dieses Bewusstsein nicht besteht, dann kann auch jenes Bewusstsein von Reinheit und Befleckung nicht bestehen".[1]

Es geht hier momentan nicht um die Beurteilung, ob die Gründe für diese Schlussfolgerungen ausreichen, sondern um einen Vergleich mit Husserls Begründung des Ur-Ich. Aufgrund der jetzt zur Verfügung stehenden Materialien hat Husserl anfänglich ebenfalls durch gewisse Schlussfolgerungen die Behauptung von einem „Ur-Ich" oder „Urleben" aufgestellt. In seinen Überlegungen zum Zeitbewusstsein um 1910 hatte er sich bereits gefragt, „ob wir nicht sagen müssen, es walte über allem Bewusstsein im Fluß noch das l e t z t e B e w u s s t s e i n. [...] Es ist aber ernstlich zu überlegen, ob man solch ein letztes Bewusstsein annehmen muß, das ein notwendig ‚unbewusstes' Bewusstsein wäre; nämlich als letzte Intentionalität kann sie (wenn Aufmerken immer schon vorgegebene Intentionalität voraussetzt) nicht Aufgemerktes sein, also nie in diesem besonderen Sinn zum Bewusstsein kommen."[2] Später spricht er in *Ideen* I von „Urquelle", von einem „letzten, alle Erkenntniszeitlichkeit konstituierenden Bewusstsein" und vom „letzten und wahrhaft Absoluten"[3], und in einem Forschungsmanuskript über Intersubjektivität weist er auf den „uranfänglichen Horizont" oder „Urhorizont" bzw. „Uranfang der Zeitigung" hin.[4] In dem späteren C-Manuskript über das Zeitbewusstsein erwähnt er noch den „anonymen Urpol der Einheit aller Zeitigung" oder das „Urphänomen der lebendigen Ge-

[1] Vgl. Xuan Zang, *Chen Weishi Lun*, a.a.O., Bd. 3, Bd. 4, vgl. dazu auch die acht Gründe, die Asaṅga in Bd. 17 von *Prakaraṇāryavācā-Śāstra* aufstellt.

[2] Hua X, S. 382.

[3] Hua III/1, [163], [171].

[4] Hua XV, S. 604.

genwart"[1]; all das sind verschiedene Benennungen dieses „unbewussten Bewusstseins". Husserl hält diese Urgegenwart bzw. „lebendige Gegenwart" für „praereflexiv", „vor-zeitlich" und „anonym", „sie kommt nicht und sie geht nicht, sondern sie ist das bleibende, verharrende ‚Da'".[2] Sie ist mit anderen Worten „die Seinsweise des letztfungierenden transzendentalen Ich (Ur-Ich), d. h. der absoluten Subjektivität in ihrem Konstituierend- und nicht mehr Konstituiertsein".[3]

Gegenüber dem, was er mit diesen Termini zum Ausdruck bringt, verhält er sich sehr vorsichtig. In seinen zu Lebzeiten veröffentlichten Schriften kommen Ausführungen über das Ur-Ich oder das letzte Bewusstsein nur in Bruchstücken vor. Das liegt vor allem daran, dass Husserl Bedenken hat, die Behandlung des Problems des Unbewusstseins oder des Überbewusstseins könne gegen das phänomenologische Prinzip verstoßen und man gerate dadurch letztlich wieder in die Höhle des Ontologismus. Deshalb beschäftigt er sich in seinen Forschungen und Überlegungen methodisch am meisten damit, ob und wie es möglich ist, durch den Appell an die Wesenserschauung oder an das phänomenologische „Sehen" das zu erfassen, was dem alltäglichen und naturwissenschaftlichen Blick zwar erscheint, aber doch versteckt bleibt. Die so genannte „Phänomenologie des Unbewusstseins" ist nur deshalb möglich, weil das Unbewusstsein nur relativ zu dem nicht wesenserschauenden Blick ein Unbewusstsein ist. In der Wesensschau bzw. dem phänomenologischen Sehen erscheint das Ur-Ich doch in bestimmter Weise, sonst wäre die Phänomenologie nicht mehr Phänomenologie, sondern würde zu Metapsychologie oder Ichmetaphysik. Aus diesem Grund muss das Ur-Ich für Phänomenologen nicht jenseits, sondern diesseits von bestimmten Selbstverständlichkeiten liegen.[4]

Auf der Seite des Yogācāra-Buddhismus hingegen hängt das Erkennen des Bewusstseins, insbesondere das Begreifen des Ālaya als des letzten Bewusstseins, normalerweise mit der buddhistischen Praxis zusammen und gründet auf langen geistigen Übungen und meditativer Sammlung. Der gesamte Buddhismus besteht darauf, dass man sich durch Praxis der Einflüsse der habituellen Kräfte auf das eigene Bewusstsein zu erwehren hat, um zu wahrer Selbsterkenntnis zu gelangen. Deshalb sollen Selbstwahrnehmung und Selbsterfassung nicht durch Evidenz in der Forschung, sondern durch Evidenz in der Praxis zu erreichen sein. Hier wird die religiöse Aufforderung der Yogācāra-Schule als buddhistischer Bewusstseinslehre repräsentiert. Die phänomenologische Bewusstseinsanalyse

---

[1] Hua Mat VIII, Nr. 1, Nr. 3.

[2] Vgl. K. Held, *Lebendige Gegenwart. Die Frage nach der Seinsweise des transzendentalen Ich bei E. Husserl, entwickelt am Leitfaden der Zeitproblematik*, Den Haag 1966, S. 63, vgl. auch, S. 113, 116, 118.

[3] K. Held, „Lebendige Gegenwart", in: Joachim Ritter, Karlfried Gründer und Gottfried Gabriel (Hrsg.), *Historisches Wörterbuch der Philosophie*, Bände 1 bis 13, Basel 1971-2007, Bd. 3, S. 138.

[4] Vgl. S. Taguchi, *Das Problem des „Ur-Ich" bei Edmund Husserl – Die Frage nach der selbstverständlichen ‚Nähe' des Selbst*, Phaenomenologica 178, Dordrecht u. a. 2006, S. xiii f.

kann daraus nur schwer effektive Anregungen gewinnen. Aber die Phänomenologie hat ihre eigene methodische Grundlage entwickelt, nämlich die Methode der Wesensschau, durch welche zwar nicht empirische, sondern ideale Phänomene erfasst werden, aber dieses Erfassen ist immer noch ein unmittelbares Erfassen. – Ich werde am Ende meines Beitrages darauf zurückkommen.[1]

IV. Manas (Ich-Bewusstsein) als das zweite Pariṇāma (Umwandlung)

Nach der Reihenfolge der Genesis ist das erste Bewusstsein das Ālaya-Bewusstsein, „nach diesem ersten Pariṇāma als Vipāka soll das Pariṇāma als Manas-Bewusstsein erkennbar sein“[2]. Als das zweite Pariṇāma bedeutet Manas ursprünglich „Verstehen“, „Denken“, usw., und zwar ein stetiges, also kontinuierliches Bewusstsein. Es ist nicht so etwas wie Descartes' *cogito*, auch nicht wie Husserls „Noesis“, und deshalb differenziert von den sechs Bewusstseinsarten, die sowohl Mahāyāna- als auch Hīnayāna-Buddhisten kennen, wovon unten noch ausführlich die Rede sein wird. In dem Fall, dass der Buddhismus keine Lehre vom Saṃsāra (Kreislauf der Existenzen) zu begründen hätte, würden sich die Buddhisten theoretisch mit der Theorie der sechs Bewusstseinsarten begnügen. Aber in der Zeit des Mahāyāna-Buddhismus gewinnt die Lehre vom Saṃsāra deutlich an Kontur und solchen, die sie vertreten. So muss die Bewusstseinsphilosophie für sie eine neue theoretische Unterstützung vorlegen. Der springende Punkt der Theorie von den acht Bewusstseinsarten liegt darin, mit Ālaya- und Manas-Bewusstsein die Identität des Bewusstseins und seine Kontinuität in den verschiedenen Körpern erklären zu können und somit für die Behauptung vom Saṃsāra einen Grundstein zu legen.

---

[1] Im Übrigen soll hier noch auf eine weitere grundlegende Differenz hingewiesen werden: Bei Husserl stammt das Ur-Ich aus dem Monadenall bzw. aus einem über-individuellen Ich, was die typische Grundlinie des Idealismus darstellt; im Yogācāra-Buddhismus hingegen ist das Ālaya das ununterbrochene Kontinuum derselben Monade, was wiederum den fundamentalen Gehalt der buddhistischen Lehre von Saṃsāra (Kreislauf der Existenzen) ausmacht.

[2] Xuan Zang, *Chen Weishi Lun*, a.a.O., Bd. 4, Bl. 7. – Ob zwischen dem Husserlschen Ur-Ich und Vor-Ich ebenfalls eine Reihenfolge besteht, ist ein noch zu erforschendes Thema. Zu bemerken ist hier N. Lees Definition, welche das „Ur-Ich“ als „den letzten Geltungsursprung“ und das „Vor-Ich“ bei Husserl als „den letzten Genesisursprung“ bestimmt (vgl. N. Lee, *Edmund Husserls Phänomenologie der Instinkte*, Phaenomenologica 128, Dordrecht u. a. 1993, S. 214).

Manas in diesem Sinne ist dem so genannten „Vor-Ich" bei Husserl ähnlich.[1] Natürlich ist mit dem „Vor-Ich" nicht das Bewusstsein vor dem Ich-Bewusstsein gemeint, sondern vielmehr das ungegenständliche Ichbewusstsein vor der Reflexion, wie das *ego* bei Descartes, das latent im *cogito* liegt, aber noch nicht thematisiert ist. Das „Vor-Ich" in diesem Sinne hängt mit dem oben dargestellten „Ur-Ich" innig, ja untrennbar zusammen. Die beiden zusammen machen die Kontinuität und Identität des Bewusstseins möglich. Selbst nach Schlaf, Ohnmacht usw. wird sich das erwachte Subjekt des Bewusstseins noch immer für dasselbe Ich halten, heißt es, „das kontinuierliche Denken und Erwägen bezieht sich stets auf die Eigenschaft des Ich."[2] Ālaya und Manas sind also nicht mit dem wachen Bewusstsein gleichzusetzen; sie wirken nicht nur *im* wachen Bewusstsein, sondern auch *hinter* ihm. Man kann sagen, dass der Aufweis des Ālaya das Problem des Kreislaufs der Existenzen zu einer Lösung bringt, der Aufweis des Manas dagegen das Problem der Gebrochenheit und der einheitlichen Kontinuität des Bewusstseins.

Die Begründung des Bestehens des Manas erfolgt ähnlich wie diejenige des Bestehens des Ālaya. Sie gründet also einerseits auf den klassischen buddhistischen Schriften, konkreter gesagt auf *Laṅkāvatāra-Sūtra* und *Saṃdhinirmocana-Sūtra*, andererseits auf den sechs Argumentationen.[3]

Der Yogācāra-Buddhismus lehrt, dass das Manas deshalb zustande kommt, weil man zu sehr auf Ālaya beharrt. Darum ist Manas ein beflecktes „Ich-Bewusstsein", das stets an Ālaya festhält. Hierbei werden zwei Grundzüge des Manas deutlich: Erstens wird bei seinem Entstehen das ganze Bewusstsein durch das Ich begleitet; dies macht das gesamte Bewusstsein zu „meinem Bewusstsein". Mit Xuan Zang heißt es: „Seit das Manas existiert, wird das Ich ständig behalten."[4] In diesem Sinne ist das Ich auf der Stufe von Manas bzw. das Vor-Ich im Husserlschen Sinne kein Noumen, sondern ein Pronoumen. Zweitens „sind beim Entstehen die vier Arten von Kleśa ständig dabei: Ātma-moha (Selbsttorheit), Ātma-dṛṣṭi (Selbstillusion), Ātma-māna (Selbsthochmut), Ātma-sneha (Selbstliebe) und die anderen Sparśa (Gefühle)." [5] Diese Ausführungen haben zur Grundbedeutung, dass das nichtobjektivierende

---

[1] Ebenfalls recht nahe steht es Freuds Begriff vom „Ich". Weiter unten werden wir noch dem dritten Thema der genetischen Phänomenologie des *ego* bzw. des Yogācāra-Buddhismus begegnen, nämlich dem Ich im objektivierenden und nichtobjektivierenden Akt. Diesem Ich entspricht das „Über-Ich" bei Freud.

[2] Xuan Zang, *Chen Weishi Lun*, a.a.O., Bd. 4, Bl. 18.

[3] Nämlich die sechs theoretischen Begründungen 1) durch das nicht gemeinsame Avidyā (Unwissenheit), 2) durch die zwei Pratyaya (Bedingungen) des Manas, 3) durch den Namen des Manas, 4) durch die Differenz der zwei Arten von Samādhi (meditatives Fixieren), 5) durch das mögliche Kliṣṭa (Beflecken) des Asaṃjñā (Nicht-Denkens), 6) durch das Bestehen des Kleśa (Sorge). Zu Näherem vgl. Xuan Zang, *Chen Weishi Lun*, a.a.O., Bd. V, Bl. 6-11, und Kui Ji, *Kommentar zu Demonstration of Consciousness Only* （《成唯识论述记》）, in: *Chinese Buddhist Electronic Text Association* (CBETA), Nr. 1830, Bd. V.

[4] Xuan Zang, *Chen Weishi Lun*, a.a.O., Bd. 5, Bl. 10.

[5] Xuan Zang, *Chen Weishi Lun*, a.a.O., Bd. 5, Bl. 7.

Ichbewusstsein und diesbezügliche Stimmungen bereits entstehen und sich anhaltend durch das Bewusstsein ziehen, bevor objektivierende bzw. vergegenständlichende Akte (die sechs Bewusstseinsarten) zustande kommen. Deshalb muss gesagt werden, dass vom genetischen Standpunkt aus die objektivierenden Akte in nichtobjektivierenden Akten fundiert sind.

Wie oben dargestellt, kann diese Feststellung die Ansicht Heideggers unterstützen, dass im Vergleich zu der Stufe der Vorstellungsphänomene, die durch die Intentionalitätsanalyse zustande kommen, die Stufe des Phänomens der Sorge, welche die Daseinsanalyse eröffnet, origineller und eigentlicher ist.[1]

Wie ebenfalls oben dargestellt, hat Husserl diese Perspektive der Genesis nicht im Blick gehabt. Die genetische Phänomenologie des Vor-Ich im Husserlschen Sinn, von der hier die Rede ist, besteht größtenteils aus der Phänomenologie des Manas. Sie hat das Ich als *subiectum* der verschiedenen Vermögen, Dispositionen, Anlagen usw. zum Forschungsgegenstand. Sie ist „Phenomenology of Nature" im prägnanten Sinn, und nicht „Phenomenology of Nurture". Husserl selbst hält dieses Ich für etwas, „das schon Zentrum ist, aber noch nicht ‚Person', geschweige denn Person im gewöhnlichen Sinne der menschlichen Person."[2] S. Taguchi bestimmt es als „Vorstufe des entwickelten Ich, die der Genesis der höherstufigen Selbstkonstitution vorausgeht, die es ermöglicht, mich letztlich als ‚Person' auf[zu]fassen."[3] In meinen Augen könnten z. B. der „Sprachsinn" bei W. von Humboldt oder der „Moralsinn" bei Meng Zi (die vier Anlagen Sympathie, Scham und Empörung, Hochachtung, sittliche Einsicht) usw. Forschungsthemen der genetischen Phänomenologe des Vor-Ich auf dieser Stufe sein.

Aber die Phänomenologie des Vor-Ich soll neben der Phänomenologie der Natur noch einen andern Teil umfassen: denjenigen, den wir als Phänomenologie der „Nurture" bzw. des Habituellen bezeichnen können, und der sich mit dem Ich als Träger von Habitualitäten beschäftigt.

Husserl spricht oft gleichzeitig von „Vermögen" und „Habitualitäten" und betrachtet beide als Themen einer Phänomenologie der Person. Ein Satz, den er im Rahmen der Erwägung des konkreten Ich äußert, ist dafür charakteristisch: „Wo ist die richtige Stelle für die Erläuterung des Habituellen, der Vermögen?"[4]

Von den beiden oben erwähnten Perspektiven her betrachtet, wird der eigentliche Einschnittspunkt durch die zwei Arten von nichtobjektivierenden Akten gebildet. Die ersten sind die in der genetischen Fundierung früheren nichtobjektivierenden Akte (im Heideggerschen Sinne: die Grundstimmungen), die anderen die in der strukturellen Fundierung späteren nichtobjektivierenden Akte (im Husserlschen Sinne: die Gefühlsakte); in den Ersteren sind z. B. Sorge,

---

[1] Vgl. M. Heidegger, *Vier Seminare*, a.a.O., S. 122; ders., *Die Grundprobleme der Phänomenologie*, a.a.O., S. 230; ders., *Prolegomena zur Geschichte des Zeitbegriffs* (1925), GA 20, Frankfurt a. M. 1979, S. 420.

[2] Husserl, Hua Mat VIII, S. 352.

[3] S. Taguchi, *Das Problem des „Ur-Ich" bei Edmund Husserl*, a.a.O., S. 118.

[4] Husserl, Hua XIV, S. 44, Anm. 1; vgl. auch Hua XIV, S. 34, und Hua Mat. VIII, S. 17, 96.

Angst usw. enthalten, in den Letzteren z. B. Liebe, Gefallen, Abscheu usw. Die eigentliche Frage der Person hängt mit den letzteren nichtobjektivierenden Akten, nicht aber mit den ersteren, immanent zusammen.

Die nichtobjektivierenden Bewusstseinsakte im Husserlschen Sinne, also die Gefühlsakte, sind Bewusstseinsakte, die erst nach dem Entstehen der sechs Bewusstseinsarten (also der objektivierenden Bewusstseinsakte) entstehen werden. Es handelt sich daher hier um zwei Arten von Ich, nämlich um das Ichbewusstsein in den Heideggerschen Stimmungen und das Ichbewusstsein in den Husserlschen Gefühlsakten. Beide sind Manas-Bewusstsein, stehen aber in der Reihenfolge an unterschiedlichen Orten. In den sechs Bewusstseinsarten (bei Husserl dem gegenstandskennenden bzw. intentionalen Bewusstsein) erfolgen verschiedene Habitualisierungen und Erwerbungen, und zwar in der Weise der von Husserl so genannten „Sinnbildung und Sinnsedimentierung“[1]. Sobald das Habituelle zustande kommt, wird es potenziell zu einer Art von Vermögen, Disposition oder Anlage. In diesem Sinne kann eine „Nurture“ zu einer „Nature“ werden. Es ist zwar durch eine praktische Operation nicht möglich, Natur und Erworbenes im Manas voneinander zu unterscheiden, wie wir z. B. nicht exakt abgrenzen können, in welchem Maße die Fähigkeit der Tondifferenzierung angeboren oder erworben ist. Aber theoretisch empfinden wir doch die Nötigkeit zu unterscheiden. Was J.-J. Rousseau über die menschliche Natur sagt, gilt auch heute noch: „Es ist nicht eine leicht zu erledigende Aufgabe, in der aktuellen menschlichen Natur richtig zu unterscheiden zwischen dem, was original ist, und dem, was artifiziell ist, oder eine wahre Vorstellung der Zustände zu bilden, welche nicht mehr existieren, vielleicht niemals existierten, und möglicherweise nie existieren werden; jedoch ist es für die korrekte Beurteilung unserer aktuellen Zustände notwendig, solche wahre Vorstellungen zu bilden.“[2]

Dies kann zur Beantwortung der Frage führen, warum manche Yogācāra-Buddhisten, wie oben erwähnt, die Lehre von Manas als Anthropologie bzw. Lehre vom menschlichen Leben betrachten.[3]

V. Ṣaḍvijñāna (die sechs Bewusstseinsarten) als das dritte Pariṇāma (Umwandlung)

Anschließend ist das dritte und letze Pariṇāma in Betracht zu ziehen, also die sechs Bewusstseinsarten: „nach diesem zweiten Pariṇāma als Manas soll das Pariṇāma als gegenstandskennendes Bewusstsein erkennbar sein.“[4]

---

[1] Vgl. Husserl, Hua VI, S. 380.

[2] J.-J. Rousseau, *Discours sur l'Origine et les Fondements de l'Inégalité parmi les Hommes*; chinesische Übersetzung von P. Li: 《论人与人之间不平等的起因和基础》, Beijing 2007, S. 35.

[3] Vgl. Fa Fang, *Geschichte des Yogācāra-Buddhismus sowie seine Philosophie*, a.a.O., Kap. 5.

[4] Xuan Zang, *Chen Weishi Lun*, a.a.O., Bd. 5, Bl. 10.

Im Hinblick auf den Namen „gegenstandskennendes Bewusstsein“ ist bereits ersichtlich, dass es dem intentionalen Bewusstseinsakt bei Husserl entspricht. Dessen Aussage, dass „jedes Bewusstsein ‚Bewusstsein von' ist“[1], gilt für das Bewusstsein auf dieser Stufe zweifellos. Obzwar im Yogācāra-Buddhismus auch Aussagen zu finden sind, wonach alle acht Bewusstseinsarten intentional sind, also in sich die drei Elemente des Sehens, des Gesehenen und des Selbstbewusstseins enthalten, liegen mehr Beweise dafür vor, dass die Lehre von drei Elementen nur für die sechs Bewusstseinsarten gültig ist.[2]

Die ersten fünf Bewusstseinsarten umfassen die sinnlichen Funktionen des Bewusstseins, Gesichts-, Gehör-, Geruchs-, Geschmacks-, und Tastbewusstsein. Die sechste wird auch Manas genannt und bedeutet soviel wie intellektuelles Bewusstsein, das sich auch als Bewusstsein der Vernunft bzw. des Verstandes bezeichnen lässt. Da das sechste Bewusstsein wie auch das siebte Manas heißt, bezeichne ich es hier wie zuvor zur Unterscheidung von dem siebten, ungegenständlichen Bewusstsein als „gegenstandskennendes Bewusstsein“, oder einfacher als „gegenständliches Manas“.

Husserl würde die ersten fünf Bewusstseinsarten eher als *hyle* oder Sinnesdaten bezeichnen, nicht als selbstständige Bewusstseinsakte. In der Tat erkennt auch der Yogācāra-Buddhismus an, dass die ersten fünf Bewusstseinsarten nicht allein, sondern nur in Begleitung der sechsten erfolgen können, dass die Letztere dagegen sowohl mit als auch ohne Begleitung der Ersteren erfolgen kann, genannt dann „Manas mit fünf [Bewusstseinsarten]“（五惧意识）und „Manas ohne fünf [Bewusstseinsarten]“（不惧意识）.

Die größte Eigenschaft der sechs Bewusstseinsarten liegt darin, dass auf dieser Stufe die Gegenstände zur Erscheinung kommen: das Bewusstsein konstituiert seine Objekte, und hält dann, wie auch Husserl sagt, diese Objekte bzw. Gegenstände für außer sich, also für außerhalb des Bewusstseins existierend.

Daher werden die sechs Bewusstseinsarten als „gegenstandskennendes Pariṇāma“ bezeichnet, d. h., erst bei dieser Umwandlung beginnt das Bewusstsein, seinen Gegenstand zu konstituieren. Das ist auch der Grund dafür, dass manche Yogācāra-Buddhisten die Lehre von den sechs Bewusstseinsarten als Epistemologie, Lehre vom Wissen, definieren. Denn sie ist Lehre von Objekten im Sinne der Gegenstände. Historisch gesehen basiert die buddhistische Wissenschaftslehre auf dem Erfassen und Verstehen der Struktur der sechs Bewusstseinsarten, vor allem auf der Analyse und Erforschung des gegenständlichen Manas.

Damit sind die Grundlinien des Yogācāra-Buddhismus entfaltet: alles ist umwandelnde Erscheinung des Bewusstseins. Von dem frühesten feinen Leben

[1] Husserl, Hua XXV, S. 16.

[2] Zur Diskussion über dieses Problem vgl. L. Ni, „Die Grundbedeutung des Svasaṁvittibhāga im Yogācāra-Buddhismus“（唯识学中‘自证分’的基本意蕴）, in: K. Lau/Ch. Cheung (Hrsg.), Phenomenology and The Human Science, Nr. 3: *Phenomenology and Buddhist Philosophy*（《现象学与人文科学(3)——现象学与佛家哲学专辑》）, Taipei 2007, S. 85-110.

des Ālaya über das Entstehen eines dauernden inneren Ichbewusstseins bis zur Konstitution der verschiedenen Gegenstände der Außenwelt – all das ist nichts anderes als eine Umwandlung des Bewusstseins und ihr Ergebnis. Mit Vasubandhu heißt es: „Die Bewusstseinsarten wandeln sich und scheiden das Geschiedene. Das Scheiden wie das Geschiedene existieren nicht, darum ist alles nur Bewusstseinserscheinung.“[1] Das bedeutet, dass im Hinblick auf die Reihenfolge der Bewusstseins-Genesis der verborgene, feinsinnige Bewusstseinsfluss das Erste ist; erst nach ihm entsteht das ungegenständliche Ich-Bewusstsein, und ganz zuletzt tritt das Gegenstands- bzw. Objektbewusstsein auf.

Die Bewusstseinserlebnisse, mit welchen Husserl sich in seinen veröffentlichten phänomenologischen Analysen beschäftigt, sind vor allem solche, die im Yogācāra-Buddhismus zu den sechs Bewusstseinsarten, d. h. zum Gegenstandsbewusstsein gehören. Husserls diesbezügliche Analysen sind größtenteils in dem querintentionalen Blick durchgeführt. Dieses Thema werde ich im nächsten Paragrafen behandeln. Hier möchte ich mich lediglich auf die Dimension der Längsintentionalität konzentrieren.

Aus dieser Dimension her betrachtet, erfolgen unsere Sinnbildungen zumeist in den sechs Bewusstseinsarten, und in der Tat auch die meisten unserer Sinngenesen und Sinnsedimentierungen. Husserl hat in seinen *Cartesianischen Meditationen* ein Beispiel dafür gegeben: „Das Kind, das schon Dinge sieht, versteht etwa erstmalig den Zwecksinn einer Schere, und von nun ab sieht es ohne weiteres im ersten Blick Scheren als solche; aber natürlich nicht in expliziter Reproduktion, Vergleichung und im Vollziehen eines Schlusses.“[2]

Das hier genannte Kind, „das schon Dinge sieht“, bezieht sich auf jemanden, der sich bereits auf der Stufe der sechs Bewusstseinsarten befindet und Gegenstandsbewusstsein erlangt hat. Das Bewusstsein davor steht noch auf der Stufe des Ālaya oder Manas, hat keinen Gegenstand, sondern ist fein und tief verborgenes, mir-gehöriges bzw. ungegenständlich ichliches Bewusstseinsleben. Diesbezügliche Betrachtungen und Überlegungen könnten in den genetisch-psychologischen Untersuchungen von J. Piaget entsprechende Belege finden.

Die beiden Arten von Pariṇāma, von denen hier die Rede ist, sollen aber nicht lediglich Vorstufen der sechs Bewusstseinsarten darstellen. Allem Anschein nach meinen die Yogācāra-Buddhisten nicht, dass sie auf der höheren Stufe durch das dritte Pariṇāma ersetzt würden, sondern dass sie vielmehr in dem dritten Pariṇāma erhalten und auf diese Weise aufgehoben werden. Viel Mühe verwendet Husserl eben darauf, von dem Querschnitt des Bewusstseins aus die strukturellen Elemente der drei Arten von Pariṇāma zu analysieren, die in den sechs Bewusstseinsarten enthalten sind, wie etwa die oben erwähnte Überlegung zu einem letzten Bewusstsein usw., welche einen Versuch zur Feststellung des Elements Ālaya in den sechs Bewusstseinsarten darstellt.

---

[1] Vasubandhu, *Triṃśikā-vijñapti-bāṣya*, 17. Vers. CBETA *Chinese Electronic Tripitaka Collection* Feb. 2008, Nr. 1586.
[2] Hua I, S. 141, cf. Hua Mat VIII, S. 241f.

Hier wollen wir vor allem das Manas zur Diskussion stellen, das mit den sechs Bewusstseinsarten in einem immanenten Zusammenhang steht. Seine genetische Analyse muss in einem genetischen Blickwinkel durchgeführt werden: hier haben wir zunächst Manas vor dem Entstehen der sechs Bewusstseinsarten, sodann Manas nach dem Entstehen der sechs Bewusstseinsarten.

Einfach gesagt, ist das Manas vor dem Entstehen der sechs Bewusstseinsarten dasjenige, was wir als *„nature"* betrachten; das Manas nach ihrem Entstehen bezieht sich mehr auf *„nurture"* in einem weiteren Sinne, also auf etwas, das a-posteriorisch durch Bewusstseinsakte erworben und habitualisiert wurde. Aber auch dieses Manas umfasst *„nature"* in sich. Wir diskutieren hier nur nicht über *„nature"*, welche den inneren Zusammenhang zwischen Manas und Ālaya sowie die buddhistischen Begriffe Karma und Vipāka betrifft. Sie bilden den Kernpunkt der buddhistischen Lehre von Saṃsāra (Kreislauf der Existenzen). In diesem Problembereich finden sich kaum Möglichkeiten eines ergänzenden Vergleichs von Yogācāra-Buddhismus und Phänomenologie. Die Seele in ihrem Kreislauf gehört prinzipiell zu Problemen, welche die Phänomenologie auszuklammern hat.[1]

Und die Frage nach der „Habitualität" bildet den direkten Verknüpfungspunkt zwischen Manas und den sechs Bewusstseinsarten, und somit auch ein Thema der komparatistischen Untersuchung des Verhältnisses zwischen Yogācāra-Buddhismus und Phänomenologie. „Habitualität" bedeutet in der Phänomenologie nichts anders als die Konstitution des Ich durch die verschiedenen Bewusstseinsakte. Diese Konstitution geschieht anders als die Konstitution der äußeren Gegenstände durch das Bewusstsein, weil sie im Grunde genommen eine längsgerichtete, in zeitlicher Reihenfolge vollzogene Konstitution des Ich selbst darstellt. Konkret gesagt, vollzieht das Ich mit dem Vollzug der Bewusstseinsakte zugleich auch die Selbstkonstitution und -sedimentierung; wie K. Held bemerkt, „schlagen sich im verharrenden Ichpol bleibende Bestimmungen des Ich, die es in seinen jeweiligen Einzelvollzügen erwirbt, als Habitualitäten und Vermöglichkeiten nieder".[2] Das Ich als Vollzieher der querintentionalen Bewusstseinsakte und als Sediment der längsintentionalen Geschichte vereinigen sich hier. Die Bildung der Habitualität ist identisch mit der Geschichte des Ich: das Bewusstseinsleben vollzieht einerseits „Sinnbildung", andererseits „Sinnsedimentierung".[3] Das „Ich" ist hier nicht nur Träger oder Substrat,[1] son-

---

[1] Wenn wir von den gedanklichen Hintergründen des Saṃsāra absehen, kann der buddhistische Begriff „Karma" dem Husserlschen Begriff „Leistung" (Leisten + Geleistetes) gleichgestellt werden. Obgleich Karma im Buddhismus dreigeteilt ist in Leib-karma（身业）, Sprach-karma（语业）und Bewusstseins-Karma（意业）, während Husserls „Leistung" allein die Bewusstseinsleistung bedeutet, legt der Buddhismus schließlich doch Wert darauf, alle Arten Karma der Herzensregung zuzusprechen, und ist somit in diesem Punkt nicht von Husserls phänomenologischer Ansicht unterschieden.

[2] K. Held, „Lebendige Gegenwart", in: a.a.O., S. 139.

[3] Vgl. dazu die folgende Definition der Geschichte bei Husserl: „Geschichte ist von vornherein nichts anderes als die lebendige Bewegung des Miteinander und Ineinander von ursprünglicher Sinnbildung und Sinnsedimentierung." (Hua VI, S. 380)

dern kann als Subjekt in der gegenständlichen Reflexion zum Gegenstand, zum Objekt werden.

Im Yogācāra-Buddhismus steht der Begriff „Habitualität“ in innigem Zusammenhang mit dem Begriff des Vāsanā (Verräuchern). Es handelt sich dabei um einen buddhistischen Begriff voller genetischer Bedeutung. Der Yogācāra-Buddhismus besteht auf den acht Bewusstseinsarten; die achte unter ihnen ist Ālaya als das Speicher- oder auch Samenbewusstsein, ein Bewusstsein, das ‚verräuchert' wird, während die anderen sieben Bewusstseinsarten Bewusstsein sind, das lediglich verräuchern kann. Nach dem oben zitierten Satz Yokuyamas, „machen sie [die Samen] sich zu konkreten Phänomenen und kommen zu Erscheinung, und als diese Phänomene wirken sie unmittelbar auf Ālaya zurück.“[2] Der erste Satz ist eine moderne Übertragung des Lehrsatzes von Pratītya-samutpāda (abhängiges Entstehen), dass „Samen (Bīja) aktuelle Akte (Abhisaṃskāra) erzeugen“, der zweite die moderne Übertragung des Lehrsatzes von Vāsanā, dass „aktuelle Akte Samen verräuchern“. Hier verläuft die Konstitution des Ich längsintentional. So wie jeder aktuelle Bewusstseinsakt im quergerichteten Blick Bewusstseinskonstitution bzw. ein auf äußere Gegenstände gerichteter Akt ist, zugleich jedoch ein durch den zurückkehrenden Geistesblick das Ich selbst zum Gegenstand machender Akt, ist jeder aktuelle Bewusstseinsakt im längsgerichteten Blick ein ständig sich selbst konstitutierender Akt, während das konstitutierte Selbst bei der Konstitution der Bewusstseinsgegenstände auch wieder zurück auf die aktuellen Bewusstseinsakte wirkt.

Die genetische und intentionale Konstitution, von welcher Husserl immer wieder spricht, kann durchaus als ein bewusstseinsphilosophischer Ausdruck des folgenden yogācāra-buddhistischen Lehrsatzes betrachtet werden: „Samen erzeugen aktuelle Akte und aktuelle Akte verräuchern Samen, so in kausaler Kontinuitätskette.“ Die so genannte „Sinnbildung“ und „Sinnsedimentierung“ sind eben Begriffe, die dem „Vāsanā“ (Verräuchern) im Yogācāra-Buddhismus entsprechen. Vieles von dem dem Ich zugehörigen Inhalt, über den sich Husserl Gedanken macht, stellt einen Teil der Erwerbung des Ich auf dieser Stufe dar: Habitualität, Interesse, Vermögen, Anlage, Charakter, ideales Ziel, praktischer Zweck usw. Die yogācāra-buddhistische Lehre von „Vāsanā“ kann heute also durchaus unter den Titeln einer Phänomenologie der Kultur oder einer Phänomenologie der Habitualität fortgesetzt und erneuert werden.

Fassen wir zusammen: Wenn das „Ich“ im Manas ein *ego of nature* oder ein ungegenständliches *ego* im *cogito* ist, dann ist das „Ich“ in den sechs Bewusstseinsarten ein *ego of nurture* oder ein gegenständliches *ego*. Da aber das Ich der sechs Bewusstseinsarten genetisch später entsteht, umfasst es auch das ungegenständliche Ich des Manas in sich.

---

[1] Vgl. Husserl, Hua XIV, S. 34, 44, Hua Mat VIII, S. 17, 96.

[2] K. Yokuyama, *Einleitung zum yogācāra-buddhistischen Denken*, a.a.O., S. 7.

VI. Die Lehren von Citta-Caitta und von den vier Elementen des Bewusstseins

Zuletzt möchte ich das Problem der Struktur des Bewusstseins von der ontischen bzw. statischen Perspektive her in Erwägung ziehen. Wie bereits dargestellt, gehören die Bewusstseinserlebnisse, die Husserl in seinen veröffentlichten phänomenologischen Analysen behandelt, größtenteils zu denjenigen, welche der Yogācāra-Buddhismus unter die sechs Bewusstseinsarten fasst: Wahrnehmung (Dingwahrnehmung, Fremdwahrnehmung, Selbstwahrnehmung), Imagination, Bildbewusstsein, Zeichenbewusstsein, Urteil, Gefühl usw.). Husserl nennt diese intentionale Analyse statische Forschung oder auch Forschung des Bewusstseinsquerschnitts. Wir können auch sagen, dass diese Forschungen zur Untersuchung der Querintentionalität gehören.

Durch die quergerichtete Betrachtung erkennen Husserl und die Yogācāra-Buddhisten, dass eine dreifache Struktur diese Erlebnisse durchzieht: Noesis, Noema und Selbstbewusstsein. Hier gibt es in der Tat keinen Ort für das Ich; es kann sowohl bei Husserl als auch bei den Yogācāra-Buddhisten höchstens einen leeren Pol darstellen. Weiterhin glauben beide, dass zwischen den Bewusstseinsakten, die in der Lage sind, Objekte zu konstituieren, und denjenigen, die es nicht sind, ein Fundierungsverhältnis besteht, mit der yogācāra-buddhistischen Terminologie ausgedrückt ein Verhältnis zwischen Citta und Caitta, mit dem Wort des Phänomenologen, „daß jeder Akt entweder eine Vorstellung ist oder Vorstellungen zur Grundlage hat“.[1]

Für „Caitta“ oder die Akte, die „Vorstellungen zur Grundlage haben“, reiht der Yogācāra-Buddhismus sechs Klassen und einundfünfzig Arten auf: Die erste Klasse (Sarvatraga) besteht aus fünf Arten von Akten, die mit allen acht Bewusstseinsarten von Citta auftreten; die zweite Klasse (Vibharana) besteht aus fünf Arten, die nur mit einer bestimmten der acht Bewusstseinsarten von Citta auftreten; die dritte Klasse (Kuśala) dann aus elf Arten von Akten, die „gut“ sind; die vierte (Kleśa) aus sechs Arten von Akten, die die Grundsorge darstellen; die fünfte (Upakleśa) aus zwanzig Arten, die die „Nebensorge“ darstellen, schließlich die sechste (Aniyata) aus vier, unbestimmt bleibenden Arten von Akten.

All diese Bewusstseinsakte müssen, da sie zu dem Citta gehören, also nur erfolgen können, wenn Citta-Akte entstehen, in diesem Sinne Akte sein, die in Citta-Akten fundiert sind. Dies entspricht genau Husserls Verständnis des statischen, quergerichteten Fundierungsverhältnisses in den *Logischen Untersuchungen*: „Das Fundiertsein eines Aktes besagt [...], daß der fundierte Akt seiner Natur, d. i. seiner Gattung nach nur als solcher möglich ist, der sich auf Akte von der Gattung der fundierenden aufbaut“.[2]

Klassifizierende und artikulierende Spezialuntersuchungen zum Fundierungsverhältnis zwischen Citta und Caitta lassen sich bei Husserl jedoch nur schwer finden. Während er also diese Forschungsrichtung nicht einschlägt,

---

[1] Husserl, *LU* II/1, A 324/B_1 345.
[2] Husserl, *LU* II/2, A 650/B_2 178.

strebt er doch eine andere an, vertieft also auf der anderen Seite die Analyse des quergerichteten Fundierungsverhältnisses. So findet sich etwa zu den Untersuchungen zum stufenweisen Fundierungsverhältnis zwischen Wahrnehmung, Phantasie, Bildbewusstsein, Zeichenbewusstsein usw., die Husserl in seiner Bewusstseinsanalyse durchführt, nach meinen beschränkten Kenntnissen bei den Yogācāra-Buddhisten kaum Entsprechendes. Forschungen in dieser Richtung gehören speziell zum Diskussionsfeld der sechs Bewusstseinsarten, und das hier aufgewiesene Fundierungsverhältnis gleicht nicht dem Fundierungsverhältnis zwischen Citta und Caitta.

Aus diesem Grund können wir im Großen und Ganzen sagen, dass in der Problematik der strukturellen Fundierungen des Bewusstseins die phänomenologischen und die yogācāra-buddhistischen Forschungen je ihre Stärke haben und sich hinsichtlich ihrer Forschungsergebnisse gegenseitig ergänzen. Unter der Voraussetzung der Anerkennung der gesamten Bewusstseinskonstitutionen werden Phänomenologen und Yogācāra-Buddhisten je ihre Arbeit entfalten. Dabei wird man weniger auf Ähnliches oder Gleiches sowie wechselseitige Belegbarkeit stoßen als vielmehr auf die gegenseitige Ergänzung ihrer Arbeiten in den verschiedenen Richtungen.

Natürlich ist noch zu betonen, dass das in diesem Paragrafen besprochene Fundiertsein – wie etwa das Fundierungsverhältnis zwischen Citta und Caitta sowie das in Citta selbst enthaltene Fundierungsverhältnis zwischen Wahrnehmung und Phantasie – nur ein Fundierungsverhältnis in der Querstruktur der Bewusstseins darstellt. Auch das Fundierungsverhältnis, von dem zuvor die Rede war, ist eines in einem anderen Sinne. Konkret gesagt, bildet die sechste mit den anderen fünf Bewusstseinsarten das dritte Pariṇāma. Daher setzt sein Entstehen das Entstehen des ersten (Ālaya) und des zweiten Pariṇāma (Manas) voraus. Auf diese Weise ist das dritte Pariṇāma (die sechste Bewusstseinsart als gegenständliches Manas) im ersten und zweiten Pariṇāma fundiert. Zwischen den drei Arten von Pariṇāma besteht ein Fundierungsverhältnis.

Alle von Yogācāra-Buddhismus und Phänomenologie behandelten Themen lassen sich in die Kategorien der beiden Fundierungsverhältnisse einordnen.

VII. Schlussbemerkung: Methodische und sachliche Gemeinsamkeiten und Differenzen zwischen Phänomenolgie und Yogācāra-Buddhismus

Zum Schluss möchte ich versuchen, die wesentlichen Gemeinsamkeiten und Differenzen zwischen dem Yogācāra-Buddhismus und der Phänomenologie Husserls in Bezug auf ihre Methoden und Themen der Forschung zusammenzufassen.

Erstens ist darauf hinzuweisen, dass die yogācāra-buddhistischen Gedanken „alles ist nur Bewusstsein" (万法唯识) und „es gibt nur Bewusstsein und kein Objekt"（唯识无境）in methodischer Hinsicht bereits eine Neigung zu der transzendentalen Reduktion Husserls darstellen, ja diese in einem gewissen

Sinne sogar in noch radikalerer Weise verkörpern. Denn Husserl will die natürliche Einstellung lediglich einklammern, alle natürlichen Thesen ausschalten und außer Kraft setzen. Er unterscheidet sich damit einerseits von den Sophisten, die diese Welt negieren, andererseits von den Skeptikern, welche ihr Dasein bezweifeln. Wozu Husserl auffordert, ist nichts anderes als eine phänomenologische Epoché, ein Außer-Aktion-Setzen der Generalthesis der Welt.[1] Der Yogācāra-Buddhismus dagegen negiert von Anfang an die Existenz sämlicher äußerer Gegenstände und erklärt diese Negation sogar zur Hauptgrundlage des religiösen Appells des Buddhismus.

Zweitens gebrauchen Yogācāra-Buddhismus und Phänomenologie hinsichtlich der konkreten Operation der Bewusstseinsanalyse beide die Methode der Wesensschau, nur geschieht dies bei dem Ersteren latent, d. h. ohne deutliches Methodenbewusstsein, bei dem Letzteren patent, also mit deutlichem Methodenbewusstsein. Beide nehmen ohne Zweifel sowohl bei der querintentionalen Erfassung der statischen Bewusstseinsstruktur als auch bei der längsintentionalen Verfolgung der dynamischen Bewusstseinsgenesis die Methode der Wesenschau in Anspruch. Zur Diskussion steht nur noch die Frage, ob das Beharren des tief verborgenen Ālaya bzw. Ur-Ich eine Art von metapsychologischer Spekulation oder aber von wesensanschaulicher Erfassung darstellt. Ideale Gegenstände und ihre geschichtlichen Entwicklungen sind das, was hinter allen empirischen Phänomenen und historischen Tatsachen steht. Aus diesem Grund sind sie aber nicht unbedingt metapsychologisch, weil sie durch Wesensschau bzw. Ideation auf bestimmte Weise zu erfassen sind. Genauso wie alle Wesensstrukturen des Bewusstseins in der Querrichtung durch Wesensschau zu erfassen sind, sind seine Wesensstrukturen in der Längsrichtung ebenfalls durch Wesensschau zu ergreifen. Vielleicht können wir hier von zwei Arten der *Wesensschau* sprechen, der *quergerichteten* und der *längsgerichteten*.[2]

Jedoch ist zu bemerken, dass zwischen Yogācāra-Buddhismus und Phänomenologie wesentliche Differenzen bestehen in Bezug auf den Stil der Forschung und den Appell der Methodologie: das yogācāra-buddhistische Appellieren an die heiligen Reden und klassischen Schriften läuft der phänomenologischen Aufforderung „zu den Sachen selbst“ unmittelbar zuwider. In der Tat steht der Phänomenologie Husserls der Zen-Buddhismus mit seinem Aufruf zur „direkten Herz-Anschauung“（直明心观） oder zum „Herz-Erleuchten und Natur-Sehen“（明心见性）in diesem Punkt viel näher. Daher sind – blickt man auf die zwei buddhistischen Renaissancen in der neuzeitlichen Geistesgeschichte Chinas – die Yogācāra-Buddhisten, die aus dem Kreis der Zen-Buddhisten am Ende der Ming-Dynastie stammen, in der Interpretationen der klassisch yogācāra-buddhistischen Literatur hinter den Yogācāra-Buddhisten zu Beginn der Zeit der Republik China, welche erst nach der Rückkehr des

[1] Vgl. Hua III/1, §§ 31-32.

[2] Eine ausführlichere Diskussion dieses Problem habe ich bereits in meinem im Erscheinen befindlichen Aufsatz „Horizontal-intention: Time, Genesis, History – Their immanent relationship in Husserl“ vorgelegt [der 5. Text in dem vorliegenden Band].

yogācāra-buddhistischen Schrifttums vorgelegt wurden, weit zurück, haben jedoch in der kreativen Deutung ihre hervorragenden Eigenschaften. Das hat seinen Grund in Folgendem: Einerseits – im Hinblick auf die objektiven Bedingungen – können sich die Yogācāra-Buddhisten am Ende der Ming-Dynastie nicht mehr an den bereits verlorenen yogācāra-buddhistischen Schriften orientieren, sondern müssen sich auf ein beschränktes Geistesgut stützen. Andererseits – im Hinblick auf die subjektiven Fähigkeiten – liefern die Hintergründe ihrer Praxis den Zen-Buddhisten Möglichkeiten, an die Sache selbst zu appellieren, und leisten somit der Entwicklung des Yogācāra-Buddhismus einen unvorhergesehenen Vorschub.

Die stilistischen und methodologischen Differenzen können dennoch die Gemeinsamkeiten von Yogācāra-Buddhismus und Phänomenologie in den Intentionen der Bewusstseinsforschung nicht verdecken. Der Yogācāra-Buddhismus hat die acht Arten von Hauptbewusstseinsakten als Citta sowie ihre Verhältnisse zu den verschiedenen bewusstseinsangehörigen Akten als Caitta zum Grundthema. In vieler Hinsicht hat die Husserlsche Phänomenologie gleiche oder ähnliche Überlegungen hinterlassen. Hier ist vor allem auf eine dem Yogācāra-Buddhismus nahestehende Stufengliederung hinzuweisen, welche Husserl durch die Bewusstseinsanalyse erzielt hat: die genetische Phänomenologie im strengen Sinne soll die Genesis und Entwicklung des Bewusstseins vom Ur-Ich zum Vor-Ich und weiter zum Ich erforschen.

1) Die Phänomenologie des Ur-Ich oder Phänomenologie des Ālaya (als erstes Pariṇāma) bildet die erste Stufe der genetischen Phänomenologie. Der Gegenstand der genetischen Phänomenologie auf dieser Stufe ist dem vom Yogācāra-Buddhismus häufig diskutierten Ālaya ähnlich. Er erscheint nicht gegenständlich, sondern ist tief verborgen und normalerweise unbewusst, jedenfalls nicht gegenständlich bewusst, und in diesem Sinne Unbewusstsein. Wenn er erscheint, ist er nicht wirklich in eine andere Bewusstseinsform, also zum Manas (als zweiten Pariṇāma) oder zu den sechs Bewusstseinsarten (als drittes Pariṇāma), umgewandelt. Deshalb führen Diskussionen über das Ur-Ich oder Ālaya letzten Endes oft zu einer „Metapsychologie" in einem bestimmten Sinne, wenn sie nämlich keinen methodischen Anhalt finden.[1] Hier lässt sich nur kurz und bündig sagen, dass das Ur-Ich eine rein formale, inhaltslose Uranlage des Ich ist und eine Art Urstrebung oder Urintention darstellt.

Nochmals sei hier bemerkt, dass, wie bei Husserl keine deutliche Grenze zwischen Ur-Ich und Vor-Ich festgestellt wird, auch innerhalb des Yogācāra-Buddhismus Debatten über den Unterschied zwischen Ālaya und Manas bestehen.

2) Die Phänomenologie des Vor-Ich oder, mit dem buddhistischen Terminus, die Phänomenologie des Manas bildet die zweite Stufe der genetischen Phänomenologie. Sie behandelt das Bewusstseinsleben und -vermögen vor dem Entstehen des gegenständlichen Bewusstseins. Der genetischen Phänomenologie auf

[1] Dieser Begriff erinnert an seinen Urstifter S. Freud. Dessen Behauptung vom „Es" basiert ebenfalls nicht auf direkter Anschauung, sondern auf einer gewissen Vermutung.

dieser Stufe steht nicht die leere Form gegenüber, sondern die konkrete Sache. Sie kann in gewissem Sinne als „Phänomenologie der Natur" definiert werden. Mit „Natur" sind hier gemeint: Fähigkeiten, die man ohne zu üben besitzt, Kenntnisse, die man ohne zu lernen hat, wie etwa die von den Buddhisten erwähnte Ātma-moha (Selbsttorheit), Ātma-dṛṣṭi (Selbstillusion), Ātma-māna (Selbsthochmut), Ātma-sneha (Selbstliebe) sowie die von den Konfuzianern erwähnte Sympathie, Scham und Empörung, Hochachtung, sittliche Einsicht, usw. Da sie sich auf der vorgegenständlichen Stufe befinden, enthalten sie in sich nichts Erworbenes. Sie bilden das Thema einer Phänomenologie der reinen Natur.

3) Die Phänomenologie des Ego[1] oder Phänomenologie der sechs Bewusstseinsarten, welche das gegenständliche Bewusstsein oder das objektivierende Bewusstsein behandelt, bildet die dritte Stufe der genetischen Phänomenologie. Wenn die Phänomenologie des Vor-Ich es mit der apriorischen Fähigkeit zu tun hat, dann bezieht sich die Phänomenologie des *ego* auf den aposteriorischen Inhalt. Sie beschäftigt sich sowohl mit den objektivierenden Akten (Citta, Vorstellungsakten) als auch mit den nichtobjektivierenden Akten (Caitta, Gefühlsakten). Das *ego* vollzieht diese Akte und konstituiert Gegenstände, die auf das *ego* zurückwirken und dieses Einwirken in ihm sedimentieren. Deshalb ist die Phänomenologie in diesem Sinne Phänomenologie der Erkenntnis, zugleich und vor allem auch Phänomenologie der Person oder der Erwerbung bzw. des Habituellen.

Hier ist ebenfalls zu bemerken, dass die „nichtobjektivierenden Akte" eine doppelte Identität besitzen: Zunächst sind sie als Natur oder Grundstimmung oder auch als Manas diejenigen, die in der Reihenfolge der genetischen Fundierung vorne stehen, also *vorobjektivierende* Akte; sodann sind sie als Habitus oder Person diejenigen, die in der Reihenfolge der statischen Fundierung hinten stehen, also die *nachobjektivierenden* Akte. Die Ersteren sind Gegenstände der Phänomenologie des Vor-Ich bzw. des Manas, die Letzteren gehören zum Forschungsgebiet der Phänomenologie des *ego* bzw. der sechs Bewusstseinsarten.

Dieses Konstatieren und Entsprechen zwischen den beiden Systemen – der buddhistischen Phänomenologie des Pratītya-samutpāda (abhängiges Entstehen) und der genetischen Phänomenologie Husserls – ist keineswegs eine zufällige Koinzidenz in der Geistesgeschichte, sondern vielmehr ein Ergebnis, das nur durch die gemeinsame Erfassung der in der Wesensschau eröffneten phänomenologischen Sachverhalte erreicht werden kann.

---

[1] Husserl verwendet das Wort „*ego*" im Grunde gleichbedeutend mit „Ich". Aber ab und zu unterscheidet er „*ego*" und „Ich" in einem spezifischen Sinne voneinander: „Vom Ich als identischem Pol und als Substrat von Habitualitäten unterscheiden wir das in voller Konkretion genommene ego (das wir mit dem Leibnizschen Worte Monade nennen wollen)" (Hua I, S. 102). Das heißt, mit dem Ich ist oft ein abstrahierter Pol gemeint, während das *ego* stets im konkreten Zusammenhang mit dem Erleben steht, ja das Erleben in sich selbst enthält. In gewissem Maße kann man sogar sagen, dass das Ich ein Produkt der Reflexion ist und erst durch Reflexion entdeckt werden kann, während das *ego* immer nur latent oder patent im Erleben als *cogito* beschlossen ist.

Mit der bisherigen Erläuterung glaube ich behaupten zu können: Von den beiderseitigen Bewusstseinsanalysen, d. h. von den Analysen der Quer- und der Längsintentionalität her betrachtet, stellt es keine Übertreibung dar, wenn wir die Phänomenologie Husserls als „neuen Yogācāra-Buddhismus" bzw. „Yogācāra-Buddhismus des 20. Jahrhunderts" bezeichnen. Im Vergleich zu seiner eigenen Bezeichnung seiner Phänomenologie als „neuer Cartesianismus" oder „Cartesianismus vom 20. Jahrhundert" [1] scheint das yogācāra-buddhistische Zeichen in der Tat viel geeigneter.

[1] Hua I, S. 3.

3. Selbst-Bewusstsein (Svasaṁvittibhāga) und Ich-Bewusstsein (Manas) in Yogācāra Buddhismus und in Husserls Phänomenologie

I. Einleitung

Die moderne Philosophie von Descartes bis Husserl basiert auf Selbstbewusstsein und Reflexion, so dass man diese etwa 400 Jahre dauernde Geschichte der abendländischen Philosophie mit guten Gründen als Philosophie des Selbstbewusstseins bzw. der Reflexion bezeichnen kann. Dieses Leitmotiv der abendländischen Philosophie, die mit Kant transzendental zu nennen ist, bildet die Grundlage für die Entstehung und Entwicklung des Subjekt-Objekt-Denkmodells, der Philosophie der Subjektivität und der Epistemologie. Es ist heute bekannt, dass alle diese Elemente in der Geschichte des Abendlandes seit dem 16. und 17. Jahrhundert eine entscheidende Rolle gespielt und somit auch die Entwicklungstendenzen der Weltgeschichte mit bestimmt haben.

Ähnliche Motive finden sich auch in anderen Kulturen. Der Buddhismus in Indien z. B. hat bereits in der Zeit zwischen dem 4. und 5. Jahrhundert seine eigene Epistemologie bzw. Wissen(schaft)stheorie entwickelt. Diese Bewusstseinstheorie – genannt „Yogācāra“, wörtlich „das Ausüben des Yoga“, oder Vijñānavāda, wörtlich „die Schule, welche das Erkennen lehrt“ – hat jedoch in ihrer langen Entwicklung im Unterschied zu der Erkenntnistheorie bzw. Philosophie der Reflexion im Westen kein Subjekt-Objekt-Denkmodell hervorgebracht, und dies nicht nur im indischen, sondern auch im asiatischen Kulturraum, der den buddhistischen Einfluss übernahm und die buddhistische Lehre entfaltete.

Ich werde im Folgenden zunächst versuchen, die Lehre von den acht Arten von Bewusstsein sowie diejenige von den vier Elementen von Bewusstsein im Yogācāra wiederzugeben, um darin ein Selbstbewusstsein (Svasaṁvittibhāga) und ein Ich-Bewusstsein (Manas) herauszuarbeiten. Sodann werde ich den vielfachen Verhältnissen zwischen beiden Typen des Bewusstseins meine Aufmerksamkeit schenken. Im Rahmen der Charakteristik des Selbstbewusstseins, das durch alle acht Arten des Bewusstseins hindurchgeht, werden zwei Punkte in Betracht zu ziehen sein: 1) Auch im Ich-Bewusstsein ist das Element des Selbstbewusstseins enthalten. 2) Bereits vor der Entstehung des Ich-Bewusstseins, also schon beim Ālaya (Speicherbewusstsein bzw. dem reinen Bewusstsein) ist das Element des Selbstbewusstseins vorhanden. Die Analysen zu dieser Bewusstseinsstruktur führen schließlich zu der Bemühung, im Vergleich mit der Denkhaltung der Phänomenologie die Frage zu klären, warum im Yogācāra-Buddhismus niemals ein Subjekt-Objekt-Denkmodell entstanden ist und auch keines entstehen konnte. Im Yogācāra-Buddhismus ist der grundlegende Begriff nicht das Ich, das nur vorübergehend sein soll und deshalb niemals zum *subiectum* werden darf, sondern das Selbst, hinter welchem schließlich die Selbstheit des Buddha steht: Buddhata.

II. Die Theorie der Acht Arten von Bewusstsein im Yogācāra

Im Yogācāra sind in unserem Zusammenhang vor allem zwei Theorien zu beachten, von denen die erste die Lehre von den acht Arten des Bewusstseins (vijñāna) ist. Das Hīnayāna unterscheidet die Bewusstseinstypen ursprünglich in sechs Arten bzw. Grundlagen. Bewusstsein meint hier die Fähigkeit zur Unterscheidung bzw. Identifikation. Der entsprechende Ausdruck in der abendländischen Philosophie ist *consciousness* oder, wie etwa bei den Cartesianern, *cogitationes*.[1] Die ersten fünf Arten des Bewusstseins sind seine sinnlichen Funktionen: Gesichts-, Gehör-, Geruchs-, Geschmacks-, und Tastbewusstsein; die sechste dann die intellektuelle, d. h. das Geistesbewusstsein (bzw. das Herzensbewusstsein), das sich als Bewusstsein der Vernunft bzw. des Verstandes bezeichnen lässt. Der Mahāyāna-Buddhismus stellt später noch zwei weitere Arten von Bewusstsein fest, nämlich das siebte (Manas) als kontinuierliche und ichliche Bewusstseinsform, und das achte (Ālaya) als das Speicherbewusstsein, aus welchem alle anderen Arten von Bewusstsein entstehen und durch welches sie erst möglich werden.

Die achte Art von Bewusstsein, also das Ālaya, kann im Sinne Husserls als transzendentales bzw. reines Bewusstsein bezeichnet werden. Unter den buddhistischen Gelehrten ist es ein Gemeinplatz, dass das achte Bewusstsein das ursprünglichste und auch das wichtigste im Yogācāra-Buddhismus bildet. „Versteht man das Ālaya, versteht man alles im Yogācāra-Buddhismus", „vom Ālaya hängen alle heiligen und irdischen Prinzipien ab, durch Ālaya unterscheiden sich Wahrheiten und Irrtümer voneinander, mit Ālaya werden alle Grundsätze des Yogācāra-Buddhismus klar", usw.[2]

Lassen wir das komplizierte Ālaya, welches das Thema eines anderen Vortrags bilden kann, zunächst beiseite und wenden uns den übrigen sieben Arten des Bewusstseins zu.

---

[1] Im Chinesischen wird das cartesianische *cogito* ebenso wie im Deutschen mit dem Begriff „ich denke" übersetzt. Was W. Windelband zu der deutschen Übersetzung sagt, gilt auch für die chinesische: „Die übliche Übersetzung von cogitare, cogitatio mit ‚Denken' ist nicht ohne Gefahr des Missverständnisses, da Denken im Deutschen eine besondere Art des theoretischen Bewusstseins bedeutet. Descartes selbst erläutert den Sinn des cogitare (Medit., 3; Princ. phil., I., 9) durch Enumerationen; er verstehe darunter zweifeln, bejahen, verneinen, begreifen, wollen, verabscheuen, einbilden, empfinden usw. Für das allen diesen Funktionen Gemeinsame haben wir im Deutschen kaum ein anderes Wort als ‚Bewusstsein'" (W. Windelband, *Lehrbuch der Geschichte der Philosophie*, Tübingen 1957, S. 335).

[2] Tai Xu（太虚）, *Zur Lehre von Dharmalaksana-Yogācāra*（法相唯识学）, Shanghai 1938, S. 446, S. 437.

Die ersten fünf Arten des Bewusstseins, über welche sich der Hīnayāna- und der Mahāyāna-Buddhismus einig sind, sind Empfindungen, also mit Husserls Wort „die primitivste Wahrnehmung“[1], die es stets mit den entsprechenden Sinnesorganen zu tun habe. Sie alle gehören zum „Rūpa“-Bewusstsein, d. h. zum Bewusstsein des Körpers, der materialen Welt. „Bewusstsein“ bedeutet hierbei die Differenzierung, in der die spezifischen Materialien oder Samen erscheinen. Xiong Shili, der Gründer der Neu-Bewusstseinslehre, bezeichnet das Bewusstsein in diesem Sinne als Erscheinen,[2] was in einer gewissen Nähe zur Terminologie der Phänomenologie steht. Die fünf Arten von Bewusstsein sind also die verschiedenen Erscheinungs- bzw. Gegebenheitsweisen.

Die sechste Bewusstseinsart, das Bewusstsein des Geistes (*consciousness of mind*), unterscheidet sich von den ersten fünf dadurch, dass es „alle Gesetze unterscheidet und identifiziert“. Es bezieht sich nicht mehr nur auf „Rūpa“, also auf die Materie, sondern auf alles, Körperliches wie Unkörperliches. In *Vijñaptimātratā-Siddhi* heißt es: „Die ersten fünf unterscheiden nur die Materialien; das Bewusstsein des Geistes aber kann alle Gesetze und Regeln unterscheiden“[3].Im Allgemeinen behaupten die yogācāra-buddhistischen Gelehrten, dass das Geist-Bewusstsein wichtiger ist als die ersten fünf Bewusstseinsarten. Denn das Bewusstsein des Geistes stellt zugleich die Fähigkeit (Yi-Gen) zum Bewussthaben der ersten fünf Arten von Bewusstsein dar.

Es ist nicht leicht, ein passendes Wort zur Übersetzung des Geist-Bewusstseins (Yi-shi) zu finden. Mit Vorbehalt werde ich es im Yogācāra-Buddhismus mit dem husserlschen Begriff der Anschauung (Intuition) übersetzen, also Anschauung im weitesten Sinn des Wortes, so dass sie nicht nur die sinnliche Wahrnehmung und die Imagination in sich fasst, sondern auch die übersinnliche Anschauung, die Wesensanschauung.

Der Grund zu dieser Übersetzung liegt vor allem darin, dass das Bewusstsein des Geistes sich in einen begleitenden und einen nicht-begleitenden Bereich unterteilen lassen soll. „Begleiten“ bedeutet hierbei das Zusammen-Auftreten mit den ersten fünf Bewusstseinsarten. Genauer gesagt, kann das Geist-Bewusstsein entweder in Begleitung der ersten fünf oder aber ohne ihre Begleitung auftreten.

Nehmen wir den ersten Fall! Tritt das Geist-Bewusstsein in Begleitung der ersten fünf Bewusstseinsarten auf, so kann es als „Bewusstsein der Klarheit“ bezeichnet werden. Denn die Bestimmung der ersten fünf Bewussteinsarten wird erst mit dem Aufkommen des Geist-Bewusstseins möglich. Und das Bewusstsein des Geistes wird wiederum erst im Zusammenhang mit den ersten

[1] Husserl, Ms. D 5, S. 15f.
[2] Xiong Shi-li（熊十力）, *Allgemeine Erläuterungen zu den buddhistischen Begriffen*（佛教名相通释）, Beijing 1985, S. 113.
[3] Xuan Zang（玄奘）, *Vijñaptimātratā-Siddhi*（成唯识论, *Demonstration of Consciousness Only*), in: *Chinese Buddhist Electronic Text Association* (CBETA), Nr. 1585, 7. Buch und 5. Buch.

fünf Bewussteinsarten deutlich.[1] Das Verhältnis zwischen den ersten fünf Bewusstseinsarten und dem Geist-Bewusstsein gleicht demjenigen zwischen reinen Empfindungen[2] und der auffassenden Wahrnehmung. Reine Empfindungen sind bloße theoretische Abstraktionen. Sie allein können im alltäglichen Leben nicht statthaben oder mindestens nicht deutlich werden. Ich kann beispielsweise keine reine Farbe an sich sehen, ohne sie als die Beschaffenheit eines Gegenstandes zu betrachten. Erst bei der Wahrnehmung, d. h. in Begleitung durch das Geist-Bewusstsein kommt aus Empfindungen ein einheitlicher Gegenstand zustande.[3]

Unter dem Bewusstsein des Geistes gibt es noch das allein, ohne Begleitung der ersten fünf Bewusstseinsarten entstandene Bewusstsein, genannt „Bewusstsein ohne Begleitung" (Bu ju yi shi). Es besteht aus drei Typen: dem unabhängigen Bewusstsein, dem träumenden Bewusstsein und dem meditierenden Bewusstsein. Bei dem dritten handelt es sich um das über nichts nachdenkende Bewusstsein während der Meditation, bei dem zweiten um das so genannte Unterbewusstsein. Konzentrieren wir uns auf das erste, also das unabhängige Bewusstsein, so bedeutet das Wort „unabhängig": frei von Empfindungen, d. h. von den ersten fünf Arten von Bewusstsein.[4] Es besteht, wie Xiong Shili mit

---

[1] Kui Ji（窥基）sagt: „Die fünf Arten von Bewusstsein entstehen dank dem Bewusstsein des Geistes; dieses klärt sich durch jene." (Zitiert aus Xiong Shi-li, *Allgemeine Erläuterung zu den buddhistischen Begriffen*, a.a.O., S. 103)

[2] Im diesem Sinne bezeichnet Xiong Shi-li die ersten fünf Arten von Bewusstsein als „sinnliches Bewusstsein" oder „reine Empfindung". „Rein" besagt hier, dass sie „nicht mit Funktionen wie Gedächtnis [wie Appräsentation bei Husserl] und Schlussfolgerung [wie Präsumtion bei Husserl] vermischt, dass sie also noch nicht Wahrnehmung werden." (Xiong Shi-li, *Allgemeine Erläuterungen zu den buddhistischen Begriffen*, a.a.O., S. 104, und ders., *Neue Lehre vom Nur-Bewusstsein*（新唯识论）, Beijing 1985, S. 259)

[3] Xiong Shi-li stellt in zusammenfassender Weise drei Grundbedeutungen fest, welche die früheren buddhistischen Gelehrten dem „Bewusstsein mit Begleitung" verliehen haben: 1. Es hilft den ersten fünf Arten des Bewusstseins, „Kenntnisse über ihren eigenen Zustand zu gewinnen", d. h., „sich über sich selbst bewusst zu werden"; 2. Es bewegt sich gleich den ersten fünf Bewussteinsarten in der Gegenwart, ist also ebenfalls als „Gegenwärtigung" zu bezeichnen; 3. Es hat die Möglichkeit, „das Bewusstsein ohne Begleitung" bzw. „das unabhängige Bewusstsein" hervorzurufen. Nach dieser Feststellung ist „das Bewusstsein mit Begleitung" ein unentbehrlicher Typ von Bewusstsein. Besonders seine erste und dritte Bedeutung sind wichtig für das Verständnis, wie die acht Arten von Bewusstsein sich miteinander verbinden. Denn die acht Arten von Bewusstsein sind unterschiedlich, die ersten fünf darüber hinaus unterbrochen, so dass sie sich ohne das „Bewusstsein mit Begleitung" im sechsten Bewusstsein (Bewusstsein von Geist) nicht aufeinander beziehen könnten. Gerade in diesem Punkt entwickelt Sh. Xiong seine eigene neue Lehre vom Nur-Bewusstsein (vgl. Xiong, Sh., *Allgemeine Erläuterungen zu den buddhistischen Begriffen*, a.a.O., S. 104f.).

[4] Husserl bezeichnet das „Unbewusste" in seinen Manuskripten als „transzendentale Problematik der Konstitution" (vgl. Hua XV, S. 608 und Hua VI, S. 192) oder „transzendentales Rätsel" bzw. „Nebel" (vgl. Ms. A V 20, S. 23ff.) und macht sich nur ab und zu Gedanken darüber. Seine Exposition dazu wird ansatzweise durch einen anderen Phänomenologen, E. Fink, in seiner Analyse zum „Unbewussten" vertreten: „Die unter dem Titel des ‚Unbewussten' sich meldenden Probleme sind in ihrem eigentlichen Problemcharakter erst zu begreifen und methodisch zureichend zu exponieren nach der vorgängi-

Beispielen zeigt, aus der Erinnerung an einen Geschmack, an ein Gesicht, die philosophische Besinnung usw. In diesem Bewusstsein des Geistes ist keine Empfindung enthalten.

Betrachten wir die beiden Weisen des Geist-Bewusstseins zusammen, so erinnern sie an das husserlsche Begriffspaar „Gegenwärtigung und Vergegenwärtigung“, welches die gesamte Klasse der Anschauung, einschließlich der allgemeinen Anschauung, bildet.

Kommen wir nun zu der siebten Art von Bewusstsein: dem Manas. Es hat den gleichen Namen wie das Geist-Bewusstsein. Um sie zu unterscheiden, übersetzt man es im Chinesischen nach dem Wortlaut, also „Manas“. Um dieses Bewusstsein kreist unsere Arbeit.

Wie sich das siebte Bewusstsein, also das Manas, vom Bewusstsein des Geistes unterscheidet, stellt ein beliebtes Thema dar.[1] Zum einem definiert Xuan Zang im vierten Buch von *Vijñaptimātratā-Siddhi* das Geist-Bewusstsein als „sich umwandelnd und unterbrochen“, das siebte dagegen als „tief und ununterbrochen“. Das stellt eine wesentliche Differenz zwischen den beiden Manas dar. Auch gemäß den neuzeitlichen buddhistischen Interpreten bedeutet die sechste Art von Bewusstsein einfach eine Besinnung, die siebte hingegen eine *ständige* bzw. *kontinuierliche* Besinnung.[2] Das Entscheidende scheint hier im Zusatz „ständig“ zu liegen.

Zum anderen besteht eine weitere Differenz darin, dass das siebte Bewusstsein ständig den Gegenstand des Ich zum Inhalt der Besinnung hat.[3] Deshalb heißt es: „Mit dem Manas entsteht das Ich, das die ersten sechs Arten von Bewusstsein unrein macht.“[4] Für diese Feststellung findet sich auch ein Beleg im vierten Buch von *Vijñaptimātratā-Siddhi*: „Mit dem Manas besteht das Ich ständig“. Alle diesen Aussagen weisen darauf hin, dass mit der Geburt des Manas das Ich entsteht und ständig im Bewusstsein bleibt. In diesem Sinne ist das siebte Bewusstsein, das Manas, dadurch gekennzeichnet, dass es ein Ich-Bewusstsein darstellt.

Kurz gesagt, lässt sich die sechste Art von Bewusstsein als nicht-kontinuierlich und nicht-ichlich charakterisieren, während bei der siebten das Umgekehrte gilt. Es ist hier also die Privation der personalen Identität und der damit zusammenhängenden Kontinuität, welche die beiden Arten voneinander unterscheidet.

---

gen Analytik der ‚Bewusstheit'.“ (Vgl. E. Finks Beilage zum Problem des „Unbewussten“, in: Husserl, Hua VI, Den Haag 1954, Beilage XXI, zu § 46, S. 473ff.)
Auf der Seite des Buddhismus dagegen hat Xiong Shi-li in seinen *Allgemeinen Erläuterungen zu den buddhistischen Begriffen* eine skizzierende Darstellung zu den Diskussionen über das „träumende Bewusstsein“ im Buddhismus gegeben (vgl. a.a.O., S. 47f.).

[1] Vgl. z. B. Ouyan, J.（欧阳竞无）, „Zu Viniscaya in Yogācāra“, § 9, in: ders., *Sammelband Ouyan Jing-wu*（欧阳竞无集）Beijing 1995, S. 111 und Yin Shun（印顺）, *Einführung in die buddhistischen Dharma*（佛法概论）, Shanghai 1998, S. 57.

[2] Xuan Zang, *Vijñaptimātratā-Siddhi*, 5. Buch, 3. Teil.

[3] Xiong, Sh., *Allgemeine Erläuterungen zu den buddhistischen Begriffen*, a.a.O., S. 114.

[4] A.a.O., S. 113.

Noch ein wichtiges Merkmal hat das Manas an sich: Auf der Entwicklungsstufe des Manas entstehen zugleich die vier Sorgen: Ich bin dumm (und sehe nicht ein, dass ich eigentlich nicht bin); ich bin gierig (und nehme, was mir nicht gehört); ich bin großmütig (und halte mich für wichtig) und ich bin mir selbst lieb (und halte mich an mir selbst fest). Darauf werde ich später noch zurückkommen.

III. Die Theorie der Vier Elemente von Bewusstsein im Yogācāra

Neben der Lehre von den acht Arten des Bewusstseins gibt es im Yogācāra noch eine Theorie, die das Bewusstsein nicht nach Typen, sondern nach der Bewusstseinsstruktur in vierfach verschiedene Elemente bzw. Teile unterscheidet: den objektivierenden Akt, das objektive Phänomen, das Selbstbewusstsein (svasaṁvittibhāga) und das Bewusstsein des Selbstbewusstseins. Nach dem Yogācāra ist das objektive Phänomen der Erkenntnisgegenstand des objektivierenden Aktes, dieser dann derjenige des Selbstbewusstseins, und dieses wiederum der Erkenntnisgegenstand des Bewusstseins von Selbstbewusstsein.

Nach Xuan Zang soll diese vierfache Unterscheidung ebenfalls das Ergebnis einer geschichtlichen Entwicklung sein. Bei An Hui (Sthiramati) gibt es nur das Selbstbewusstsein (svasaṁvittibhāga). Shi Qing (Vasubandhu) stellt dann den objektivierenden Akt und das objektive Phänomen heraus. Später fügt Chen Na (Dignāga) noch das Selbstbewusstsein hinzu. Schließlich ist es Hu Fa (Dharmapala), der alle vier Elemente in der Struktur des Bewusstseins fixiert, einschließlich des Bewusstseins von Selbstbewusstsein. Diese Theorie von der vierfachen Unterscheidung wird später von Xuan Zang sowie von der Schule des Yogācāra in China übernommen,[1] so dass sie von den neuzeitlichen Yogācāra-Buddhisten heute allgemein anerkannt wird.

Die ersten zwei Elemente, „Jianfen“ (Akt, darśanabhāga) und „Xiangfen“ (Phänomen, nimittabhāga), werden von modernen buddhistischen Forschern als „subjektive Funktion“ und „objektiver Gegenstand“ bzw. „Subjekt“ und „Objekt“ interpretiert.[2] „Subjektiv“ und „objektiv“ in diesem Sinne bedeuten aber nicht „Bewusstsein“ und „Etwas außerhalb des Bewusstseins“, sondern vielmehr das „Bewusstsein“ und „seine Derivate“, wie etwa das Sehen und das Gesehene, das Hören und das Gehörte. Mit Husserls Terminologie kann

---

[1] Iso Kern（耿宁）, der gegenwärtig zu Phänomenologie und Buddhismus forscht, übersetzt diese vierfache Unterscheidung mit den phänomenologischen Termini Husserls als „an objectivating act, an objective phenomenon, self-consciousness and consciousness of self-consciousness“. Vgl. I. Kern, „The Structure of Consciousness according to Xuan Zang“, in: *Journal of the British Society for Phenomenology*, 1988, Bd. 19, Nr. 3, S. 282-295.

[2] Vgl. Hui Zhuang（慧庄）, „Zur Lehre von der Vier-Teilung in Yogācāra“（谈唯识学上的四分说）, in: ders., *Beiträge zu Yogācāra*（唯识思想论集）, Bd. 1, Taipei, 1981, S. 315, S. 317 und A. K. Warder, *Indian Buddhism*, Delhi 1980, S. 434.

man sie als „Noesis und Noema" bezeichnen. Diese strukturelle Unterscheidung geht durch alle acht Arten des Bewusstseins hindurch.[1]

Was das dritte Element von Bewusstsein anbelangt, so ist es als Selbstbewusstsein zu verstehen. Im zweiten Buch von *Vijñaptimātratā-Siddhi* heißt es: „Das Selbst (sva), von dem die beiden ersten Elemente Phänomen (nimittabhāga) und Akt (darśanabhāga) abhängen, bedeutet Selbstbewusstsein (svasaṁvittibhāga). Fehlt es, so können Akt und Phänomen sich nicht an sich erinnern. Denn an das, was nicht jeweils gehabt wurde, kann sich notwendig nicht erinnert werden." Hierbei rechtfertigt sich die Existenz des Selbstbewusstseins zweifach: erstens ist es dasjenige, von dem Akt und Phänomen abhängen, zweitens bildet es die Bedingung für Erinnerung.[2]

Dieser Begriff des Selbstbewusstseins erinnert stark an den der westlichen Philosophie, etwa an den Begriff des inneren Bewusstseins bzw. des inneren Wahrnehmens bei Brentano und bei Husserl.[3] Es bedeutet also nichts anderes als das ungegenständliche Bewussthaben des Aktes selbst in seinem Vollzug.[4]

Was ist aber nun mit dem vierten Element, das von Dharmapala (Hu Fa) hinzugefügt und von Xuan Zang übernommen wird, dem Bewusstsein vom Selbstbewusstsein? Seine Existenz hat sehr viel mehr Diskussionen in der Geschichte hervorgerufen als die der anderen drei. Im Allgemeinen wird das Bewusstsein vom Selbstbewusstsein zur Rechtfertigung des Selbstbewusstseins angeführt. So heißt es im zweiten Buch des *Svasaṁvittibhāga*: „Bei genauerer Unterscheidung sollten das Sehen und das Gesehene in vier geteilt werden [...]. Wie kann das Selbstbewusstsein ohne das vierte, das Bewusstsein vom Selbstbewusstsein, bewiesen werden?" So gesehen besteht die Funktion des vierten Elements zunächst in der Feststellung, dass das dritte Element existiert.

Natürlich wird sich hier die folgende Frage stellen: Wenn das dritte Element durch das vierte bestätigt wird, wodurch wird dann das vierte bestätigt? Diese Frage kann beliebig, also *in infinitum* gestellt werden, wie es zu Descartes' Zeit gegenüber seiner Meditation über das *cogito* bereits geschehen ist.[5]

---

[1] Xiong Shi-li beschreibt dies wie folgt: „Das Korrelat des Gesichtsbewusstseins ist sein eigenes objektiviertes Gesehenes. Das Korrelat des Gehörbewusstseins ist sein eigenes objektiviertes Gehörtes. Das gilt bis für das achte Bewusstsein, dessen Korrelat ebenfalls sein eigenes Objektiviertes ist." (Sh., Xiong, *Allgemeine Erläuterungen zu den buddhistischen Begriffen*, a.a.O., S. 129)

[2] Vgl. Sh., Xiong, *Allgemeine Erläuterungen zu den buddhistischen Begriffen*, a.a.O., S. 131.

[3] Vgl. F. Brentano, *Psychologie vom empirischen Standpunkt* I, Hamburg 1955, S. 180 und Husserl, Hua X, S. 126f.

[4] Vgl. hierzu meinen Aufsatz, „Urbewusstsein und Reflexion bei Husserl", in: *Husserl-Studies*, Nr. 16, 1998 [der 13. Text im vorliegenden Band], S. 77-99, bes. S. 78f.

[5] Der Hauptgedanke dieses Einwands lautet, „[...] dass es nicht so sicher scheint, das wir sind, weil wir denken. Um nämlich die Gewissheit zu haben, dass Du denkst, müsstest Du wissen, was Denken oder Gedanke (cogitatio) ist und was Deine Existenz. Da Du jedoch noch nicht weißt, was jenes ist, wie kannst Du wissen, dass Du denkst oder existierst? Da Du also, wenn Du sagst ‚ich denke', nicht weißt, was Du sagst, da Du ferner, wenn Du hinzufügst, ‚also bin ich', ebenfalls nicht weißt, was Du sagst, ja nicht einmal weißt, dass Du überhaupt etwas sagst oder denkst – dass es noch hierzu notwendig er-

Offenbar weiß Xuan Zang, wo das Problem liegt. Auf dem Standpunkt des Lehrers seines Lehrers (Hu Fa bzw. Dharmapala) stehend, hält er daran fest, dass sich das Selbstbewusstsein und das Bewusstsein vom Selbstbewusstsein gegenseitig bestätigen können, so dass der Fehler „des endlosen Regresses“ vermieden werden kann. Im zweiten Buch von *Vijñaptimātratā-Siddhi* belegt er dies mit einer gewissen Ausführlichkeit und betrachtet es als grundlegend für den Yogācāra-Buddhismus. Seine Beweisführung erfolgt auf einem logischen Denkweg: Einerseits sollen alle Teile des Bewusstseins bestätigt werden; deshalb muss auch das Selbstbewusstsein bestätigt werden. Andererseits sollen alle Aktivitäten des Bewusstseins Folgen haben; so muss auch das Selbstbewusstsein seine Folge haben. Aber die Bestätigung des Selbst kann nicht durch äußerliche, mittelbare Erkenntnisse (anumāna) geliefert werden, sondern nur durch immanente, unmittelbare Erkenntnis (pratyakṣa). Auf diese Weise wird das Bestehen des vierten Elements nötig. Natürlich ist dieses vierte Element nicht ein Element außerhalb des dritten. Denn es gibt nur ein Selbst, das sich bei der Veräußerlichung entzweit: in Sehen und Gesehenes. Bei der Verinnerlichung wird das Selbst zum Bewusstsein vom Selbstbewusstsein. In dieser vierfachen Unterscheidung ist das Gesehene allein Gegenstand der Erkenntnis; die übrigen drei sind dagegen sowohl Gegenstand als auch Akt der Erkenntnis. Deshalb bestätigen sich das dritte und vierte Element gegenseitig. Sie sind sowohl Erkenntnis als auch Erkenntnisgegenstand voneinander. Damit kann das Problem „des endlosen Regresses“ beiseite gelegt werden. Wir sehen also, dass das vierte Element, das Bewusstsein vom Selbstbewusstsein, vor allem dazu da ist, den endlosen Regress zu vermeiden.[1]

Fassen wir zusammen! Der Grund zur Behauptung des Bewusstseins vom Selbstbewusstsein besteht erstens in der Bestätigung der Existenz des Selbstbewusstseins und zweitens in dem Beharren auf dem Ergebnis seiner Erkenntnis.[2] Diese Beweisführung wird, obgleich sie eher als Begründung einer künstlichen Theorie des Bewusstseins erscheint denn als unmittelbare Beschreibung und Analyse des Bewusstseins, von der Yogācāra-buddhistischen Nachwelt allgemein

scheint, dass Du ein Wissen davon hast, dass Du weißt, was Du sagst, und abermals ein Wissen von diesem Wissen und so fort ins Unendliche – so steht fest, dass Du nicht wissen kannst, ob Du bist, oder auch ob Du denkst.“ (R. Descartes, *Meditationes de prima Philosophia*; Deutsche Übersetzung von A. Buchenau, *Meditationen über die Grundlagen der Philosophie mit den sämtlichen Einwänden und Erwiderungen*, Hamburg 1972, S. 552ff., vgl. hierzu auch K. Düsing, „Gibt es einen Zirkel des Selbstbewusstseins?“, in: *Beiträge zur deutschsprachigen Philosophie*, Bd. 16, Beijing 1997, S. 182-222.

[1] Die phänomenologische Analyse könnte zeigen, dass das vierte Element, das Bewusstsein vom Selbstbewusstsein, eigentlich überflüssig ist. Aber das ist das Thema einer anderen Arbeit.

[2] Vgl. hierzu die ausführlichen Erläuterungen von I. Kern, „The Structure of Consciousness according to Xuan Zang“, in: a.a.O., S. 130ff. und Hui Zhuang, „Zur Lehre von der Vier-Teilung in Yogācāra“, in: a.a.O., S. 327.

anerkannt und angenommen, so auch von dem Gründer der Neu-Bewusstseinstheorie, Xiong Shi-li.[1]

IV. Verhältnisse zwischen Ich-Bewusstsein und Selbst-Bewusstsein

Wir haben nun einerseits das Manas, die siebte Art des Bewusstseins als Ich-Bewusstsein, und andererseits das Selbstbewusstsein (Svasaṁvittibhāga), das dritte Element des Bewusstseins als Selbstbewusstsein. Selbstbewusstsein – das Wort „Selbst" entspricht hier dem buddhistischen Begriff „Sva" – besagt das kontinuierliche, ungegenständliche Bewussthaben des Aktes selbst in seinem Vollzug, während sich das Ich-Bewusstsein – das Ich im Manas kann man mit dem buddhistischen Begriff „Ātman" bezeichnen –, das in einer bestimmten Phase der Entwicklung des Bewusstseins entsteht, auf das gegenständliche Erfassen einer kontinuierlichen personalen Identität bezieht.

Der Unterschied zwischen Ich-Bewusstsein und Selbstbewusstsein zeigt sich in vielerlei Hinsichten. So geht etwa das Selbstbewusstsein durch alle acht Arten von Bewusstsein hindurch, d. h., es gibt auch ein Selbstbewusstsein vom Ich-Bewusstsein (Manas). Und das bedeutet wiederum, dass das Selbstbewusstsein dem Ich-Bewusstsein prinzipiell vorausgeht,[2] usw. Mit diesen Fakten des Bewusstseins hängen noch andere Fragen zusammen.

Sowohl der Yogācāra-Buddhismus als auch die Phänomenologie haben die zentralen Differenzen zwischen Ich-Bewusstsein und Selbstbewusstsein deutlich gesehen. Dass der Yogācāra-Buddhismus und die Bewusstseinsphänomenologie einander in gewissem Maße ergänzen können, wird sich im Laufe der Untersuchung noch zeigen.

Mit der Unterscheidung des Ich-Bewusstseins vom Selbstbewusstsein ist die Frage nach der menschlichen Bewusstseinsstruktur freilich noch nicht gelöst; ja sie ist eigentlich dadurch erst richtig entfaltet.

Aus dem oben Dargestellten wird klar, dass sich die Lehre von den acht Arten des Bewusstseins auf die *Genese* des Bewusstseins bezieht und die Lehre von den vier Elementen es mehr mit der *Struktur* des Bewusstseins zu tun hat.

Was die genetische Reihenfolge des Bewusstseins betrifft, so betrachtet der Yogācāra-Buddhismus die acht Arten von Bewusstsein als drei Stufen der Entwicklung (trividha-pariṇāma) des Bewusstseins, und zwar Ālaya (reines Bewusstsein) als die erste, Manas (Ich-Bewusstsein) als zweite und die übrigen sechs (Anschauung und Empfindungen) als die dritte Stufe der Entwicklung. Diese Reihenfolge der Entwicklung steht der Reihenfolge der Bewusstseinsaus-

[1] Auch Xiong Shi-li vertritt die Meinung, dass „das dritte und vierte Element [...] gegenseitige Maßstäbe der Kenntnis [sind], und es [...] keines weiteren [bedarf], so dass der unendliche Regress vermieden werden kann." (Xiong Shi-li, *Allgemeine Erläuterungen zu den buddhistischen Begriffen*, a.a.O., S. 132)

[2] In *Vijñaptimātratā-Siddhi* z. B. geht daher die Erläuterung des Selbstbewusstseins derjenigen des Ich-Bewusstseins voraus.

richtung entgegen, die in der europäischen neuzeitlichen Philosophie etabliert wurde. Schon bei J. Locke wird *sensation* als primär, *reflection* als sekundär verstanden. „So sehr Locke die Selbständigkeit der inneren Erfahrung [reflection] neben der äußeren [sensation] betont hat", heißt es bei Windelband, „so war doch die Abhängigkeit, in welche er genetisch und inhaltlich die Reflexion von der Sensation setzte, so stark, daß sie sich in der Entwicklung seiner Lehre als das entscheidende Moment erwies."[1] An dieser Reihenfolge wird später auch im kontinentalen Rationalismus festgehalten. Gegenwärtige phänomenologisch ausgerichtete Philosophen wie Husserl, Heidegger, Sartre usw. sehen in der Reflexion ausnahmslos eine Art von „Nach-Denken" am Zuge. Der Unterschied zwischen ihnen erweist sich erst in der folgenden Fragestellung: Soll man dieses sekundäre Nach-Denken als eine entfaltete höhere Stufe des Denkens betrachten oder als eine vom Ursprung entfernte Abart des Denkens? Abgesehen davon sind sie sich darin einig, dass der Mensch zunächst ichlos in der Welt lebt, was Husserl auch als „naives Dahinleben" bzw. Leben in der Lebenswelt bezeichnet. Erst wenn der geistige Blick sich zurück auf sich selbst richtet, taucht das Problem des Ich auf. So gesehen haben wir zuerst die Welt (äußere Erfahrung) und dann erst das Ich. Schließlich können wir nach Husserl mittels der phänomenologischen Methode ein reines Bewusstsein erfassen, rein vom empirischen Ich. Man kann also sagen, dass diese Reihenfolge der Lehre von den drei Entwicklungsstufen im Buddhismus gerade zuwider läuft.

Wie steht nun diese vom Yogācāra-Buddhismus herausgestellte Reihenfolge der Bewusstseinsentwicklung mit dem Verhältnis von Selbstbewusstsein und Ich-Bewusstsein in Zusammenhang? Hier seien zwei Punkte hervorgehoben:

Erstens: Wenn das Selbstbewusstsein durch alle acht Arten des Bewusstseins hindurchgeht, so ist auch im Ich-Bewusstsein das Element des Selbstbewusstseins enthalten. In der Entwicklungsstufe des Manas soll das Selbstbewusstsein zugleich ein solches des Ich-Bewusstseins sein. Mit anderen Worten: Während das Bewusstsein bei seinem Rückblick auf sich selbst innerlich ein Ich wahrnimmt, ist ihm der Vollzug dieser inneren Wahrnehmung selbst bewusst.

Auf diese Weise lassen sich die Bedeutungen der „Ständigkeit" (Heng) des Ich-Bewusstseins und der „Ständigkeit" des Selbstbewusstseins voneinander unterscheiden. Die Letztere ist ohne Weiteres klar: Sie besagt, dass alle acht Arten des Bewusstseins bei ihrem Vollzug sich selbst bewusst sein müssen. Die „Ständigkeit" des Ich-Bewusstseins ist dagegen komplizierter, da mindestens doppelsinnig:

Auf der einen Seite meint die „Ständigkeit" des Ich-Bewusstseins eine immer wieder vollzogene Besinnung über das Ich. Das Ich wird also seit der Entstehung des Manas immer wieder reflektiert, erkannt und behauptet, und existiert in dieser Weise. „Ständigkeit" in diesem Sinne besagt freilich nicht „immer schon" oder „für immer". Denn der Bewusstseinsakt besteht nicht allein aus Reflexion bzw. Selbstbesinnung.

---

[1] W. Windelband, *Lehrbuch der Geschichte der Philosophie*, a.a.O., S. 388 (Hervorh. vom Verf.).

Auf der anderen Seite bedeutet die „Ständigkeit" des Ich-Bewusstseins seine Dauerhaftigkeit. Sobald das Ich-Bewusstsein wach ist bzw. erweckt wird, funktioniert es ständig in latenter oder patenter Weise.

Im Hinblick auf das Letztere soll der konkrete Gehalt des Selbstbewusstseins vor und nach der Entstehung des Ich-Bewusstseins nicht ohne Unterschiede sein. Wenn das Selbstbewusstsein ein Gewahren des objektivierenden Aktes sowie des objektiven Phänomens ist, werden diese nach der Entstehung des Ich-Bewusstseins durch den Zusatz „meines" gefärbt, sie werden also zu *meinem* Vorstellen und *meinem* Vorgestellten. Natürlich bedeutet hier das „mein" nur ein Pronomen und kein Subjekt. Das Wort „Ständigkeit des Ich" im Sinne des Ich-Bewusstseins besagt also nicht, dass das Ich nach der Entstehung des Manas einen ständigen Gegenstand des Bewusstseins bildet, sondern nur, dass das Ich nach der Entstehung des Manas ständig in der Weise des Pronomens oder des Subjekts ‚funktioniert'. Noch konkreter gesagt wird das „Ich" in diesem Sinne zum ungegenständlichen Typ von Bewusstsein, also zum Selbstbewusstsein, gehören, wenn es in der Weise des Pronomens fungiert, und zum gegenständlichen Typ von Bewusstsein, also zur Reflexion (Manas), wenn in der Weise des Subjekts. So können wir in Bezug auf die zwei Bedeutungen von „Ständigkeit" im Manas schließlich festhalten: Enthalten im Wesen des Ich-Bewusstseins (Manas) ist nicht das ständige, durch alle objektivierenden Akte und alle objektiven Phänomene hindurchgehende Selbst, sondern vielmehr die ständige Besinnung des Ich über sich selbst.

Die oben gestellte Frage bekommt hiermit eine Antwort. Das Ich im Manas ist ein Subjekt, das Selbst im Selbstbewusstsein dagegen ein Pronomen; bei keinem von beiden handelt es sich um eine Identität.

Zweitens: Wenn das Selbstbewusstsein durch alle acht Arten des Bewusstseins hindurchgeht, dann bedeutet dies also, dass das Element des Selbstbewusstseins bereits vor der Entstehung des Manas, also schon beim Ālaya, vorhanden ist. Das heißt, auch dem Ālaya ist bei seiner Aktivität sein eigener Vollzug bewusst. Dieses Selbstbewusstsein muss aber wesentlich anders sein als das Selbstbewusstsein im Manas. Im Ālaya ist das Ich-Bewusstsein (Manas) noch nicht entstanden. Weder das Subjekt „Ich" noch das Pronomen „mein" sollen hier vorkommen. Das Ālaya ist reines Bewusstsein auf der ichlosen Stufe, und das entsprechende Selbstbewusstsein soll somit ein reines Gewahren des eigenen Vollzugs dieses reinen Bewusstseins sein.

Ähnlich wie in der Phänomenologie Husserls, begegnen wir hier im Yogācāra-Buddhismus dem Problem des „reinen Ich", um dessen Klärung sich Husserl immer wieder bemüht. Wenn wir das Ālaya als reines Bewusstsein verstehen, so gilt für es dieselbe Frage, die Husserl sich einmal gestellt hat: „Auf die bloße cogitatio in sich selbst soll reduziert werden, auf das ‚reine Bewusstsein', aber *wessen* cogitatio, *wessen* reines Bewusstsein?"[1] Mit anderen Worten, wenn das Sehen, der objektivierende Akt, der seiner selbst bewusst wird, nicht mein Sehen, mein Akt ist, wem könnte er dann gehören?

[1] Hua XIII, S. 155.

In der Geschichte des Buddhismus gab es bereits derartige Diskussionen um die Reinheit oder Unreinheit des Ālaya, also um die Frage, ob das Ālaya mit oder ohne Ich ist. Hier gilt es an die andere wichtige Bedeutung des Ālaya zu erinnern, nämlich Ālaya als „Speicherbewusstsein". Auch der Begründer der Neu-Bewusstseinstheorie, Xiong Shi-li, bezeichnet das Ālaya als „ständiges Speichern" oder „inneres Ich". Das Ālaya soll zu den so genannten „unerschöpflichen drei Arten von Speicher" gehören und die Erfahrungen des individuellen Lebens sowie die Keime zum geistigen Phänomen bergen. Aus diesem Gesichtspunkt betrachtet kann man die Schlussfolgerung ziehen, dass auch im Ālaya bereits gewisse Momente des Ich enthalten sein müssen. Danach soll es im Ālaya einen Unterschied geben zwischen einem reinen und einem unreinen Ālaya. Das erste wird auch „Amala" (rein) genannt. Der Name Ālaya (speichern) wird dann zunehmend dem verschmutzten achten Bewusstsein zugedacht.[1]

Freilich kann man hier noch eine weitere Frage stellen: Wie lässt sich Ālaya von Manas unterscheiden, wenn im Ālaya ebenfalls Momente des Ich enthalten sind? Die Antwort darauf könnte so lauten: Das reine Ich ist letzten Endes nicht das empirische Ich und ist also frei von den vier Sorgen, welche jedes empirische Ich haben muss. Versteht man wie Husserl unter dem reinen Ich eine abstrakte, formale, ja leere Einheit und Kontinuität, dann hat die auf der Verneinung des Ich bestehende buddhistische Doktrin keinen haltbaren Grund mehr, solche Arten von „Ich" wie Einheit und Kontinuität aus dem Ālaya zu tilgen. Denn Kontinuität bedeutet in diesem Sinne keineswegs die Ständigkeit des empirischen Ich. Erinnern wir uns: In seiner „trotz vieler Mißverständnisse bedeutsamen" *Metakritik der Erkenntnistheorie* kritisiert Adorno an Husserls „transzendentalem Ich" Folgendes: „Wird das transzendentale Ich gänzlich vom animus oder intellectus getrennt, so wird problematisch das Recht, es überhaupt ‚Ich' zu nennen."[2] Diese Kritik verlöre im Yogācāra-Buddhismus ihre Gültigkeit. Denn hier wird zwar die Ständigkeit weiter anerkannt, aber nicht als personale Identität des empirischen Ich, sondern als die Einheit und Kontinuität des Bewusstseins selbst.

Kurz gesagt wird dem Selbstbewusstsein vor der Entstehung des Ich-Bewusstseins ein einheitliches und kontinuierliches Sehen (Jian fen) und Gesehenes (Xiang fen) bewusst, aber eben ein subjektloses bzw. ichloses.

---

[1] In diesem Sinne sagt Chan Wing-cheuk（陈荣灼）: „Man kann Kui Ji's Adanavijnana (Amala) dem Hussselschen reinen Ich gleichsetzen." (Chan Wing-cheuk, „Das Problem des Ich in Yogācāra und in der Phänomenologie"（唯识学与现象学中之 ‘自我问题’）, in: *Legein Monthly*（鹅湖）, Nr. 15, Taipei 1995, S. 59) Chans Analyse des „Ādāna" aus dem Aspekt „ich-lich und ich-los" ist zwar überzeugend, aber leider benutzt er die Begriffe „reines Ich" und „Ich" bei Husserl in bewusster oder unbewusster Weise ohne Unterschied, vor allem in dem Teil des Aufsatzes, in dem er den Vergleich des reinen Ich bei Husserl mit dem „ādānavijñāna" bei Kui Ji zu machen versucht (vgl. a.a.O., S. 58f.)

[2] Th. W. Adorno, *Zur Metakritik der Erkenntnistheorie. Studien über Husserl und die phänomenologischen Antinomien*, Frankfurt a. M. 1990, S. 228.

V. *Überlegungen zu Bewusstseinstheorien im Osten und im Westen*

In der antiken Tradition des „Erkenne dich selbst! (*gnothi seauton*)" und im Gesichtskreis der europäischen neuzeitlichen Philosophie wird das Verhältnis zwischen Selbstbewusstsein und Ich-Bewusstsein in der Phänomenologie ein zentrales Thema. Die unterschiedlichen Verstehensweisen des Begriffes „Selbst" stellen sozusagen die Transformation der Philosophie von der Neuzeit zur Gegenwart dar.

Im Yogācāra-Buddhismus wird das Verhältnis zwischen Ich-Bewusstsein und Selbstbewusstsein niemals in Betracht gezogen, obgleich beide Sachverhalte längst bekannt waren. Ein wichtiges Thema in Yogācāra und innerhalb des Buddhismus überhaupt war stets das „sva" (selbst) bzw. „svabhāva" (Selbst-Sein, Selbstnatur). Hier haben wir bereits einen dem *subiectum* ähnlichen Begriff. Die religiöse Orientierung des Buddhismus, die nach einem ichlosen Stand strebt, bestimmt jedoch den buddhistischen Begriff des Ich so grundlegend, dass dieses prinzipiell nur vorübergehend und negativ konnotiert auftreten kann.

Daraus wird deutlich, dass aus dem Yogācāra niemals eine Theorie wie der Cartesianismus entstehen konnte, ebenso wenig wie ontologisch oder ethisch gerechtfertigte Richtlinien für individuelle Lebensformen. Yogācāra ist im Grunde genommen eine vor- bzw. nachcartesianische Phänomenologie, eine nicht-egologische Selbstbewusstseinstheorie.

Bei den Bewusstseinstheorien im Buddhismus sowie in der Phänomenologie handelt es sich um sonderbare Lehren von Weltkulturen, die sich spezifisch mit der Struktur des menschlichen Bewusstseins beschäftigen. Es ist bewundernswert, dass und inwiefern die beiden Theorien innerhalb der unterschiedlichen Kulturen ohne die Möglichkeit eines Austauschs zu so ähnlichen Ergebnissen kommen konnten. Sie zeigen wenigstens beispielhaft, dass die Ausbildung gemeinsamer Kenntnisse zwischen den verschiedenen Kulturen nicht nur möglich ist, sondern bereits wirklich war.

4. The ultimate consciousness and the ālaya-vijñāna

A comparative study on deep-structure of consciousness between yogācāra buddhism and phenomenology

1. Common perspectives between phenomenology and yogācāra buddhism

Phenomenology and Yogācāra Buddhism can be regarded as two different analysis of consciousness in philosophy field. Although Yogācāra Buddhism does not directly adopt any term similar to "intentionality" in Phenomenology's consciousness, it shares many ideas with "intentionality", especially in Husserl's theory of consciousness. Both Phenomenology and Yogācāra Buddhism scholars agree that Phenomenology and Yogācāra Buddhism offer complementary perspectives on consciousness.[1]

Seeking similarity between Phenomenology and Yogācāra Buddhism is a relatively easy task. Therefore, it can be carried out first. The following are some similarities between Phenomenology and Yogācāra Buddhism:

(1) Both Phenomenology and Yogācāra Buddhism emphasize great importance of self-reflection or introspection. These self-investigation activities are spiritual. The main task of Phenomenology and Yogācāra is to self-investigate,

---

[1] See my references where a list of the researches related to the issue is given. Here I only call attention to Junyu Kitayama's work, *Metaphysik des Buddhismus. Versuch einer philosophischen Interpretation der Lehre Vasubandhus und seiner Schule* (Stuttgart/Berlin 1934). After study in Freiburg University and Heidelberg University, Junyu Kitayama worked as Japanese assistant and Vice-director in Humboldt University of Berlin, and then professor and director in East Asia Institute of Karl University in Prague from 1944 to 1945. In the 268-page book, without mentioning it ever as doctoral dissertation, Junyu Kitayama professes that it is completed in 1931, and included in the Association for Asian Studies of Tübingen University in 1934. He in the foreword is especially grateful to Heidegger in Freiburg and Jaspers in Heidelberg, who have "afforded effective inspiration during his university study". (p. IX) Moreover, Husserl's two volumes of *Logische Untersuchung* and Heidegger's *Sein und Zeit* are also included in his bibliography. So the phenomenological background of his book cannot be denied. But it is doubtful whether Junyu Kitayama's work is "the first bridge which historically connected Husserl's Phenomenology and Vasubandhu's Yogācāra (Wu Rujun, "General Introduction", in *Consciousness-only Phenomenology*, Taipei 2002, p. V). An positive answer cannot be based on the sole fact that he equates absolute consciousness with Amala-vijñāna, for absolute consciousness is also a central conception in the phenomenology of Hegel, whose book *the Phenomenology of Spirit* appears also in Junyu Kitayama' bibliography. Regardless of that, the potential relationship between Junyu Kitayama' book and Husserl's phenomenology is insisted on by some Japanese scholars. See Halei Shiba, "Yogācāra Thoughts and Phenomenology: a Comparative Study Centered on Junyu Kitayama's *Metaphysics of Buddhism*", in *Modern Buddhism*, No. 5, 1998, pp. 29-42.

whether in the name of self-reflection, or in the name of "seeing the mind." This self-reflection is the primary characteristic of Husserlian phenomenology. Self-reflection is rather a philosophical interpretation than a scientific interpretation. The idea of self-reflection can be traced back to St. Augustinus's adage: "Noli foras ire, in te redi, in interiore homine habitat vertas." That coincides with widely accepted Yogācāra's principle that all dharmas are mind only, and also with the core teaching of Chan Buddhism – as well as Yogācāra - "The Buddha is made within the self-nature, do not seek outside the nature".[1]

(2) Deconstruction and subject–object dichotomy. Strictly speaking, there is no deconstruction in Buddhism. The theory of subject–object dichotomy that creates problem for modern European philosophy is not a problem for Buddhism philosophy. Just as Husserl created the concept of Noesis and Noema to express subjective "appearance" and objective "being appeared", Yogācāra created the concept of grāhaka and grāhya to express "grasp" and "being grasped"; "perceive and being perceived."[2]

(3) The method of reduction is widely used both in Phenomenology and Yogācāra. Yogācāra attributes external objects to the constitution of consciousness only. "The object of consciousness is nothing but a manifestation of conscious construction only".[3] Yogācāra holds that the three natures is mind only, and all phenomena arise with consciousness. There is no phenomenon existing outside of consciousness, etc., Yogācāra takes a form of radical idealism, or more properly, of an epistemological theory that is to require reduction of all external objects. In this sense, Yogācāra's method is similar to the method of phenomenological reduction. As the Buddhist style of the phenomenological reduction, involving both transcendental reduction and eidetic reduction this method is systematically summarized and interpreted in Kui Ji's "Five-fold Consciousness-only": (i) the consciousness of expelling the false and abiding in the real; (ii) the

---

[1] *Jie Shen Mi Jing*, chap. VI, "Fen Bie Yujia Ping". According to it, the Buddha considers the first task of cultivation is to acquire the knowledge of the genesis of consciousness. "The Bodhisattva Maitreya addresses the Buddha and says: 'World-honored one, how does this cultivation produce the great majesty of a bodhisattva?' 'Good son,' [The Buddha answered,] 'when the bodhisattvas become aware of the six supports; they are able to produce the great majesty of a bodhisattva. The first is that they know well the genesis of the consciousness. The second is that they know well the abiding of consciousness. The third is that they know well the departure of consciousness. The fourth is that they know well the increasing of thought. The fifth is that they know well the diminution of consciousness. The sixth is that they know well the methods.'" Its English translation available is *The Scripture on the Explication of Underlying Meaning*, trans. by John P. Keenan, Berkeley, *CA* 2000, p. 72. Unless otherwise indicated, all the passages quoted from the Buddhist Scriptures are my own translations. I provide the page reference to the translations in BDK (Society for the Promotion of Buddhism) English Tripitaka when necessary.

[2] Dan Lusthaus in *Buddhist Phenomenology: a Philosophical Investigation of Yogācāra Buddhism and the Cheng Wei-Shih Lun* (New York 2002, p. 2) points out, "Yogācāra does not 'talk about' subject and object', but about 'graspers and what is grasped'".

[3] *Jie Shen Mi Jing*, chap. VI, "Fen Bie Yujia Ping".

consciousness of the expulsion of confusion and holding to true awareness; (iii) holding to the function and returning to the essence; (iv) concealing the mean and manifesting the superior; and (v) dispelling manifestations and apprehending the true nature.

(4) Phenomenology and Yogācāra share a set of common views about the structure of consciousness. First of all, phenomenologists can at least agree with the first seven consciousnesses in the eight consciousnesses advocated by Yogācāra. (In fact, some of them even approve the eighth consciousness in the light of their own distinguished interpretations.) Second, phenomenologists can at least agree with three out of four parts of cognition in Yogācāra. Third, phenomenologists agree with the difference drawn by Yogācāra between the genesis of consciousness and the appearance of consciousness. From the viewpoint of phenomenology, "the conditioned genesis of consciousness" in Yogācāra corresponds to horizontal intentionality in phenomenology, and "the appearance of consciousness itself" corresponds to transversal intentionality in phenomenology.[1]

(5) There is, in Yogācāra, an analogous affirmation of founding-founded relationship between objectivity and non-objectivity acts. As the categories parallel to objectivity and non-objectivity acts in Husserl's phenomenology, Citta and Caitta in Yogācāra refer to principal and secondary consciousnesses respectively. Husserl emphasizes that all non-objectivity acts in which objects are not constituted by themselves (such as feeling and will) must be based upon the objectivity acts in which the objects are constituted themselves (such as presentation and judgment). This founding-founded relationship in Yogācāra is "the relationship between chief and attendant", as is incarnated in the relationship between mind-king of eight consciousnesses and fifty-one mind functions in six categories.[2]

II. Different tendencies between phenomenologyand yogācāra buddhism

In principle, the purpose of comparative cultural studies is more than just to discover the common ground. If not so, the cultural study is at best to help build the mutual understanding and communication between the different cultures.

From the history of cultural exchanges, the real purpose of comparative cultural studies is mainly to find what is hidden in single cultural perspective, to recognize the issue that is unrecognizable in only one culture circumstance, and to resolve the puzzle that is unsolvable from single culture perspective.

---

[1] See Yin Shun, *An Investigation into Yogācāra Buddhism*, Taipei 1992, p. 30, p. 32. "The change along with consciousness" – another way he probes into at the same time - isn't my concern here.

[2] Although the judgment in fact causes objections in the school of phenomenology itself, Husserl may easily find its supporters in Yogācāra.

While it starts out with seeking common ground, the comparative study always finds different perspectives in different cultures. More specifically, the common ground seeks overlapping horizon among initial different views, and the different perspective intends to win new horizons with the expansion.

One of the greatest differences between Yogācāra and Phenomenology as a theory of cognition perhaps first lies in Yogācāra's religious motive. This religious motive is embodied in its pursuit of unity of theory with practice, in the identity of learning and cultivation, as well as in the consistence of practice in prescripts, meditation and wisdom. In a sense, Yogācāra is not only a philosophy of ontology and epistemology, but also a philosophy of ethics and morality. The basic concept of Yogācāra is "treating understanding and cultivation with respect together" and "combining knowledge with practice". In contrast with Yogācāra's distinctive religious character, Husserl's phenomenology does not have religious motive, it sees epistemology and philosophy as strict science. Following the thread of Kant's thought from "what can I know" to "what ought I to do", Husserl reestablishes in his phenomenology a founding-founded relationship between theoretical and ethical philosophy, which, however, are only two sides of one coin in Yogācāra.

Secondly, based upon "constant and continual" seed-consciousness, Ālaya-vijñāna advocated by Yogācāra affords the theoretical grounds for many transcendental faiths in Mahayana Buddhism. The transcendental faiths include the eternal intelligent spirit, rebirth, liberation, karma power, retribution and so on. They are called "standing, rotating, and disappearing views with Ālaya-vijñāna" by Yin Shun in Mahāyoga.[1] But for Husserl, the "absolute" and "transcendent" which are not given should be put in brackets or be suspended. However, I do not bring phenomenologists such as Scheler, Levinas, and Marion who hold different views on absolute and transcendent into consideration.[2]

Thirdly, with the assertion that "internal consciousness exists, and the external world non-exists" acceptable both by Yogācāra and Phenomenology, Yogācāra goes a step further, asserting that focusing on internal consciousness only is an "incorrect tenet". So both "attachment to self" and "attachment to things" are seen as "attachments to heterodoxy" which should be refuted.[3] According to *Saṃdhinirmocana Sūtra*, the Buddha said: "All things have no objects, no arising, and no passing away, are originally quiescent, and are essentially in cessation."[4] Phenomenology diverges from Yogācāra, when it insists that all objects dissolve into consciousnesses, and that the objectivity dissolves into

[1] Yin Shun, *An Investigation into Yogācāra Buddhism*, ibid., p. 30, p. 32.
[2] Husserl, *Ideen zu einer reinen Phänomenologie und phänomenologischen Philosophie*, Hua III/1, Den Haag 1976, § 58; *Ideas: General Introduction to Pure Phenomenology*, trans. by W.R. Boyce Gibson (London 1931), pp. 173-174.
[3] See Yin Shun, *Miao Yun Ji*, Vol. 2, chap. X, "Hua Yu Xiang Yun", Taipei 1992, p. 223; see also Yin Shun, *Hua Yu Ji*, Vol. 4, 1993, p. 298.
[4] *Jie Shen Mi Jing*, chap. V, "Wu Zi Xing Xiang Ping"; *The Scripture on the Explication of Underlying Meaning*, p. 36.

subjectivity in as much as it treats consciousness as the only real existence, and ascribes the transcendental objectivity (as the achievement of reflection) to subjectivity, the radical basis of knowledge.

The three above indicate that Yogācāra and Phenomenology are two distinct schools of thoughts despite their similarities.

III. The complementary possibilities afforded by yogācāra to phenomenology

Because of their common characteristics as well as distinctions, we are able to study Phenomenology and Yogācāra in the complementary way that draws upon their mutual assistance. Without either, this comparative study is unimaginable.

This complementary study can be recognized as "consciousness-only phenomenology". The author will integrate the factual analysis of phenomena with textual analysis of classic books to gain an impetus to investigate the structure of consciousness. The phenomenologists utilize intuition as their distinctive method to study phenomena, while Yogācāra Buddhists often incline to appeal to textual research in the form of commentaries and interpretations of the Buddhist canon. The mutual assistance and complementarily lies in that the phenomenological self-reflection (Selbstbesinnung) affords its original insight when the arguments of Yogācāra text are often complicated and versatile. When it is difficult to obtain progress in phenomenological speculation, the abundant traditional Yogācāra texts might help to navigate the maze. Therefore, to some degree, the different emphasizes of Phenomenology and Yogācāra on reflection and learning represent two separate directions of "consciousness-only phenomenology".[1]

As one of the forerunners, Iso Kern had tried to complement Yogācāra's idea of "three times" (past, present and future) with Husserl's phenomenology of internal time-consciousness. He also expresses the hope to complement phenomenological analysis of consciousness with Ālaya-vijñāna — the subliminal consciousness in Yogācāra.

Ālaya-vijñāna can be translated as "subconsciousness" in English. The other translation is "unconsciousness."[2] The two translations are both from original meanings of Ālaya in Sanskrit: residence, dwelling place, or storehouse. Ālaya-vijñāna was once translated as "Wu Mo Shi" (sinking consciousness), and "Chang Shi" (store consciousness) by Xuan Zang. Yin Shun explains, "Its kernel meaning is 'hidden'."[3]

Although subconsciousness and unconsciousness are both translations for Ālaya-vijñāna, and may seem identical, in fact, they are different in meanings.

---

[1] See Ni Liangkang, "'Self-Consciousness' and 'Ego-consciousness' in Yogācāra and Phenomenology", in *China Scholarship*, No. 3, 2002, p. 65.
[2] See W P. Waldron, *The Buddhist Unconscious*, London/New York 2003.
[3] Yin Shun, *An Investigation into Yogācāra Buddhism*, ibid., p. 144.

The "subconsciousness" expresses the idea of hidden and subtle in Ālaya-vijñāna. This is a positive interpretation. The "unconsciousness" emphasizes the meaning of unapparent and not aware. This is the negative interpretation. This two different translations come from the effort to explain the recovering from our six consciousnesses (the function of the six organs: eye, ear, nose, tongue, skin, and reasoning) when interrupted by the symptoms of slumber, coma, and inebriation.

In *Saṃdhinirmocana Sūtra*, Ālaya-vijñāna is described as the continuum. And it is also described as the hidden container of all things. When Ālaya-vijñāna is described as the base of the other six consciousnesses, it is labeled the "mind consciousness". It is labeled the "base consciousness" in the deep structure of Ālaya-vijñāna. It is labeled the "seed consciousness" in the origin of the other consciousnesses. It is labeled the "transforming consciousness" in the transform process. And lastly, it is labeled the "differently maturing consciousness" in the power of seed performing through maturing and evolving. All these names are different expressions with fundamental descriptions of Ālaya-vijñāna.[1]

Names analogous to Ālaya-vijñāna can not be directly found in Husserl's phenomenology. The absolute consciousness through phenomenological reflection (including eidetic intuition) is a pure consciousness in which both real and empirical elements are excluded, namely, a twice purified consciousness.[2] In discussion of Ālaya-vijñāna, some Buddhism scholars have different views on its pure and true consciousness. In Buddhism, purity of consciousness is apart from stain of afflictions and remains unaffected by evil energy, and so refers to a state of Caitta. But in phenomenology, purity of consciousness concerns Citta, the six usual kinds of consciousnesses, and refers to the resulting condition of abstraction from empirical realities and of grasping essences.[3]

On the other hand, while Ālaya-vijñāna is "subtle indeed, profound indeed, and hard to fathom indeed",[4] apparently, the absolute consciousness and being in Husserl's phenomenology is not latent and subconscious, but is what can be evidently and adequately given through phenomenological reflection in accord with Descartes' famous epistemological principle of "clear and distinct perception". This is perhaps the most obvious difference between Ālaya-vijñāna and absolute consciousness.

Yogācāra and Husserl's absolute consciousness can be seen as related only under the special conditions. Husserl once explained his two fold absolute con-

---

[1] See *Jie Shen Mi Jing*, chap. III, "Xin Yi Shi Xiang Ping"; see also *Cheng Wei Shi Lun* (*Three Texts on Consciousness only*, trans. by Francis H. Cook, Berkeley, CA 2000, Vol. 2, p. 8; Xiong Shili affords his explanation of the reason why the eighth consciousness has eleven names in his *A Thorough Interpretations on Buddhism Terminology*, Beijing 1985, p. 115.

[2] For a more detailed discussion, see my essay, "Pure and Impure Phenomenology", in *Academic Monthly*, No. 1, 2007, pp. 35-37.

[3] The difference between the "pure" in western philosophy and the "śuddha" in Buddhism will be developed in my *essay in preparation.*

[4] *Jie Sheng Mi Jing*, chap. 2, "Sheng Yi Di Xiang Ping".

sciousness: "the transcendental absolute consciousness in the sphere of descriptive phenomenology and the primal ego along with its constitution function in domain of genetic phenomenology, namely, it is "what is the ultimately and truly absolute".[1] The former means the transcendental validity which is immanently given as a real part (reell),[2] while the latter means the transcendental genesis.[3] They both have their "essential characters" and "necessary forms". But it is only the second fold absolute consciousness that deserves a deeper investigation into its affinity with Ālaya-vijñāna.

IV. Ultimate consciousness in phenomenology and ālaya-vijñāna in yogācāra

In Husserl's phenomenology, the concept corresponding to Ālaya-vijñāna might be what Husserl calls the "ultimate consciousness".

In a text from1909/1911, Husserl used the concept "ultimate consciousness" for the first time. He wondered: "But now we ask whether we must not say that there is, in addition, an *ultimate consciousness* that controls all consciousness in the flow. In that case, the phase of internal that is present at any particular moment would be something intended through the ultimate consciousness; and it would be this ultimate consciousness that passes over into the reproductive (retentional) modification, which itself would then be something again intended in the ultimate consciousness. This ultimate intentionality can take up into itself the style of paying attention, and in this way we can become conscious its content in the manner of the object of attention. We find, however, that when we do pay attention to something, something is always already 'appearing' — the style of attention always runs through and across intentionality. But if I direct my regard to an actual momentary phase of the flow? But we should seriously consider whether we must assume such an ultimate consciousness, which would necessarily be an 'unconscious' consciousness, that is to say, as ultimate consciousness it cannot be an object of attention(if paying attention always presupposes intentionality already given in advance),and therefore it can never become conscious in this particular sense."[4] Here Husserl returned to the question with which he began.

Several years later, Husserl continued this topic when dealing with phenomenological time and time-consciousness in *Idea I* but this time he says with more certainty, "The transcendental 'Absolute' which we have laid bare through the reduction is in truth not ultimate; it is something which in a certain pro-

[1] Hua III/1, § 81; *Ideas: General Introduction to Pure Phenomenology*, ibid., p. 236.
[2] See Husserl, *Zur Phänomenologie des inneren Zeitbewußtseins* (1893-1917), Hua X, Den Haag 1966, p. 284.
[3] See Hua III/1, § 81; *Ideas: General Introduction to Pure Phenomenology*, ibid., pp. 234-237.
[4] Hua X, p. 382; *On the Phenomenology of the Consciousness of Internal Time* (1893-1917), trans. by J.B. Brough, Dordrecht 1991, p. 394.

found and wholly unique sense constitutes itself, and has its primeval source in what is ultimately and truly absolute." The inquiry is interrupted immediately: "Fortunately we can leave the enigmas of the time-consciousness in our preliminary analyses without imperiling their rigor." [1] Once again he puts aside the plan to "descend into the obscure depths of ultimate consciousness which constitutes the whole scheme of temporal experience".[2]

The reason why Husserl deals with the subject with so much hesitation is possibly that the idea of ultimate consciousness comes into conflict with the basic principle of his phenomenology. Husserl regards intuition as "the principle of all principles" of his phenomenology at all times and so takes a cautiously skeptical attitude to anything unapparent and ungiven. Since the ultimate consciousness itself is latent and subconscious, the feasible way to the ultimate consciousness is through deduction rather than through intuition.[3]

It is similar with Ālaya-vijñāna in Yogācāra. When *Cheng Wei Shi Lun* explicates Ālaya-vijñāna's existence, it appeals to deduction in addition to classical texts. It says: "The eighth consciousness is very subtle by nature and is manifested only through its activity." So the grasp of the substance of consciousness is not through intuition, but through its functions or appearances. Xuan Zang also puts forward ten proofs of Ālaya-vijñāna, and they all are hypothetical reasoning: (1) If this consciousness does not exist, there is no mind to hold the seeds; (2) if this consciousness does not exist, there is no mind as retribution; (3) if this consciousness does not exist, the substance of the paths and forms of rebirth would not exist; (4) if this consciousness does not exist, no appropriator would exist; (5)if this consciousness does not exist, there would be no consciousness that could hold life and heat and cause them to be always present; (6) if this consciousness does not exist, mind would not exist at the moment of birth and death; (7) if this consciousness does not exist, the substance of the other consciousnesses would not exist; (8) if this consciousness does not exist, the substance of nutriment in the form of consciousness would not exist; (9) if this consciousness does not exist, there is no consciousness which does not leave

---

[1] Hua III/1, p. 182; *Ideas: General Introduction to Pure Phenomenology*, ibid., p. 236. That might be the reason why Husserl in his later analysis of time consciousness (the so-called C-manuscript) names it "the pre-temporal present" and "the primitive phenomenon of the living present". He describes the present as "pre-reflective", "per-temporal", and "anonymous". Therefore it itself "cannot arise and disappear, and is the persistent and constant 'there' of my living present". See Husserl, *Späte Texte über Zeitkonstitution (1929-1934) Die C-Manuskripte*, Husserliana Materialien, Band 8, Dordrecht 2006, Nr. 1 – Nr. 7; See also K. Held, *Lebendige Gegenwart. Die Frage nach der Seinsweise des transzendentalen Ich bei E. Husserl, entwickelt am Leitfaden der Zeitproblematik*, Den Haag 1966, p. 116, p. 118, p. 63. In the next discussions we shall come back to the question here.

[2] Hua III/1, p. 191-192; *Ideas: General Introduction to Pure Phenomenology*, ibid., p. 236.

[3] It also might be the reason why Husserl absords only a few setences from this passage in *Vorlesungen zur Phänomenologie des inneren Zeitbewußtseins* published in 1928, while leaving the majority of them untouchable.

the body would exist in someone in the Samādhi; and (10) if this consciousness does not exist, impure and pure mind would exist.[1]

For the same reason, Husserl resorts to a hypothesis of the ultimate consciousness. Temporal consciousnesses can be traced in self-consciousness or retention. The unity of consciousness makes simultaneity possible in the stream of consciousness. When the immediate past consciousness disappears, a new one arises simultaneously. The ultimate consciousness has to be an unconsciousness consciousness because if it were not, infinite regress would be inevitable. We can borrow "subtle" and "hidden" from Yogācāra to express ultimate consciousness.[2] With these considerations, Husserl concludes that ultimate consciousness is "necessarily an 'unconscious' consciousness".

In short, the characteristic of ultimate consciousness similar to Ālaya-vijñāna lies in the facts that it can never be apprehended through intuition or even become conscious. However ultimate consciousness announces its existence in some unusual ways. But how can phenomenologists accept it, while not falling into "ontologism"? "Ontologism" in phenomenology, a word used by Scheler, is a theory of "possible existence of the objects which in essence cannot be grasped through any consciousness".[3] As a phenomenologist, Scheler refused to accept "ontologism", for the principle of intentionality demands that "corresponding with every sort of objects is a sort of experience where this sort of object is given."[4] The problem of the ultimate consciousness seems to be a phenomenological dilemma which is highlighted by the word "unconscious consciousness", a contradictio in adjecto.

V. Ālaya-vijñāna and ultimate consciousness as unconsciousness

What is unconsciousness in the phenomenological sense? According to Husserl, unconsciousness often has two basic patterns, one in *the phenomenology of genesis* and the other in *the phenomenology of time-consciousness*. The former refers to "birth, death, dreamless slumber" and so on, which are "the transcendental enigmas" or "the transcendental mists", and the latter refers to the forgotten but still operative background of present consciousness activities.[5]

Are these two patterns of unconsciousness totally coincident with the twofold absolute consciousness mentioned above, the transcendental reell and "the

---

[1] See *Cheng Wei Shi Lun*, chaps. III, IV; see also Asaṅga, *Xian Yang Sheng Jiao Lun*, chap. 17.
[2] See *Cheng Wei Shi Lun*, chaps. III, IV; see also Asaṅga, *Xian Yang Sheng-jiao Lun*, chap. 17.
[3] *Cheng Wei Shi Lun*, chap. III, p. 11; *Jie Shen Mi Jing*, chap. III, "Xin Yi Shi Xiang Ping".
[4] Max Scheler, *Formalism in Ethics and Non-Formal Ethics of Values*, vol. 1, trans. by Ni Liangkang, Beijing 2004, p. 270.
[5] For more detailed discussions, see Ni Liangkang, "The Primeval Consciousness and Unconsciousness in Husserl's Time Analysis: With a Discussion on J. Derrida's Criticism of Husserl's Time Consciousness, in *Philosophical Researches*, No. 6, 2003, pp. 70-79.

ultimate and true absolute"?[1] Although the two unconsciousness are both based on a division between descriptive phenomenology and genetic phenomenology, they do not overlap in many aspects. The genetic unconsciousness Husserl often talks about is often not transcendental but empirical. While the ultimate consciousness, whether in descriptive or genetic dimension, is undoubtedly transcendental.

Without further exploring "consciousness/unconsciousness", "empirical/transcendental", "descriptive/genetic" in Husserl's phenomenology, the comparative study might find a foothold in his ascertainment that the absolute consciousness in a genuine sense is the ultimate unconscious deep-consciousness making all other consciousnesses possible, which in a sense is also the creator of all superficial-consciousnesses. In a research note Husserl names it "ultimate subject" or "pure ego", nothing can "cancel the 'pure' subject of the act", and "this ego is the pure ego, and no reduction can get any grip on it."[2]

Of course, the subject or ego is not empirical but transcendental. Husserl never tires of pointing to the distinction between them, "Man is not able to be immortal, and man must die. Man cannot preexist mundanely. In a temporal-spatial world it was nothing and will become nothing. The transcendental primal and world-creating life, the ultimate ego, however cannot come from and return to nothing. It is 'never dying', for death means nothing to it."[3]

Husserl's statement about the ultimate subject reminds us of the characteristics of Ālaya-vijñāna. Considering the fact that Ālaya-vijñāna is a component of consciousness, it seems that "the ultimate consciousness" is a more acceptable name in phenomenology rather than the ultimate ego or subject for our comparative purposes.[4]

Of course, this is not to say that Yogācāra refuses to see Ālaya-vijñāna as ego, the term "inner ego" can be found somewhere in *Chen Wei Shi Lun* too. But the main thoughts of Ālaya-vijñāna are afforded by *Chen Wei Shi Lun* in favor of the analysis of consciousness. These thoughts about Ālaya-vijñāna appear systematic and mature in contrast to Husserl's scattered and hesitative expressions.

Ālaya-vijñāna is translated as "Chang Shi" (store consciousness) in Chinese for the reason of "sentient beings often grasp it as an inner ego".[5] When Ālaya-vijñāna is impure, empirical passions are included. But when "it is not grasped as

[1] See Hua III/1, § 81; *Ideas: General Introduction to Pure Phenomenology*, ibid., pp. 234-237.

[2] Hua III/1, p. 179, *Ideas: General Introduction to Pure Phenomenology*, ibid., p. 233.

[3] Husserl, *Die Krisis der europäischen Wissenschaften und die transzendentale Phänomenologie. Ergänzungsband.* Texte aus dem Nachlass 1934-1937, Hua XXIX, Dordrecht/ Boston/ Lancaster 1972, p. 338.

[4] To criticize Husserl's "transcendental ego", in *Zur Metakritik der Erkenntnistheorie. Studien über Husserl und die phänomenologischen Anatomoi* (Frankfurt a. M. 1990, p. 228), Adorno says, "If the transcendental ego is completely seperated from creatures or intellects, it is suspicious to claim the name 'ego' for it".

[5] *Cheng Wei Shi Lun*, chap. II, p. 8; chap. III, p. 4, p. 14.

inner ego any longer, and so loses the name 'Ālaya'",[1] it is a pure Ālaya-vijñāna. From this point, it attains the stage of arhatship and is called "immaculate consciousness" not "store consciousness".

Ālaya-vijñāna is therefore divided into impure Ālaya-vijñāna and pure Ālaya-vijñāna. While it is not easy to distinguish impure Ālaya-vijñāna from the seventh consciousness which is "Manas-vijñāna" (self-consciousness), it is not unreasonable to see as pure Ālaya-vijñāna the so–called ninth consciousness – which is named "Amala-vijñāna"[2] – because of the fuzzy boundary between them. From this point of view, the concept of "Amala-vijñāna" does not go beyond the classification of eight components of consciousness.

It is undisputable that Xuan Zang never asserts that impure Ālaya-vijñāna and Manas-vijnana are identical, though they share many similarities (For example, they both are impure, continuous, and transforming consciousness).[3] In Xuan Zang's view, Manas-vijñāna is constitution of the eighth consciousness, but is not identical with the eighth consciousness. The seventh consciousness originates from the eighth consciousness in the same way as the other six consciousnesses do.[4]

There is a genetic process among the eight consciousnesses. "Supported by Ālaya, Manas evolves; supported by mind (Ālaya) and Manas, the remaining evolving consciousnesses are born."[5] The eighth component of consciousness comes primly. It is the most subtle and constant consciousness in all consciousnesses. When deeming itself to be an object, the eighth consciousness vanishes and transforms into the seventh consciousness. The seventh consciousness comes into being, if "it takes as an object the eight consciousnesses and produces an image that is natural to the mind which it clings to as an ego". Subsequently the seventh consciousness as self-consciousness produces the sixth consciousness as objectified consciousness, which produces further the last five consciousnesses.

---

[1] *Cheng Wei Shi Lun*, chap. II, p. 8.

[2] Before Xuan Zang, Zhen Di has put the eighth consciousness (Wu Gou Shi) into "Amala-vijñāna", bringing them together into a ninth consciousness, as is later denounced by Xiong Shili as "a blunder" (*A thorough Interpretation on Buddhism terminology*, ibid, p. 115). Yin Shun also thinks that Zhen Di's interpretation is not very suitable though he had an "original interpretation" (see "Amala-vijñāna handed down from Zhen Di's Tripikita", in *A study on Buddhism dharma with Buddhism dharma*, Taipei 1992, pp. 269-300). But Mou Zongsan vindicates the interpretation with Zhen Di's especial Buddhism system in *Buddha and Prajñā* (Vol. 2 [Part.1], Taipei 1993, pp. 349-392).

In my view, the question is whether Amala-vijñāna is a stage attained through cultivation or a structure layer in human consciousness, in other word, whether it is a Buddhism principle ought to be or a Buddha as a matter of fact. This means it finally lies on whether we agree with the theory "The arising of all phenomena due to *Tathā-gatagarbha*" or with the theory "The arising of all phenomena due to Ālaya-vijñāna".

[3] In *Cheng Wei Shi Lun* (chap. IV, p. 12), Xuan Zang refutes this interpretation: "Since the seventh and eighth consciousnesses always evolve together, what is the error in admitting that they support each other?" *Three Texts on Consciousness only*, p. 120.

[4] See *Cheng Wei Shi Lun*, chap. I, pp. 4-5.

[5] *Cheng Wei Shi Lun*, chap. IV, p. 13; *Three Texts on Consciousness only*, p. 122.

This genetic succession is a ascending process, and in Husserl's words, it is the process with "founding-founded relation".[1]

In addition, as mentioned previously, the basic difference between manas-vijnana and Ālaya-vijñāna lies in the fact that Manas-vijñāna, the seventh consciousness, is concerned with "factual ego" which is apparent; Ālaya-vijñāna, while the impure eighth of consciousness, concerns "inner ego" which is hidden.

If the ultimate consciousness is viewed in this direction, a clear picture can be provided for phenomenology. The ultimate consciousness is the consciousness neither as empirical ego, nor as pure or transcendental ego. It is non-objectified, hidden, and storable Ālaya-vijñāna.

According to the description in *Cheng Wei Shi Lun*, Ālaya-vijñāna is always "subtle" and "continuous". "Subtle" means no less than "non-objectified", "unobservable", and "unconscious". This is to say, "inner ego" is neither an object, nor a factual ego, but what is itself unified and what is to support the unity of consciousness.

Because of its subtlety, it is hard to interrupt.[2] That is to say, it is "continuous". "Continuous" refers here to "incessant" or "uninterruptible", the consciousness clings to ego so tightly that it is the differently maturing. Even if someone's empirical consciousnesses are interrupted, Ālaya-vijñāna continues to be in somebody else's consciousnesses. And that is why Ālaya-vijñāna affords the theoretical grounds for rebirth in Buddhism.

VI. *Structure and genesis of ālaya-vijñāna and ultimate consciousness*

Compared with the difficult understanding of Husserl's ultimate consciousness, the Yogācāra School discusses Ālaya-vijñāna thoroughly and completely. The Ālaya-vijñāna discussion, especially in its Chinese sect founded by Xuan Zang and Kui Ji,[3] falls into two categories: the static constitution and genetic sequence of consciousness.

---

[1] "The foundedness of an act does not mean that it is built on other acts in any manner whatsoever, but that a founded act, by its very nature or kind, is only possible as built upon the acts of the sort which underlies it." Husserl, *Logische Untersuchungen* I-II, 1975-1984, *LU* II/2, A 650/B_2 178.

[2] "It is so subtle that it is difficult to interrupt it". *Cheng Wei Shi Lun*, chap. II, p. 5

[3] Edward Conze in *Buddhist Thought in India* (Michigan 1973, p. 7) points out, "The developments of Mahayana in China and Japan have been omitted, for no other reason than that I do not know the languages. This limitation is not as serious as it sounds. Most of the creative work was done in India, and even 'Zen' is not half as original as it has been made out to be."

This judgment astonishes me very much, not because the two reasons he gives are in fact incompatible, but also because the meaning of the creative or original work is ambiguous. His depreciation of Chinese and Japanese Buddhism is groundless. It sounds like the view that there is almost nothing new in western philosophy after Greek philosophy, or at most after the Hellenistic *period* (for example, according to Whitehead, the whole

The discussions in the static constitution of consciousness:

(1) Like the other seven consciousnesses, Ālaya-vijñāna has four aspects: the perceiving aspect, the perceiving aspect, the self-perceiving aspect, and the aspect of self-awareness of the self-perceiving.[1] To state this in phenomenological terms, Ālaya-vijñāna is a whole intentionality composed of Noesis, Noema, and self-consciousness whose objects are Noesis and Noema. Ālaya-vijñāna is therefore an objectifying act with an objectivity which is able to be recalled in consciousness.

(2) The contaminated and uncontaminated consciousnesses are two states of Ālaya-vijñāna. In a contaminated state, Ālaya-vijñāna still contains the seeds of the obstacle of the passions which perfume it, leading to the production of inner ego.[2]

(3) Accompanying with the contaminated Ālaya-vijñāna, five mental activities occurs.[3] They are contact, advert, feeling, conception, and perception. Because they will occur with any one of the eight consciousnesses, they are also called "five universal activities".

(4) The uncontaminated consciousness is associated with twenty-one mental activities. Besides five special activities (desire, verification, recollection meditation, and wisdom which, in parallel with "five universal activities", are always aroused by special mental states), there are also eleven good mental activities (faith, conscience, shame, noncraving, nonhatred, nondelusion, diligence, serenity, vigilance, indifference, nonharming) which might occur with the uncontaminated consciousness.[4] From the uncontaminated consciousness on, the name "Ālaya-vijñāna" is given up and replaced by "Manas-vijñāna" which marks new stage of a Tathāgata. Since anything is not out of knowledge, the consciousness is gaining wisdom like a great, perfect mirror.

(5) Ālaya-vijñāna is the store consciousness involving that which is store; that which is stored; and that which is appropriated store. That which is store is an act to receive and store seeds which are stored. In other words, if that which is stored is the object intended, the intending act is that which is store. As for

western philosophy is footnotes of Plato's philosophy), or like the view that this is almost no original work other than the Bible.

If we strictly limit the use of the word "original", and even if we regard the whole Eastern Buddhism only as footnotes of Indian Buddhism, we have no reason to neglect the history of interpretation in Eastern Buddhism.

[1] "If we make a fine distinction concerning consciousness, we can judge that there are four aspects." *Cheng Wei Shi Lun*, chap. II, p. 8; *Three Texts on Consciousness only*, p. 60.

[2] *Cheng Wei Shi Lun*, chap. III, pp. 8-9.

[3] "It is always associated with recondite consciousnesses, contact, advert, feeling, conception, and perception"; and "Ālaya-vijñāna in all its states is always associated with these five mental activities, because they are categorized as universal mental activities." *Cheng Wei Shi Lun*, chap. IV, p. 3; *Three Texts on Consciousness only*, p. 68.

[4] See *Cheng Wei Shi Lun*, chap. III, p. 10; and concerning good mental activities, see also *Cheng Wei Shi Lun*, chap.VI, pp. 1-8.

that which is appropriated store, it means that Ālaya-vijñāna holds all seeds, appropriating the subtle consciousness of them as an inner ego.[1]

(6) The eighth consciousness has three aspects: essence, effect, and cause. Essence is the immanent aspect of Ālaya-vijñāna. Only through it, Ālaya-vijñāna is the effect of retribution for good and bad action, and also the cause of all things, as far as it holds all seeds of the things and does not allow them to be lost. These three aspects lay the foundation of Kui Ji's theory of three abodes of Ālaya-vijñāna, which are the abode of the actual desire to store, the abode of the good and bad action, and the abode of the continual hold.[2]

The above discussion can not be found in Husserl's analysis of consciousness. But from the viewpoint of the genetic sequence, it is the following thoughts of Yogācāra, implicit but not articulated in the fifth and sixth portions of conclusions above, that shows affinities with Husserl's phenomenological analysis:

(1) Ālaya-vijñāna is "the first transforming consciousness", because it is the original consciousness which is able to transform itself into any other consciousness. All consciousnesses can be traced back to Ālaya-vijñāna from which they stem. In a sense, Ālaya-vijñāna is just "the primal genesis" or "the primal appearance" used in the literal meaning.[3]

This understanding of Ālaya-vijñāna does not conflict with Husserl's understanding of the ultimate consciousness. Indeed the ultimate consciousness in Husserl's time consciousness bears a close analogy to Ālaya-vijñāna in Yogācāra. But we should not overlook the characteristic temporal horizon in Husserl's phenomenology to which all of his phenomenological themes resorts lastly.

(2) Ālaya-vijñāna as seed consciousness is influenceable. It can be affected by good or bad energy, then affect them inversely. "All sentient beings possess a fundamental consciousness that is homogeneous, continuous, and contains seeds. This consciousness and all things act upon each other and due to the power of performing, such things as recollection, perception, etc. can exist."[4] This cause-effect theory is very important in Buddhist philosophy.

The relationship between Ālaya-vijñāna and actions, namely between the performed and performing, is similar to the relationship between the constituting and constituted factors in Husserl's static phenomenology. More similarities can be found from the genetic viewpoint. The performed-performing process is parallel to the phenomenological processes that mental acts and their objects are deposited through habitual use, and that the ego involved in habitual use goes on and is inherited. When Husserl applies this viewpoint to history, he realizes that

---

[1] See *Cheng Wei Shi Lun*, chap. II, p. 8.

[2] Concerning three aspects, see *Cheng Wei Shi Lun*, chap. II, p. 8; and concerning three abodes, see Kui Ji, *Cheng Wei Shi lun: Shuji Sanzhong Shu*, vol. 1, Taipei 1988, p. 566.

[3] In his late genetic phenomenology Husserl discusses the problem of "sediment" in consciousness. He defines the "primal instinct" at the "primal start" as the sediment of the experience of progenitors. The "sediment" in this sense is thus an inheritance". See Husserl's manuscript, K III 11, 4.

[4] *Cheng Wei Shi Lun*, chap. I, p. 5; *Three Texts on Consciousness only*, p. 15.

human history is "from the start no more than the living move of the togetherness and blend of the original sense-constitution and sense-sediment", a conclusion which is however extended to include all sentient beings in Buddhism.

VII. The methodological difference between phenomenology and yogācāra

Though Phenomenology and Yogācāra share some similarities in the structure of superficial-consciousness, diversity and paradox abound in the structure of deep-consciousness.

Phenomenologists may wonder if Ālaya-vijñāna is hidden and subtle, is it possible to analyze it? And is it possible to carry out such analyses? If so, would the result be evident and justified?

Phenomenologists employ intuition as their study method. And intuition is regarded as "the principle of all principles" and "the first principle" in Husserl's phenomenology.[1] However the ultimate consciousness is obscure and beyond the reach of intuition. Unlike Husserl's phenomenology, Yogācāra often has two principles when studying Ālaya-vijñāna. One is that Buddhist canons afford footstones to elucidations and inferences that can thus be built "on the basis of holy teaching and correct reasoning";[2] Another is to resort to one's own practice, "because Ālaya-vijñāna is subtle and profound, is realized within oneself". [3] He who penetrates into Ālaya-vijñāna is "Bodhisattva skilled in the secret of consciousness",[4] and is a master of the consciousness.

But why is it possible to find similarities between Phenomenology and Yogācāra Buddhism in genetic analysis?

The question brings us back to the fundamental methodology of Phenomenology. As early as in the first edition of his originative *Logical Investigations*, Husserl divides the methodology into two classes: "descriptive analyses" and "genitive grounds".[5] From then on this division is kept in his thought in his lifetime. Later he understands the underlying methodological characteristic of static phenomenology as intuitive and descriptive, and oppositely interprets the methodological characteristic of genitive phenomenology as inferential and explanative. Static phenomenology with dominative intuitive method is the first philosophy, the eidetic science in phenomenology, whereas genitive phenomenology is the second philosophy, the factual science in phenomenology.[6]

The domain of phenomenology is therefore also divided into "descriptive realm" and "explanative realm". The former signifies "a realm realizable through actually experiencing intuition", the latter refers to surpassing the descriptive

---

[1] See Hua III, § 24.
[2] *Cheng Wei Shi Lun*, chap. X, p. 20; *Three Texts on Consciousness only*, p. 370.
[3] *Cheng Wei Shi Lun*, chap. X, p. 14; *Three Texts on Consciousness only*, p. 358.
[4] *Jie Shen Mi Jing*, chap. I, "Xu Ping"; *The Scripture on the Explication of Underlying Meaning*, p. 29.
[5] *LU* II/2, A 708.
[6] Husserl, *Erste Philosophie* (1923/24) I, Hua VII, Den Haag 1956, pp. 13-14.

realm with the constructive moments above it.[1] While "description" must be restricted to the intuitional limits, "explanation" can surpass the limit of intuition with utilizing genetic grounds.

Accordingly, the genetic explanation is also an applicable and justified method. Compared with Yogācāra, however, the phenomenological status of the genetic explanation is still secondary to intuition. The surpassing intuition of explanation "occurs on the basis of the 'descriptive' knowledge, and, as a scientific knowledge, it occurs through a procedure of insight which ultimately verifies itself by means of descriptive mateirial".[2] The founding-founded relationship between intuitive description and genetic explanation is consistently unambiguous and unshakeable in Husserl's analyses.

But the founding-founded relationship is reversed in Yogācāra. According to the phenomenological principles, Ālaya-vijñāna is the ultimate consciousness which is deep-consciousness. The other seven components of consciousnesses, commonly known as the objective consciousness are superficial-consciousnesses. There are no choices other than utilizing the genetic theory to analyze Ālaya-vijñāna, while the method of intuition is only applicable to superficial-consciousnesses.

The apparent paradox between Phenomenology and Yogācāra does not affect the possibility of their conformity in methods. The identification of "evidently perceiving" and "evidently experiencing" in Yogācāra Buddhism indicates that, as is known, what a practitioner can see in perceiving is determined by which experiencing stage he reaches at his practice. The "perceiving" of Ālaya-vijñāna is therefore theoretically possible in Yogācāra Buddhism.

The possibility of their conformity in methods is also sustained by some thoughts in Husserl's later manuscripts. In those manuscripts, he never gave up the ground of eidetic intuition and his pursuit of the first philosophy. Husserl gradually diverges his interest and attention from an apodictic evidence of eidetic intuition into an apodictic evidence of "I am" in a transcendental sense. The apodictic evidence of eidetic intuition is evidence as adequate, but restricted is the apodictic evidence of the adequate content of "I am", whose extract is through a criticism of the phenomenological ultimate reflection, or through the phenomenological "apodictic reduction". The apodictic evidence itself is a "deep content" which is fathomless even to Decartes.[3] Of course, the self-consciousness Husserl here refers to is not the empirical that Manas-vijñāna is. Its phenomenological significations are no more than the "subtle svabhāva" in Yogācāra. In phenomenology it is "possible basis for encountering the transcendent", the "primordial ground" and "primordial function" which is thus the "primordial fact", the "ultimately functioning ego".[4]

---

[1] Hua VI, pp. 226-227.
[2] Ibid.
[3] See Hua VIII, p. 35, p. 80, etc.
[4] See K. Held, *Lebendige Gegenwart*, ibid., p. 148.

Husserl's findings in his analysis of time consciousness are some what close to "the subtle consciousness" in Hīnayāna Buddhism,[1] and to "the orthodoxy doctrine of the conditioned genesis of consciousness" in Mahāyāna Buddhism. However Husserl stopped short to uncover the perceiving-experiencing structure of consciousness that Yogācāra Buddhism attributed.

VIII. Common superficial-structure and deep-structure between consciousness and language

Both Yogācāra Buddhism and Husserl's phenomenology discuss deep-structure of consciousness as well as superficial-structure of consciousness. For Yogācāra Buddhism, superficial-structure unifies the first through seventh consciousnesses. For Husserl's phenomenology, superficial-structure embraces all kinds of objective consciousnesses. This deep and superficial structure is regarded as a founding-founded relationship.

In this founding-founded relationship, deep-structure takes priority over superficial-structure. Husserl reversed the routine by analysis of superficial consciousness before descending into the deeper ones. Yogācāra analysis is more loyal to its natural order.

The above comparative study might arouse other points outside the sphere of consciousness. The concept of superficial-structure and deep-structure is also often discussed in modern linguistics. For Rousseau, the problem of superficial-grammar and deep-grammar has been dealt with in manifold forms, whether in the form of "parole" and "langage" (Jean-Jacques *Rousseau*), or of "die Sprache" and "Sprachen" (Wilhelm von Humboldt), or of "deep structure" and "surface structure" (Avram Noam Chomsky)

The isomorphism between the structures of consciousness and language can be explained by Humboldt's linguistic weltanschauung to some degree. He states: "We can see a language as a weltanschauung, or as a fashion of communicating different thoughts." For "the main influence language imposes is on the thinking power of human beings, especially on the creative power in their thinking process".[2] That is to say, according to Humboldt, language participates in the formation of the ideas, fusing with them; and their aggregate is the crystallization of the nature of human beings. In simple words, language not only determines weltanschauung, but itself is weltanschauung. There is therefore an intrinsic

[1] "According to other schools, at the time of birth or death, etc., there is a kind of mental consciousness that is extremely subtle and whose mode of activity and objects are imperceptible. They should realize that this is [really] the eighth consciousness, because the extremely effective mental consciousness is not like this." *Cheng Wei Shi Lun*, chap. III, p. 21; *Three Texts on Consciousness only*, p. 99.

[2] Wilhelm von Humboldt, *On the Diversity of Human Language Construction and its Influence on the Mental Development*, trans. by Yao Xiaoping, Beijing 2004, p. 35, p. 49.

common language in manifold national languages fashioned by itself, just like a common human nature kernel in manifold personalities.[1]

If consciousness is a dominating factor in language, the consciousness can be understood as "deep structure" which determines linguistic "deep structure". But if consciousness and language are two sides of one coin, it is justified to assert that the consciousness and language share one common deep structure.

Let us take one step further with Rousseau. We assume that human morality might also have its deep and superficial forms. The deep form of morality is moral principle and the moral principle has not changed much through out human history; or, at most it changed very slowly in epochs, cultures, nations, etc. As deep form of morality, the moral principle is the base of moral judgment which is superficial form.[2]

The last discussion is in addition to the focus of this article, but it does offer a broad background for the theory of deep and superficial structure parallels between Phenomenology and Yogācāra philosophy.

(Translated from Chinese original by CHEN Zhiyuan)

---

[1] For a more detailed discussion , see my essay " Behind the National Minds and Cultural Differentiae: From the Start Point of Wilhelm von Humboldt", in *Jiangsu Social Sciences*, No. 3, 2007, pp. 8-15, especially chapter 3, "The Weltanschauung of Language: Commonness and Personality".

[2] See, J.-J. Rousseau, *A Discourse upon the Origin and Foundation of the Equality among Mankind*, trans. by A. Cress, Indianapolis 1992. What I want to indicate here is only that tightly related with the origin of language, the natural moral sentiment and the reasoning moral theory he divides in fact are comparable to superficial-structure and deep-structure we have emphasized. For example, he states: "It is therefore quite certain that pity is a natural sentiment, which, by moderating in every individual the activity of self-love, contributes to the mutual preservation of the whole species. [...] it is this pity which will always hinder a robust savage from plundering a feeble child, or infirm old man, of the subsistence they have acquired with pain and difficulty, if he has but the least prospect of providing for himself by any other means: it is this pity which, instead of that sublime maxim of argumentative justice, Do to others as you would have others do to you, inspires all men with that other maxim of natural goodness a great deal less perfect, but perhaps more useful, Consult your own happiness with as little prejudice as you can to that of others. It is in a word, in this natural sentiment, rather than in fine-spun arguments, that we must look for the cause of that reluctance which every man would experience to do evil, even independently of the maxims of education." Ibid., pp. 38-39. The point was more detailedly developed in my essay "Moral instinct and moral judgment", in *Philosophical Researches*, No. 12, 2007, pp. 72-78.

5. Zero and metaphysic

Thoughts about being and nothing from mathematics, buddhism, daoism to phenomenology

I

In recent years, the world has seen books upon books published on various histories, of which I have read very few. Just name a kind of history, and you will find a book on it, from mirrors to psychosis, from cocaine to venereal disease. This is no wonder, for ours is a time particularly strong in its historical consciousness. People, being bored of searching for constants in life, have begun to favor and fancy drifting processes. Ours is an age constantly on the way.

When we say a person has a sense of history, we usually refer to the person who is inclined to considering a particular event against its background rather than focusing on the event alone. However, this "current historical consciousness ", in the final analysis, is an attitude that views the activity of perceiving and evaluating as more important than what is perceived and evaluated. Such is the case, for example, when talking about the truth or the good, as one pays no attention to the inquiry into what the truth or the good is, but is rather only interested in all kinds of perceptions and evaluations of the truth or the good in history. The post-modern age in which we find ourselves is one whose interest in getting hold of structure has been replaced by an interest in historical inquiry.

Robert Kaplan's *The Nothing That Is: A Natural History of Zero* could be viewed in this category. Its Chinese version only bears the original sub-title "*A Natural History of Zero*" while leaving out "*The Nothing That Is*" which may cause some difficulty in translation. Does it mean "*you de wu*"（有的无, the existing Nothing）or "*wu de you*"（无的有, the existence of the Nothing）? The Chinese version may owe the absence of "*The Nothing That Is*" in its title either to its untranslatability or to the *Zeitgeist* that holds sway over current historical consciousness.

II

Nevertheless, I am still fond of the book, because what is discussed there threads together random thoughts I have had. With "zero" as a thematic incision point, we can meditate on philosophical problems most metaphysical! A philosopher could talk about metaphysics as much as a mathematician about "zero".

However, let us just suppose, what would it be like if there were no zero in this world?

Not so terrible, it seems. There is no record of zero in the ancient history of China. Most likely, zero was brought to China by Buddhists and travelers from India. The ancient Chinese would say "*wu shi*"（五十, five-ten or five tens）or "*liu bai*"（六百, six-hundred or six hundreds）to denote 50 or 600, the same as the Greek used "murias" to denote 10000, and the Roman used X to signify 10. There seemed to be no problem. According to Kaplan zero came to the West around the tenth century CE, and had not existed there before then[1]. Although the Greeks had been the first to bring forward the notion of mathematics, their mathematicians - even those as great as Archimedes, able to think of numbers as large as 10^{63} - still had not invented a symbol for zero. Moreover, in their geometry, which was extremely well-known to Socrates, Plato and Pythagoras, there was neither zero nor the need for zero.

Thus, zero seems to be something dispensable rather than a defining feature of culture, though every cultured person has it at his disposal.

Nonetheless, we still need to make a distinction between the invention of the symbol for zero and the conception of the idea of zero. While it is true that neither China nor the West invented the symbol for zero, there are still some differences between the two; for instance, the idea of zero did occur to the Chinese quite early on, but was never conceived in Greece or in the West.

III

It is said that the symbol of zero was firstly invented by the Sumerians, as a stopgap when dealing with unsolvable problems, present off and on without being recognized as important. Later, as Kaplan relates, zero had been ridiculed in Greece and abandoned there for good; it lived easily and comfortably in India; in the presence of Westerners, it suffered an identity crisis, and ultimately appeared around Newton and began inhabit our age.[2]

It seems that the emergence of the symbol for zero was a quite accidental event. It had roamed all over the world, and would have disappeared if nobody had paid attention to it. Nonetheless, its final survival accounts for something inevitable, by which I mean the necessity of the idea of zero.

Different from the symbol of zero, the idea of zero appeared in more than one culture. We may think above all of the *śūnya*（空, empty）in Indian Buddhism, a term meaning an entity's unsubstantiality or illusory things. Of course one may also think of the *wu*（无, nothing）of Laozi, quite equivalent to "the Nothing" in the title of Kaplan's book, and so on.

Historically speaking, it was the Indians that for the first time (in 876 CE) made full use of the symbol of zero, a hollow circle. The symbol possibly came

---

[1] R. Kaplan, *The Nothing That Is: A Natural History of Zero*, Chinese version, trans. by Z. Feng/Y. Hao/ J. Ru, Beijing 2005, p. XIV.
[2] Kaplan, ibid., p. XIV.

from some Greek astronomical texts, but this does not matter, since the Greeks did not know how to cherish it. With this in view, Oswald Spengler deemed that Indian philosophy and religion were fit for the invention of zero. The Indians invented such a symbol to signify that zero, like the drive for achieving *Nirvāṇa*, is innate in every human being. [1]

As for China, "*ling*" (零, zero) in Chinese does not seem to be a loan word, but most likely is an indigenous term. Kaplan, though knowledgeable, struggles clumsily as he tries to give an account of "zero" in China. He concentrates on the pronunciation of "*ling*," which is semantically related to another word, "*luo*" (落, fall or decline). However, as a noun in ancient China, "*ling*" mainly denotes "the oddment of a number" and "the vacancy between numbers," and the latter of the two did not appear until the Ming Dynasty in usages such as "three million *ling* thirty thousand taels." Nonetheless, as seen from Kaplan's discourse, there are still people who speculatively attribute the invention of zero to the Chinese, as the *wu* (无, nothing) of Laozi is in all probability the initial origin of the idea of zero.

IV

Until now we have obviously encountered several different references to zero, which, interwoven together, prevent us from going further if they are not first defined.

First comes zero as the vacancy between numbers. This may be the common characteristic of all the original zeros: they came after real objects, used to indicate places where nothing exists. The symbols of zero in Greece, India, and ancient China all initially had this meaning. Aristotle gave the definition, "Vacancy is a space where no object happens to exist."[2] In fact, in such a space, there is not only no object, but in fact nothing at all, including numbers. For example, the two zeros in the number 500 indicate the lack of numbers in the places for ones and tens.

Strikingly different from this is another symbol for zero which is closely related to the idea of zero, namely the zero as nothing. For example, why did Laozi say "Being comes out of Nothing" (有生于无) instead of "Nothing is the lack of Being" (无是有的阙如)? Why do we always feel something wrong when "*śūnya*" is translated into English words like "void" or "empty?" Because the zero as "*wu*" or "*śūnya*" is not identical to the zero as a substitute for the absent; in other words, the zero between positives and negatives is not entirely identical to the zero as the vacancy between numbers.

It is much more difficult to understand the zero in the former sense than in the latter.

---

[1] Kaplan, ibid., p. 55.
[2] Qtd. in Kaplan, ibid., p. 79.

V

At first sight, the zero in the former sense seems to be "*wu*", while that in the latter sense to be "*śūnya*". Actually, this is not so.

The Indian "*śūnya*" (emptiness) is also opposite to "Being." The usual saying "*Rūpa* is *śūnya*"（色即是空, Matter is empty）implies that the phenomenal world, though abundant in its variance, is in the final analysis nothing other than the result of the assembling and dispersing of *hetu-pratyaya*（因缘, indirect cause）, and hence an illusion. This is the negative aspect of "*śūnya;*" yet it still has a positive aspect, implying the emptiness and clearness of the *karma*（理体, law）, which denotes "mind" in this case - a mind without any stain or anxiety. The so-called "all phenomena are mind-only"（万法唯识, mind only, *vijñapti-mātratā*）refers just to this second sense of "*śūnya*".

Francois Jullien defines metaphysics as the perceptual/rational dichotomy of the world[1], which is in harmony with Martin Heidegger's regarding the *sinnlich-übersinnlich* (sensual and supersensual) dichotomy of the world as "the foundation of metaphysics in the West"[2]. According to this definition, there would be metaphysics in Buddhism, that is, metaphysics as the doctrine of "*śūnya:*" a negation of the sensual world (*rūpa*) and an affirmation of the rational world (*karma*). Jullien's denial of the existence of metaphysics in ancient China demands more discussion later.

This "*śūnya*" has something in common with the "nothingness" in Jean-Paul Sartre's *Being and Nothingness*. When Buddhism was first introduced to China, "*śūnya*" was translated as Laozi's "*wu*", and there is some understandable reason for this rendering. Besides the fact that "*wu*" in Chinese has the connotation of "emptiness" as well, "*śūnya*" and "*wu*" obviously share an intrinsic affinity: that is, they are both negative, and both emphasize the difference of their own mode of being from that of reality. Compared to the existence of reality, both are "emptiness" instead of "substance," "nothing" instead of "being." Nonetheless, neither of them is "emptiness" or "nothing" in the true sense of the word.

However, as our understanding goes deeper, we discover that there is a radical difference between the "*śūnya*" in Buddhism and the "*wu*" in Daoism. The key point here involves the understanding of "*karma*" (law), and can be unfolded by way of an inspection of Heidegger's thoughts on metaphysics.

---

[1] F. Julien, *The Foundation of Morality*（道德奠基）, Beijing 2002, p. 163.
[2] M. Heidegger, *Unterwegs zur Sprache*, Pfullingen 1990, p. 101.

VI

At the beginning of his *Einführung in die Metaphysik* (*The Introduction to Metaphysic*), Martin Heidegger, as a modern metaphysician, raises the question, "Warum ist überhaupt etwas und nicht vielmehr Nichts?"[1] ("Why is there some thing rather than nothing?") He takes this as the question of primary importance in philosophy, embarking on a rough and zigzagging road which is marked with milestones from the differentiation between Sein (Being) and Seinendes (beings), to the differentiation between Nichts (nothing) and Seiendes (beings), to the differentiation between Leere (empty) and Seinendes (beings).

In his *Sein und Zeit* (*Being and Time*), Heidegger raises the problem of ontological diversity by distinguishing Sein (Being) from Seinendes (beings). However, he soon comes to realize that people have blamed the confusion caused by the ambiguous usage of "Sein" on his own confused mind. Yet he admits that his earlier thinking was not so well developed, and thus unable to "nennen, was er sucht" ("name the thing he was still looking for).[2]

After 1929, Heidegger began to avoid using the word "Sein," since "applying the notion of being extant falls short in enumerating all those existent"[3]. He then turned around to employ "Nichts" (nothing) to name the thing he was looking for.[4]

However, Heidegger soon discovered that his intention was misunderstood once again, and his use of "Nichts" was understood, at least in Europe, as a kind of nihilism. Under such circumstances, he finally attempted to use "Leere" (empty) to signify what he had expressed in "Sein" and "Nichts", that is, *das Wesende*: "Die Leer ist dann dasselbe wie das Nichts, jenes Wesende naemlich, das wir als das Andere zu allem An- und Abwesenden zu denken versuchen."[5] ("*Leere* and *Nichts* are the same thing, that is, *das Wesende* that we try to consider as different from all the things presenting or not presenting.")

The presenting or the present/absent are on one side, and *das Wesende* on the other. It is the opposition of the two sides that makes Western metaphysics possible. Later, Heidegger also used the notion of "sinnlich" (sensual) and "nichtsinnlich" (not sensual), or übersinnlich (supersensual) to define this opposition.

Heidegger used to sigh over the fact that his thought was misunderstood much more in Europe than in Asia. The emergence of such a situation quite possibly has something to do with the lack of comprehension and consideration of "nothing" and "empty" in Greek and Western thought. Ever since Parmenides

---

[1] Heidegger, *Einführung in die Metaphysik*, Tübingen 1958, p. 1.
[2] Heidegger, *Unterwegs zur Sprache*, ibid., p. 110.
[3] Heidegger, *Einführung in die Metaphysik*, ibid., p. 203.
[4] Later on he also used "Seyn" or a crossed "Sein", ect.
[5] Heidegger, *Unterwegs zur Sprache*, ibid., p. 108.

made remarks such as "[it] is and [it] is impossible for [it] not to be ..."[1], the Westerners have viewed meditation on "nothing" as identical with the promotion of "nonsense" or "nihilism."

This may be the reason why "zero" was ridiculed in Greece while esteemed in India.

VII

At this point, the problem already seems to have been fully discussed. But the expert readers will demur: hold on! If "nothing" and "emptiness" are understood in the rational sense, then they are not totally absent among the Greeks, since Plato made a distinction between the world of appearance and the world of ideas, and such a two-fold division of the world bears a resemblance to Jullien's perceptual-rational division and Heidegger's differentiation between *sinnlich* and *übersinnlich*, or between phenomenon and essence. Such a division expressed in the modern digital world's binary system would be like this: 1 represents the former "Being", and 0 the latter "Nothing." All the things in this world could be constituted by these two symbols.

From this point of view, how could we say that the Greeks or Westerners have no idea of "nothing," "empty," or "zero"? To answer this question, we should first acknowledge that what the word "metaphysics" refers to is more than the perceptual-rational dichotomy. This also involves our understanding of Chapter 1 of *Daodejing*（道德经）by Laozi：“*Wu* (Nothing) is the name of the origin of the world; *you* (Being) is the name of the source of all things."（无，名天地之始；有，名万物之母）If, following Ren Jiyu's opinion, we are to understand the division between "*you* (Being)" and "*wu* (Nothing)" in terms of categories in Western philosophy such as "particularity and generality" or "phenomenon and essence"[2], Jullien's opinion that China lacks metaphysics will be met with a powerful refutation. However, such an explanation does not hold when applied to Chapter 41 of *Daodejing*, where it reads: "For though all things under heaven are the products of *you* (Being), *you* (Being) itself comes out of *wu* (Not-being)."（天下万物生于有，有生于无）We would not take it as implying that all things under heaven originate from particularity or phenomena, while particularity or phenomena in turn originate from generality or essence, would we?

Obviously, the expression "originating from" refers to a process of generating and becoming, not a static mode of relation. This could also be illuminated by the relationship between zero and other numbers: what can be marked with 1

[1] G. S. Kirk, J. E. Raven, and M. Schonfield, *The Presocratic Philosophers, A critical history with selection of texts*, Cambridge 1983, p. 245.
[2] Ren, Jiyu, "A Study on Laozi"（老子的研究）, in *A Collection of Essays on the Philosophy of Laozi*（老子哲学讨论集）, Beijing 1959, p. 22.

or any other number could either be an object or an assembly of things, or an idea or a number. In this sense none of them has anything to do with zero. The only possible relation they may have with zero lies here: they all initially originate from zero, owing their very being to zero. Zero is neither positive nor negative, but resides between the two poles of positivity and negativity, constituting the center of all things. However, zero is empty, and from it all things metaphysical unfold themselves.

Here our reflection could be aided with an explanation made by Heidegger of "freedom." He sums up three conceptions of freedom when explaining Schelling's account of freedom:[1]

> 1. Freedom as the self-reliant capacity, the unrequired foundation of the very first in a course of events (Freiheit als das einer Begruendung unbeduerftige Selbstanfangen einer Reihe von Vorgaengen, das Von-sich-aus-können);
> 2. Freedom as a state of being exempt from something; i.e., when we say that the patient is free from fever, or that this is tax free (Freiheit als Freisein von etwas; wenn wir sagen: der Kranke ist fieberfrei, oder dies ist steuerfrei);
> 3. Freedom as a state of being towards something, the voluntary commitment to something (Freiheit als Freisein zu etwas, das Sichselbstbinden an etwas).

We can employ these conceptions of freedom to summarize the meaning of the metaphysical zero we have thus far discussed: with the second conception put aside (though it is able to illuminate the zero in a static sense), the first and third ones just expose zero in the genetic sense, which is also the genuine meaning of the metaphysical zero. It seems that Heidegger himself had also noticed the relationship between these two conceptions and the genuine idea of freedom: "Dieser letztgenannte Begriff der Freiheit leitet über zum Verständnis des ‚eigentlichen' Freiheitsbegriffs (unter Einbau von 1)." ("the last mentioned conception leads to the understanding of the 'genuine' idea of freedom (under the installation of the first conception)."[2]

If we look further, then we can finally say that the concepts such as Laozi's "*ziran*" 自然 (nature) ,Yogacara Buddhist "*svabhāva*" (self-nature)[3], Kant and Schelling's "Freiheit" (freedom)[4], and Heidegger's "Ereignis" (Event) more or less all point to zero in a genetic sense.

---

[1] Heidegger, Schelling: Vom wesen der menschlichen Freiheit, ibid., p. 144.
[2] Heidegger, *Schelling: Vom wesen der menschlichen Freiheit,* ibid., 1988, p. 143.
[3] "自性有两义，一无始，二无因。"(Svabhāva has two meanings, one is without beginning, the other is without causation.) See *CBETA*, *Chinese Buddhist Electronic Text Association* (CBETA), Vol 31, No. 1616, 0862a24.
[4] The notion of *Freiheit* with Kant is quite in harmony with the notion of nothing or zero. At least, two of his definations of Nichts could be used on *Freiheit* smoothly: 1. It is a notion without object; 2. It is a notion about the lack of object. (See I. Kant, *Kritik der reinen Vernunft*, Hamburg 1993, A 290-291/A 347-348)

VIII

This is metaphysics in another sense. Such a metaphysics is not the epistemological metaphysics based on the perceptual-rational dichotomy, but the genetic metaphysics based on the source-evolution (or origin and derivate) dichotomy. The former relates to nouns, and the latter to verbs. It is the former epistemological metaphysics rather than the latter genetic metaphysics that is absent among the Chinese in ancient times.

We could also make a summary from the viewpoint of Husserl. Though he insisted on not discussing metaphysical problems, when he required that the reality of all worldly things be regarded as something dubious and transcendent, to be parenthesized and remain only in the inner consciousness seeking a grasp of its essential constitution, Husserl was already engaged in metaphysics in the former sense. When he pondered on the state of unconsciousness before a consciousness-act (noesis) occurs, he was also involved in metaphysics in the latter sense.

The latter is key and deserves our full attention here: Husserl signified unconsciousness as the *zero* of consciousness vigor, but his view of zero differs from my explanation of zero in this paper, as he deemed that the zero in this sense is not equal to absolute nothingness. Take for instance, something that I am not aware of and that I am thus unconscious of in this sense, that is, without any consciousness vigor, it could still remain forever in the background of my thinking, constantly and subtly impacting my conscious activity, and, at any moment, being called up into consciousness by an association. In this sense, although unconsciousness is the zero of consciousness vigor, it is not absolute *Nichts* (nothing).

Thus, via Husserl, four basic phases from unconsciousness to consciousness can be distinguished: (1) *Nichts* (nothing); (2) *Null* (zero) *leer* (empty), *unbewusst* (unconscious); (3) *die affektive Kraft* (the affective power) *bzw. die Aktregung* (or the act-motion) and (4) die *Anschaulichkeit* (intuitiveness) *bzw. Bewusstsein von etwas* (or consciousness of something).[1]

Now, it seems that we have taken one more step towards the horizon of an eternally unattainable metaphysics by dint of thoughts about zero.

Zero represents the domain of metaphysics: we can infinitely approach closer and closer, but can never in the end reach it. Though serving as at once the point of convergence and the point of divergence for all relationships, zero has no definable content of its own. Such is the essence of zero, and that of metaphysics as well.

It *is* empty (it exists in the mode of emptiness), but it *is* (it exists); it *is* nothing (it exists as nothing), but it *is* (it exists).

---

[1] E. Husserl, Hua XI, *Analysen zur passiven Synthesis*, Den Haag 1966, p. 167.

IX

When Nietzsche and Wittgenstein tried to abolish metaphysics, they perhaps should have thought for a moment if they could get rid of this zero, a metaphysical oddity that is nothing and yet still is.

Surely, an opinionated reader may still insist that even if zero cannot be abolished, there are no "zerology" specialists at all. The "study of zero" is no more than a side issue for mathematicians. Similarly, though metaphysics itself cannot be abolished either, the existence of metaphysicians is therefore also not necessary. Indeed, the Spanish thinker José Ortega y Gasset used to serve as "professor of metaphysics" at Madrid University. Such a title sounds awfully strange to our ears. However, the Danish phenomenologist D. Zahavi is still proving the unavoidability of metaphysics and has defined seven types of metaphysics, of which one is "as an answer to the old question of *why* there is something rather than nothing."[1]

Is metaphysics still something indispensable like air, as Kant puts it? In viewing its many aspects, the answer should be in the affirmative. As for the necessity of metaphysicians, all one can do for the time being is wait and see.

(Translated from the Chinese original by CHEN Zhengzhi)

[1] D. Zahavi, "Metaphysical Neutrality in *Logical Investigations*", in *The Phenomenological and Philosophical Research in China — SPECIAL ISSUE, Phenomenology in China: The Centennial of Edmund Husserl's Logical Investigations*, Shanghai 2003, p. 163.

6. Das Phänomen „Koyi" im interkulturellen Verstehen

Eine interkulturell-geschichtliche und phänomenologische Analyse

I. Der historische Befund des „Koyi" (格义)

Es ist ein uraltes und aktuelles Bestreben zugleich, den interkulturellen Austausch zwischen verschiedenen Kultur- und Denkhorizonten zu ermöglichen. Blickt man etwa auf die lange Geschichte Chinas zurück, so sind zwei zentrale Vorgänge des Kulturaustauschs festzustellen:

Der eine Vorgang betrifft die Kulturverständigung zwischen dem indischen Buddhismus und der chinesischen Eigenkultur und erfolgt zwischen dem 2. (erste Übersetzungen) und dem 11. Jahrhundert n. Chr. (wobei die intensivste Periode in das 4. bis 8. Jahrhundert fällt). In dieser Zeit und in der Zeit danach bilden Buddhismus, Konfuzianismus und Daoismus allmählich zusammen den Kern der chinesischen Kultur, was man in gewisser Hinsicht für einen vollendeten Prozess der Kulturverständigung halten kann. Als Element der chinesischen Kultur hat der Buddhismus seither an jeder wichtigen kulturellen Entwicklung in China mehr oder weniger Anteil.

Das andere wichtige Ereignis des Kulturaustauschs in der chinesischen Geschichte findet zwischen der abendländischen und der chinesischen Kultur statt. Dieser Kulturverschmelzungsprozess begann unmittelbar nach dem Opiumkrieg (1840) und setzt sich m. E. bis heute fort.

Da dem Anschein nach der erste interkulturelle Prozess organisch und nicht wie der zweite unter Zwang verlief und somit eine tiefer gehende Umgestaltung zur Folge hatte, diente er der interkulturellen Forschung häufig als empirisches Beispiel. Eben aus diesem Grund werde ich in meiner Untersuchung den Kulturaustausch zwischen China und Indien bevorzugen, obwohl das zu diskutierende Thema „Koyi" eine Methode ist, die nicht nur im ersten, sondern auch im zweiten interkulturellen Prozess zum Zuge kam.

§ 1. Der engere und der weitere Sinn von „Koyi"

Bei dem Begriff „Koyi", der im alltäglichen Sprachgebrauch kaum, in der philosophischen Terminologie jedoch ab und zu verwendet wird, ist ein engerer von einem weiteren Sinngehalt zu unterscheiden:

Der *engere Sinn von Koyi* bezieht sich auf die ursprüngliche Methode, die bei der Einführung des Buddhismus in China konkret verwendet wurde. Die grundlegende Bedeutung von Koyi in diesem Sinne ist, der Erklärung des chinesischen Philosophen Tang Yongtong zufolge, nicht „die einfache, weitumfassende, allgemeine Vergleichung zwischen dem chinesischen und indischen Denken", sondern „die besondere Verfahrensweise, jeweilige Ideen oder Wörter aus verschiedenen Gebieten einander gegenüberzustellen bzw. gleichzusetzen."[1] Dabei bedeutet „Ko" Angleichen bzw. Anmessen, während „Yi" auf den Namen, den Begriff, die Idee Bezug nimmt. „Koyi" meint also die Methode der Entsprechung zwischen Ideen bzw. Begriffen.

Aus der Literatur kann man erfahren, dass die Methode Koyi im engeren Sinne zunächst in der früheren Zeit der Jin-Dynastie, also etwa im 3. Jahrhundert auftaucht. In der Liang-Dynastie schreibt der buddhistische Historiker Hui Jiao (497-554) in seinem Werk *Gao Seng Zhuan* (*Biographien von großen Mönchen*, Buch 4) über den Mönch Fa Ya der Jin-Dynastie, der nicht nur die buddhistische, sondern von Kindheit an auch die außerbuddhistische Lehre (Wai shu) kannte: „Die Schüler von Fa Ya waren damals [...] mit den buddhistischen Doktrinen nicht vertraut. So erklärt Fa Ya zusammen mit Kang Fa Lang und anderen die buddhistischen Begriffe und Regeln im Vergleich mit den außerbuddhistischen Büchern, um sie den Schülern verständlich zu machen. Diese Methode wurde als Koyi bezeichnet. Auch Pi Fu, Xiang Tan usw. verwenden Koyi zur Ausbildung der Schüler."[2]

Zur Methode Koyi gehört auch das Verfahren „Lian lei" (Verknüpfung des Gleichartigen). Ebenfalls im Werk von Hui Jiao (Buch 6) wird in Bezug auf den buddhistischen Mönch Hui Yuan berichtet, dass Hui Yuan „mit 24 Jahren bereits Reden hält. Die Zuhörer verstehen die jeweiligen Ideen und Begriffe oft nur mit großen Schwierigkeiten; sie nehmen viel Zeit in Anspruch, vermehren dadurch jedoch nur den Zweifel. Hui Yuan führt dann die Lehre von Zhuangzi ein zur Verknüpfung des Gleichartigen (Lian lei), so kommt der Verwirrte ins Klare."[3] Y. Q. Chen meint dazu: „Über die buddhistischen Ideen und Begriffe zu reden und dabei die Lehre von Zhuangzi zur Verknüpfung (Lian lei) einzuführen, das ist dem Koyi ähnlich."[4] Ein geeignetes und konkretes Beispiel für Koyi im engeren Sinne ist es, dass man die buddhistische Kategorie „Leere" (Shunyata) mit dem daoistischen Zentralbegriff des „Nichts" (Wu) gleichsetzt und dementsprechend interpretiert.[5]

Der *weitere Sinn von Koyi* beschränkt sich dagegen nicht nur auf Parallelen zwischen buddhistischen und chinesischen Ideen, sondern erweitert sich bis zu jener Methode, welche die eigenen chinesischen Begriffe mit ähnlichen fremdkulturellen Begriffen vergleicht und diese durch jene interpretiert, damit anhand vertrauter eigenkultureller Vorstellungen die fremde Lehre verstanden und ange-

---

[1] Tang, Y., „Über Koyi – die früheste Methode zur Verschmelzung des indischen Denkens mit dem chinesischen" (Erste Veröffentlichung im Jahre 1948 auf englisch), in: ders., *Lehren vom Prinzip, vom Buddismus und vom Geheimnis*（理学、佛学、玄学）, Beijing 1991, S. 284.

[2] Hui Jiao, *Biographien von großen Mönchen*（高僧传）, überarbeitet und dokumentiert von Tang, Y., Buch 4, Beijing 1992, S. 152.

[3] Hui Jiao, *Biographien von großen Mönchen*, a.a.O., Buch 6, S. 212.

[4] Chen, Y., *Ausgewählte historische Schriften von Chen Yin Que*（陈寅恪史学论著选集）, Shanghai 1992, S. 114.

[5] Vgl. Wu, R., *Großes Lexikon für Buddhismus*（佛学大辞典）, Beijing 1994, S. 373.

eignet werden könne. Somit wären alle Methoden des Vergleichs von alten und neuen bzw. eigenen und fremden Begriffen als „Koyi“ zu bezeichnen. Beispielsweise versuchten die Vertreter des Neudaoismus He An (190-249) und Wang Bi (226-249) ursprünglich, d. h. vor der Bildung des Koyi im engeren Sinne, bereits in der Zeit der Wei- und Jin-Dynastie, den Konfuzianismus durch Lehren von Lao Zi und Zhuang Zi zu interpretieren. Diesbezüglich ist Y. T. Tang der Ansicht, dass man sogar in der Han-Dynastie das Modell Koyi verwendet hat, um mittels der uralten philosophischen Lehren der Yin-Yang-Schule den Konfuzianismus und Daoismus zu erklären; und dieses Erklärungsmodell sei während der Jin-Dynastie die Hauptquelle der Verwendung des Koyi im engeren Sinne.[1] Auch nach dem Verfall der Methode Koyi im engeren Sinne begegnet man noch des Öfteren ihrer Anwendung: Y. Q. Chen meint zwar, worauf noch zurückzukommen sein wird, dass Koyi „ein Ereignis vor der Ankunft Kumārajīvas[2] in China ist“; mit dem Beispiel, dass das in der früheren Sui-Dynastie geschriebene Buch *Yan shi jia xun* (Familienregeln von Yan) noch die buddhistischen Wu Jin (die fünf Gebote für buddhistische Upasakas: keine Tötung, kein Diebstahl, keine Unzucht, keine Lüge, kein Alkohol) mit den konfuzianischen Wu Chang (den fünf konfuzianischen Normen: Menschlichkeit, Gerechtigkeit, Sittlichkeit, Weisheit, Vertrauen) vergleicht, weist er jedoch in derselben Schrift darauf hin, dass Koyi „zwar selten in der alten Literatur erwähnt, aber in der Zeit danach häufig angewandt“ wurde.[3] Der Widerspruch, der in den beiden Aussagen zutage tritt, ist darauf zurückzuführen, dass Chen nicht ausdrücklich den engeren von dem weiteren Sinn von Koyi unterschieden hat. Auch in der Neuzeit, während des Kulturaustausches zwischen China und dem Abendland, so meint Y. L. Feng, hat Yan Fu, der erste namhafte Kenner der westlichen Kultur und Denkweise, bewusst die Methode Koyi im weiteren Sinne benutzt: „Vom Standpunkt der abendländischen Lehren her betrachtet er die chinesischen Lehren und wendet hierfür Koyi an“.[4] Yan Fu findet z. B., dass *Zhou yi* die Methode der Deduktion gebraucht, weil es vom Allgemeinen zum Spezifischen herabschreitet; dass *Chun Qiu* dagegen die Methode der Induktion verkörpert, sofern es vom Spezifischen zum Allgemeinen aufsteigt.[5] Schließlich, um noch ein wichtiges Beispiel anzuführen, versteht Feng selbst unter Koyi alle Vorgehensweisen, die einen alten Gesichtspunkt aus neuen Gesichtspunkten interpretieren und umgekehrt,

[1] Tang, Y., „Über Koyi – die früheste Methode zur Verschmelzung des indischen Denkens mit dem chinesischen“, a.a.O., S. 286.
[2] Kumārajīva (344-413) gilt als bedeutendster Übersetzer buddhistischer Sanskrit-Texte Chinas.
[3] Chen, Y., *Ausgewählte historische Schriften von Chen Yin Que*（陈寅恪史学论著选集）, a.a.O., S. 100, S. 103, S. 114.
[4] Feng, Y., *Geschichte der chinesischen Philosophie in neuerer Fassung*（中国哲学史新编）, Beijing 1992, Bd. 6, S. 153.
[5] Vgl. Yan, F., „Vorwort für die Übersetzung von *Evolution and Ethics* von Th. H. Huxley“, in: *Ausgewählte Literatur für den Unterricht in der Geschichte der chinesischen Philosophie*（中国哲学史教学资料）, Bd. 2, Beijing 1982, S. 497.

sowie vom chinesischen Gesichtspunkt her den abendländischen und umgekehrt, wie etwa in der Behauptung: Chen-Zhu-Li-Xue (die Lehre vom Prinzip bei Chen und Zhu) sei der objektive Idealismus, Lu-Wang-Xin-Xue (die Lehre vom Bewusstsein bei Lu und Wang) sei der subjektive Idealismus usw.

Im Grunde genommen ist also die Unterscheidung zwischen dem engeren und dem weiteren Sinn von Koyi eine bereits in der Geschichte vorzufindende Tatsache, selbst wenn sie zuvor nicht ausdrücklich fixiert wurde.

2. Die charakteristische Bestimmung des Koyi

Die erste Darstellung und Behandlung des Phänomens Koyi gibt der Beitrag des bedeutenden Historikers Y. Q. Chen aus dem Jahre 1933.[1] Obgleich seine Untersuchung den Schwerpunkt auf die Textkritik legt, vermag sie das aktuelle Probleminteresse auf dieses wichtige Phänomen in der Geschichte des Kulturaustauschs zu lenken. So schreibt Chen in seinem Aufsatz: „Was die Sache Koyi anbelangt, so wurde sie zwar selten in der alten Literatur erwähnt, jedoch in der Zeit danach häufig angewandt. Was insbesondere seine Quellen und Schulen betrifft, gibt es meines Wissens noch keine ausführlichen Studien. Da Koyi das erste Ergebnis der Vermischung von Gedanken unserer Nation mit denen anderer Nationen darstellt, erweist es sich als notwendig, Koyi in der philosophischen Geschichte unseres Landes zu berücksichtigen. Aus diesem Grund folgt hier eine allgemeine Untersuchung dieses Phänomens, um so die Gelehrten zur Kritik herauszufordern."[2] Ein Echo erhält Chen erst nach 15 Jahren in Form einer Monografie des Autors Y. T. Tang mit dem Titel „Über Koyi – die früheste Methode zur Verschmelzung des indischen Denkens mit dem chinesischen". Wie der Titel verrät, bezeichnet Tang Koyi als „die erste Methode, mit der die chinesischen Gelehrten versuchen, das indische und das chinesische Denken ineinander aufgehen zu lassen."[3] Später gibt Y. L. Feng in seinem *Zho guo zhe xue shi xin bian* (Geschichte der chinesischen Philosophie in der neueren Fassung) „der ersten Stufe in der Entwicklung des Buddhismus in China" den Namen Koyi.[4] Was mit dem Wort „erst" oder „frühest" usw. gemeint ist, enthält eine doppelte Bedeutung:

1. Koyi ist eine eröffnende, konkret ansetzende, und in dieser Hinsicht notwendige Methode im Prozess der interkulturellen Begegnung.

---

[1] Chen, Y., „Untersuchung zur Lehre von Zhi Min Du" (Erste Veröffentlichung im Jahre 1933), in: *Ausgewählte historische Schriften von Chen Yin Que*（陈寅恪史学论著选集）, a.a.O., S. 90-116.

[2] Chen, Y., „Untersuchung zur Lehre von Zhi Min Du", a.a.O., S. 103.

[3] Tang, Y., „Über Koyi – die früheste Methode zur Verschmelzung des indischen Denkens mit dem chinesischen", a.a.O., S. 282.

[4] Feng Youlan, *Geschichte der chinesischen Philosophie in neuerer Fassung*（中国哲学史新编）, Beijing 1992, Bd. 4, S. 213ff. Feng teilt die Entwicklung des Buddhismus in drei Stufen ein: Stufe des Koyis, Jiao men (Stufe der Erfassung der originalen Doktrin), Zong men (Stufe der Gründung der eigenen Richtung).

Nach Feng besagt Koyi „einen notwendigen Prozess der gegenseitigen Verständigung bei der Begegnung zweier Kulturen".[1] Wie man zu Beginn des Erlernens einer Fremdsprache den fremdsprachigen Satz entsprechend in die eigene Sprache übersetzen muss, um ihn zu verstehen, so „ist ein ähnlicher Prozess festzustellen bei der Einführung der Philosophie eines Landes in ein anderes Land."[2] Diese Formulierung beschreibt den positiven Charakter von Koyi. Eine Begründung für die Notwendigkeit dieses Prozesses kann man bei Feng jedoch nicht finden. Dies soll die Aufgabe der vorliegenden Arbeit sein. Sie wird zeigen, dass der Aneignungs- bzw. Verschmelzungsprozess von Koyi notwendigerweise und ausnahmslos am Beginn der Begegnung zwischen unterschiedlichen Kulturen zu bemerken ist und dass dies nicht, wie manche meinen, einer Eigentümlichkeit des chinesischen Volkes, nämlich ihrer außerordentlich starken Assimilationsfähigkeit in Bezug auf fremde Kulturen, zu verdanken ist.[3]

2. Koyi stellt eine anfängliche, unausgereifte und vorübergehende Methode im interkulturellen Prozess dar.

Dies ist die negative Bestimmung der Methode Koyi. Sie stimmt mit dem überein, was E. Holenstein mit Recht als „historisierende Unterordnung fremder Kulturen unter die eigene Kultur als Relikt früherer Phasen der eigenen Kulturentwicklung"[4] bezeichnet. Sowohl die Untersuchung bei Y. Q. Chen wie auch die Monographie von Y. T. Tang führen schließlich auf diese Bestimmung zurück. So meint Chen: „Koyi [...] ist ein Ereignis vor der Ankunft Kumārajīvas in China. Nach der Erscheinung seiner Übersetzungen der buddhistischen Bibeln erkennt man, dass seine Übersetzungen so gründlich, korrekt und fließend sind, dass es in der Geschichte der Übersetzung kaum eine vergleichbare gibt. So erfahren diejenigen, die Koyi verwenden, dass die neuen übersetzten Begriffe nicht so unklar und so weit hergeholt sind wie die früheren und kaum vergleichbar mit den außerbuddhistischen Ideen."[5] Bei Tang finden wir dann eine noch ausführlichere Erörterung: „Im Allgemeinen haben die Ideen der verschiedenen Nationen auf der Welt ihre eigenen Wege der Verständigung. Die Begriffe haben ihre eigenen Bedeutungen, die häufig dem Verständnis anderer Nationen Schwierigkeiten bereiten. Die Kultur einer Nation stößt am Anfang ihrer Übertragung in eine andere Nation immer wieder auf Widerstand. Erst nach langer Kommunikation kann eine vertiefte Verständigung erfolgen. Nun scheinen die Ideen der beiden Nationen Gemeinsamkeiten aufzuweisen. So versucht man mit den eigenen Prinzipien und Begriffen das fremde Denken einzuordnen und zu prüfen. Das ist der Grund, warum in der früheren Jin-Dynastie die Methode

[1] Feng, Y., *Geschichte der chinesischen Philosophie in neuerer Fassung*（中国哲学史新编）, a.a.O., Bd. 6, S. 152.
[2] Feng, Y., *Geschichte der chinesischen Philosophie in neuerer Fassung*（中国哲学史新编）, a.a.O., Bd. 4, S. 213.
[3] Diese Ansicht vertritt z. B. Liu Kangde in seinem Buch *Feminine Kultur*（阴性文化）, Shanghai 1994, S. 232-236.
[4] E. Holenstein, *Menschliches Selbstverständnis*, Frankfurt a. M. 1985, S. 121.
[5] Chen, Y., „Untersuchung zur Lehre von Zhi Min Du", a.a.O., S. 103.

Koyi verbreitet war. Im weiteren Prozess des Kulturaustausches entsteht eine tiefere Kenntnis, so dass man bei der Prüfung des Denkens der anderen Nation schließlich erkennt, dass dieses seine eigene lange und komplizierte Herkunft hat und es doch Differenzen zu dem Denken der eigenen Nation gibt. Das ist dann der Grund, warum die Methode Koyi nach Dao An (317-385) und Kumārajīva verworfen wird. Überdies ist der Buddhismus eine fremde Religion, die nicht schon bei der Einführung Glauben gewinnen kann. Darum nimmt man oft die eigenen Lehren und Begriffe als Beleg, um zu beweisen, dass das fremde Denken nicht abwegig ist. Sobald der Buddhismus blüht und gedeiht, gilt die Methode Koyi nicht mehr als nötiges Instrument."[1] „Nach Dao An [...] wird Koyi nicht mehr erwähnt."[2]

Der Literatur kann man ebenfalls Belege dafür entnehmen, dass nach Kumārajīva eine Kritik an der Methode Koyi einsetzt, so z. B. die Kritik von Dao An: „Die alte Methode Koyi findet oft keine Berechtigung."[3] Etwas später dann der Einwand von Seng Rui (355-439), dem Schüler von Dau An und Kumārajīva: „Koyi ist umständlich und dem Original widersprechend."[4]

II. „Koyi" als phänomenologisches Thema

Die vorliegende Arbeit verfolgt nicht nur das Ziel, die interkulturelle Methode Koyi historisch zu befragen und empirisch zu erforschen. Viel wichtiger ist die Aufgabe, von diesem exemplarischen Phänomen auszugehen und eine phänomenologische Analyse durchzuführen, die es ermöglicht, zentrale Komponenten sowie ihre wesentlichen Verhältnisse in allen gleichgearteten Prozessen interkultureller Verständigung zu erfassen.

§ 3. Die Möglichkeit einer phänomenologischen Analyse von Koyi

Bei diesem Versuch können wir uns auf Husserls phänomenologische Analysen zur Intersubjektivität bzw. Interkulturalität stützen. Wir finden in diesen Analysen zwei Begriffe, die eine parallele Bedeutung zum Begriff „Koyi" besitzen: „Analogisierung" und „Appräsentation". Diese Begriffe, die Husserl vor allem in der mitmenschlichen Begegnung lokalisiert, zugleich aber auch als „universales Phänomen der transzendentalen (und parallel der intentional-psychologischen)

[1] Tang, Y., *Geschichte des Buddhismus in der Zeit der Han- und Wei-Dynastie bis zu den Südlichen und Nördlichen Dynastien*（魏晋南北朝佛教史）, Beijing 1983, Zweiter Teil, Kapitel 9, S. 167ff.
[2] Tang, Y., „Über Koyi – die früheste Methode zur Verschmelzung des indischen Denkens mit dem chinesischen", a.a.O., S. 292f.
[3] Hui Jiao, *Biographien von großen Mönchen,* a.a.O., Buch 5, S. 195.
[4] Seng Rui, *Taisho Issaikyo*（毗摩罗诘经义疏序）, in: CBETA, No. 2145.

Sphäre" bezeichnet,[1] spielen für die Analyse interkultureller Kommunikation ebenfalls eine wichtige Rolle.

Neben dieser Parallelität zwischen den Begriffen „Koyi" und „Analogisierung" bzw. „Appräsentation" sei zunächst noch auf eine andere Parallele aufmerksam gemacht, auf die Husserl in seinen Analysen zur Konstitution der einen Welt in der Begegnung von Heimwelt und Fremdwelt des Öfteren hinweist. Gemeint ist die Strukturparallelität zwischen der ersten und zweiten Konstitutionsstufe der intersubjektiven Lebenswelt:[2] 1. Gemeinsame Lebenswelt mit dem anderen (Kulturgenossen) = Heimwelt. Gegenüber der Welt des Ich ist diese gemeinsame Lebenswelt mit dem Anderen bereits die zweite Primordialität. Hier handelt es sich um eine *Analyse zur Intersubjektivität* (Husserl gebraucht bekanntlich zur Beschreibung dieser Primordialität den Modus der assoziativen Paarung „als ob ich dort wäre", vgl. Hua I, 147); 2. die Überschreitung der Heimwelt durch Begegnung mit einer Fremdwelt. Diese Überschreitung führt bereits zur Bildung der dritten Primordialität, die wir als Modus der Ähnlichkeitsassoziation mit der Wendung „als ob sie Heimat wäre" fassen können (vgl. Hua XV, 625). Auch hier geht es um eine *Analyse zur Interkulturalität.* An diese Parallelitäten werden wir im Verlauf unserer Untersuchung immer wieder anknüpfen.

Zu erwähnen ist noch, dass diese Primordialitäten der zweiten und dritten Stufe auf die Primordialität der ersten Stufe zurückführen. In der Reihenfolge der Konstitution der Umwelt überhaupt erfolgt zunächst „die Selbstkonstitution des ego für sich selbst und in seiner primordialen[3] Eigenwesentlichkeit" und dann „die Konstitution aller Fremdheiten verschiedener Stufe aus Quellen der Eigenwesentlichkeit" (Hua I, 164). Daher ist es für Husserl einsichtig, dass nicht

---

[1] Husserl, *Cartesianische Meditationen*, Hua I, S. 142. Im Fall der Fremderfahrung bevorzugt Husserl sehr häufig den Terminus „Paarung", der die Analogisierung des *alter ego* durch das *ego* im Wahrnehmungsfeld charakterisiert. Die Notwendigkeit, dass „ego und alter ego [...] in ursprünglicher Paarung gegeben sind" (a.a.O., S. 142), gilt aber nicht mehr für den interkulturellen Prozess bzw. für die Analogisierung der fremden durch die eigene Kultur.

[2] Husserl hat sich in seinen zu Lebzeiten veröffentlichten Werken, vor allem in den *Cartesianischen Meditationen*, immer wieder schwerpunktmäßig mit dem Thema der Intersubjektivität beschäftigt. Eine „genauere Erforschung der Sinnesschicht, welche der Menschheits- und Kulturwelt als solcher ihren spezifischen Sinn gibt, sie also zu einer mit spezifisch *geistigen* Prädikaten ausgestatteten macht", hat er sich dort zwar „versagen" müssen, hebt aber zugleich die Notwendigkeit hervor, dass auch „die *Einfühlung* in die fremde Kulturmenschheit und ihre Kultur" „ihre intentionalen Untersuchungen" fordert (Hua I, S. 162). Erst in seinen Texten zum Thema der Intersubjektivität (s. *Zur Phänomenologie der Intersubjektivität*, erster, zweiter und dritter Teil, Hua XVII, XIV, XV) können wir feststellen, dass Husserl auch der Klärung interkultureller Verständigung in vielfacher Hinsicht vorgearbeitet hat. Eine sehr zutreffende „Rekonstruktion" dieser Systematik, einschließlich der erwähnten Strukturverwandtschaft zwischen Intersubjektivität und Interkulturalität, die in den einschlägigen Texten von Hua Band XV durchscheint, gibt Klaus Held im ersten Teil seines Aufsatzes „Heimwelt, Fremdwelt, die eine Welt", in: *Phänomenologische Forschungen*, Bd. 24/25, Freiburg/ München 1991, S. 308-324.

[3] In Hua I als „primordinal".

nur „durch Verknüpfung von Bewusstsein und Leib zu einer naturalen, empirisch-anschaulichen Einheit so etwas wie Wechselverständnis zwischen den zu einer Welt gehörigen animalischen Wesen möglich ist", sondern dass dadurch auch „jedes erkennende Subjekt die volle Welt mit sich und anderen Subjekten vorfinden und sie zugleich als dieselbe, sich und allen anderen Subjekten gemeinsam zugehörige Umwelt erkennen kann" (Hua III, 103f.).

§ 4. Koyi als Analogisierung

Kehren wir nun zu unserem Thema Koyi zurück, so können wir in ihm die beiden bereits erwähnten Faktoren der Analogisierung und Appräsentation als seine Wesenskerne erkennen:

Hinsichtlich des *Faktors der Analogisierung* zeigt sich die Begegnung verschiedener Kulturen auf der ersten Stufe ausnahmslos als ein assoziativer Vergleich des Eigenen mit einem ihm Ähnlichen, sei es einem Begriff, sei es einem Urteil. Den analogisierenden Vergleich im Fall der Fremdwahrnehmung bezeichnet Husserl als Paarung, d. h. also als „assoziativ konstituierende Komponente der Fremderfahrung" (Hua I, 141). Es ist eine evidente Einsicht, dass, wenn zwischen zwei einander fremden Kulturen überhaupt keine Ähnlichkeit besteht, die Anlass zu einer Ähnlichkeitsassoziation geben kann, keine interkulturelle Verständigung möglich ist.

Der Analyse zur Intersubjektivität können wir bereits entnehmen, dass die Ähnlichkeit, die zwischen meinem Körper hier und dem anderen dort besteht, die Voraussetzung für eine apperzeptive Auffassung des Letzteren als „anderer Leib" (Körper mit Seele) bietet. Dies gilt ebenfalls für die Konstitution der fremden Kulturwelt, wo „Ich und meine Kultur das Primordinale gegenüber jeder fremden Kultur sind" (Hua I, 162). So können wir als das Ergebnis der Konstitutionsanalyse des *alter ego* festhalten: *Nur eine innerhalb meiner Primordialitätssphäre die Fremdkultur mit meiner Eigenkultur verbindende Ähnlichkeit kann das Motivationsfundament für die analogisierende Auffassung der Ersteren als einer Kultur mit gewissen gemeinsamen Grundstrukturen abgeben.*

Die Frage, ob die prinzipielle Möglichkeit einer gegenseitigen Verständigung zwischen Kulturmenschheiten und ihren verschiedenen Kulturen besteht, muss also aus der Sicht der transzendentalphänomenologischen Konstitutionsanalyse mit ja beantwortet werden. Einige Forschungsarbeiten wie z. B. die von Klaus Held, die darauf Bezug nehmen, weisen bereits darauf hin, dass die Ähnlichkeitsassoziation von Heimkultur und Fremdkultur durchaus auf einer gemeinsamen Basis gründen kann.

Einerseits wird diese gemeinsame Basis, wie Held zeigt, durch das Urgenerative, das der Menschheit gemeinsam ist, geliefert. Dieses Urgenerative dient in der Tat als Grundlage, vermittels deren es erst möglich wird, in die Fremdwelt einzutreten bzw. in fremdes Bewusstsein sich einzufühlen. Unter den Phänomenen der Generativität, die Husserl in seinen späten Nachlassmanuskripten häufig erwähnt, versteht Held „a series of comparable patterns of behaviour and social structures“[1]. Diese sind bei allen Kulturmenschheiten zu finden und bieten somit die primäre Voraussetzung für ihre gegenseitige Identifizierung als „Kulturmenschen“. „When persons from different cultures“, so stellt Held fest, „were able at the first meeting of their respective cultures to understand each other, it was because they realized that phenomena such as these were meaningful to the ‚foreign' culture too.“[2] Diese Feststellung hat nicht nur für die Erforschung der interkulturellen Verständigung ihre Gültigkeit, sondern zugleich bzw. schon zuvor auch für die Thematisierung der intersubjektiven Identifizierung: Ein Körper dort kann ohne Weiteres als Leib eines anderen Ich aufgefasst werden; und dies geschieht nicht nur, weil der Körper dort so aussieht wie mein eigener hier,[3] sondern vielmehr dadurch, dass er sich ähnlich verhält, ähnliche Gesten vollführt, wie etwa beim Essen, Trinken, Gehen, Schlafen, Kundgeben und Empfangen usw., so dass in mir eine Ähnlichkeitsassoziation zwischen ihm und meinem eigenen Körper, der eben nicht nur ein Körper, sondern mein Leib ist, erweckt wird.

Zudem ist in engem Zusammenhang mit dem Urgenerativen sowie m. E. beim tieferen Vordringen zum Letztfundierenden noch etwas Wichtiges zu berücksichtigen, nämlich eine den Kulturmenschheiten gemeinsame Urgewissheit. Das ist die Urgewissheit gegenüber der Welt, in der die Kulturmenschheiten leben, die Urüberzeugung von deren raumzeitlicher Existenz, in die jede fremde Kulturwelt sich einordnen lässt. Husserl nennt sie den „Urauffassungs-Grundmodus“ (Hua XXIII, 222) des Bewusstseins, der nie verloren geht, selbst wenn man in eine bis dahin völlig unbekannte, nie zuvor erlebte Kulturwelt eintritt. Deshalb ist die Kulturwelt „als Welt von Kulturen orientiert gegeben auf dem Untergrund der allgemeinen Natur und ihrer raumzeitlichen Zugangsform, die für die Zugänglichkeit der Mannigfaltigkeit der Kulturgebilde und Kulturen mitzufungieren hat“ (Hua I, 162). Diese Auffassung stimmt mit Husserls These zum Fundierungsverhältnis zwischen der Konstitution der eigenen Umwelt des Ich und der gemeinsamen Heim-Umwelt mit Kulturgenossen sowie zwischen beiden und der interkulturellen Fremd-Umwelt mit Kulturfremden überein. In dieser Reihenfolge der Fundierung ist eine „Verkettung der Umwelten ins Unendliche durch Einfühlung möglich“ (Ms. C 11 III, 15).

Es ist klar, dass zu dieser einen, unendlichen, d. h. alles umfassenden Welt auch die geistige Welt einschließlich der sprachlich artikulierten und symbolisch erfassten gehört, die durch interkulturelle Verständigung höherstufig konstituiert wird. Auf diese Verständigung bezieht sich eben die Rede von Koyi. Nehmen

[1] Klaus Held, „Intercultural Understanding and the Role of Europe“, in: *The Monist*, Bd. 78, Nr.1, 1995, S. 6-7. Zur Generativität zählt Husserl nicht nur natürliche „Vorkommnisse“ wie Geburt, Altern, Krankheit, Tod usw., sondern auch kulturelle Traditionen wie Sprache u. dgl. (Vgl. Hua XV S. 168, Hua XXIX, S. 13.)

[2] Klaus Held, „Intercultural Understanding and the Role of Europe“, a.a.O., S. 7.

[3] Husserls Beispiel der Damenfigur im Panoptikum (vgl. Hua XI, S. 30ff.) zeugt bereits davon, dass bei der apperzeptiven Auffassung eines Anderen nicht nur das Aussehen, sondern vielmehr das Verhalten des *alter ego* die entscheidende Rolle spielt.

wir die Ähnlichkeitsassoziation als Beispiel; sie vollzieht sich beim Versuch des Verstehens eines fremden Kultursinnes, etwa eines Begriffs aus der mir fremden Kultur.

Noetisch betrachtet, wird der fremde Sinngehalt prinzipiell durch Angleichung an die eigenen Sinnbestände aufgefasst: Ihm wird ein Sinn verliehen, der im eigenen vertrauten Kulturhorizont bereits vorhanden ist. Diese Sinngebung bezeichnet Husserl mit Recht auch als „Fernüberschiebung" (Hua I, 147), also als apperzeptive Sinnübertragung von meiner Primordialität her, d. h. hier von meinem eigenen Kulturhintergrund auf einen fremden Kulturgegenstand.

Noematisch gesehen ist es notwendig, dass der fremde Kulturgegenstand in mir eine Assoziation erwecken kann, welche die Verbindung zwischen ihm und meiner Kulturwelt herstellt. Ohne diese Verbindung kann der Prozess der Verständigung nicht ansetzen. Der jeweilige fremde Kulturgegenstand wird dann entweder als sinnlos eingestuft oder überhaupt nicht verstanden. Findet hingegen eine Ähnlichkeitsassoziation statt, kann von einer interkulturellen Verständigung die Rede sein, die freilich ein nur oberflächliches Verständnis oder sogar ein volles Missverstehen enthalten kann.

§ 5. Koyi als Appräsentation

Aber hier berühren wir bereits den oben schon mehrmals angedeuteten *anderen wesentlichen Faktor* des Koyi, nämlich den der Appräsentation, die sich als ein weiteres wesentliches Strukturelement im Koyi feststellen lässt.

Der Begriff „Appräsentation" bedeutet bei Husserl im Allgemeinen „eine Mitvergegenwärtigung von ursprünglich nicht zu Gegenwärtigendem" (Hua XIV, 513). Es sei hier zunächst an das erinnert, was bereits bezüglich des Begriffes der Auffassung angedeutet wurde: Wie nämlich der Begriff „Apperzeption" aufgrund seines falschen terminologischen Gegensatzes zur Perzeption unpassend ist – worauf Husserl bereits in den *Logischen Untersuchungen* (LU II/2, A563/B291) hingewiesen hat –, ist der Begriff „Appräsentation" sowohl für den Problembereich der Fremderfahrung als auch für denjenigen der interkulturellen Verständigung aufgrund seines terminologischen Gegensatzes zur Präsentation nicht geeignet. Zum einen ist klar, dass, wenn bei der Fremderfahrung das vermöge der Analogisierung zwischen zwei physischen Körpern Appräsentierte, d. i. die psychische Seite des *alter ego*, „nie wirklich zur Präsenz kommen kann" (Hua I, 142) und wenn somit dem Ausdruck „Präsenz" derjenige der Appräsentation nicht entspricht, die beiden Begriffe ihre Kontrastfunktion verlieren.

Zum Zweiten ist eine terminologische Erklärung des Begriffes der Appräsentation und parallel auch des Begriffes der Präsentation nötig, wenn wir für die Problematik der interkulturellen Verständigung im Anschluss an Husserl von diesem Begriffspaar hier weiterhin Gebrauch machen wollen:[1] Das Wort „Präsen-

[1] Bei Husserl ist eine solche m. E. nötige Erklärung nicht zu finden, obwohl er in seinen Untersuchungen zur Interkulturalität den Begriff „Appräsentation" häufig verwendet hat.

tation“ in diesem Prozess ist nicht, wie normalerweise bei Husserl der Fall, mit der fundierenden, ja sogar der zuunterst fundierenden Erfahrungsart gleichzusetzen, die Husserl auch als „Gegenwärtigung“, „Perzeption“ bzw. „Wahrnehmung“ bezeichnet, sondern es bedeutet vielmehr ein präsentatives *Verstehen* auf der Grundlage der präsentierten wie re-präsentierten Ähnlichkeiten zwischen bestimmten Kulturen bzw. Kulturgegenständen. Und mit „Appräsentation“ ist hier in entsprechender Weise nichts anderes gemeint als „schlicht appräsentatives Verstehen“ (vgl. Hua XV, 436), d. i. „die mittelbare Intentionalität der Fremderfahrung (analogische Apperzeption)“ (Hua XV, 139f.).

Im Unterschied zum präsentativen Verstehen ist das appräsentative Verstehen ein leeres, unerfülltes. Es ist zwar mitbeschlossen in der Ähnlichkeitsassoziation, wirkt aber nur im Hintergrund, implizit. Genauer gesagt stellt das Präsentierte in der interkulturellen Verständigung ein solches Moment dar, das unmittelbar eine Ähnlichkeitsassoziation motiviert, während das Appräsentierte darauf noch keinen Bezug nimmt, höchstens in dem Sinne, dass es Möglichkeiten zu weiteren Motivationen liefern kann. Das Präsentierte verweist auf vorhandene Gemeinsamkeiten bzw. Ähnlichkeiten zwischen zweierlei Kulturen, das Appräsentierte hingegen entweder auf weitere mögliche Ähnlichkeiten oder mögliche Differenzen.

Das heißt also: Wie im Fall der Fremdwahrnehmung darauf zu achten ist, „dass sie nur appräsentieren kann dadurch, dass sie präsentiert, dass Appräsentation auch bei ihr nur in jener Funktionsgemeinschaft mit der Präsentation sein kann“ (Hua I, 147), ist bei der Erfahrung der Fremdkultur auch zu unterscheiden zwischen dem präsentativen und appräsentativen Verstehen, die zusammen, also in Funktionsgemeinschaft, eine solche Erfahrung zustande bringen.

Eben dadurch, dass die Erfahrung einer Fremdkultur wie die Fremdwahrnehmung eines Anderen „zugleich präsentiert und appräsentiert“ (Hua I, 150), hat jede Auffassung eines fremden Kulturgegenstandes in Wahrheit nur einen Teil des jeweiligen Gemeinten als Präsentation im Horizont und somit in sich notwendigerweise eine teilweise Appräsentation als Leerhorizont impliziert.

Dieser Leerhorizont wird nicht nur in der Weise der Mitvergegenwärtigung intendiert, sondern auch in der Weise der Vor-Vergegenwärtigung, der Erwartung. In der weiteren Erfahrung der Fremdkultur erlebt die Vor-Vergegenwärtigung Enttäuschung oder Erfüllung, je nachdem, als wie fremd sich die Fremdheit der Fremdkultur erweist: Je fremder eine Fremdkultur ist, je mehr sie von der eigenen Kultur entfernt ist, desto größer ist die Möglichkeit der Enttäuschung der Erwartung der im Appräsentierten implizierten Ähnlichkeiten. Und dies gilt auch umgekehrt: Je näher eine Fremdkultur der Eigenkultur steht, desto geringer ist die Möglichkeit der Enttäuschung. Wir können auch sagen: Eben weil diese Erwartungen zur Enttäuschung bestimmt sind, ist uns die betreffende Fremdkultur fremd.

Wie schon im Fall der Wahrnehmung räumlicher Dinge und der Fremdwahrnehmung, so verhält es sich auch in der Erfahrung der Fremdkultur: Mit jeder Enttäuschung und Erfüllung (jede Enttäuschung bedeutet zugleich eine Erfüllung) der erwartenden Intentionen im Appräsentationsfeld ist ein früherer Leerhorizont ausgefüllt und gleichzeitig ein neuer aufgespannt.

Wir können also mit Husserl behaupten, dass der Prozess der intentionalen Konstitution ein Prozess fortdauernden Transzendierens des eigensten Bewusstseins über sich hinaus ist. Dieser Prozess erscheint einerseits als ein Verlauf, in dem sich immer wieder neue Bewusstseinsgegenstände samt ihren Hintergrundhorizonten im intentionalen Bewusstsein konstituieren. Andererseits erscheint dieser Prozess als ein kontinuierlicher Fortgang, in dem das Bewusstsein sich das Fremde aneignet: von Hyle zu Noema, und weiter vom intentionalen Korrelat als Objekt (dem dinglichen Gegenstand) zu demjenigen als Subjekt (dem Anderen), dann wieder von diesen intentionalen Korrelaten zu ihren Hintergrundhorizonten, d. i. der konkreten Realwelt, „wie sie als Mensch- und Kulturwelt für uns immer da ist“ (Hua I, 153). In diesem ganzen Prozess entfernt sich das Bewusstsein ständig von seiner Primordinalsphäre, von dem Präsenten, so dass in ihm immer mehr Appräsentiertes zu finden ist. Aber zugleich kann das Bewusstsein immer wieder auf sein Eigenstes bzw. das Ursprüngliche zurückkommen und aus dieser Sphäre seine letzte Gewissheit schöpfen, um gegenüber dem in der Appräsentation vermehrt erscheinenden Fremden Widerstand zu leisten. Bewusstseinskonstitution ist also stets ein Prozess, in dem das Ich sich aneignet und zugleich sich von sich selbst entfremdet. Wie ich an anderer Stelle bereits hervorgehoben habe,[1] ist es dabei nicht übertrieben zu sagen: Was die Bewusstseinsanalyse als das wichtigste Wesensmoment im Bewusstsein erfassen kann, ist m. E. die Appräsentation.

Natürlich müssen wir hier terminologisch vorsichtig sein. De facto benutzt Husserl die Termini „Analogisierung“ (im Fall der Fremdwahrnehmung „Paarung“) und „Appräsentation“ häufig als Ausdrücke, welche von verschiedenen Aspekten her dieselbe Zugangsform der Fremderfahrung bezeichnen. Für unseren Zweck aber ist es günstig, wenn wir die beiden Begriffe so verwenden, dass sie zwei verschiedene Sachverhalte bezeichnen: Mit dem Begriff *Analogisierung* lässt sich für die Problematik interkultureller Verständigung vorwiegend die tendierende Suche nach dem *mit dem Eigenen Gemeinsamen* bezeichnen, während sich der Begriff *Appräsentation* dabei vor allem auf das *Fremde*, das *Differenzierende* bezieht, das an sich nicht Präsentation ist, jedoch mit der Präsentation mitgegeben ist.

Zweifelsohne besitzt z. B. der daoistische Zentralbegriff „Wu“ (Nichts) in vielerlei Hinsicht Gemeinsamkeiten mit dem für den Buddhismus ebenfalls zentralen Begriff „Shunyata“ (Leere), so dass eine Ähnlichkeitsassoziation zwischen den beiden Begriffen und zugleich zwischen den durch sie hervorgerufenen ent-

[1] Vgl. vom Verfasser, „Die Bewusstseinsanalyse und die Möglichkeit der Selbst-, gegenseitigen und gemeinsamen Erkenntnis der Subjekte“, in: *Chinese Review of Phenomenology und Philosophy*（中国现象学与哲学评论）, Bd. I.: *Grundprobleme der Phänomenologie*, Shanghai 1995.

sprechenden Anschauungen leicht stattfinden kann. Was beide Begriffe nicht gemeinsam haben, was vielmehr ihr je Eigenes, also das gegenüber dem anderen je Fremde darstellt, wird bei der Bemühung um ein erstes Verständnis mit oder ohne Absicht in den Hintergrund verwiesen, bleibt aber weiter innerhalb des Horizonts im Spiel, d. h. im Spiel der Appräsentation.

Die Präsentation in diesem Sinne, die bei jedem interkulturellen Prozess vorliegt, ist durch die auf Gemeinsamkeit bzw. Vertrautheit absehende Analogisierung der eigenen mit der fremden Kultur gekennzeichnet, während die Appräsentation den Hintergrund, die mögliche Differenz bzw. die prinzipielle Fremdheit eines anderen Kulturgegenstandes oder einer anderen Kultur überhaupt impliziert.

Mit anderen Worten, dasjenige, was man bei der Analogisierung übersieht oder zunächst übersehen muss, ist die Fremdheit bzw. Andersartigkeit einer Fremdkultur. Und das ist gerade das, was in der Appräsentation mitvergegenwärtigt wird und die Eigenheit dieser Fremdkultur ausmacht. Dies charakterisiert also den Unterschied von Analogisierung und Appräsentation.

Kehren wir nun zu dem oben erwähnten, von Held hervorgehobenen Urgenerativen zurück. In den Phänomenen, die als Urgeneratives bezeichnet werden, können wir nach Held die gemeinsame Grundlage für die prinzipielle Möglichkeit zu interkultureller Verständigung finden, aber zugleich auch – das ist wohl das Hauptziel, auf das Held hinauswill – den Grund dafür, dass diese Verständigung prinzipiell an eine unüberschreitbare Grenze stoßen kann. Dieser Grund, den Held als „Grundstimmungslage" bezeichnet, wurzelt tief verborgen in den Phänomenen der Urgenerativität und bedeutet einen kulturstiftenden Faktor. Mit anderen Worten, das Gemeinsame bei vielen bisher bekannten Kulturen ist das alltäglich Oberflächliche, einschließlich der ökonomischen und technischen Elemente, die heutzutage eine so beherrschende Rolle spielen. Differenziert sind aber die Grundstimmungen dieser Kulturen. Gerade „the variety of fundamental moods (Grundstimmungen)", wie die These Helds lautet, „conditions the different meanings of generativity in different cultures and thus shapes the characteristic imprint of their respective worlds."[1]

Dieser einleuchtende Hinweis erklärt, warum der gleiche „Kulturstoff" von Angehörigen verschiedener Kulturen verschieden aufgefasst wird. Die Auffassung etwa, dass ein Skelett den Tod verkörpert, ist fast allen Kulturen gemeinsam. Aber dieses Gemeinsame ist den verschiedenen Kulturen stets mit unterschiedlichen Kulturhintergründen gegeben: Es ruft bei dem einen Angst, bei dem anderen Mut, bei diesem Freude, Ehrung, bei jenem Übelkeit, Abscheu usw. hervor. Die verschiedenen Grundstimmungen sind es also, die dem gleich Präsentierten verschiedene Bedeutungen verleihen. Diese Grundstimmungen können m. E. auch als verschiedene noetische Momente in der Fremderfahrung bezeichnet werden.

---

[1] Vgl. K. Held, „Intercultural Understanding and the Role of Europe", a.a.O., S. 8.

Doch hier stellt sich eine weitere Frage: Kann die Kluft der interkulturellen Verständigung, die wegen der Verschiedenheit der Grundstimmungslagen unüberschreitbar zu sein scheint, doch prinzipiell durch ein wesentliches Vermögen des Bewusstseins überbrückt werden? Nämlich durch dessen Fähigkeit zur Appräsentation, die die Fixierung auf die gemeinsame Grundlage auf der Stufe der Analogisierung aufhebt und statt dessen nach dem möglichen Differenzierenden bzw. Fremden greift, das Appräsentierte zur Präsentation zu bringen und somit den Kulturhorizont immer weiter und breiter zu entfalten sucht? Dass diese Frage mit einem Ja beantwortet werden kann, dürfte schon anhand des oben dargestellten Phänomens Koyi als der konkreten Realisierung der Wesensmöglichkeiten von Analogisierung und Appräsentation plausibel sein. Doch ist zugleich auf die Voraussetzung für die Realisierung dieser Möglichkeiten aufmerksam zu machen, nämlich auf den guten Willen, die Bereitschaft des menschlichen Bewusstseins zu einer, wie Held betont, „Weltoffenheit" gegenüber den verschiedenen kulturbegründenden Grundstimmungen.[1]

Auch bei Husserl kann man eine bejahende Antwort auf diese Frage finden. Er spricht von einer „Selbstumbildung des Ich" und meint in der Tat mit dem nicht sehr glücklichen Terminus „Umbildung" eine Art „historische Einfühlung"[2] bzw. ein „historisches Verstehen", das wir oben als die gleichzeitigen Vorgänge von Selbstaneignung und Selbstentfremdung des Ich bezeichneten.

Erinnern wir uns an Husserls Beispiel: „Der Chinese, der nach Europa kommt, unsere Musik, Dichtung usw. kennen lernt – lernt sie selbst in ihrem wirklichen Sinn, lernt die europäische Kulturwelt nicht kennen, sie ist für ihn nicht ohne weiteres erfahrbar. Er muß erst in sich einen Europäer aufbauen, er muß von seinen Erfahrungsvoraussetzungen aus Wege finden eines historischen Verständnisses, in sich ein europäisches Ich erst konstituieren, mit dem geistigen Auge des Europäers sehen lernen, für das allein europäische Kultur erfahrbar und da ist. Nur auf diesem Umwege einer und nur unvollkommen zu gewinnenden Selbstumbildung (eine Art Erdpolung der Persönlichkeit), eine höchst mittelbare Sache, ist wirkliche Objektivität denkbar für Psychisches und ein wirkliches Sich-verstehen von Menschen entfernter Kulturmenschheiten. Und Objektivität wäre dann eine Idee, beruhend auf der Idealisierung, dass jeder Mensch ideal gesprochen die Möglichkeit hätte, diese Selbstumbildung zu vollziehen." (Hua XXVII, 163) Diese ideale Möglichkeit der so genannten Selbstumbildung bedeutet zugleich die ideale Möglichkeit, dass die Kulturen im Prozess des Zusammenwachsens zu einer Menschheit doch ihre Eigenarten bewahren können.

Mit Absicht wurde bisher die Appräsentation als Vermöglichkeit zu implizierten Differenzen zwischen Kulturen bezeichnet. Dass der appräsentierte Teil im Prozess Koyi nicht unbedingt Differenzen der Kulturen verkörpert, erweist sich, wie Fälle interkultureller Verständigung belegen, aber als durchaus möglich. Die Appräsentation muss also faktisch nicht immer auf Differenzen

---

[1] Vgl. a.a.O., S. 14.

[2] Vgl. Hua XV, S. 233, Anm.

zwischen betreffenden Kulturen bzw. Kulturgegenständen verweisen, sondern kann auch zur Aufdeckung von Ähnlichkeiten und somit Gemeinsamkeiten zwischen diesen führen. Außerdem neigt der Mensch bei fortschreitender Erfahrung einer Fremdkultur vielleicht eher dazu, Ähnlichkeiten zu erwarten.

Trotzdem ist es für die Appräsentation im Prozess interkultureller Verständigung, d. h. für das Verstehen der fremden von der eigenen Kultur her, charakteristisch, dass die Appräsentation wesentlich mit dem Differenten verbunden ist. Denn was gegenüber dem Eigenen fremd ist, impliziert in sich notwendig eine Differenz zu diesem. Es gehört also zum Wesen der Erfahrung bzw. des Verstehens einer fremden Kultur, dass das durch Ähnlichkeit Appräsentierte schließlich zu einer Erfahrung der Differenz von Fremdkultur und eigener Kultur führt. Mit der Appräsentation ist also wesensmäßig die Enttäuschung von Erwartungen verbunden, die weitere Ähnlichkeiten bzw. Gemeinsamkeiten intendieren.

Ist dies aber nicht der Fall, d. h., wird die Erwartung weiterer Ähnlichkeiten erfüllt, so bestehen hier zweierlei Möglichkeiten: Entweder haben wir es mit einer relativ nahen, d. i. einer nicht typisch fremden Kultur zu tun, so dass hier nicht mehr von der Erfahrung der Fremdkultur im prägnanten Sinne die Rede sein kann. Oder es liegt eine Missdeutung vor, die durch den übermäßig starken Willen zur Suche nach Gemeinsamkeit und somit durch die Verwechslung des appräsentativen Verstehens mit dem präsentativen verursacht wird und statt der Erfahrung der Fremdkultur die Reproduktion der Eigenkultur zur Folge hat.

Ein Beispiel dafür finden wir auch bei der Kulturverschmelzung zwischen buddhistischen und chinesischen Geisteswelten: Der Begriff „Bhūtatathatā" (Soheit des Seienden) kennzeichnet im Buddhismus das Wirkliche, das unverändert und ewig ist, im Gegensatz zu dem Scheinbaren, das entsteht, sich verändert und vergeht. Da hierfür in der chinesischen Philosophie kein entsprechender Begriff zu finden war, wurde „Bhūtatathatā" zuerst als „Ben Wu" (eigentlich Nichts) wiedergegeben, und zwar mit gewissem Recht, denn „Bhūtatathatā" ist „eigentlich", indem es so ist, wie es ist; und es heißt zugleich „nichts", weil es nicht das ist, was im Alltag an den veränderlichen Dingen erscheint, weil es somit die Bedeutung von „śūnya" (Leere) besitzt. Die Analogisierung des „Bhūtatathatā" mit jenem dem Daoismus nahestehenden Begriff „Ben Wu" ermöglicht daher als ersten Schritt einen Brückenschlag über die Kluft zwischen den beiden Kategorien mit verschiedenen Kulturhintergründen. Dass aber die präsentierte Ähnlichkeit zwischen dem buddhistischen Begriff „Bhūtatathatā" und dem daoistischen „Wu" in der späteren Interpretation ständig präsent bleibt und „Bhūtatathatā" weiterhin vom daoistischen Verständnis her, ja sogar als Synonym von „Wu" angenommen wird, muss dieser Versuch einer interkulturellen Verständigung als misslungen betrachtet werden. Erst später, als die im Begriff „Bhūtatathatā" implizierte Differenz gegenüber dem heimischen Begriff erkannt und „Ben Wu" durch die neue Übersetzung „Ru Xing" (Soheit) oder „Zheng Ru“ (wahres So) ersetzt worden war, kam eine Erfahrung der Fremdkultur als solche zustande.[1]

§ 6. Schlusswort

Die vorliegende Arbeit galt der Methodenproblematik. Koyi bildet hier das Thema einer methodologischen Betrachtung. Mit „Methodenproblematik“ ist einerseits die Analyse desjenigen empirischen Verfahrens gemeint, das im Rahmen des Problems Koyi bereits, wie Teil I zeigte, in der alten wie modernen Geschichte Chinas angewandt wurde und noch intensiviert werden dürfte, je mehr die interkulturelle Verständigung voranschreitet. In dieselbe Richtung, wenn auch auf andere Art, nämlich als phänomenologische Forschung, zielten die in Teil II diskutierten Ansätze Husserls sowie im Anschluss daran unsere Bestrebungen zum Aufweise der Wesensstruktur in der Erfahrung der Fremdkultur, und zwar mit der Überzeugung, die Husserl wie folgt zum Ausdruck brachte: „In all dem herrschen Wesensnotwendigkeiten, bzw. ein wesensmäßiger Stil, der im transzendentalen ego und dann in der in ihm sich erschließenden transzendentalen Intersubjektivität die Quellen seiner Notwendigkeit hat, also in den Wesensgestalten transzendentaler Motivation und transzendentaler Konstitution. Gelingt deren Enthüllung, so gewinnt dieser apriorische Stil eine rationale Erklärung höchster Dignität, diejenige einer letzten, einer transzendentalen Verständlichkeit.“ (Hua I, 163)

Wie gezeigt, kommen beide Vorgehensweisen, die empirische und die phänomenologische, in dem – phänomenologisch unternommenen – Aufweise zusammen, dass Koyi ein universales Phänomen bzw. eine universale Methode im Prozess interkultureller Verständigung darstellt[2] und Analogisierung und Appräsentation als Wesensmomente in sich enthält.

---

[1] Zur Übersetzungs- und Vorgeschichte des Begriffs „Bhūta-tathatā“ vgl. Jin, Xiping, *Studien zum frühen Denken M. Heideggers*（海德格尔早期思想研究）, Shanghai 1995, S. 10-14, und des weiteren Lu, Ch., *Allgemeine Darstellung der Quellen und Strömungen des chinesischen Buddhismus*（中国佛学源流略讲）, Beijing 1979, Einleitung.

[2] Historisch (empirisch) können wir diesbezüglich unseren Blick auch auf die interkulturelle Weltgeschichte richten. Dann finden wir zahlreiche weitere Belege für dieses Phänomen im interkulturellen Prozess, so etwa bezüglich der Übersetzungen des griechischen Wortes λόγος: Martin Luther z. B. wählt in seiner *Bibel*übersetzung den deutschen Ausdruck „Wort“. Später wird diese Übersetzung auch von Goethe in seinem *Faust* übernommen, doch findet Goethe noch weitere Versionen wie „Sinn“, „Kraft“ und „Tat“. Überdies ist es bemerkenswert, dass die in der Neuzeit angefertigte chinesische *Bibel*übersetzung im Unterschied zu der deutschen den λόγος durch „Dao“, den zentralen Begriff der chinesischen Kultur, interpretiert. Damit zeigt sich, dass die Methode Koyi keine Eigentümlichkeit der chinesischen Kultur darstellt, sondern auf eine universale, zumindest auch in der abendländischen Kultur aufzufindende Vorgehensweise verweist. Dieser Befund bestätigt, zunächst in empirischer Hinsicht, das Ergebnis von Elmar Holenstein: „Strukturen, die in einer Kultur sehr stark ausgeprägt sind, lassen sich (mindestens ansatzweise) in (nahezu allen) anderen Kulturen ebenfalls finden.“ (E. Holenstein, *Menschliches Selbstverständnis*, a.a.O., S. 133)

Das Phänomen Koyi in der Geschichte der chinesischen Kultur liefert einen konkreten, empirischen Beleg für die allgemeine Erkenntnis, dass jede interkulturelle Fremderfahrung und Verständigung durch die wesentliche Möglichkeit zu apperzeptiver Analogisierung von der eigenen Basis ausgehen und durch die ebenfalls wesentliche Möglichkeit zur Appräsentation Zugang zu einem fremden Horizont enthalten kann. Der Ausgangspunkt wurde bereits von den chinesischen Vorfahren mit „Herausfinden des zu Identifizierenden“（求同）und das Endergebnis als „Erlangen des zu Differenzierenden“（致异）bezeichnet.

IV.

Dokumentationen

1. Phänomenologische Forschungen in China

Iso KERN / Liangkang NI

Seit 1898 wurden zahlreiche Werke der westlichen Philosophie ins Chinesische übertragen, aber die Rezeption der phänomenologischen Philosophie begann erst relativ spät. Während in den zwanziger und dreißiger Jahren des letzten Jahrhunderts mehrere junge Japaner in Deutschland bei Husserl und Heidegger studierten und so die Einführung der Phänomenologie in Japan vorbereiteten, sind bisher nur die Namen von drei Chinesen allgemein bekannt, die vor der Gründung der VR China (1949) in Deutschland Phänomenologie studierten: Shen Youding, der später an der Qinghua Universität in Beijing unterrichtete, Xiong Wei, der später an der Nanjing Universität und dann an der Beijing-Universität lehrte, und Xiao Shiyi (Paul Hsiao), der um 1946 mit Heidegger eine Übersetzung des *Dao de jing* versuchte ([vgl. ders.:] „Wir trafen uns auf dem Holzmarktplatz" in *Erinnerung an Martin Heidegger*, Pfullingen) und später an der Fujen Universität in Taipei unterrichtete. Aber erst seit den frühen sechziger Jahren wurden in China und Taiwan phänomenologische Werke veröffentlicht.

1963 erschien in Beijing eine Teilübersetzung von J.-P. Sartres *Critique de la raison dialectique* (Beijing, Shangwu yinshuguan 168 p.). Im selben Jahr wurden in einem von der Akademie der Wissenschaften veröffentlichten Sammelband *Cunzaizhuyi zhexue* (*Die Philosophie des Existenzialismus*) ein Teil von Heideggers *Sein und Zeit* (Übersetzer: Xiong Wei) sowie Sartres *L'existentialisme est un humanisme* in chinesischer Sprache herausgegeben (Beijing, Shangwu yinshuguan). Ebenfalls 1963 erschien in der Nr. 3 der Reihe *Zhexue yicong* (*Zeitschrift für philosophische Übersetzung*) eine Übersetzung von Iso Kerns Artikel „Die drei Wege zur phänomenologischen Reduktion in der Philosophie Edmund Husserls". 1964 erschienen in einem von Hong Qian herausgegebenen Sammelband *Xifang xiandai zichanjieji zhexue lunzhu xuanji* (*Ausgewählte Texte aus den philosophischen Werken der gegenwärtigen westlichen kapitalistischen Klasse*) Teilübersetzungen von Heideggers *Sein und Zeit* und Sartres *L'être et le néant*. In Taiwan wurde 1963 an der Normal Universität die Monographie *Husaier Xianxiangxue* (*Husserls Phänomenologie*) von Li Guiliang publiziert und später, im Jahre 1974, noch seine chinesische Übersetzung des Werkes von H. Spiegelberg, *The phenomenological Movement* (2 Bde.).

Auf dem Festland jedoch blieben diese Übersetzungen ohne größere Wirkung, da 1966 die Kulturrevolution einsetzte und eine Auseinandersetzung mit nicht-marxistischer Philosophie für mehr als zehn Jahre unmöglich gemacht wurde. Allerdings studierte in jenen Jahren Li Youzheng ganz privat in der Beijing Bibliothek die Husserliana-Bände, die der Herausgeber dieser Reihe, Pater Van Breda, jener Bibliothek gratis zukommen ließ. Eine bedeutende Rezeption der Phänomenologie begann nach 1978. Zuerst erschienen einige phänomenologische Artikel von chinesischen und westlichen Autoren in Zeitschriften. Der wahrscheinlich früheste Artikel nach 1964 stammt von Luo Keting, Professor an der Sun Yat-Sen Universität in Guangzhou, „Husaier de xianxiangxue shi dui xiandai zirankexue de fandong" („Husserls Phänomenologie ist eine Reaktion gegen die moderne Naturwissenschaft") in der Zeitschrift *Zhexue yanjiu* (*Philosophische Forschungen*) 1980, Nr. 3, S. 67-76. Aber auch in Lehrbücher über zeitgenössische westliche Philosophie wurden Kapitel über Phänomenologie und Existenzialismus aufgenommen: so etwa in das Werk *Xiandai xifang zhuming zhexuejia shuping* (*Kommentare zu den bekannten gegenwärtigen westlichen Philosophen*), herausgegeben von Du Renzhi, Beijing 1980. Das Kapitel über Husserl stammt von Li Youzheng, diejenigen über Heidegger und Sartre von Xiong Wei. Der Fortsetzungsband von 1983 beinhaltet auch Kapitel über Scheler von Wang Bingwen und über Merleau-Ponty von Liu Fangtong. Ein anderes großes Werk, *Xiandai xifang zhexue* (*Die westliche Philosophie der Gegenwart*), herausgegeben von Liu Fangtong, Professor an der Fudan Universität in Shanghai (Beijing 1981, 5. Auflage Beijing 1987), enthält ein Kapitel über Phänomenologie von Fan Mingsheng und ein Kapitel über Existenzialismus von Liu Fangtong.

Nach 1986 begann in großem Umfang die chinesische Übersetzung von phänomenologischen Klassikern. Im Folgenden werden einige wichtige Beispiele genannt:

a) **Edmund Husserl:**

Die Idee der Phänomenologie (Fünf Vorlesungen von 1907), übersetzt von Ni Liangkang, Shanghai 1986, Beijing 2009^2, Taipei 1987;

Philosophie als strenge Wissenschaft und *Die Krisis des europäischen Menschentums und die Philosophie* (Wiener Vortrag von 1935), übersetzt von Lu Xiang, Beijing 1987, übersetzt von Ni Liangkang, Shanghai 1994;

Die Krisis der europäischen Wissenschaften und die transzendentale Phänomenologie, 1. und 2. Teil, übersetzt von Zhang Qingxiong, Shanghai 1989, Hua VI, übersetzt von Wang Binwen, Beijing 2001;

Ideen zu einer reinen Phänomenologie und phänomenologischen Philosophie, I. Buch, mit dem Nachwort Husserls von 1930, übersetzt von Li Youzheng, Beijing 1992, Taipei 1994;

Die phänomenologische Methode, Ausgewählte Texte 1, herausgegeben und mit einer Einführung in Husserls Phänomenologie und einem Geleitwort zur chinesischen Ausgabe versehen von Klaus Held, übersetzt von Ni Liangkang, Shanghai 1994;

Erfahrung und Urteil, übersetzt von Deng Xiaomang u. Zhang Tingguo, Beijing 1999;

Phänomenologie der Lebenswelt, Ausgewählte Texte 1, herausgegeben und mit einer Einführung in Husserls Phänomenologie und einem Geleitwort zur chinesischen Ausgabe versehen von Klaus Held, übersetzt von Ni Liangkang u. Zhang Tingguo, Shanghai 2002;

Grundfragen zur Ethik und Wertlehre (1914), übersetzt von Ai Silin u. An Shitong, Beijing 2002;

Logische Untersuchungen, I-II, übersetzt von Ni Liangkang, Shanghai 1994-1999, 2006[2], Taipei 1994-2000;

Cartesianische Meditationen, übersetzt von Zhang Xian, Taipei 1995, Beijing 2008[2]; übersetzt von Zhang Tingguo, Beijing 2002;

Erste Philosophie (1923/4). I-II, übersetzt von Wang Binwen, Beijing 2006;

Aufsätze und Vorträge (1911-1921), übersetzt von Ni Liangkang, Beijing 2009;

Zur Phänomenologie des inneren Zeitbewusstseins (1893-1917), übersetzt von Ni Liangkang, Shanghai 2009,

usw.

b) Max Scheler:

Die Stellung des Menschen im Kosmos, übersetzt von Li Bojie, Guizhou 1989;

Ausgewählte Schriften Schelers: Person und Werte des Ich, übersetzt von Chen Renhua, Taibei 1991;

Ausgewählte Schriften Schelers: Phänomenologie des Gemüts, übersetzt von Chen Renhua, Taibei 1991;

Ausgewählte Schriften Schelers: Ordo Amoris, herausgegeben und überprüft von Liu Xiaofeng, übersetzt von Lin Ke, Hong Kong 1993, Beijing 1995;

Ausgewählte Schriften Schelers: Die Zukunft des Kapitalismus, herausgegeben und überprüft von Liu Xiaofeng, übersetzt von Luo Tilun u. a., Hong Kong 1995;

Ausgewählte Schriften Schelers: Umsturz der Werte, herausgegeben und überprüft von Liu Xiaofeng, übersetzt von Luo Tilun u. Lin Ke, Hong Kong 1995;

Probleme einer Soziologie des Wissens, übersetzt von Ai Yan, Beijing 2000;

Philosophie und Weltanschauung, übersetzt von Cao Weidong, Shanghai 2003;

Der Formalismus in der Ethik und die materiale Wertethik, übersetzt von Ni Liangkang, Beijing 2004,

usw.

c) Martin Heidegger:

Sein und Zeit, übersetzt von Chen Jiaying und Wang Qingjie, Beijing 1987;

Was ist Metaphysik? übersetzt von Xiong Wei, Taipei 1993;

Einleitung in die Metaphysik, übersetzt von Xiong Wei u. Wang Qingjie, Taipei 1993, Beijing 1996;

Zur Sache des Denkens, übersetzt von Chen Xiaowen u. Sun Zhouxing, Taipei 1994, Beijing 1994;

Unterwegs zur Sprache, übersetzt von Sun Zhouxing, Taipei 1994, Beijing 1997;

Holzwege, übersetzt von Sun Zhouxing, Taipei 1995, Shanghai 1997;

Schelling: Vom Wesen der menschlichen Freiheit (1809) (Sommersemester 1936), übersetzt von Xue Hua, Shenyang 1999;

Nietzsche I und II, übersetzt von Sun Zhouxing, Beijing 2002;

Erläuterungen zu Hölderlins Dichtung (1936-1968), übersetzt von Sun Zhouxing, Beijing 2000;

Vorträge und Aufsätze (1936-1953), übersetzt von Sun Zhouxing, Beijing 2005;

Vom Wesen der Wahrheit. Zu Platons Höhlengleichnis und Theätet (Wintersemester 1931/32), übersetzt von Zhao Weiguo, Beijing 2008;

Die Grundprobleme der Phänomenologie (Sommersemester 1927), übersetzt von Ding Yun, Shanghai 2008;

Aus der Erfahrung des Denkens (1910-1976), übersetzt von Chen Chunwen, Beijing 2009;

Ontologie. Hermeneutik der Faktizität (Sommersemester 1923), übersetzt von He Weiping, Beijing 2009,

usw.

d) Jean-Paul Sartre:

L'être et le néant, übersetzt von Chen Xueliang u. a., überprüft von Du Xiaozhen, Beijing 1987, 1997[2], 2007[3];

L'existentialisme est un humanisme, übersetzt von Zhou Xuliang u. Tang Yongkuan, Beijing 1989;

Les mots, übersetzt von Pan Peiqing, Beijing 1989, 2008[2];

La critique de la raison dialectique, übersetzt von Lin Xianghua u. a., Hefei 1998;

La transcendance de l'Ego. Esquisse d'une description phénoménologique, übersetzt von Du Xiaozhen, Beijing 2005;

L'imagination, übersetzt von Du Xiaozhen, Shanghai 2008;

usw.

e) Maurice Merleau-Ponty:

L'œil et l'esprit, übersetzt von Liu Yunhan, Beijing 1992; übersetzt von Yang Dachun, Beijing 2007;

Éloge de la Philosophie, übersetzt von Yang Dachun, Beijing 2000;

Phénoménologie de la perception, übersetzt von Jiang Zhihui, Beijing 2001;

Le primat de la perception et ses conséquences philosophiques, übersetzt von Wang Dongliang, Beijing 2002;

Signes, übersetzt von Yang Dachun, Beijing 2003;

La Structure du comportement, übersetzt von Yang Dachun u. Zhang Junyao, Beijing 2005;

La Prose du monde, übersetzt von Yang Dachun, Beijing 2005;

Le Visible et l'invisible, suivi de notes de travail, übersetzt von Luo Guoxiang, Beijing 2008;

Les Aventures de la dialectique, übersetzt von Yang Dachun u. Zhang Junyao, Shanghai 2009,

usw.

Neben den Übersetzungen erschienen in den neunziger Jahren noch – um einige Beispiele zu nennen – folgende phänomenologische Darstellungen und Monographien:

Das Problem des Seinsglaubens in der Phänomenologie Edmund Husserls – Ein Versuch mit Husserl, von Ni Liangkang, Dissertationsschrift (auf Deutsch), Freiburg i. Br. 1990, unter dem Titel *Seinsglaube in der Phänomenologie E. Husserls* als Phaenomenological Bd. 159, Den Haag 1999;

Personwerdung. Eine theologische Untersuchung zu Max Schelers Phänomenologie der „Person-Gefühle" mit besonderer Berücksichtigung seiner Kritik an der Moderne, von Liu Xiaofeng, Bern u. a. 1996.

Merleau-Ponty ou la Tension entre Husserl et Heidegger. Le sujet et le Monde dans la „Phénoménologie de la Perception", Dissertationsschrift (auf Französisch) Paris 1992, von Liu Guoying;

Xianxiangxue jiqi xiaoying – Husaier yu dangdai deguo zhexue (*Phänomenologie und die Folgen – Husserl und die deutsche Philosophie der Gegenwart*), Beijing 1994, von Ni Liangkang;

Haidegeer zhexue gailun (*Einführung in die Philosophie Heideggers*), Beijing 1995, von Chen Jiaying;

Shuo bukeshuo zhi shenmi (*Sprache und Sein in der Spätphilosophie Heideggers*), Shanghai 1994, von Sun Zhouxing;

Haidegeer yu xiandai zhexue (*Heidegger und die Philosophie der Gegenwart*), Shanghai 1995, von Zhangrulun;

Husaier yu Haidege (Husserl und Heidegger) Taipei 1995, von Wang Wensheng;

Zaoqi Haidegeer zhexue (*Studien über Heideggers Frühphilosophie*), Shanghai 1995, von Jin Xiping;

Xiong shili de Xinweishilun he Husaier de xianxiangxue (*Xiong Shilis Neu-Bewusstseinslehre und Husserls Phänomenologie*), Shanghai 1995, von Zhang Qingxiong.

Haidege yu Husaier Xianxiangxue (*Die Phänomenologie von Heidegger und Husserl*), Taibei 1996, von Zhang Canhui;

Als Sammelbände erschienen:

Zu den Sachen selbst! – Ausgewählte klassische Texte der Phänomenologie, herausgegeben von Ni Liangkang, Beijing 2000;

Ausgewählte Schriften von Husserl, 2 Bde. herausgegeben von Ni Liangkang, Shanghai 1997;

Ausgewählte Schriften von Heidegger, 2 Bde. herausgegeben von Sun Zhouxing, Shanghai 1996;

Ausgewählte Schriften von Scheler, 2 Bde. herausgegeben von Liu Xiaofeng, Shanghai 1999.

Phänomenologie wird in China an mehreren wichtigen philosophischen Instituten unterrichtet, und zwar hauptsächlich von jüngeren Professoren, die in Europa ausgebildet sind: an der Beijing Universität durch Prof. Jin Xiping und Prof. Zhang Xianglong, an der Fudan Universität in Shanghai von Prof. Zhang Qingxiong und Prof. Zhang Rulun, an der Sun Yat-Sen Universität in Guangzou von Prof. Ni Liangkang, Prof. Zhang Xian und Prof. Qian Jie, an der Tongji Universität in Shanghai von Prof. Sun Zhouxing usw.

Die allgemeine Tendenz der phänomenologischen Forschungen in China ist wie folgt zu skizzieren:

Von den Phänomenologen ist J.-P. Sartre in der früheren Phase der Rezeption der Phänomenologie in China der bekannteste. Dies hängt einerseits mit seiner Nähe zum Marxismus, andererseits mit seiner Idee der Freiheit zusammen, die nach 1978 bei vielen jungen Intellektuellen auf großes Interesse stieß. Aber dieses Interesse hat in den neunziger Jahren stark nachgelassen und wird abgelöst von einer zunehmend auf Heideggers Philosophie gerichteten Aufmerksamkeit.

Durch Xiong Wei, der an der Beijing-Universität lehrte und 1994 starb, wurde auch Heidegger erstmals in China bekannt. Zu Beginn der Heidegger-Forschung war das Interesse auf den früheren Heidegger gerichtet. Das lag vor allem daran, dass man zu dieser Zeit (Ende der 1950er bis Anfang der 1980er Jahre) in China lediglich über Werke des und über den frühen Heidegger verfügte. Während der „Kulturrevolution“ gab es keine Möglichkeit, sich über die Spätphilosophie Heideggers und über den neuen Stand der Entwicklung der abendländischen Philosophie zu informieren. Erst seit den achtziger Jahren konnte man sich allmählich mit den Werken der Gesamtausgabe Heideggers vertraut machen und anfangen, sie ins Chinesische zu übersetzen. Heute ist der späte Heidegger in chinesischen intellektuellen Kreisen, vor allem bei Literaten, viel beliebter und populärer als der frühe, obgleich die erste chinesische Übersetzung eines Heideggerschen Werkes die von *Sein und Zeit* ist. Der Grund liegt offenbar vor allem darin, dass man im Denkstil des späten Heidegger deutliche Parallelen zur klassischen chinesischen Philosophie entdecken kann.

Auch Husserls Phänomenologie wird mit Interesse aufgenommen: die chinesische Übersetzung der *Idee der Phänomenologie* (1986) z. B. wurde in kurzer Zeit dreimal nachgedruckt und erreichte eine Gesamtauflage von 130 000 Exemplaren. Bei genauer Betrachtung allerdings wird dieses Interesse an Husserls Philosophie nicht direkt durch diese selbst hervorgerufen, sondern durch zeitgenössische Denkentwürfe wie die von Heidegger, Gadamer, Habermas u. a. motiviert und vermittelt, die Husserls Einfluss aufweisen bzw. sich mit seiner Philosophie auseinandersetzen. Husserls Philosophie gilt heute vielen chinesischen Forschern als eine solche, an der man bei der Beschäftigung mit der abendländischen Philosophie der Gegenwart nicht vorbeikommt.

Scheler findet Beachtung aufgrund eines seit 1990 wachsenden religiösen Interesses. Durch Prof. Liu Xiaofeng an der Chinesischen Universität von Hong Kong wird in der letzten Zeit eine Anzahl von Schelers Schriften ins Chinesische übersetzt und kontinuierlich veröffentlicht. Da die traditionelle chinesische Philosophie vorwiegend ethisch orientiert ist, kann vermutet werden, dass Schelers Philosophie und Wertethik in China künftig noch mehr Aufmerksamkeit zuteil wird.

Vorläufig befindet sich die Phänomenologie in China noch in einer Phase der Rezeption, wenn auch in einer Spätphase, aber es besteht Hoffnung auf kreative und originelle Arbeiten, vor allem, da die Phänomenologie in China mit eigenen Traditionen der Bewusstseinsanalyse verbunden werden kann, z. B. mit dem Weishi-Buddhismus (chinesische Form des Vijnanavada).

Im Oktober 1994 fand das erste nationale phänomenologische Kolloquium in China statt, und zwar zum Thema „Grundprobleme der Phänomenologie". Es wurde von Prof. Ni Liangkang an der Südost-Universität in Nanjing organisiert. Im Rahmen dieses Kolloquiums wurde die Chinesische Gesellschaft für Phänomenologie gegründet; sie wird durch einige der in Europa und den USA ausgebildeten jungen Forscher, die zu den wichtigsten Vertretern der Erforschung abendländischer Philosophie in China zählen, repräsentiert. Die Gründung dieser Gesellschaft ist ein deutliches Zeichen dafür, dass die phänomenologische Forschung heute die stärkste Tendenz in der Erforschung der gegenwärtigen abendländischen Philosophie in China bildet. Im September 1995 fand in Hefei die zweite Jahrestagung der Gesellschaft statt, die sich mit dem Thema „Phänomenologische Methode" beschäftigte.

Eine internationale phänomenologische Konferenz, die zahlreiche weltweit anerkannte Phänomenologen aus Deutschland, Belgien, den USA, Frankreich und Japan als Teilnehmer verzeichnet und das Thema „Interkulturalität und Lebenswelt“ behandelte, veranstaltete die Gesellschaft in Zusammenarbeit mit der Deutschen Gesellschaft für phänomenologische Forschungen und der Fakultät für Philosophie an der Chinesischen Universität Hong Kong im April 1996 in Hong Kong. Die Veranstaltung dieser Konferenz bedeutet für die Chinesische Gesellschaft für Phänomenologie einen wesentlichen Schritt hin zur internationalen Zusammenarbeit auf dem Gebiet der phänomenologischen Forschung.

Ein weiteres, für die phänomenologischen Forschungen in China wichtiges Ereignis im Jahr 1996 war die Gründung der Gesellschaft für Phänomenologie in Hong Kong, die in enger Verbindung mit der Chinesischen Gesellschaft für Phänomenologie steht.

Die Chinesische Gesellschaft für Phänomenologie gibt seit 1994 ein phänomenologisches Jahrbuch heraus: *The Chinese Review of Phenomenology and Philosophy*, Bd. I: *Die Grundprobleme der Phänomenologie* (Shanghai 1995); Bd. II: *Die phänomenologische Methode* (Shanghai 1996); Bd. III: *Phänomenologie und die Sprache* (Shanghai 1997). Bd. IV des Jahrbuches trägt den Titel *Phänomenologie und Soziale Theorie* (2001).

Des Weiteren: Bd. V: *Phenomenology and the Chinese Culture* (2003); Bd. VI: *Phenomenology of Art/ Phenomenology of Time-Consciousness* (2004); Bd. VII: *Phenomenology and Ethos* (2005); Bd. VIII: *Studies of Genetic Phenomenology* (2006); Bd. IX: *Phenomenology and The Pure Philosophy* (2007); Bd. X: *Phenomenology and political Philosophy* (2009); SPECIAL ISSUE: *Phenomenology in China: The Centennial of Edmund Husserl's <Logical Investigations>* (2003).

Längerfristig bereitet die Chinesische Gesellschaft für Phänomenologie die Herausgabe der *Gesammelten Schriften von Husserl, Heidegger und Scheler* vor. Seit 2007 wird die Reihe *Archiv für Phänomenologie* (ca. 40 Bände von Primär- und Sekundär-Literatur) sowie das Werk Husserls (16 Bände) publiziert.

2. Edmund Husserls Rezeption in China

Als 严复 (Yan Fu, 1854-1921), der wichtigste Praktiker und Theoretiker in Bezug auf Übersetzung in der Neuzeit Chinas, im Jahre 1896 das Werk *Evolution and Ethics* von Th. H. Huxley ins Chinesische übertrug und es zwei Jahre danach veröffentlichte, konnte er noch nicht wissen, dass er damit die eigentliche Geschichte der Einführung der westlichen Philosophie in China eröffnete. In den folgenden Jahrzehnten erschienen zahlreiche Werke der westlichen Philosophie in chinesischer Sprache, darunter auch, ja immer mehr, wichtige Werke der modernen westlichen Philosophie, wie etwa des Voluntarismus, des Pragmatismus, der Lebensphilosophie, des Positivismus usw., die in der ersten Hälfte dieses Jahrhunderts in China einen großen Einfluss ausübten.

Die Rezeption der phänomenologischen Philosophie Edmund Husserls begann aber erst relativ spät und erfolgte im Großen und Ganzen betrachtet recht langsam.[1]

Blickt man auf die neuzeitliche Geschichte des Kulturaustauschs zwischen dem Osten und dem Westen zurück, so kamen bereits in den 1920er und 1930er Jahren aus dem Nachbarland Japan mehrere junge Studenten und Wissenschaftler, wie etwa Shuzo Kuki und Hasime Tanabe, nach Deutschland, um bei Husserl und Heidegger zu studieren. Die gleichzeitig erfolgte Einführung der Phänomenologie in Japan machte es möglich, dass Husserls Phänomenologie sehr schnell bei östlichen Denkern wie 西田几多郎 (Kitaro Nishida, 1870-1945), der 1916 bereits Vorlesungen über Husserls *Logische Untersuchungen* hielt, ihren Niederschlag fand und zunehmende Aufmerksamkeit in der japanischen Erforschung westlicher Philosophie erweckte. Im Vergleich zu Japan gab es damals (d. h. in der ersten Hälfte des vorigen Jahrhunderts) nur einige wenige Chinesen, die in Deutschland Phänomenologie studierten. Von ihnen sind bisher drei Namen allgemein bekannt: 沈有鼎 (Shen Youding), der später an der Qinghua Universität in Beijing unterrichtete, 熊伟 (Xiong Wei), der später an der Universität Nanjing und dann an der Universität Beijing lehrte, und 萧师毅 (Xiao Shiyi bzw.

---

[1] Anfang der 1920er Jahre wurden einige prominente Philosophen aus Europa und Amerika nach China eingeladen, darunter J. Dewey aus den USA, der im Jahr 1919 nach China kam und dann mehr als zwei Jahre lang blieb und in verschiedenen Städten Vorlesungen hielt, B. Russell aus England, der 1920 nach China kam, zehn Monate lang blieb und ebenfalls in verschiedenen Städten Vorlesungen gab, H. Bergson aus Frankreich, der die Einladung zwar annahm, schließlich aber aus verschiedenen Gründen nicht kommen konnte, und nicht zuletzt H. A. E. Driesch aus Deutschland, der im Jahre 1922 nach China kam und ebenfalls zehn Monate lang blieb und in verschiedenen Städten Vorlesungen hielt. – Zu bemerken ist hier, dass auf der Einladungsliste ursprünglich auch der Name E. Husserl vermerkt war. Aufgrund einer Empfehlung von R. Eucken hat jedoch der chinesische Philosoph und damalige Finanzminister Liang Qichao schließlich den Biologen und Vitalismus-Vertreter H. A. E. Driesch eingeladen.

Paul Hsiao), der um 1946 mit Heidegger eine Übersetzung des "道德经" (Dao De Jing) versuchte[1] und später an der Fujen Universität in Taipei unterrichtete. Streng genommen war es die Phänomenologie des frühen Heidegger, die diese drei chinesischen Gelehrten sich aneigneten. Allem Anschein nach haben sie nichts Schriftliches über das Denken des Begründers der Phänomenologie hinterlassen.

Gemäß den Ergebnissen der neueren Nachforschungen wurden Husserl und einige seiner Grundgedanken zwar bereits in den 1920er bis 1940er Jahren von Gelehrten und Forschern in vereinzelten Schriften erwähnt, wie z. B. von dem gegenwärtigen Philosophen 张东荪 (Zhang Dong-Sun, 1886-1973) in seinen Aufsätzen „Der Logismus des Neurealismus",[2] „Weltanschauung und Lebensanschauung"[3] sowie „Eine Philosophie im Entwurf"[4]. Da aber der Verfasser ausschließlich in Japan studiert hatte, ist in seinem Fall zu vermuten, dass diese seine Kenntnisse über Husserl und seine Phänomenologie eher durch japanische Phänomenologen vermittelt waren als dass sie direkt aus dem Lager der Phänomenologen in Deutschland ihre Herkunft hatten.

Sehr bemerkenswert sind aber zwei Aufsätze, die von 杨人楩 (Yang Ren-Pian) unter dem Titel „现象学概说" (Einführung in die Phänomenologie)[5] und 倪青原 (Ni Qing-Yuan) unter dem Titel „现代西洋哲学之趋势" (Die Tendenzen der modernen westlichen Philosophie)[6] jeweils in den Jahren 1929 und 1947 veröffentlicht wurden. Der erste Aufsatz „Einführung in die Phänomenologie" umfasst 11 Seiten und gilt als die erste auf Chinesisch verfasste systematische Darstellung der Phänomenologie Husserls. Sie enthält folgende Abschnitte: 1. Einleitung, 2. Was heißt Phänomenologie? 3. Der Begründer der Phänomenologie, 4. Der Begriff der Phänomenologie, 5. Die Elemente der Phänomenologie. Husserls Begriffe wie „Noesis", „Noema", „Phänomenologische Epoche", „Natürliche Einstellung", „Phänomenologische Reduktion", „Wesenserschauung", „Intentionalität", „Retention" und „Protention" usw. werden im Rahmen von Originaltexten behandelt und Namen wie B. Bolzano, H. Lipps, F. Brentano, W. Dilthey, H. Rickert, M. Scheler, M. Heidegger, N. Hartmann, A. Reinach usw. erwähnt, darunter auch die Namen Th. Lessing, E. Krieck, O. Weininger, die wahrscheinlich zur Phänomenologischen Bewegung gehörten, sich jedoch heute nicht mehr im aktuellen Gesichtskreis befinden.

Der andere Aufsatz „Die Tendenzen der modernen westlichen Philosophie" widmet dann einen von insgesamt sieben Paragrafen der „Schule der Phänomenologie" (7 Seiten). Husserls Phänomenologie wird vom Verfasser als

---

[1] Vgl. Paul Hsiao, „Wir trafen uns auf dem Holzmarktplatz", in: G. Neske (Hrsg.), *Erinnerung an Martin Heidegger*, Pfullingen 1977.

[2] Erschienen in: 《东方杂志》(Zeitschrift Osten), Bd. 19, Nr. 17, 1922.

[3] Erschienen in: 《东方杂志》(Zeitschrift Osten), Bd. 25, Nr. 718, 1928.

[4] Erschienen zuerst in: ders., 《新哲学论丛》(Neue philosophische Schriften) , Nanjing 1928.

[5] Erschienen in: 《民铎》(Zeitschrift Volksglocke), Bd. 10, Nr. 1, 1929.

[6] Erschienen in: 《学原》(Campus Scientiae), Bd. 1, Nr. 3, 1947.

„Gipfel der Verschmelzung des europäisch-festländischen Rationalismus und des englischen Empirismus betrachtet". Es geht hier nicht nur um die Darstellung Husserls und der Grundbegriffe seiner Phänomenologie wie „Reduktion", „Konstitution", „Zur Sache selbst" usw. sowie seiner Werke wie den *Logischen Untersuchungen*, *Ideen zu einer reinen Phänomenologie und phänomenologischen Philosophie*, *Formale und transzendentale Logik* und *Erfahrung und Urteil*, sondern auch um Charakterisierungen seiner phänomenologischen Schule. Der Verfasser scheint sogar mit Husserls damals in engem Kreise geäußerten Urteil über die Phänomenologische Bewegung vertraut zu sein, dass nämlich die Phänomenologie zwar weltbekannt, tatsächlich jedoch nur von wenigen verstanden worden sei. – Im Großen und Ganzen betrachtet ist es nur schwer vorstellbar, dass die Verfasser diese beiden Aufsätze schreiben konnten, ohne in Deutschland ausgebildet worden zu sein.

Achtet man darauf, dass es in den 1920er bis 1940er Jahren nur wenige Studenten gab, die nach Europa kommen konnten, und noch weniger, die westliche Philosophie studierten, dann ist es kein Wunder, dass in dem phänomenologischen Kreis um Husserl möglicherweise nur ein Chinese verkehrte, jedenfalls der bekannten Literatur nach. Es war J. Patočka, der in der Erinnerung an seine erste Begegnung mit Husserl und Fink in Freiburg bei Husserl zu Hause diesen bislang nur auf dem Papier existierenden Chinesen erwähnte: „Außer Fink waren noch ein Japaner und ein Chinese da, welche offenbar schon mit Fink in wissenschaftlichem Kontakt standen; Fink hat später auch einmal ihre geistige Eigenart charakterisiert, die Namen sind mir nach so viel Jahren entfallen. Wir sprachen natürlich über Phänomenologie, ihre geistige Sendung – Ein Lieblingsthema Husserls, wenn es sich um ‚den Weltbegriff Phänomenologie' handelte. Ich erinnere mich, wie er da sagte: ‚Wir sind hier doch lauter Feinde.' Auf mich und Fink zeigend: ‚Feinde.' Auf den Chinesen und Japaner weisend: ‚Feinde.' ‚Und über allen – die Phänomenologie."[1] Da Patočka sich leider nicht mehr an den Namen des Chinesen erinnern konnte, ist es nun die Aufgabe interessierter Historiker nachzuforschen, wer er sein könnte. Wenn wir jedoch annehmen dürfen, dass der

[1] J. Patočka, „Erinnerungen an Husserl", in: W. Biemel (Hrsg.), *Die Welt des Menschen. Die Welt der Philosophie. Festschrift für Jan Patočka*, Den Haag 1976, S. IX.

Von der Seite Husserls zeigt sich eine gewisse Berührung mit dem chinesischen Menschentum, wie etwa in dem folgenden Zitat: „Der Chinese, der nach Europa kommt, unsere Musik, Dichtung usw. kennenlernt – lernt sie selbst in ihrem wirklichen Sinn, lernt die europäische Kulturwelt nicht kennen, sie ist für ihn nicht ohne weiteres erfahrbar. Er muß erst in sich einen Europäer aufbauen, er muß von seinen Erfahrungsvoraussetzungen aus Wege finden eines historischen Verständnisses, in sich ein europäisches Ich erst konstituieren, mit dem geistigen Auge des Europäers sehen lernen, für das allein europäische Kultur erfahrbar und da ist. Nur auf diesem Umwege einer und nur unvollkommen zu gewinnenden Selbstumbildung (eine Art Erdpolung der Persönlichkeit), eine höchst mittelbare Sache, ist wirkliche Objektivität denkbar für Psychisches und ein wirkliches Sich-verstehen von Menschen entfernter Kulturmenschheiten. Und Objektivität wäre dann eine Idee, beruhend auf der Idealisierung, daß jeder Mensch ideal gesprochen die Möglichkeit hätte, diese Selbstumbildung zu vollziehen." (Hua XXVII, S. 163)

hier erwähnte Chinese später doch etwas über Phänomenologie veröffentlicht hat, dann steht er dem Inhalt des Aufsatzes nach 杨人楩 (Yang Ren-Pian) sehr nahe, der nicht nur mit Husserls Phänomenologie und ihren Vorder- sowie Hintergründen vertraut ist, sondern auch sichtlich über deutsche Sprachkenntnisse verfügt. Allerdings erschien dieser Aufsatz 1929, also schon vor der Begegnung zwischen Patočka und dem in Frage stehenden Chinesen bei Husserl im Jahre 1933. Zeitlich gesehen ist es wahrscheinlicher, dass es sich bei dem Chinesen um den anderen Verfasser mit dem Namen 倪青原 (Ni Qing-Yuan) handelt. Aber das ist alles nur Vermutung. Nach den neueren Ergebnissen der Nachforschungen in dieser Richtung ist es am wahrscheinlichsten, dass der erwähnte Chinese 沈有鼎 (Shen Youding) ist, der in Freiburg studiert hatte und später an der Beijing Universität unterrichtete. In seinen jüngst veröffentlichten Nachlassschriften ist zu lesen, dass er Husserl in den dreißiger Jahren des letzten Jahrhunderts persönlich kennengelernt hatte, und dass Husserl ihm persönlich sagte: „Es gibt sehr viele phänomenologische Schriften, aber nur diejenigen von mir sind die echt phänomenologischen" usw.

Festzustellen ist hier auf jeden Fall Folgendes: Abgesehen von der Frage, ob in der ersten Hälfte des 20. Jahrhunderts jemals ein Chinese bei Husserl in Deutschland Phänomenologie studiert und später Gedanken und Werke Husserls sowie der phänomenologischen Bewegung in China eingeführt bzw. ins Chinesische übertragen haben könnte, blieben diese im chinesischen Kultur- und Sprachraum lange Zeit unbeachtet und wirkungslos.

Es war erst das Jahr 1963, das zwei Ereignisse hinsichtlich der Rezeption Husserls in China mit sich brachte. Erstens erschien in der Nr. 3 der Zeitschrift „哲学译丛" (Zeitschrift für philosophische Übersetzung) eine Übersetzung von Iso Kerns Artikel „Die drei Wege zur phänomenologischen Reduktion in der Philosophie Edmund Husserls",[1] welcher erst vor einem Jahr auf Deutsch in der holländischen *Tijdschrift voor Filosofie* veröffentlicht wurde.[2] Zweitens wurde in Taiwan an der Normal Universität eine Monographie mit dem Titel „胡塞尔的现象学" (Husserls Phänomenologie) von 李贵良 (Li Guiliang) veröffentlicht, der anschließend das Werk von H. Spiegelberg, *The phenomenological Movement* (2 Bde.), ins Chinesische übersetzt und in Taiwan publiziert hat.[3]

Auf dem Festland aber blieben Husserls Phänomenologie und die Phänomenologische Bewegung ohne größere Wirkung, da 1966 die „Kulturrevolution" einsetzte und eine Auseinandersetzung mit nicht-marxistischer Philosophie für mehr als zehn Jahre unmöglich machte. Allerdings studierte in jenen Jahren

---

[1] Der originale Text erschien zuerst in: *Tijdschrift voor Filosofie*, XXIV, 1962.

[2] In derselben Nummer der *Zeitschrift für philosophische Übersetzung* findet sich noch eine gekürzte Übersetzung der Buchbesprechung zu dem Werk *Existential Phenomenology* (Pittsburgh 1960) des Holländers W. A. Luijpen.

[3] G. Li, 《胡赛尔现象学》(*Husserls Phänomenologie*), Taipei: Institute of Education of National Normal University 1963; G. Li (Übersetzer), H. Spiegelberg (Autor), 《现象学史（上下册）》(*The Phenomenological Movement*), Taipei 1974.

李幼蒸 (Li Youzheng) in der Beijing Bibliothek ganz privat die Husserliana-Bände, die der Herausgeber dieser Reihe, Pater Van Breda, jener Bibliothek gratis zukommen ließ.

Eine bedeutende Rezeption von Husserls Phänomenologie begann erst nach 1978, als die so genannte Öffnungspolitik in China verfolgt und somit das Einfuhrverbot für „westlich-bürgerliche Philosophie" aufgehoben wurde. Zuerst erschienen einige phänomenologische Artikel von chinesischen Autoren in Zeitschriften. Der wahrscheinlich früheste Aufsatz nach 1963 stammt von 罗克汀 (Luo Keting), Professor an der SunYat-Sen Universität in Guangzhou, „胡塞尔的现象学是对现代自然科学的反动" (Husserls Phänomenologie ist eine Reaktion gegen die moderne Naturwissenschaft),[1] der den Kontrast zwischen Phänomenologie und moderner Naturwissenschaft als einen zwischen Rückschritt und Fortschritt betrachtet. Auch in Lehrbücher über zeitgenössische westliche Philosophie wurden Kapitel über Phänomenologie und Existenzialismus aufgenommen: so etwa in das Werk „现代西方著名哲学家述评" (*Kommentare zu den bekannten gegenwärtigen westlichen Philosophen*), herausgegeben von 杜任之 (Du Renzhi), Beijing 1980. Das Kapitel über Husserl stammt von 李幼蒸 (Li Youzheng). Ein anderes großes Werk, „现代西方哲学" (*Die westliche Philosophie der Gegenwart*), herausgegeben von 刘放桐 (Liu Fangtong), Professor an der Fudan Universität in Shanghai (Beijing 1981, 5. Auflage Beijing 1987), enthält ein Kapitel über Phänomenologie von 范明生 (Fan Mingsheng). 1987 erschien eine Monographie über Husserl, nämlich die Magisterarbeit von 倪梁康 (Ni Liangkang), über „胡塞尔: 通向先验本质现象学之路" (Husserls Wege zur transzendental-eidetischen Phänomenologie – Von der phänomenologischen Methode).[2] Sie ist wahrscheinlich die erste, jedenfalls die erste veröffentlichte, Magisterarbeit über Husserl in China. Einige Jahre danach folgte dann die erste von einem Chinesen verfasste Doktorarbeit über Husserl, auf Deutsch von 倪梁康 (Ni Liangkang): *Das Problem des Seinsglaubens in der Phänomenologie Edmund Husserls – Ein Versuch mit ihm* (Dissertation, Freiburg 1991).[3]

Gleichzeitig wurden mehrere Schriften Husserls ins Chinesische übertragen: *Die Idee der Phänomenologie* (Hua II), übersetzt von 倪梁康 (Ni Liangkang), Shanghai 1986, Taipei 1987; *Philosophie als strenge Wissenschaft* und *Die Krisis des europäischen Menschentums und die Philosophie* (Wiener Vortrag von 1935), aus dem Englischen übersetzt von 吕祥 (Lu Xiang), Beijing 1987; *Die Krisis der europäischen Wissenschaften und die transzendentale Phänomenologie*, 1. und 2. Teil, übersetzt von 张庆熊 (Zhang Qingxiong), Shanghai 1989. In den 1990er Jahren kamen noch weitere Werke von Husserl in chinesischer Sprache zur Er-

---

1 Erschienen in der Zeitschrift „哲学研究" (*Philosophische Forschungen*) 1980, Nr. 3, S. 67-76.

2 Erschienen im 2. Band der Reihe 《文化：中国与世界》 (*Kulturen: China und die Welt*), Beijing 1987, S. 236-324.

3 Diese Dissertation erschien erneut in der Reihe Phaenomenologica (153) unter dem Titel *Der Seinsglaube in der Phänomenologie Edmund Husserls*, Dordrecht u .a. 1999.

scheinung: *Ideen zu einer reinen Phänomenologie und phänomenologischen Philosophie*, 1. Buch, mit dem Nachwort Husserls von 1930, übersetzt von 李幼蒸 (Li Youzheng), Beijing 1992, Taipei 1994; *Die phänomenologische Methode*, Ausgewählte Texte 1, herausgegeben und mit einer Einführung in Husserls Phänomenologie und einem Geleitwort zur chinesischen Ausgabe versehen von Klaus Held, übersetzt von 倪梁康 (Ni Liangkang), Shanghai 1994; *Logische Untersuchungen*, Bd. 1-2, übersetzt von 倪梁康 (Ni Liangkang), Shanghai 1994-1999, Taipei 1994-1999, *Cartesianische Meditationen*, übersetzt von 张宪 (Zhang Xian), Taipei 1995, von 张廷国 (Zhang Tingguo), Beijing 2002, *Die Krisis der europäischen Wissenschaft und die transzendentale Phänomenologie* (Hua VI), übersetzt von 王炳文 (Wang Bingwen), Beijing 2002. Noch einige Bände der Husserliana wie *Phänomenologie des inneren Zeitbewusstseins* (Hua X) und *Formale und transzendentale Logik* (Hua 17) befinden sich im Druck bzw. im Prozess der Übersetzung und werden in absehbarer Zukunft veröffentlicht.

Der allgemeinen Tendenz nach wurde Husserls Phänomenologie zu Beginn ihrer Rezeption in China mit großem Interesse aufgenommen: so wurde z. B. die chinesische Übersetzung der *Idee der Phänomenologie* (1986) in kurzer Zeit dreimal nachgedruckt und erreichte allein auf dem Festland eine Gesamtauflage von 130 000 Exemplaren. Bei genauer Betrachtung allerdings wird dieses Interesse nicht direkt durch Husserls Philosophie selbst hervorgerufen, sondern durch zeitgenössische Denkentwürfe wie denen von M. Heidegger, M. Scheler, J.-P. Sartre, H.-G. Gadamer, J. Habermas, J. Derrida u. a. motiviert und vermittelt, die einen Einfluss Husserls aufweisen bzw. sich mit Husserls Philosophie auseinandersetzen.

Husserls Philosophie gilt jedoch chinesischen Forschern heute immer mehr als eine solche, an der man bei der Beschäftigung mit der abendländischen Philosophie der Gegenwart nicht vorbeikommt.

Im chinesischen Kulturraum wird gegenwärtig Husserls Phänomenologie an mehreren wichtigen philosophischen Instituten unterrichtet, und zwar hauptsächlich von jüngeren Professoren, die in Europa ausgebildet wurden: an der Beijing-Universität Prof. 靳希平 (Jin Xiping) und Prof. Dr. 张祥龙 (Zhang Xianglong), an der Sun Yat-Sen Universität in Guangzhou Prof. Dr. 倪梁康 (Ni Liangkang), an der Universität Wuhan Prof. 邓晓芒 (Deng Xiaomang), an der Fudan Universität in Shanghai Prof. Dr. 张庆熊 (Zhang Qingxiong) und Prof. Dr. 张汝伦 (Zhang Rulun), an der Chinesischen Universität in Hong Kong Prof. Dr. 关子尹 (Kwan Tze-wan), Prof. Dr. 张灿辉 (Cheung Chan-fai), Prof. Dr. 刘国英 (Lau Kwok-ying), an der Nationalen Universität in Taiwan Prof. Dr. 汪文圣 (Wang Wen-sheng), an der Qinghua Universität in Taiwan Dr. 黄文宏 (Huang Wen-hong) usw. Es wurden bereits mehrere Doktoren an den chinesischen Universitäten ausgebildet, die über Husserls Phänomenologie promoviert haben. Zur Zeit arbeiten immer mehr Doktoranden im Bereich der Phänomenologie Husserls.

Im Oktober 1994 fand die erste Tagung zur Phänomenologie in Nanjing statt, und zwar zu dem Thema „Grundprobleme der Phänomenologie". An dieser Tagung nahmen einige phänomenologisch ausgerichtete Philosophen aus Europa und Amerika teil, darunter auch der derzeitige Präsident der Deutschen Gesellschaft für phänomenologische Forschung, Prof. Dr. Klaus Held. Auf dieser Tagung wurde auch die Gesellschaft für phänomenologische Forschung in China (GPhF) gegründet, deren Mitglieder aus einer Gruppe von jüngeren Forschern besteht, die in der Tat die wichtigsten Kräfte auf dem Gebiet der Forschung der westlichen Philosophie in China repräsentieren. Die Gründung der chinesischen GPhF ist ein Zeichen dafür, dass die phänomenologische Forschung in China zu einer starken Tendenz geworden ist.

Seit 1994 wurde die Tagung zur Phänomenologie in China jährlich veranstaltet: 1995 in Hefei zum Thema „Die phänomenologische Methode", 1996 in Hong Kong zu „Interkulturalität und Lebenswelt", 1997 in Shanghai zu „Phänomenologie und Hermeneutik", 1998 in Hainan zu dem Thema „Phänomenologie und die Sprache", 1999 in Beijing zu „Phänomenologie und die Modernität", 2001 in Beijing zu „Phänomenologie und die chinesische Kultur", 2002 in Hangzhou zu „Phänomenologie und Kunst". Die neunte Jahrestagung der Phänomenologie fand im Jahre 2003 in Wuhan zum Thema „Phänomenologie und Existenzphilosophie" statt, die zehnte im Jahre 2004 in Guangzhou zum Thema „Phänomenologie und Ethos".

Während der Tagung 1996 in Hong Kong wurde die Gesellschaft für Phänomenologie in Hong Kong gegründet. Seitdem gibt es eine langjährige Zusammenarbeit zwischen den Gesellschaften für Phänomenologie in China und in Hong Kong. Überdies wurde im April 1999 an der Nationalen Universität Taiwan ein Zentrum für phänomenologische Forschung gegründet. Zugleich ist die Gründung der Gesellschaft für Phänomenologie in Taiwan geplant. Nach langer Vorbereitung wurde im Jahre 2000, also zu einer Zeit, wo die Phänomenologie gerade einhundert Jahre Geschichte hinter sich hat, das „Zentrum für phänomenologische Forschung und Dokumentation an der Beijing Universität" gegründet; im Jahre 2002 erfolgte dann die Gründung des Instituts für Phänomenologie an der Sun Yat-Sen Universität in Guangzhou. Man kann heute sagen, dass die beiden Organisationen zwei Pole der phänomenologischen Forschung in ganz China bilden, also im Norden die Beijing Universität, im Süden die Sun Yat-Sen Universität in Guangzhou.

Seit 1994 gibt der Kreis der phänomenologischen Forschungen im chinesischen Sprachraum einen Sammelband 《中国现象学与哲学评论》(Journal für phänomenologische und philosophische Forschung in China) heraus. Bisher sind bereits 12 Bände erschienen, darunter ein Band speziell für Husserl: SPECIAL ISSUE: *Phenomenology in China: The Centennial of Edmund Husserl's „Logical Investigations"* (2003). Im Jahr 2009 erschien darüber hinaus ein Band speziell zum Andenken an Husserls 150. Geburtstag mit dem Titel *Husserl und die Bewusstseinsphänomenologie.*

Vorläufig befindet sich die Phänomenologie in China noch in der Phase der Rezeption, wenn auch in einer Spätphase. Im Vergleich mit den ostasiatischen Nachbarländern Japan und Korea gibt es auf dem Gebiet der phänomenologischen Forschung in China noch viele zu schließende Lücken.

Es bestehen jedoch große Hoffnungen auf kreative und originelle Arbeiten. Einerseits kann die Phänomenologie in China mit eigenen Traditionen der Bewusstseinsanalyse verbunden werden, wodurch neue Horizonte eröffnet werden. Im Allgemeinen wird die Phänomenologie in China heute vor allem als eine Art Bewusstseinsphilosophie verstanden. Dies hängt mit der Absicht zusammen, die Husserl ursprünglich bei ihrer Begründung verfolgt hatte. Durch sie wird nicht nur zwischen der Phänomenologie und der traditionellen europäischen Philosophie der Immanenz bzw. des Geistes (oder auch Philosophy of Mind) eine Beziehung der Überlieferung hergestellt, sondern sie ermöglicht auch, was für morgenländische Denker besonders wichtig ist, eine interkulturelle und kommunikative Verbindung zwischen der Phänomenologie einerseits und der buddhistischen Lehre des Bewusstseins (der chinesischen Form des Yogācāra-Buddhismus) sowie der konfuzianischen Lehre des Herzens andererseits. Immer mehr komparative Untersuchungen in dieser Richtung werden durchgeführt und finden Beachtung. Auch die Parallele zwischen der Phänomenologischen Bewegung in Europa und der Renaissance in der buddhistischen Bewusstseinslehre, die ebenfalls zu Beginn des 20. Jahrhunderts erfolgte, wird zum Thema der Diskussion. Obwohl die Parole der Phänomenologischen Bewegung „Zurück zu den Sachen selbst!“, die der Renaissance in der buddhistischen Bewusstseinslehre dagegen „Zurück zu den Bibeln und dem darin angekündigten Willen von Buddha“ lautet, liefern ihre sorgfältigen und feinsinnigen Bewusstseinsanalysen einen Hinweis darauf, dass in den verschiedenen Kulturen der Menschheit und ihren unterschiedlichen Denkweisen gemeinsame theoretische Interessen und gleiche Ergebnisse hinsichtlich der Erforschung des Bewusstseins zu finden sind.[1]

Andererseits sind es aber die methodischen Eigenheiten der Phänomenologie, die im asiatischen Kulturraum sichtlich mehr Anziehungskraft und Wirkungskraft besitzen: Der Aufruf „Zur Sache selbst!“ stimmt mit der grundsätzlichen Aufforderung der Philosophie zum originellen Denken und Produzieren

[1] Zu den ersten Forschungsergebnissen auf diesem Gebiet vgl. z. B. I. Kern, „从现象学的角度看唯识三世“ (Die drei Zeitformen der buddhistischen Bewusstseinslehre vom phänomenologischen Gesichtspunkt her betrachtet), in: 《中国现象学与哲学评论》(*Journal für die phänomenologische und philosophische Forschung in China*, Bd. I, Shanghai 1995, S. 351-363, 陈荣灼 (Chan Wing-cheuk), „Yogacara Buddhism and Phenomenology: The Problem of Anti-Egology“, in: 《鹅湖》(*Logein*), Nr. 15, Taipei 1995, S. 48-70, 张庆熊 (Zhang Qingxiong), 《熊十力的唯识学与胡塞尔的现象学》(*Xiong Shilis Neu-Bewusstseinslehre und Husserls Phänomenologie*), Shanghai 1995, 倪梁康 (Ni Liangkang), „唯识学与现象学的自身意识与自我意识“ (Selbstbewusstsein und Ichbewusstsein in Yogācāra-Buddhismus und in der Phänomenologie), in: 《中国学术》(*China Scholarschip*), 2002, Bd. 2, Nr. 2. – Allerdings sind die komparativen Untersuchungen zu Phänomenologie, Bewusstseinslehre des Buddhismus und Herzenslehre des Konfuzianismus im Allgemeinen noch nicht hinreichend entfaltet.

überein. Die Phänomenologie als eine vom Konkreten ausgehende Philosophie entspricht in ihren philosophischen Forschungen dem Wunsch nach einer gemeinsame Ebene für Gespräch und Diskussion; die von ihr geforderte unmittelbare Anschauung kann zur Vermeidung der großen, leeren Begriffe im Philosophieren dienen; und die ebenfalls von ihr hervorgebrachte Strenge sowie Sorgfalt in der Denkhaltung kann die Forscher dazu führen, nicht mehr als Wahrheitsstifter und -besitzer Systeme auszugestalten und Programme darzubieten, sondern die Probleme in ihrer einfachsten Form aufzunehmen. Die Phänomenologie besteht nicht aus Doktrinen und Philosophemen, sondern in der Praxis sachlicher Beschreibungen und Analysen angesichts konkreter Probleme. – All das macht es möglich, dass die Phänomenologie in der morgenländischen Kultur schließlich eine geistige Gemeinschaft findet. Damit kommen bereits einige wichtige Gründe des morgenländischen Interesses für Phänomenologie zum Ausdruck.

Blickt man auf die lange Geschichte der Rezeption von Husserls Phänomenologie in China zurück, so leuchtet ein, dass „sich die trockene Diktion des Kathederphilosophen Husserl von vornherein für eine öffentliche Debatte [...] nicht anbot",[1] und sie ihren Einfluss auf die akademische Ebene beschränken musste, was insbesondere für einen ihrer Denkweise völlig fremden Kulturraum gilt. Aber ihre methodischen Eigenarten und theoretischen Effekte erweisen sich immer wieder und immer mehr als eine über bestimmte Phasen und Bezirke weiterzugebende Kraft. Die Geschichte der Rezeption der Husserlschen Phänomenologie in China belegt wohl, was Schopenhauer zu der Wirksamkeit einer Philosophie sagt, „dass sie einer alten Regel gemäß in dem Verhältnis lange dauern wird, als sie spät angefangen hat"[2].

---

[1] Vgl. K. Held, Einleitung zu E. Husserl, *Die phänomenologische Methode – Ausgewählte Texte* I, Stuttgart 1985, S. 6.

[2] A. Schopenhauer, *Sämtliche Werke*, Bd. I, *Die Welt als Wille und Vorstellung* I, Stuttgart/Frankfurt a. M. 1987, S. 27.

3. Eugen Finks Rezeption im chinesischen Sprachraum

Wei ZHANG / Liangkang NI

Eugen Fink ist unter den wissenschaftlichen Forschern in China vor allem als einer der wichtigsten Vertreter der Phänomenologischen Bewegung bekannt. Aber es mangelt bisher an gründlichen Kenntnissen, was seine philosophische Position betrifft; zu dieser wurden auf Chinesisch nur wenige Arbeiten veröffentlicht. So verfasste W.-H. Huang aus Taiwan unter dem Titel „Identität und Differenz – Eugen Finks Reflexion über Husserls phänomenologische Erfahrung" einen Konferenz-Beitrag, ohne ihn aber zu veröffentlichen; seine Dissertation *Der transzendentalphänomenologische Idealismus. Eine Aufklärung unter besonderer Berücksichtigung von Edmund Husserls „Cartesianischen Meditationen" und Eugen Finks Umarbeitung* (Huang 1998) wurde nur in deutscher Sprache publiziert.

Dennoch zieht Fink im chinesischen Sprachraum eine gewisse Aufmerksamkeit auf sich, teils wegen der breiten Rezeption der Phänomenologie in China, teils aufgrund der Übersetzung einiger Aufsätze von Fink. Auf der Webseite der Phänomenologie (http://www.cnphenomenology. com /) in China wurde ein Artikel über Fink veröffentlicht, der auf der Grundlage von H. Spiegelbergs *The Phenomenological Movement* (1960) und L. Nis „Einleitung des Herausgebers" in *Zu den Sachen selbst! – Ausgewählte klassische Texte der Phänomenologie* (2001) verfasst ist. In diesem Aufsatz werden Leben, Werk und Denken von E. Fink skizzenhaft dargestellt.

Im Allgemeinen präsentiert Fink sich seinen chinesischen Lesern in folgenden vier Facetten:

1. *Als Assistent Husserls*. Das ist wohl der Hauptaspekt, unter dem Fink in China bekannt ist. In den Büchern *Husserl* von M.-L. Cai (1990), *Phänomenologie und die Folgen* von L. Ni (1994), den Husserl-Biographien von P.-Ch. Li (1998) und J.-S. Xie (2002) u. a. wurden Fink und seine Arbeiten in Finks Funktion als Mitarbeiter Husserls dargestellt. Zudem hat X.-P. Jin im Vorwort zu seiner Übersetzung von Finks Aufsatz „Reflexion zu Husserls phänomenologischer Reduktion" (deutsch in: *Nähe und Distanz*; chinesisch 1998) sowie in seinem Aufsatz „Die Entwicklung der Phänomenologischen Bewegung" (Jin 2004) die Zusammenarbeit des späteren Husserl mit Fink sowie Finks Beitrag zur Wiederbelebung der Phänomenologie in Deutschland ausführlich beschrieben.

Die Zusammenarbeit von Fink und Husserl bezieht sich hauptsächlich auf vier Publikationsprojekte Husserls: a. *Cartesianische Meditationen*, b. *Die Krisis der europäischen Wissenschaften und die transzendentale Phänomenologie*, c. „Bernauer Manuskripte", d. „System der phänomenologischen Philosophie".

Aus letzterem Projekt resultierte keine fertige Schrift. Hingegen wurden die beiden ersten, in den *Husserliana* als Band I und VI veröffentlichten, Bücher ins Chinesische übersetzt, wobei die entsprechende Zusammenarbeit von Husserl und Fink jeweils mit dargestellt wird. Der von Zh.-X. Sun übersetzte Aufsatz von R. Bernet mit dem Titel „Die neue Phänomenologie des Zeitbewusstseins in Husserls Bernauer Manuskripten" (Bernet 2004) erhellt Finks Mitarbeit bei Husserl im Hinblick auf die Bernauer Zeitmanuskripte.

Bemerkenswert ist hierbei die Ansicht von L.-K. Ni in Bezug auf Finks Stellungnahme zum Problem des Unbewussten: In seinem Buch *Der anfängliche Boden der Phänomenologie – Verständnisse und Gedanken in bezug auf Husserls Logische Untersuchungen* (2004) unterzieht Ni im 8. Kapitel „Urbewusstsein und Unbewusstsein in Husserls Zeitverständnis" (dt. in: *Husserl Studies*, 21, 2005; der 4. Text im vorliegenden Band) die Auffassungen des Unbewussten bei Husserl und Fink einer Prüfung und weist auf einen Unterschied zwischen ihren Verstehensweisen hin: Nach Fink soll das Thema des Unbewussten vor allem zum Gebiet der genetischen Phänomenologie gehören, bei Husserl hingegen bildet der (engere) Begriff des Unbewusstseins eher ein Thema im Gebiet der Phänomenologie des Zeitbewusstseins. Dieser Unterschied hängt wesentlich zusammen mit dem Unterschied zwischen Phänomenologie der Genesis und Phänomenologie der Zeit und somit auch dem Unterschied zwischen zwei Arten von Unbewusstsein. Aus diesem Grund betrachtet Ni Finks Beilage XXI über Unbewusstes zu § 46 der *Krisis* als eine nicht geeignete Interpretation bzw. Hinzufügung. Sie passt vielmehr zu § 55 der *Krisis.*

2. *Als Phänomenologe*. In der Einleitung des Herausgebers zu *Zu den Sachen selbst! – Ausgewählte klassische Texte der Phänomenologie* charakterisiert L. Ni mithilfe der Beurteilung K. Helds die Bedeutung von Finks Position innerhalb der Phänomenologischen Bewegung nach Husserl, Heidegger, Scheler, Merleau-Ponty und Sartre, aber vor Ricœur, Levinas u. a. Auf Fink als Phänomenologen wird man im chinesischen Sprachraum vor allem durch folgende Schriften aufmerksam:

Erstens wurden in das von L. Ni herausgegebene Buch *Zu den Sachen selbst! – Ausgewählte klassische Texte der Phänomenologie* (2000) zwei Aufsätze aus Finks Sammelband *Nähe und Distanz* aufgenommen, der bereits erwähnte, von X.-P. Jin übersetzte Aufsatz „Reflexion zu Husserls phänomenologischer Reduktion" und der von W.-H. Huang übersetzte Artikel „Operative Begriffe in Husserls Phänomenologie". Die beiden Aufsätze bilden bisher die Grundlage der Fink-Kenntnis, nach der sich chinesische Forscher orientieren. Beispielsweise bezieht sich der Aufsatz von L. Ni „Phänomenologie und Logik" (2004) auf den vorgenannten zweiten Aufsatz. In seinem Beitrag legt Ni dar, wie Husserl, Derrida und Fink das Verhältnis von Phänomenologie und Logik auffassten, und weist auf Derridas Missverständnis von Husserl und Fink hin. Der erstgenannte Aufsatz Finks wurde von H. Wang in seiner Dissertation *Zeitlichkeit: Ich und der Andere – von Husserl, Heidegger zu Levinas* (2004), von Z.-Q. Zhang in seinem

Aufsatz „Die methodologischen Effekte der phänomenologischen Epoché auf dem Gebiet der Ästhetik und Kunst“ (2003) sowie von Y. Chen in seinem Buch *Zurück zum wahren Sein – Interpretationen zur Philosophie von Ch.-Sh. Wang* (2002) u. a. immer wieder beachtet und zitiert.

Zweitens wird Finks bekannter Aufsatz „Die phänomenologische Philosophie Edmund Husserls in der gegenwärtigen Kritik“, veröffentlicht 1933 und von Husserl „als meine eigene Überzeugung“ deklariert (Husserl 1966), von chinesischen Forschern vielfach beachtet. Die Dissertation von H. Wang zitiert diese Arbeit von Fink mehrmals, und zwar als Beleg für ein angemessenes Verständnis Husserlscher Gedanken. Auch W.-Sh. Wang erwähnt in seinem Buch *Husserl und Heidegger* (1995) mehrmals diesen Aufsatz von Fink.

Die Hochschätzung Finks als Interpret von Kerngehalten des Husserlschen Denkens gründet sich jedoch nicht nur auf diesen Aufsatz. In der Dissertation von H. Wang wird z. B. auch Finks Gedanken der Unterscheidung dreier Iche (des mundanen, des transzendentalen und des phänomenologisierenden Ich) besondere Aufmerksamkeit geschenkt. In „Foucault and Husserl's *Logical Investigations*: the unexpected french connection“ zitiert K.-Y. Lau (2003) Finks „Vorwort des Herausgebers“ zu Husserls „Entwurf einer ‚Vorrede' zu den *Logischen Untersuchungen* (1913)“. Weitere Beispiele liefern der Sammelband *Phänomenologie der Welt* von K. Held (2003) und die Monographie *The Development of Husserl's Thought* von T. d. Boer (1995) u. a., die verschiedene Werke Finks anführen, um Husserls Denken sowie die Beziehung zwischen den Denkwelten von Husserl und Heidegger verständlich zu machen.

Drittens wird in dem Aufsatz „Sein, Welt und Mensch“ von H. R. Sepp (1998), der bisher die einzige ins Chinesische übersetzte Abhandlung zu Fink darstellt, Finks immanente Kritik an der phänomenologischen Reduktion in der *VI. Cartesianischen Meditation* erläutert, welche sich als eines der Hauptergebnisse von Finks Zusammenarbeit mit Husserl erweist. Der in *Phänomenologie in China* (2003) veröffentlichte Vortrag von S. Crowell „Authentic Thinking and Phenomenological Method“ gibt den von Fink in der *VI. Cartesianischen Meditation* vorgeschlagenen Entwurf einer „konstruktiven Phänomenologie“ wieder. W.-H. Huang diskutiert in seinem Aufsatz „Die Idee der Phänomenologie: vom Ort-Denken Heideggers her betrachtet“ (2001) speziell die *VI. Cartesianische Meditation*.

Viertens begegnet der Name Finks auch zunehmend über das Bekanntwerden von Derridas Denken in der chinesischen Derrida-Forschung und -Kritik. In seiner Dissertation *Genetik und DeKonstruktion: Über Derridas frühe Kritik an der Phänomenologie* (2003) weist H.-X. Fang darauf hin, dass in Derridas Denken drei latente theoretische Linien vorherrschen: einer von ihnen ist der Denkweg über den durch Sartre, Fink und Tran Duc Thao vermittelten Husserl. Fink wird in Derridas früher Husserl-Forschung häufig angeführt, und Derrida verhehlt dabei nicht, dass Fink großen Einfluss auf ihn ausübte. In dem vorgenannten Aufsatz „Phänomenologie und Logik“ (2004) prüft L.-K. Ni

Auffassungen des transzendentalen Logos bei Husserl und Fink nach, weist Derridas Kritik an Husserl zurück und zeigt Derridas Fink-Beleg („Eugen Fink hat überzeugend nachgewiesen, dass Husserl niemals die Frage nach dem transzendentalen Logos oder nach der überlieferten Sprache gestellt hat") als absichtliche oder unabsichtliche Fehlinterpretation auf.

Auf Finks Aufsatz „Welt und Geschichte" (1959) beziehen sich L.-K. Ni in „Phänomenologische Analyse der Intentionalität und die Möglichkeit der Selbst-, gegenseitigen und gemeinsamen Erkenntnis der Subjekte" (1995) und T.-W. Kwan in „Kant und die phänomenologische Tradition: Gedanken über die Philosophie der Subjektivität" (2001). In dem Buch *Das Nichten des Nichts. Zur Kernfrage des Denkwegs M. Heideggers* von F. Ch. Peng (2000) wird auch Finks Werk *Zur Ontologischen Frühgeschichte von Raum-Zeit-Bewegung* (1957) behandelt. L.-Sh. Chens Buch *Ich und Welt: Problemorientierte Studien zur Phänomenologischen Bewegung* (1999) und Y. Dings Dissertation *Über die Lebenswelt* (1997) berücksichtigen D. Cairns' *Conversation with Husserl and Fink* (1976).

3. *Als Nietzsche-Forscher.* H. Meng weist in seinem Aufsatz „Über Nietzsches Geschichtsphilosophie" (1998) darauf hin, dass Fink in seinem Nietzsche-Buch (1960) das Problem der Geschichte als Kernfrage des gesamten Denkens von Nietzsche betrachtet, die Ausgang und Ende seiner Philosophie markiere. Mit der Wiederbelebung des Studiums von Nietzsches Philosophie wird wohl auch Finks Nietzsche-Forschung immer mehr Aufmerksamkeit finden.

4. *Als Pädagoge.* Von Finks Schriften zu einer Philosophie der Erziehung hat Sh.-Y. Chien aus Taiwan *Erziehungswissenschaft und Lebenslehre* (1970) ins Chinesische übersetzt und veröffentlicht (1999); davor hatte Chien einen „kulturkritischen Vergleich" zwischen den Bildungstheorien von Fink, Humboldt und Chuang Tzu auf Deutsch vorgelegt (Chien 1982). Chiens Übersetzung ist bisher die einzige chinesischsprachige Ausgabe eines der zahlreichen Werke Finks. Wegen seines Publikationsortes hat dieses Buch bislang keine große Beachtung im Kreis der Pädagogik und Philosophie im Festland-China gefunden. Dennoch kann man sagen, dass Finks pädagogische Gedanken einen wichtigen Ausgangpunkt für die phänomenologisch inspirierte Pädagogik bilden werden.

Heute erregt Fink bei den Gelehrten in China immer mehr Interesse. So wurde bereits beschlossen, seine Arbeit *Studien zur Phänomenlogie (1930-1939)* (1966) ins Chinesische zu übersetzen und zu publizieren. Fink findet im chinesischen Sprachraum bisher jedoch noch nicht in dem Maße Beachtung, wie es diesem für die Entwicklung der Phänomenologie bedeutsamen Philosophen zukommen sollte. Die Fink-Forschung ist in China daher ein noch zu befestigendes Gebiet.

Werke Finks: „Die phänomenologische Philosophie Edmund Husserls in der gegenwärtigen Kritik", in: *Kant-Studien*, Bd. 38, 1-2, 1933, S. 319-383. – *Zur ontologischen Frühgeschichte von Raum-Zeit-Bewegung*, Den Haag 1957. – „Welt und Geschichte", in: *Husserl und das Denken der Neuzeit*, hg. v. H. L. Van Breda u. a., Den Haag 1959. – *Nietzsches Philosophie*, Stuttgart 1960. – *Studien zur Phänomenologie (1930-1939)*, Den Haag 1966. – *Nähe und Distanz*, Freiburg/ München 1976.

Übersetzungen: „Reflexion zu Husserls phänomenologischer Reduktion", übers. v. X.-P. Jin, in: *The phenomenological and philosophical Research in China*, Bd. 2, Shanghai 1998. – „Operative Begriffe in Husserls Phänomenologie", übers. v. W.-H. Huang, in: ebd. – *Erziehungswissenschaft und Lebenslehre* [1970], übers. v. Sche-Yen Chien, Taibei 1999.

Weitere Literatur: Bernet, R. (2004): „Die neue Phänomenologie des Zeitbewusstseins in Husserls Bernauer Manuskripten", übers. von Zh.-X. Sun, in: *The phenomenological and philosophical Research in China*, Bd. 6, Shanghai. – Cai, M.-L. (1990): *Husserl*, Taibei. – Cairns, D. (1976): *Conversation with Husserl and Fink*, Den Haag. – Chen, L.-Sh. (1999): *Ich und Welt: Problemorietierte Studien zur Phänomenologischen Bewegung*, Guangzhou. – Chen, Y. (2002): *Zurück zum wahren Sein – Interpretationen zur Philosophie von Ch.-Sh. Wang*, Shanghai. – Chien, Sch.-Y. (1982): *Das Verhältnis von Mensch und Welt als Grundproblem der Bildungstheorien von Humboldt, Fink und Chuang Tzu – ein kulturkritischer Vergleich*, Frankfurt a. M./ Bern. – Crowell, St. (2003): „Authentic Thinking and Phenomenological Method", in: *Phänomenologie in China*, Shanghai. – de Boer, Th. (1995): *The Development of Husserl's Thought*, übers. v. H. Li, Beijing. – Ding, Y. (1997): *Über die Lebenswelt*, Fudan. – Fang, H.-X. (2003): *Genetik und DeKonstruktion: Über Derridas frühe Kritik an der Phänomenologie*, Nanjing. – Held, K. (2003): *Phänomenologie der Welt*, hg. v. Zh.-X. Sun, übers. v. L.-K. Ni u. a., Beijing. – Huang, W.-H. (1998): *Der transzendentalphänomenologische Idealismus. Eine Aufklärung unter besonderer Berücksichtigung von Edmund Husserls „Cartesianischen Meditationen" und Eugen Finks Umarbeitung*, Frankfurt a. M.; ders. (2001): „Die Idee der Phänomenologie: vom Ort-Denken Heideggers her betrachtet", in: *Journal of National Chengchi University*, Nr. 6. – Husserl, E. (1966): „Vorwort zu Finks ‚Die phänomenologische Philosophie Edmund Husserls in der gegenwärtigen Kritik'", in: Eugen Fink, *Studien zur Phänomenologie 1930-1939*, Den Haag 1966, VIII. – Jin, X.-P. (2004): „Die Entwicklung der Phänomenologischen Bewegung", in: ders.: *Die nebenströmige Philosophie im 19. Jahrhundert in Deutschland – Notizen zur Vorgeschichte der Phänomenologie*, Beijing. – Kwan, T.-W. (2001): „Kant und die phänomenologische Tradition: Gedanken über die Philosophie der Subjektivität", in: *The phenomenological and philosophical Research in China*, Bd. 4, Shanghai. – Lau, K.-Y. (2003): „Foucault and Husserl's

Logical Investigations: the unexpected french connection“, in: *Phänomenologie in China*, Shanghai. – Li, P.-Ch. (1998): *Husserls Biographie*, Shijiazhuang. – Meng, H. (1998): „Über Nietzsches Geschichtsphilosophie“, in: *Geschichtstheoretische Forschungen, Nr. 2* – Ni, L.-K. (1994): *Phänomenologie und die Folgen*, Beijing; ders. (1995): „Phänomenologische Analyse der Intentionalität und die Möglichkeit der Selbst-, gegenseitigen und gemeinsamen Erkenntnis der Subjekte“, in: *The phenomenological and philosophical Research in China*, Bd. 1, Shanghai; ders. (2001): „Einleitung des Herausgebers“, in: *Zu den Sachen selbst! – Ausgewählte klassische Texte der Phänomenologie*, Beijing: Dongfang Verlag; ders. (2004): *Der anfängliche Boden der Phänomenologie – Verständnisse und Gedanken in bezug auf Husserls Logische Untersuchungen*, Canton [8. Kapitel „Urbewusstsein und Unbewusstsein in Husserls Zeitverständnis“ auf dt. in: *Husserl Studies*, 21, 2005]; ders. (2004): „Phänomenologie und Logik“, in: *Philosophie der Gegenwart*, Nr. 4. – Peng, F.-Ch. (2000): *Das Nichten des Nichts. Zur Kernfrage des Denkwegs M. Heideggers*, Shanghai. – Sepp, H. R. (1998): „Sein, Welt und Mensch“, übers. v. X.-P. Jin, in: *The phenomenological and philosophical Research in China*, Bd. 2, Shanghai. – Spiegelberg, H. (1960): *The Phenomenological Movement: A Historical Introduction*, The Hague. – Wang, H. (2004): *Zeitlichkeit: Ich und der Andere – von Husserl, Heidegger zu Levinas*, Nanjing. – Wang, W.-Sh. (1995): *Husserl und Heidegger*, Taibei 1995 (= Dissertation an der Universität Mainz mit dem Titel *Das Sein und das Ur-Ich. Heideggers Position hinsichtlich des Problems des Ur-Ich bei Husserl*). – Xie, J.-S. (2002): *Husserls Biographie*, Wuhan. – Zhang, Z.-Q. (2003): „Die methodologischen Effekte der phänomenologischen Epoché auf dem Gebiet der Ästhetik und Kunst“, in: *Journal of Renmin University of China*, Nr. 4.

4. The trends of research and problems of attention of the chinese philosophic world in recent years

There have always been three kinds of basic forces in the field of philosophical studies: problem trackers with great concentration, vogue openers with dedication and reality connectors with particular emphasis. The Sino-philosophical studies in recent years still basically consist of these three elements: problem trackers are still exploring unswervingly the basic problems of philosophy: existence, truth, mind, consciousness, language, thinking, structure, generation, actuality, mysticism, justice, conscience, freedom and so on and so forth; vogue openers are still unfailingly digging up all sorts of sources of ideas and advocating the ever-changing *Zeitgeist* or time spirit: political philosophy, praxis philosophy, social philosophy, linguistic philosophy, religious thoughts, historical philosophy and so on; likewise, reality connectors are also making use of various means of medium to integrate the spirit of philosophy and the practical needs, whether through traditional or modem ones.

In recent years, however, on the basis of these common elements all along, philosophical studies in the Chinese world have displayed an overall characteristic of a sort of autochthon way of thinking due to a variety of reasons. It may be more appropriate to describe them by the concept of "cultural consciousness" as proposed by Fei Xiaotong in his later years, although this characteristic may not completely cohere with the original meaning as endowed with this concept by Mr. Fei.

The external representation of this characteristic is the establishment of various kinds of *Guoxue* or "national studies", research units and publications, as well as the various forms of *Guoxue re* or "national studies fever", while the internal representation is the reexamination and re-orientation of the academic milieus to Chinese philosophy, thought and culture in their theoretical perspectives.

The external dynamism is actually the result of internal subtle influences, and the internal changes are often deep-layered. For instance, the problem as to whether introducing the Western philosophic 132 Vol.5, No.1, January 2008 categories and systems by Feng Youlan and others to interpret or explain Chinese philosophy is reasonable, it is nevertheless a relatively typical reflection of academic introspection and a trend of cultural consciousness within the academic milieus

However, re-examination and reorientation involve a relatively wide range of issues that pertain to problems-such as how to evaluate classical Chinese philosophy and how to define the modernity of China-, and may also trigger rediscussion and assessment of a series of topics-such as Sino-western cultural relations, the process of progression of Western learning in China since modern times and even the entire world history. Therefore discussion and thinking in this regard are still going on and are far from complete.

This characteristic is specifically embodied in a number of philosophical topics that have been widely discussed in recent years. I would here only like to give four examples, which are more or less correlated with the practice of autochthon reflection of Sino-philosophy or Chinese philosophy and even Chinese culture, as well as the intention to reach the point of self-consciousness.

First of all, there is the issue of justification or legitimacy of modern Sino- or Chinese philosophy, which in recent years has been attracting wide attention; the issue of the cultural autonomy of Chinese systematic learning has also been discussed in a much wider scope. This issue concerns the understanding of philosophy and systematic learning and may finally boil down to such kind of problem: after all, is philosophy a sort of culture or art? Or is it a kind of science or knowledge?

The issue of legitimacy of modern Sino- or Chinese philosophy is raised in the form of a problem, whether or not China has a philosophy. The proponent or the doubter both tacitly approve that basically philosophy is a kind of cultural product. Under this premise, the philosophical spirit, rational concepts and theoretical thinking that originated from Greece are considered characteristics of a certain kind of culture or traits of a certain type of language; they therefore do not possess the universal and permanent effectiveness that is applicable to all cultures, all races and languages. As such, its superficial and transitory strength is regarded as a kind of universal dictate that is implemented through the effective might of science and technology, derivatives of Western philosophy; they will change along with the spirit of age and mainstream discourse.

Another viewpoint is that philosophical thinking is looked upon as a way of thinking that is common or can be common to humankind, an element that exists in universal human nature; it manifests itself through rational self-reflection and efforts of self-demonstration. Understanding, grasping and development of this ability are the responsibility of philosophy. From this perspective, philosophy is not regarded as the cultural heritage invented by the Greeks; rather it is a kind of common spiritual wealth of all humanity. It is therefore nothing special but has simply received respect and been advocated in the first place among the Greeks.

This discussion finally leads to a kind of universal claim in the research circles of Chinese philosophy: rewrite the history of Chinese philosophy. But in any case, we should believe that this kind of rewriting will still be carried on in a kind of dialogue with Western philosophy.

Secondly, similar to the scientific field, the emphasis of the field of philosophical studies on the originality of philosophical thinking reveals a trend of sudden reinforcement; at least the originality issue has been in recent years widely discussed. There is no doubt that presentation of the originality issue results from the loss of the original elements in the field of philosophical studies. One of the facts that has been widely recognized is that, in contemporary Chinese philosophical circles, there has been a lack of traditional types of philosophers like Confucius, Mencius, Laozi and Zhuangzi, or Cheng-Zhu (Cheng Hao/Cheng Yi and Zhu Xi) and Lu-Wang (Lu Jiuyuan and Wang Shouren, also named Wang Yangming). Neither have there emerged modem thinkers like Noam Chomsky, Michel Foucault, Jacques Derrida and Jürgen Habermas and others, who have been widely discussed and studied in the international academic circles.

Hence, the discussion of the problem is, on the one hand, embodied in the way to reach originality; it also, on the other hand, touches upon the cause that generated conditions for a lack of pristine originality. The result of the discussions on these two aspects actually contains antithetic elements: the former unfolds itself, focusing on the methods of originality, thereby presetting the concept that the cause for the lack of originality lies in the immaturity of the methods and consciousness; yet discussion of the latter commits itself to searching for causes coming from other aspects, for instance, insufficient accumulation of the sources of ideas and so on.

Thirdly, the contention, or we may even call it the controversy, concerning the issue of "whether a son can indict his father" *(qin qin hu yin)*, between Socrates and Confucius, that has taken place between Chinese and Western philosophy researchers in recent years, is also related to a great extent with the trend of cultural introspection. In *Euthypros*, Socrates once discussed with Euthypros the problem as to whether the son should indict his father, while in *Lunyu·Zilu* (Zilu of The Analects of Confucius), Confucius once advocated that a "father should conceal (criminal acts or offences) for the son and the son should do the same for the father" *(fu wei* zi *yin,* zi *wei fu yin)*. Both are regarded as cases that represent two kinds of cultural traits or idiosyncrasies, thereby triggering the confirmation and evaluation of the differences or discrepancies between Confucian and Western ethics. Discussion of this issue is not simply an academic argument. As Socrates did not clearly express his stance, it is therefore very hard to regard it as the antithesis of Confucius. The essence of the problem lies in the appraisement of Confucian ethics which constitutes the core of Chinese culture. In fact, whether in the West or in the East, there exists the antithesis between feeling and reason or natural virtue and public virtue. The special emphasis of certain elements in a certain culture reflects the different conclusions obtained through cultural introspection and the different stance embedded therein.

Fourthly, the discussion about idea or thought translation that has in recent years taken place again in the research field of foreign philosophy, especially the translation of the term "Being", embraces the re-thinking of many of the fundamental differences between Chinese and Western cultural traditions and the basic commonalities between cultures. Although several generations of scholars have already dealt with this problem, the recent discussion has in fact gone beyond the layer of language translation and even exceeded the layer of linguistic philosophy. This triggers a string of problems: if there is no such term similar to the Greek verb *einai* (to be, *sein)* in the Chinese language, then is it still possible to understand "ontology" – the backbone of philosophy? If we had never possessed Western language in the first place, then would it still be possible to carryon the genuine Western philosophical form of thinking? Is Western philosophy only a product of a special kind of thinking of a certain type of language? Are researchers and advocators of Western philosophical thinking nesting themselves in Western language centralism?

In so doing, the discussion of a problem that was originally of linguistic philosophy has finally led to the analysis and evaluation of a kind of philosophy of culture, and to the various types of cultural self-reflection and cultural self-orientation.

As a matter of fact, the above description of the final orientation of the fourth point is also applicable to the discussion of the idiosyncrasies of Sino- or Chinese philosophy involved in the first point, the methodological thinking involved in the second point and the discussion of the problem of moral philosophy involved in the third point.

From a general point of view, to a great extent, the trend of cultural consciousness has an internal connection with the strengthening of the national might of China and the improvement of its international status in recent years, and they are almost concomitant. Therefore, to a certain extent, cultural consciousness is the expression of cultural confidence; it has replaced a kind of complex psychology that was relatively ubiquitous in the intelligentsia since modern times. This kind of psychology contains an element of resentment, that is, a kind of mentality mixing conviction and admiration, helplessness and unreconciledness brought about by strength and power when faced with the self-invited democracy and science from the West. The problem of "the way out of Chinese culture"[1] has always been persistent and it has now quietly been transformed in recent years into the problem of "consciousness of Chinese culture".[2]

---

[1] This is the title of a lecture given by Chen Xujing in Sun Yat-Sen University in 1933 (for the content of the lecture, please refer to: Chen Xujing, *The Way out of the Chinese Culture,* Renmin University of China Press, 2004). In this lecture, Chen holds that "those who search for a measure to plan for the future of Chinese culture may approximately be classified into three denominations: (1) those advocating full or blind acceptance of Western culture without any questioning or suspicion; (2) those advocating return to inherent Chinese culture; and (3) those advocating a measure of compromise settlement." (p. 1) Chen Xujing himself belonged to the first denomination.

[2] Fei Xiaotong (1990-2005) has many times, after 1997, discussed his understanding of "cultural consciousness": "cultural consciousness" refers only to those people who live in a certain kind of cultural environment and have "self-knowledge" towards their own culture, understand its history, process of formation, its unique features and trends for development, and there is no connotation of any "cultural regression"; it is neither to "restore the old ways or return to the past" *(fu jiu)*, nor to advocate "wholesale westernization" （全盘西化） or "wholesale otherization" （全盘他化）. Self-knowledge is to obtain the autonomous status that decides to adapt to the new environment and the cul-

It should be said that, although the problem of cultural consciousness is not new, the attitude or frame of mind towards the problem is new nevertheless. In other words, though it is not the first time that the problem has been raised, the psychology and the starting point of the proponents are widely divergent from the past. Similar to the general result of philosophical issues, the answer is often insignificant since the question and the problem themselves have already been given many explanations and clarifications.

(Translated from the Chinese original by James JIN)

---

tural selection of the new times, in order to strengthen the ability of autonomy for cultural transformation. "Self-introspection is in fact an attempt at cultural consciousness". (In the first place, please refer to: Fei Xiaotong, "Introspection, Dialogue, Cultural Consciousness", published in *Peking University Journal* (Philosophy and Social Science Section), 3rd Issue, 1997, p. 22, p. 20.

Literaturverzeichnis

Adorno, Th. W., *Zur Metakritik der Erkenntnistheorie – Studien über Husserl und die phänomenologischen Anatomoien*, Frankfurt a. M. 1990 (suhrkamp taschenbuch wissenschaft 872).

Aristotles, *Philosophische Schriften*, in sechs Bänden, übersetzt von H. Bonitz, E. Rolfes, H. Seidl und H. G. Zekl, Hamburg 1995.

Asaṅga（无著）, *Prakaraṇāryavācā-Śāstra*（《显扬圣教论》）, in: *Chinese Buddhist Electronic Text Association* (CBETA)（《大正新脩大藏經》）, Nr. 1602.

Asemissen, H. U., *Strukturanalytische Probleme der Wahrnehmung in der Phänomenologie Husserls*, Köln 1957.

Berdyayev, N., *The Destiny of Men*, 1931; Chinese version, trans. by Zhang B., Shanghai 2001.

Bergson, H., *Les deux sources de la morale et de la religion*; Chinese version, trans. by Z. Wang, Guiyang 2000

Bernet, R./Kern, I./Marbach, E., *Edmund Husserl. Darstellung seines Denkens*, Hamburg 1989.

Brand, G., *Welt, Ich und Zeit. Nach unveröffentlichten Manuskripten E. Husserls*, Den Haag 1969,

Bloch, M., *Apologie Pour l'Histoire*; English version, trans. by P. Putnam, *The Historian's Craft*, New York 1953.

Brentano, F., *Psychologie vom empirischen Standpunkt*, Hamburg [3]1955

Chander, B. Varma, *Buddhist Phenomenology: A Theravādin Perspective*, Delhi 1993.

Chan W.-Ch., „Das Problem des Ich in Yogacara und in Phänomenologie“（唯识学与现象学中之‘自我问题’）, in: *Zeitschrift Legein*（《鹅湖》）, Nr. 15, Taipei 1995.

Chen, X., *The Way out of the Chinese Culture,* Beijing 2004.

Chen, Y., *Ausgewählte historische Schriften von Chen Yin-Que*（《陈寅恪史学论文选集》）, Shanghai 1992.

Cheung, Ch.-F., *Der anfängliche Boden der Phänomenologie - Heideggers Auseinandersetzung mit der Phänomenologie Husserls in seinen Marburger Vorlesungen*, Frankfurt am Main u.a. 1983.

Cheng Zh., *Study on Faith Structure of the Indian Buddhism: Reflections Based on Phenomenology of Religion*, Master's degree paper in Fu Jen Catholic University, Taipei 2006.

Chinese Buddhist Electronic Text Association (CBETA), Version 2008.

Conze Ed., *Buddhist Thought in India. Three Phases of Buddhist Philosophy*, London 1962.

Chomsky, N., *Syntactic structures*, The Hague 1957.

Collingwood, R. G., *The Idea of History*, London 1961.

Crowell, S. S., *Husserl, Heidegger, and the Space of Meaning – Paths toward Transcendental Phenomenology*, Evanston, Ill., 2001.

Derrida, J., *Edmund Husserl L'origine de la Géométre – Traduction et Introduction*, Paris 1962; Deutsche Übersetzung von R. Hentschel und A. Knop, *Husserls Weg in die Geschichte am Leitfaden der Geometrie*, München 1987; Chinesische Übersetzung von X. Fang, Nanjing 2004;

-----, *De la grammatologie*, Paris 1967; Chinese version, trans. by T. Wang, Shanghai 1999.

-----, *La Voix et le phénomène: Introduction au problème du signe dans la phénoménologie de Husserl*, Paris 1967, deutsche Übersetzung von J. Hörisch, *Die Stimme und das Phänomen*, Frankfurt a.M., 1979.

-----, *L'écriture et la différence*, Paris 1967.

Descartes, R., *Meditationes de prima Philosophia*; Deutsche Überstzung von A. Buchnau, *Meditationen über die Grundlagen der Philosophie mit den sämtlichen Einwänden und Erwiderungen*, Hamburg 1972.

Düsing, K., „Gibt es einen Zirkel des Selbstbewusstseins?", in: *Beiträge zur deutschsprachigen Philosophie*, Bd. 16, Beijing 1997.

Elberfeld R., *Phämenologie der Zeit im Buddhismus. Methoden des interkulturellen Philosophierens*, Stuttgart-Bad Cannstatt 2004.

Fa Fang（法舫）, *Geschichte des Yogācāra-Buddhismus sowie seine Philosophie*（《唯识史观及其哲学》）, Taipei 1993.

Fei, X., "Introspection, Dialogue, Cultural Consciousness", in: *Peking University Journal* (Philosophy and Social Science Section), 3rd Issue, 1997.

Feng, Y., *Geschichte der chinesischen Philosophie in neuerer Fassung*（《中国哲学史新编》）, Beijing 1992.

Fink, E., „Die Spätphilosophie Husserl in der Freiburger Zeit", in: ders., *Nähe und Distanz. Phänomenologische Vorträge und Aufsätze*, Freiburg/ München 1976.

Frank, M., *Selbstbewusstsein und Selbsterkenntnis*, Stuttgart 1991;

-----, „Fragmente einer Geschichte der Selbstbewusstseins-Theorie von Kant bis Sartre", in: ders. (Hrsg.), *Selbstbewusstseinstheorie von Fichte bis Sartre*, Frankfurt a.M. 1991.

Freud, S., *Aus den Anfängen der Psychoanalyse: Briefe an Wilhelm Fliess, Abhandlungen und Notizen aus den Jahren 1887-1902*, London 1950.

Gadamer, H.-G., „Die Wissenschaft von der Lebenswelt", in: ders., *Hegel, Husserl, Heidegger*, Tübingen 1987, S. 147-159.

Guodian Chumu Zhujian（《郭店楚墓竹简》, *The Guodian Chu Slips*）, Beijing 1998.

Hartmann, E. von, *Die Gefühlsmoral,* Hamburg 2006.

-----, *Philosophie des Unbewussten – Speculative Resultate nach inductiv-naturwissenschaftlicher Methode*, Berlin 1869.

Hegel, G. W. F., *Philosophie der Geschichte*, Einleitung, Stuttgart 1961;

-----, *Werke in 20 Bänden*, Frankfurt a. M. 1969-1971.
Heidegger, M., *Sein und Zeit*, Tübingen 1979; English version, trans. by J. Macquarrie & E. Robinson, *Being and Time*, New York 1962;
-----, *Kant und das Problem der Metaphysik*, GA 3, Frankfurt a. M. 1991;
-----, *Prolegomena zur Geschichte des Zeitbegriffs*, GA 20, Frankfurt a. M. 1979;
-----, *Die Grundprobleme der Phänomenologie*, GA 24, Frankfurt a.M. 1975;
-----, *Schelling: Vom Wesen der menschlichen Freiheit*, GA 31, Frankfurt a.M. 1988;
-----, *Zur Bestimmung der Philosophie*, GA 56/57, Frankfurt a.M. 1975
-----, *Ontologie*, GA 63, Frankfurt a.M. 1988,
-----, *Der Begriff der Zeit*, GA 64, Frankfurt a.M. 2004;
-----, *Beiträge zur Philosophie (Vom Ereignis)*, GA 65, Frankfurt a.M. 1989;
-----, *Einführung in die Metaphysik*, Tübingen 1958;
-----, *Unterwegs zur Sprache*, Tübingen 1990;
-----, *Vier Seminare*, Frankfurt a.M. 1977;
-----, *Zur Sache des Denkens*, Tübingen 1988.
Held, K., *Lebendige Gegenwart – Die Frage nach der Seinsweise des transzendentalen Ich bei Edmund Husserl, entwickelt am Leitfaden der Zeitproblematik*, Phaenomenologica 23, Den Haag 1966.
-----, Vortragsmanuskript, "Phänomenologie der 'eigentlichen Zeit' bei Husserl und Heidegger" (Manuskript für den Vortrag am 9. September 2002 im Forschungsinstitut für Phänomenologie an der Zhongshan Universität, mit insgesamt 8 Seiten. Die chinesische Übersetzung von L. Ni, in: *The phenomenological and philosophical Research in China*, Bd. VII: *Phenomenology and Ethos*, Shanghai 2005, S. 1-17;
-----, „Intercultural Understanding and the Role of Europe", in: *The Monist*, Vol. 78, No.1, 1995.
-----, "Phänomenologie der Zeit nach Husserl", in: *Perspektiven der Philosophie*, Bd. 7, 1981, S. 185-221.
-----, „Lebendige Gegenwart", in: Joachim Ritter, Karlfried Gründer und Gottfried Gabriel (Hrsg.), *Historisches Wörterbuch der Philosophie,* Bände 1 bis 13, Basel 1971–2007, Bd. 3, S. 138f.;
-----, „Heimwelt, Fremdwelt, die eine Welt", in: *Phänomenologische Forschungen*, Bd. 24/25, Freiburg/München 1991, S. 308-324..
Hoffmann, G., „Die Zweideutigkeit der Reflexion als Wahrnehmung von Anonymität", in: *Husserl Studies*, Nr. 14, 1997, S. 95-121.
Holenstein, E., *Menschliches Selbstverständnis. Ichbewusstsein – Intersubjektive Verantwortung – Interkulturelle Verständigung,* Frankfurt am Main 1985.
Hui Jiao（慧皎）, *Biographien von großen Mönchen*（《高僧传》）, überarbeitet und dokumentiert von Tang Y., Buch 4, Beijing 1992 (Vgl. CBETA, No. 2059).
Hui Zhuang（慧庄）, „Zur Lehre von Vier-Teilung in Yogacara"（谈唯识学上的四分说）, in: *Beiträge zu Yogacara*（《唯识思想论集》）, Bd. 1, Taipei 1981.
Hume, D., *A Treatise of Human Nature*, Oxford 1983.

Husserl, E., Hua I, *Cartesianische Meditationen und Pariser Vorträge,* edited by S. Strasser, The Hague 1973; English version, trans. by D. Cairns, *Cartesian Meditations*, The Hague 1977; Chinesische Übersetzung von X. Zhang, Beijing 2008;

-----, Hua II, *Die Idee der Phänomenologie.* Fünf Vorlesungen, edited by W. Biemel, The Hague 1973; Chinesische Übersetzung von L. Ni, Beijing 1986, ^{2}2007;

-----, Hua III-1, *Ideen zu einer reinen Phänomenologie und phänomenologischen Philosophie.* Erstes Buch: *Allgemeine Einführung in die reine Phänomenologie*, 1. Halbband: Text der 1.-3. Auflage – Nachdruck, edited by K. Schuhmann, The Hague 1977; English version, trans. by W. R. Boyce Gibson, *Ideas: General Introduction to Pure Phenomenology*, London 1962; Chinesische Übersetzung von Y. Li, Beijing 1997;

-----, Hua IV, *Ideen zur einer reinen Phänomenologie und phänomenologischen Philosophie.* Zweites Buch: Phänomenologische Untersuchungen zur Konstitution, edited by M. Biemel, The Hague 1952;

-----, Hua VI, *Die Krisis der europäischen Wissenschaften und die transzendentale Phänomenologie. Eine Einleitung in die phänomenologische Philosophie*, edited by W. Biemel. The Hague 1976; English version, trans. by D. Carr, *The Crisis of European Sciences and Transcendental Phenomenology*. Evanston 1970; Chinesische Übersetzung von B. Wang, Beijing 2001;

-----, Hua VII, *Erste Philosophie* (1923/24). Erster Teil: *Kritische Ideengeschichte*, edited by R. Boehm Den Haag, 1956;

-----, Hua VIII, *Erste Philosophie* (1923/24). Zweiter Teil: *Theorie der Phänomenologische Reduktion*, edited by R. Boehm, Den Haag 1959;

-----, Hua X, *Zur Phänomenologie des inneren Zeitbewusstseins (1893-1917)*, edited by Rudolf Boehm, The Hague 1969; English version, trans. by J. B. Brough, *On the Phenomenology of the Consciousness of Internal Time (1893-1917)*, Dordrecht/Boston/London 1991; Chinesische Übersetzung von L. Ni, Beijing 2009;

-----, Hua XI, *Analysen zur passiven Synthesis. Aus Vorlesungs- und Forschungsmanuskripten, 1918-1926,* edited by M. Fleischer, The Hague 1966;

-----, Hua XIII, *Zur Phänomenologie der Intersubjektivität.* Texte aus dem Nachlass. Erster Teil. 1905-1920, edited by I. Kern, The Hague 1973;

-----, Hua XIV, *Zur Phänomenologie der Intersubjektivität.* Texte aus dem Nachlass. Zweiter Teil. 1921-28, edited by I. Kern, The Hague 1973;

-----, Hua XV. *Zur Phänomenologie der Intersubjektivität*. Texte aus dem Nachlass. Dritter Teil. 1929-1935, edited by I. Kern, The Hague 1973;

-----, Hua XVI, *Ding und Raum.* Vorlesungen 1907, edited by U. Claesges, The Hague 1973;

-----, Hua XVII, *Formale and transzendentale Logik. Versuch einer Kritik der logischen Vernunft,* edited by P. Janssen, The Hague 1974;

-----, Hua XVIII, *Logische Untersuchungen.* Erster Teil. *Prolegomena zur reinen Logik*. Text der 1. und der 2. Auflage. Halle: 1900, rev. ed. 1913, edited by E. Holenstein, The Hague 1975; English version, trans. by J. N. Findlay, *Logical Investigations*, London 1970; Chinesische Übersetzung von L. Ni, Shanghai 1999, ²2006;

-----, Hua XIX, *Logische Untersuchungen.* Zweiter Teil. *Untersuchungen zur Phänomenologie und Theorie der Erkenntnis*. In zwei Bänden, edited by Ursula Panzer, Halle 1901; rev. ed. 1922, The Hague 1984; English version, trans. by J. N. Findlay, *Logical Investigations*, London 1970; Chinesische Übersetzung von L. Ni, Shanghai 1999, ²2006;

-----, Hua XXIV, *Einleitung in die Logik und Erkenntnistheorie.* Vorlesungen 1906/07, edited by U. Melle. The Hague 1985;

-----, Hua XXV, *Aufsätze und Vorträge.* 1911-1921. Mit ergänzenden Texten, edited by Th. Nenon and H. R. Sepp, The Hague 1986; Chinesische Übersetzung von L. Ni, Beijing 2009;

-----, Hua XXIX, *Die Krisis der europaischen Wissenschaften und die transzendentale Phänomenologie.* Ergänzungsband. Texte aus dem Nachlass 1934-1937, edited by R. N. Smid, Dordrecht u.a. 1993;

-----, Hua XXXIII, *Die ‚Bernauer Manuskripte' über das Zeitbewusstsein* (1917/18), edited by R. Bernet & D. Lohmar, Dordrecht 2001;

-----, Hua Mat. VIII, Späte Texte über Zeitkonstitution (1929-1934). Die C-Manuskripte, edited by D. Lohmar, Dordrecht 2006.

Jin, Xiping, *Studien zum frühen Denken M. Heideggers*（《海德格尔早期思想研究》）, Shanghai 1995.

Julien, F., *The Foundation of Morality*（《道德奠基》）, Beijing 2002.

Kant, I., *Kritik der Reinen Vernunft*, Hamburg 1993;

-----, "Vorlesungen über die Metaphysik" (Pölitz). *Von der Ursache und Wirkung* (Kap. -Nr.: 3698);

-----, *Kant im Kontext II,* Karsten Worm, Infosoftware, Berlin 2003;

-----, *Kants Gesammelte Schriften*, Berlin 1902-23, Bd. VIII;

-----, *Die Metaphysik der Sitten* (zweiter Teil), *Metaphysische Anfangsgründe der Tugendlehre*, Digitale Bibliothek Band 2: Philosophie (vgl. Kant-W Bd. 8);

-----, *Grundlegung zur Metaphysik der Sitten*, Hamburg 1957;

-----, *Prolegomena zu einer jeden künftigen Metaphysik, die als Wissenschaft wird auftreten können*, Hamburg 2001;

-----, *Kritik der praktischen Vernunft*, Hamburg 2003.

Kaplan, R., *The Nothing That Is: A Natural History of Zero*; Chinese version, trans. by Zh. Feng/Y. Hao/J. Ru, Beijing 2005.

Kern, I., *Husserl und Kant – Eine Untersuchung über Husserls Verhältnis zu Kant und zum Kantianismus*, Phaenomenologica 16, Den Haag 1964;

-----, *Idee und Methode der Philosophie. Leitgedanken für eine Theorie der Vernunft*, Berlin 1975;

-----, „Selbstbewusstsein und Ich bei Husserl“, in: *Husserl-Symposion Mainz* 27.6/4.7.1988.

-----, “The Structure of Consciousness according to Xuan Zang,” in: *Journal of the British Society for Phenomenology*, 19, no.3, 1988, pp. 282-295.

-----, “Rethinking Yogacara’s Three Times from the Viewpoint of Phenomenology”, in Ni Liangkang ed., *Review of Phenomenology and Philosophy in China* 1, Shanghai 1995, S. 351-363.

Kitayama, J.（北山淳友）, *Metaphysik des Budhismus. Versuch einer philosophischen Interpretation der Lehre Vasubandhus und seiner Schule*, Stuttgart/Berlin 1934.

Kraft, V., *Der Wiener Kreis. Der Ursprung des Neopositivismus*; Chinese version, trans. by B. Li/W. Chen, Beijing 1999.

Kui Ji（窥基）, *Kommentar zu Demonstration of Consciousness Only*（《成唯识论述记》）, in: *Chinese Buddhist Electronic Text Association* (CBETA), Nr. 1830.

Landgrebe, L., „Das Problem der passiven Synthesis“, in: ders., *Faktizität und Individuation: Studien zu den Grundfragen der Phänomenologie*, Hamburg 1982.

Larrabee M. J., “The One and the Many: Yogacara Buddhism and Husserl”, in *Philosophy East and West*, 1 (1981): 3-14.

Laozi, *Daodejing*（《道德经》, Book of Tao）; English version, trans. by A. Waley, Beijing 1998; Deutsche Übersetzung von E. Schwarz, München 1980.

Laycock St., *Mind as Mirror and the Mirroring of Mind: Buddhist Reflections on Western Phenomenology*, Albany 1994.

Lee, N., *Edmund Husserls Phänomenologie der Instinkte*, Phaenomenologica 128, Dordrecht u.a. 1993.

Lévinas, E., *Die Spur des Anderen. Untersuchungen zur Phänomenologie und Sozialphilosophie*; Deutsche Übersetzung von W. N. Krewani, Freiburg/München 1983.

Liu, K., *Feminine Kultur*（《阴性文化》）, Shanghai 1994.

Lohmar, D., “A History of the ego – The ‚Arch-ego’ in Husserl’s late manuscripts on time and the *Crisis*”, in: *The Phenomenological and Philosophical Research in China*, Vol. 10: *Phenomenology and Political Philosophy*, Shanghai 2008.

-----, “Mirror neurons and the phenomenology of intersubjectivity”, in: *Phenomenology and the Cognitive Sciences*, Vol. 5, No. 1, 2006;

-----, “What does Protention ‘protend’?”, in: *Philosophy Today*; Chinese version, trans. by X. Fang, in: *The Phenomenological and Philosophical Research in China*, Vol. 6: *Phenomenology of Art – Phenomenology of Time-Consciousness*, Shanghai 2004, pp. 138-166.

Lucacs, G., *Die Zerstörung der Vernunft*, Berlin 1954; Chinesische Übersetzung von W. J. u.a., Jinan 1997.

Lu, Ch.,（吕澂）, *Ausgewählte Schriften über den Buddhismus*（《吕澂佛学论著选集》）, in 5 Bde., Jinan 1991.
-----, *Allgemeine Darstellung der Quellen und Strömungen des chinesischen Buddhismus*（《中国佛学源流略讲》）, Beijing 1979.
Lusthaus D., *Buddhist Phenomenology: a Philosophical Investigation of Yogacara Buddhism and the Ch'eng Wei-Shih Lun*, New York 2002.
Marbach, E., *Das Problem des Ich in Husserls Phänomenologie*, Phaenomenologica 59, Den Haag 1974.
Menzi, *Menzi*（《孟子》, Book of Menzi）.
Mensch, J.R., "Husserl' Concept of the Furture"; Chinese version, trans. by L. Ni, in: *The Phenomenological and Philosophical Research in China*, Vol. 6: *Phenomenology of Art – Phenomenology of Time-Consciousness*, Shanghai 2004, pp. 167-190.
Merker, B., *Selbsttäuschung und Selbsterkenntnis. Zu Heideggers Transformation der Phänomenologie Husserls*, Frankfurt a.M. 1988.
Merleau-Ponty, M., *La Structure du Comportement*, Paris 1942; Deutsche Übersetzung von B. Waldenfels, *Die Struktur des Verhaltens*, Berlin 1976;
-----, *Phénoménologie de la Perception*, Paris 1945; Deutsche Übersetzung von R. Boehm, *Phänomenologie der Perzeption*, Berlin 1966;
-----, "La primat de la perception et ses conséquences philosphiques", in: *Bulletin de la Société Francaise de Philosophie*, No. 41, 1947, p. 119-153 ;
-----, *L'Œil et l'esprit*, Paris 1961; German version, trans. by K. Held, Wuppertal, not published.
Montaigne, *The complete essays of Montaigne in three Volumes*; Chinese version, trans. by Pan L. etc. Nanjing 1996.
Mizuno, K.（水野弘元）, *Studien über die buddhistischen Theorien – Ausgewählte Schriften von Kogen Mizuno*, Bd. 2（《佛教教理研究——水野弘元著作选集》(2)》）, Chinesische Übersetzung von H. Shi, Taipei, Dharma Drum Publishing Corp., 2004.
Mu, Z., *19 Lectures on the Chinese Philosophy*（《中国哲学十九讲》）, Taipei 1983;
-----, *Appearance and Thing in Itself*（《现象与物自身》）, Taipei 1996;
-----, *Lecture on Four-Causes*（《四因说讲演录》）, Shanghai 1998;
-----, *Intellectual Intuition and Chinese Philosophy*（《智的直觉与中国哲学》）, Taipei 2000.
Ni, L.（倪梁康）, *Phänomenologie und die Folgen – Husserl und die deutsche Philosophie der Gegenwart*（《现象学及其效应——胡塞尔与当代德国哲学》）, Beijing 1994;
-----, „Die Bewusstseinsanalyse und die Möglichkeit der Selbst-, gegenseitigen und gemeinsamen Erkenntnis der Subjekte", in *Chinese Review of Phenomenology und Philosophy*, Bd. I. *Grundprobleme der Phänomenologie*, Shanghai 1995;

-----, *Seinsglaube in der Phänomenologie E. Husserls*, Phaenomenologica 153, Dordrecht u.a. 1999;
-----, "Gewissen: Zwischen Selbstbewusstsein und Mitbewusstsein – Die inhaltliche Struktur und geschichtliche Entwicklung in der abendländischen Philosphie", in: *China Scholarship*, Beijing 2000, Vol, No.1, pp. 12-37.
-----, *Selbstbewusstsein und Reflexion – Die Grundprobleme der abendländischen Philosophie seit der Neuzeit*（《自识与反思——近现代西方哲学的基本问题》）, Beijing 2002, [2]2006;
-----, "Self-Consciousness (Svasaṁvittibhāga) and Ego-Consciousness (Manas) in Yogacara Buddhism and in Husserl's Phenomenology", in: D. Carr/ Cheung, Ch-F. (EDS), *Space, Time, and Culture*, Dordrecht/Boston/ London 2004, pp. 219-233.
-----, "The outline of the sources of moral consciousness"（道德意识来源论纲）, in: Huang K. (ed.) *Asking the Way*（《问道》）, Fuzhou 2007;
-----, "Considerations on the ethical phenomenology of the heart-minded of shame"（关于羞耻之心的伦理现象学思考）, in: *Journal of Nanjing University*, No. 3, 2007, pp. 113-119;
-----, *The Dimension of Consciousness – Phänomenologische Problemforschungen mit und um Husserl*（《意识的向度——以胡塞尔为轴心的现象学问题研究》）, Beijing 2007;
-----, *Men of Ideas – Reins and Angst*（《理念人——激情与焦虑》）, Beijing 2007;
-----, „Die Grundbedeutung des Svasaṁvittibhāga im Yogācāra-Buddhismus" (唯识学中'自证分'的基本意蕴), in: K. Lau/Ch. Cheung (Hrsg.), Phenomenology and the Human Science N0 3 – Phenomenology and Buddhist Philosophy（《现象学与人文科学(3)——现象学与佛家哲学专辑》）, Taipei 2007, S. 85-110;
-----, "Behind the National Minds and Cultural Differentiae: From the Start Point of Wilhelm von Humboldt", in: *Jiangsu Social Sciences*, Nr. 3, 2007, S. 8-15;
-----, "Pure and Impure Phenomenology", in: *Academic Monthly*, Nr. 1, 2007, S. 35-37.
-----, "Zero and Metaphysics: Thoughts about being and nothingness from mathematics, buddhism, daoism to phenomenology", in: *Frontiers of Philosophy in China*, 2007, Nr. 2/4, pp. 547–556.
-----, „Zum Problem des Fundierungsverhältnisses zwischen objektivierenden und nichtobjektivierenden Bewusstseinsakten – in Betrachtungsweisen des Yogacara-Buddhismus und der Phänomenologie", in: *Philosophische Forschungen*, 2008, Nr. 11, S. 80-87;
-----, "Horizontal-intention: Time, Genesis, History – Their immanent relationship in Husserl", in: D. Lohmar/I, Yamaguchi, *On Time*, in Druck;

-----, “The Basic Aapproach of Earlier Husserlian Analysis of the Consciousness of Internal Time”, in: *Journal of Sun Yat-Sen University/Social Edtion*, 2008, No.1, pp. 102-111;

Niebuhr, R., *Moral Man And Immoral Society: A Study in Ethics and Politics*, New York 1932; Chinese version, trans. by Q. Jiang etc., Guiyang 1998.

Nietzsche, Fr., *Vom Nutzen und Nachteil der Historie für das Leben*, Leipzig 1874.

Nozick R., *Socratic Puzzles*, Harvard 1997; Chinese version, trans. by Guo J. & Cheng Y., Beijing 2006.

Oakeshott, M., *Rationalism in Politics and Other Essays*, Methuen I962.

Ouyan, J.（欧阳竟无）, „Zu Viniscaya in Yogacara“, § 9, in: ders., *Sammelband Ouyan Jing-wu* (Chinesisch: *Ouyan Jing-wu Ji*) Beijing 1995.

Patočka, J., „Der Subjektivismus der Husserlschen und die Möglichkeit einer ‘asubjektiven’ Phänomenologie“, in: *Philosophische Perspektiven* Bd. 2, Frankfurt a.M. 1970; Chinesische Übersetzung von J. Wu, in: L. Ni (Hrsg.), *Zu den Sachen selbst – Klassische Schriften der Phänomenologie*, Beijing 2000, S. 690-709.

Pinker, St., *The Language Instinct — How the mind Creates Language*, New York 1994; Chinese version, trans. by Hong L. Shantou 2004.

Ren, J., *A Study on Laozi*（老子的研究,）, in: *A Collection of Essays on the Philosophy of Laozi*（《老子哲学讨论集》）, Beijing 1959.

Ricoeur, P., *Husserl et le sens de l’histoire*, in: *Revue de Métaphysique et de Morale*, Nr. 54, 1949, pp. 280-316; Deutsche Übersetzung von K. Stichweh, „Husserl und der Sinn der Geschichte“, in: H. Noack (Hrsg.), *Husserl*, Darmstadt 1973, S. 231-281.

Ritter, J./Gründer, K./ Gottfried Gabriel (Hrsg.), *Historisches Wörterbuch der Philosophie*, Bd. 1-13, Basel 1971-2007.

Rorty, R., “Philosophy-envy”, in: *Daedelus*, Fall 2004, Vol. 133, No. 4, pp. 18-24.

Rousseau, J. J., *A discourse on Inequality*; Chinese version, trans. by Li P. Beijing 2007.

-----, *Discours sur l’origine et les fondements de l’inegalite parmi les homes*; Chinese version, trans. by Ch. Li, Beijing 1982

Sakakibara, T., „Das Problem des Ich und der Ursprung der genetischen Phänomenologie bei Husserl“, in: *Husserl Studies* 14: 21–39, 1997.

Sartre, J.-P., *L’Imaginaire. Psychologie phénoménoloque de l’imagination*, Paris 1976; deutsche Übersetzung von H. Schöneberg, *Das Imaginäre. Phänomenologische Psychologie der Einbildungskraft*, Hamburg 1971.

-----, *Conscience de soi et connaissance de soi*, in: *Bulletin de la Société Francaise de philosophie*, XLII, Paris, 1948.

Scheler M., Der *Formalismus in der Ethik und die materiale Wertethik: Neuer Versuch der Grundlegung eines ethischen Personalismus*, Halle a.d.S. 1921; English version, trans. by M. S. Frings and R. L. Funk, *Formalism in Ethics and Non-formal Ethics of Values: A New Attempt toward the Foundation of an*

Ethical Personalism, Evanston 1973; Chinesische Übersetzung von L. Ni, Beijing 2004.
-----, *Vom Umsturz der Werte*, Bern und München 1972;
-----, *Schriften aus dem Nachlaß*, Bd. I, Bern und München 1986;
-----, *Wesen und Formen der Sympathie*, Bern und München 1973;
-----, *Schriften aus dem Nachlaß*, Bd. II, Bern und München 1979.
Schelling, F. W. J., *Ausgewählte Schriften*, in 6 Bänden, Frankfurt a. M. 1985.
Schopenhauer, A., *Die Welt als Wille und Vorstellung*, Stuttgart/Frankfurt a.M. 1987;
-----, *Werke in 10 Bänden*, Zürcher Ausgabe, Zürich 1977.
Schütz, A., *Der sinnhafte Aufbau der sozialen Welt. Eine Einleitung in die verstehende Soziologie*, Frankfurt a.M. 1981.
The Scripture on the Explication of Underlying Meaning（《解深密经》）; English version, trans. by J. Keenan, Berkeley/California 2000.
Seng Rui（僧睿）, „Vorwort zu *Taisho Issaikyo*“（《毘摩罗诘堤经义疏序》）, in: CBETA, No. 2145.
Smith, A. D., *Husserl and the Cartesian Meditations*, London 2003; Chinese version, trans. by Y. Zhao, Guilin 2007.
Smith, A., *The Theory of Moral Sentiments,* Oxford 1759.
Sokolowski, R., *Phenomenology of the Human Person*, New York 2008.
Taguchi, S., *Das Problem des „Ur-Ich“ bei Edmund Husserl: Die Frage nach der selbstverständlichen ‚Nähe' des Selbst*, Phaenomenologica 178, Dordrecht u.a. 2006.
Tai Xu（太虚）, *Zur Lehre von Dharmalaksana-Yogacara*（《法相唯识学》）, Shanghai 1938.
Tang, Y., *Geschichte des Buddhismus in der Zeit der Han- und Wei-Dynastie bis zu den Südlichen und Nördlichen Dynastien*（《魏晋南北朝佛教史》）, Beijing 1983;
-----, „Über Koyi – die früheste Methode zur Verschmelzung des indischen Denkens mit dem chinesischen“ (Erste Veröffentlichung im Jahre 1948 auf englisch), in: ders., *Lehren vom Prinzip, vom Buddismus und vom Geheimnis*（《理学、佛学、玄学》）, Beijing 1991.
Thilly, F., *Introduction to Ethics*, New York 1913; Chinese version, trans. by He Yi, Guilin 2002;
Waldenfels, B., *Das Zwischenreich des Dialogs. Sozialphilosophische Untersuchung in Anschluß an Edmund Husserl*, Phaenomenologica 41, Den Haag 1971.
Wang, H., *Reflections on Kurt Gödel*, Massachusetts Institute of Technology, 1987; Chinese version, trans. by H. Kang, Shanghai 2002.
Wang, J., *The Collected Works of Wang Ji*（《王畿集》）, Nanjing 2007.
Warder, A. K., *Indian Buddhism*, Delhi 1980.
Weimann, Th., "Vorwort zur Neuauflage" von *I. Kants Vorlesungen über Psychologie*, hrsg. von Dr. Carl. De Prel, Pforzheim 1964, S. 7-11.

Welton, D., "Husserl's Genetic Phenomenology of Perception", in: *Research in Phenomenology*, Volume 12, No. 1, 1982, pp. 59-83.

Windelband, W., *Lehrbuch der Geschichte der Philosophie*, Tübingen 1957.

Wittgenstein, L., *Wittgenstein und der Wiener Kreis*, Gespräche, aufgezeichnet von F. Waismann, Frankfurt am Main 1984.

Vasubandhu（世亲）, *Triṃśikā vijñaptikārikā* (《唯识三十论颂》), in: *Chinese Buddhist Electronic Text Association* (CBETA), Nr. 1586.

Vygotsky, L. S., *Thought and Language*; Chinese version, trans. by L. Wei, Hangzhou 1997

Wright, R., *The Moral Animal — Why We Are, the Way We Are*; Chinese version, trans. by Chen, R. and Zeng, F., Shanghai 2002.

Wu, R., *Phenomenology of Consciousness-only*（《唯识现象学》）, in 2 Bänden, Taipei 2002;

-----, *Großes Lexikon für Buddhismus*（《佛学大辞典》）, Beijing 1994.

Xiong, Sh.（熊十力）, *Allgemeine Erläuterungen zu den buddhistischen Begriffen*（《佛教名相通释》）, Beijing 1985.

-----, *Neue Lehre von Nur-Bewusstsein*（《新唯识论》）, Beijing 1985

Xuan Zang（玄奘）, *Demonstration of Consciousness Only*（《成唯识论》）, in: *Chinese Buddhist Electronic Text Association* (CBETA), Nr. 1585 (Zitaten nach der Holzschnitt-Ausgabe von Jinling Scriptural Press): English version, trans. by F. H. Cook, *Three Texts on Consciousness Only*, Berkeley/ California 1999.

Yamaguchi, I., "Die Frage nach dem Paradox der Zeit", in: *Recherches Husserliennes*, vol. 17, 2002, S. 25-49.

Yan, F., „Vorwort für die Übersetzung *Evolution and Ethics* von Th. H. Huxley", in: *Ausgewählte Literatur für den Unterricht in Geschichte der chinesischen Philosophie*（《中国哲学史教学资料》）, Beijing 1982.

Yao, X., "Descartes, Chomsky and Foucault: Random Thoughts on the Grammaire Générale et Raisonnée (1660)", in: A. Arnauld and C. Lancelot eds. *Grammaire Générale et Raisonnée.* Changsha 2001.

Yin Shun（印顺）, *Studien über den Ursprung des Yogācāra-Buddhismus*（《唯识学探源》）, Taipei 1992.

-----, *Einführung in die buddhistischen Dharma*（《佛法概论》）, Shanghai 1998.

Yokuyama, K.,（横田紘一）, *Einleitung zum yogācāra-buddhistischen Denken*（《唯识思想入门》）; Chinesische Übersetzung von Y. Xu, Taipei 2002.

Zahavi, D., *Self-Awareness and Alterity: Phenomenological Investigation*, Evanston, Ill. 1999.

-----, *Subjectivity and Selfhood – Investigating the First-Person Perspective*, Cambridge, MA 2006; Chinese version, trans. by Cai. W., Shanghai 2008.

-----, "Metaphysical Neutrality in Logical Investigations", in: *The Phenomenological and Philosophical Research in China*, Special Issue: *Phenomenology in China: The Centennial of Edmund Husserl's Logical Investigations*, Shanghai 2003, S. 140-164.

Vorträge und Aufsätze des Verfassers in nicht-chinesischen Sprachen

1. *Das Problem des Seinsglaubens in der Phänomenologie E. Husserls – Ein Versuch mit Husserl.* Dissertationsschrift an den Philosophischen Fakultäten der Albert-Ludwigs-Universität zu Freiburg im Breisgau, 1991. – *Seinsglaube in der Phänomenologie Edmund Husserls*, Serie: *Phaenomenologica* Bd. 159, Kluwer Academic Publishers, Dordrecht u.a. 1999, 275 S.
2. „Phänomenologische Forschungen in China“, zuerst veröffentlicht in: *Phänomenologische Forschungen*, 1997, Nr. 2/2, S. 308-312; in diesem Band als 18. Text.
3. „Empfindung und Reflexion in Husserls Bewusstseinsanalyse – Gedanken über verschiedene Arten des ‚immanenten Bewusstseins’ und die Möglichkeit einer Phänomenologie der Immanenz bei Husserl“, Paper to „I. Workshop for phenomenological Philosophy“ at *Center for Theoretical Study at Charles University and the Academy of Sciences of the Czech Republic* in Prag am 16. Mai 1997, stark verändert in diesem Band genommen als 2. Text.
4. „Das Phänomen ‚Koyi’ im interkulturellen Verstehen“, zuerst veröffentlicht in: *Phänomenologische Forschungen*, 1998, Nr. 3/1, S. 85-102, in diesem Band als 17. Text.
5. „Mu Zongsan und die Phänomenologie“ (Japanisch)（“牟宗三と現象學”，石井剛譯，載於：日本：《現代思想》，臨時增刊：《現象學。知と生命》，2001 年，第 12 期）。
6. „Urbewusstsein und Reflexion“, zuerst veröffentlicht in: *Husserl-Studies*, 1998, vol. 15, S. 77-99, in diesem Band 3. Text.
7. „Husserl-Rezeption in China“, veröffentlicht in: H. Hüni/P. Trawny, *Die erscheinende Welt – Festschrift für Klaus Held*, Berlin 2002, pp. 391-400, in diesem Band als 19. Text.
8. “Appräsentation in Husserls Bewusstseinsanalyse – Eine vergleichende Untersuchung zur Wesensstruktur der Dingerfahrung, Selbsterfahrung und Fremderfahrung”, Vortrag am 9. Dezember 2004 an der Universität Freiburg, in diesem Band als 1. Text.
9. „Selbst-Bewusstsein (svasaṁvittibhāga) und Ich-Bewusstsein (Manas) in Yogacara Buddhismus und in Husserls Phänomenologie“, deutscher Vortrag für die „Internationale Konferenz aus Anlaß des einhundertsten Jahrestags der Publikation von Edmund Husserls *Logischen Untersuchungen*, Vom 14. bis 19. November 2000 in Husserls Geburtsstadt Prostejov (Proßnitz) und an der Universität Olmütz, Mähren; zuerst in tschechischer Übersetzung veröffentlicht in: *Fenomenologie v Pohybu*, Olomouc 2003, S. 198-216; dann in englischer Version in: D. Carr/Cheung, Ch-F. (EDS), *Space, Time, and*

Culture, Kluwer Academic Publishers, Dordrecht/Boston/London, 2004, pp. 219-234, in diesem Band als 14. Text.

10. „Urbewusstsein und Unbewusstsein in Husserls Zeitverständnis", Vortrag für "The 1th workshop of Japan Society for Husserlian Studies", March 16.-17, 2002, Hachioji (Tokyo), Japan; zuerst veröffentlicht in deutscher und japanischer Übersetzung in: *Husserl Studies in Japan*, Vol. 1, 2003, S. 236-264, dann in deutscher Version in: *Husserl-Studies*, 2005, vol. 21, S. 17-33, in diesem Band als 4. Text.
11. "The problem of the phenomenology of feeling in E. Husserl and M. Scheler", paper presented to the "International Conference On Phenomenology: Phenomenology and Chinese Culture, and the Centenary of Edmund Husserl's *Logical Investigations*," October 13-16, 2001, Beijing, China; first published in: Lau, Kwok-Ying/Drummond, John J. (Eds.), *Husserl's Logical Investigations in the New Century: Western and Chinese Perspectives*, Series: *Contributions to Phenomenology*, Vol. 55, Springer: New York 2007, pp. 67-82, in diesem Band als 9. Text.
12. "Zero and metaphysic – Thoughts about being and nothing from mathematics, buddhism, daoism to phenomenology", first published in: *Frontiers of Philosophy in China*, 2007, vol. 2, no. 4, pp. 547-556, in diesem Band als 16. Text.
13. "The trends of research and problems of attention of the chinese philosophic world in recent years", first published in English and Chinese in: *Chinese Cross Currents* (Macau), 2008, Nr.1, pp. 133-138, in diesem Band als 21. Text.
14. "Moral instinct and moral judgment", first published in: *Frontiers of Philosophy in China*, 2009, vol. 4, no. 2, pp. 238-250, in diesem Band als 10. Text.
15. „Zwei Wege zum Denken ‚Ich' — Neuer Blick auf drei Texte von Husserl um 1920", Vortrag für "Conference: 'Self, Ego, Person: Commemorating Husserl's 150th anniversary'", October 8-9, 2009, Center for Subjectivity Research, University of Copenhagen, in diesem Band als 6. Text.
16. „Ālaya-Urstiftung und Bewusstsein-Genesis – Wechselseitige Vergleichung und Ergänzung in den Forschungen über die Längsintentionalität in Yogācāra-Buddhismus und Phänomenologie", Vortrag für das Symposiums „Hineinkommen und Hinausgehen des Fremden in der interkulturellen Erfahrung", Januar 23-24, 2010, Research Center for Intercultural Phenomenology at Ritsumeikan University in Kyoto, in diesem Band als 13. Text.

Danksagung

Die Veröffentlichung der vorliegenden Arbeit wird von der Sun Yat-sen Universität in Guangzhou unterstützt. Dafür danke ich meiner Universität ganz herzlich.

Für stilistische Korrekturen der deutschsprachigen Texte in diesem Band habe ich Dr. Cathrin Nielsen (Deutschland) und Prof. Dr. Hans Rainer Sepp (Tschechische Republik) sehr zu danken. Für die jeweiligen englischen Übersetzungen und Korrekturen möchte ich meine herzliche Dankbarkeit ausdrücken bei: Prof. Dr. Deborah Sommer (USA), Ting James (USA), Colin Hahn (USA), Prof. Dr. FANG Xianghong (VR China), WANG Honghe (VR China), CHEN Zhengzhi (VR China), YU Xin (VR China), CHEN Zhiyuan (VR China), JIN James (Macao), FAN Guangxin (Hong Kong). Weiters danke ich meinen Doktoranden CHEN Wie für die Herstellung des Personenregisters.

Nicht zuletzt möchte ich Hans Rainer Sepp besonders danken – nicht nur für seine Unterstützung bei der Veröffentlichung dieses Buches, sondern für all das, womit er mir seit Beginn meines Philosophiestudiums in Freiburg i. Br. geholfen hat.

Personenregister

Orbis Phaenomenologicus
Perspektiven - Quellen - Studien

Herausgegeben von
Kah Kyung Cho (Buffalo), Yoshihiro Nitta (Tokyo) und Hans Rainer Sepp (Prag)

Die Reihe präsentiert Denkansätze und Erträge der Phänomenologie und bestimmt ihre Positionen im Kontext anderer philosophischer Strömungen. Sie diskutiert Aporien des phänomenologischen Denkens und fördert die weiterführende phänomenologische Sachforschung. Die **Perspektiven** widmen sich phänomenologischen Sachthemen, behandeln das Werk wichtiger Autoren und zeichnen ein lebendiges Bild bedeutender Forschungszentren der Phänomenologie. Die **Quellen** versammeln Primärtexte und erschließen dokumentarisches Material zur internationalen Phänomenologischen Bewegung. Die **Studien** legen aktuelle Forschungsergebnisse vor.

Beate Beckmann
Phänomenologie des religiösen Erlebnisses
Studien 1, 332 Seiten. ISBN 3-8260-2504-0

Michael Staudigl
Grenzen der Intentionalität
Studien 4, 207 Seiten. ISBN 3-8260-2590-3

Rolf Kühn / Michael Staudigl (Hrsg.)
Epoché und Reduktion
Perspektiven, Neue Folge 3, 309 Seiten. ISBN 3-8260-2589-X

Cathrin Nielsen
Die entzogene Mitte
Studien 3, 198 Seiten. ISBN 3-8260-2593-8

Beate Beckmann / Hanna-Barbara Gerl-Falkovitz (Hrsg.)
Edith Stein
Perspektiven, Neue Folge 1, 318 Seiten. ISBN 3-8260-2476-1

Guy van Kerckhoven
Mundanisierung und Individuation bei Edmund Husserl und Eugen Fink
Studien 2, 510 Seiten. ISBN 3-8260-2551-2

Takako Shikaya
Logos und Zeit
Studien 6, 154 Seiten. ISBN 3-8260-2661-7

Dean Komel (Hrsg.)
Kunst und Sein

Perspektiven, Neue Folge 4, 250 Seiten. ISBN 3-8260-2852-X
Karl-Heinz Lembeck (Hrsg.)

Studien zur Geschichtenphänomenologie Wilhelm Schapps
Perspektiven, Neue Folge 7, 139 Seiten. ISBN 3-8260-2861-9

Sandra Lehmann
Der Horizont der Freiheit
Studien 9, 114 Seiten. ISBN 3-8260-2961-5

Silvia Stoller / Veronica Vasterling / Linda Fisher (Hrsg.)
Feministische Phänomenologie und Hermeneutik
Perspektiven, Neue Folge 9, 306 Seiten. ISBN 3-8260-3032-X

Rolf Kühn
Innere Gewissheit und lebendiges Selbst
Studien 11, 132 Seiten. ISBN 3-8260-2960-7

Pavel Kouba
Sinn der Endlichkeit
Studien 7, 240 Seiten. ISBN 3-8260-3121-0

Alexandra Pfeiffer
Hedwig Conrad-Martius
Studien 5, 232 Seiten. ISBN 3-8260-2762-0

Dean Komel
Tradition und Vermittlung
Studien 10, 138 Seiten. ISBN 3-8260-2973-9

Madalina Diaconu
Tasten, Riechen, Schmecken
Studien 12, 500 Seiten. ISBN 3-8260-3068-0

Harun Maye / Hans Rainer Sepp (Hrsg.)
Phänomenologie und Gewalt
Perspektiven, Neue Folge 6, 284 Seiten. ISBN 3-8260-2850-3

Javier San Martín (Hrsg.)
Phänomenologie in Spanien
Perspektiven, Neue Folge 10, 340 Seiten. ISBN 3-8260-3132-6

Daniel Tyradellis
Untiefen
Studien 14, 196 Seiten. ISBN 3-8260-3276-4

Anselm Böhmer (Hrsg.)
Eugen Fink
Perspektiven, Neue Folge 12, 356 Seiten. ISBN 3-8260-3216-0

Urbano Ferrer
Welt und Praxis
Studien 13, 196 Seiten. ISBN 3-8260-3131-8

Ludger Hagedorn (Hrsg.)
Jan Patočka – Andere Wege in die Moderne
Quellen. Neue Folge 1,1, 484 Seiten. ISBN 3-8260-2846-5

Julia Jonas / Karl-Heinz Lembeck (Hrsg.)
Mensch – Leben – Technik
Perspektiven, Neue Folge 11, 388 Seiten. ISBN 3-8260-2902-X

Hans Rainer Sepp / Ichiro Yamaguchi (Hrsg.)
Leben als Phänomen
Perspektiven, Neue Folge 13, 332 Seiten. ISBN 3-8260-3213-6

Jaromir Brejdak / Reinhold Esterbauer / Sonja Rinofner-Kreidl / Hans Rainer Sepp (Hrsg.)
Phänomenologie und Systemtheorie
Perspektiven, Neue Folge 8, 172 Seiten. ISBN 3-8260-3143-1

Ludger Hagedorn / Hans Rainer Sepp (Hrsg.)
Andere Wege in die Moderne
Quellen. Neue Folge 1,2, 228 Seiten. ISBN 3-8260-2847-3

Heribert Boeder
Die Installationen der Submoderne
Studien 15, 449 Seiten. ISBN 3-8260-3356-6

Pierfrancesco Stagi
Der faktische Gott
Studien 16, 324 Seiten. ISBN 978-3-8260-3446-6

Giovanni Leghissa / Michael Staudigl (Hrsg.)
Lebenswelt und Politik
Perspektiven 17, 294 Seiten. ISBN 978-3-8260-3586-9

Cathrin Nielsen / Michael Steinmann / Frank Töpfer (Hrsg.)
Das Leib-Seele-Problem und die Phänomenologie
Perspektiven, Neue Folge 15, 332 Seiten. ISBN 978-3-8260-3708-5

Dietrich Gottstein / Hans Rainer Sepp (Hrsg.)
Polis und Kosmos
Perspektiven, Neue Folge 16, 356 Seiten. ISBN 978-3-8260-3498-8

Dimitri Ginev (Hrsg.)
Aspekte der phänomenologischen Theorie der Wissenschaft
Perspektiven, Neue Folge 21, 228 Seiten. ISBN 978-3-8260-3721-4

Anselm Böhmer / Annette Hilt (Hrsg.)
Das Elementale
Perspektiven, Neue Folge 20, 180 Seiten. ISBN 978-3-8260-3631-6

Ludger Hagedorn / Michael Staudigl (Hrsg.)
Über Zivilisation und Differenz
Perspektiven, Neue Folge 18, 312 Seiten. ISBN 978-3-8260-3585-2

Radomír Rozbroj
Gespräch
Studien 20, 320 Seiten. ISBN 978-3-8260-3794-8

Filip Karfík
Unendlichwerden durch die Endlichkeit
Studien 8, 216 Seiten. ISBN 978-3-8260-2866-3

Dimitri Ginev
Transformationen der Hermeneutik
Studien 17, 144 Seiten. ISBN 978-3-8260-3959-1

Mette Lebech
On the Problem of Human Dignity
Studien 18, 336 Seiten. ISBN 978-3-8260-3815-0

Dean Komel
Intermundus
Studien 19, 112 Seiten. ISBN 978-3-8260-4015-3

Edmundo Johnson
Der Weg zum Leib
Studien 21, 208 Seiten. ISBN 978-3-8260-4126-6

Matthias Flatscher / Sophie Loidolt (Hg.)
Das Fremde im Selbst – Das Andere im Selben
Perspektiven, Neue Folge 19, 320 Seiten. ISBN 978-3-8260-4312-3

Pol Vandevelde (Ed.)
Phenomenology and Literature
Perspektiven, Neue Folge 24, 284 Seiten. ISBN 978-3-8260-4284-3

Karel Novotný (Hg.)
Ludwig Landgrebe: Der Begriff des Erlebens
Quellen. Neue Folge 2, 224 Seiten. ISBN 978-3-8260-3890-7

Helga Blaschek-Hahn / Věra Schifferová (Hg.)
Jan Patočka – Klaus Schaller – Dmitrij Tschižewskij. s
Philosophische Korrespondenz 1936-1977
Quellen. Neue Folge 5, 188 Seiten. ISBN 978-3-8260-4317-8

Helga Blaschek-Hahn / Hans Rainer Sepp (Hg.)
Heinrich Rombach. Strukturontologie – Bildphilosophie – Hermetik
Perspektiven, Neue Folge 2, 264 Seiten. ISBN 978-3-8260-4055-9

Hans Rainer Sepp / Armin Wildermuth(Hg.)
Konzepte des Phänomenalen
Perspektiven, Neue Folge 22, 232 Seiten. ISBN 978-3-8260-3900-3

Liangkang Ni
Zur Sache des Bewusstseins
Studien 22, 360 Seiten. ISBN 978-3-8260-4331-4